最新 臨床検査学講座

免疫検査学／輸血・移植検査学
第2版

編集
窪田 哲朗
藤田 清貴
高橋 克典
梶原 道子
細井 英司
国分寺 晃

医歯薬出版株式会社

「最新臨床検査学講座」の刊行にあたって

　1958年に衛生検査技師法が制定され，その教育の場からの強い要望に応えて刊行されたのが「衛生検査技術講座」であります．その後，法改正およびカリキュラム改正などに伴い，「臨床検査講座」(1972)，さらに「新編臨床検査講座」(1987)，「新訂臨床検査講座」(1996)と，その内容とかたちを変えながら改訂・増刷を重ねてまいりました．

　2000年4月より，新しいカリキュラムのもとで，新しい臨床検査技師教育が行われることとなり，その眼目である"大綱化"によって，各学校での弾力的な運用が要求され，またそれが可能となりました．「基礎分野」「専門基礎分野」「専門分野」という教育内容とその目標とするところは，従前とかなり異なったものになりました．そこで弊社では，この機に「臨床検査学講座」を刊行することといたしました．臨床検査技師という医療職の重要性がますます高まるなかで，"技術"の修得とそれを応用する力の醸成，および"学"としての構築を目指して，教育内容に沿ったかたちで有機的な講義が行えるよう留意いたしました．

　その後，ガイドラインが改定されればその内容を取り込みながら版を重ねてまいりましたが，2013年に「国家試験出題基準平成27年版」が発表されたことにあわせて紙面を刷新した「最新臨床検査学講座」を刊行することといたしました．新シリーズ刊行にあたりましては，臨床検査学および臨床検査技師教育に造詣の深い山藤　賢先生，高木　康先生，奈良信雄先生，三村邦裕先生，和田隆志先生を編集顧問に迎え，シリーズ全体の構想と編集方針の策定にご協力いただきました．各巻の編者，執筆者にはこれまでの「臨床検査学講座」の構成・内容を踏襲しつつ，最近の医学医療，臨床検査の進歩を取り入れることをお願いしました．

　本シリーズが国家試験出題の基本図書として，多くの学校で採用されてきました実績に鑑みまして，ガイドライン項目はかならず包含し，国家試験受験の知識を安心して習得できることを企図しました．国家試験に必要な知識は本文に，プラスアルファの内容は側注で紹介しています．また，読者の方々に理解されやすい，より使いやすい，より見やすい教科書となるような紙面構成を目指しました．本「最新臨床検査学講座」により臨床検査技師として習得しておくべき知識を，確実に，効率的に獲得することに寄与できましたら本シリーズの目的が達せられたと考えます．

　各巻テキストにつきまして，多くの方がたからのご意見，ご叱正を賜れば幸甚に存じます．

2015年春

医歯薬出版株式会社

第2版の序

　免疫検査学の赤本が現在のような体裁となったのは2008年6月発行の『臨床検査学講座　免疫検査学』(第1版)からですが，その後，版を重ね，シリーズ全体のアップグレードに伴う書名の変更も経るなかで，絶えず新しい内容を提供するように努めてきました．しかし今回改めて目を通してみると，免疫学，臨床病態，検査法，いずれの部分にも時代遅れになっているところが多数あることがわかり，免疫検査領域の学問と技術の進歩の速さを実感させられました．

　今回の改訂ではまず，2022年度入学生から適用されている新カリキュラムで輸血・移植検査の充実が求められていることを踏まえ，書名を『免疫検査学/輸血・移植検査学』に改題しました．また，編者と執筆者も一部交代し，最近の現場の状況に精通した先生方に入っていただいて，全面的な見直しを行いました．特筆すべき点は以下の通りです．

　第1章の免疫学概説では，近年の樹状細胞に関する知見を踏まえて，樹状細胞の役割をより明確に記載しました．主な抗原提示細胞にはマクロファージ・B細胞・樹状細胞の3つがあると従来記述してきましたが，今回はそれぞれの細胞が抗原提示をすることの意義をしっかり理解してもらい，獲得免疫全体の流れを把握しやすくなるように説明しました．第2章の臨床病態では，免疫検査が用いられている主な疾患について簡潔に説明し，モノクローナル抗体を用いた検査法や治療法，がんの免疫療法であるCAR-T療法など，基礎研究の成果が臨床応用されるようになった例も紹介しました．免疫学的検査法については，第3章で基本原理，第4章で実例と臨床的意義を解説しています．使われなくなった検査法は削除し，新しい検査法に差し替えています．抗核抗体検査の染色パターンについては，従来の分類に代えて，国際的に推奨されている新しい分類に沿って説明しました．第5章の輸血・移植検査に関しては，自動輸血検査装置を用いた検査法の記述を充実させるなど，新しい内容に更新するとともに，より実践的でわかりやすい説明を心掛けました．

　この教科書を使いこなして，感染症・腫瘍・アレルギー・自己免疫・輸血などの基本を習得することは，病理学・病態学などの理解にも役立ちます．また，免疫学的検査法はさまざまな検体検査に応用されています．本書が臨床検査技師を目指す学生の皆さんの発展に大いに寄与することを願う次第です．

2024年1月

編者を代表して　窪田　哲朗

序

　最新臨床検査学講座シリーズに『免疫検査学』が加わりました．前の臨床検査学講座シリーズの第2版を出した2010年から6年経過しました．毎年細かい修正は行なっていたので内容は古くないと思っていたのですが，今回新シリーズ作製のために見直してみると，古い内容，分かりにくい説明などが多々あることに気づきました．そこで，第1章から第3章は藤田先生と私，第4章は細井先生と梶原先生が中心となって大幅に編集し直すことにしました．

　まず第1章の免疫学概論ですが，近年の免疫学の進歩にともなって自然免疫の分子機構や，様々な免疫担当細胞がそれぞれの持ち場に移動してゆく仕組みについての説明を補充するとともに，全体の流れが初学者にもいっそう理解しやすくなるように心がけて書き下ろしました．最初は難しいと感じられても，2度，3度と繰り返し読んでいただけると，個々の知識が結びついて理解が深まり，面白くなってくると思います．

　第2章は実際に免疫検査が使われている疾患や病態の簡単な解説です．新しく保険適用になった自己抗体検査などを追加しました．現場で提出された検体を黙々と処理している間，それがどのような疾患なのかイメージが湧かないようでは面白くないと思います．病態の理解を介して，医師ともディスカッションできる検査技師を目指して欲しいと思います．臨床の現場には，新しい検査法の開発が待たれる病態など，研究テーマもたくさん埋もれています．

　第3章Aでは古い検査法は削除し，新しい方法を加えて，免疫検査法の基本的原理を解説しました．従来，免疫反応の結果が出るまでには時間がかかるのが当たり前でしたが，最近は免疫検査といえども自動化と迅速化が進んでいます．Bでは主な免疫検査の実例について，方法や臨床的意義を図や写真を使って具体的に説明しました．従来の感染症の免疫検査は主として抗体価の測定でしたが，最近はあらかじめ用意した抗体を使って抗原を検出する系が次々と実用化されているので，抗原を検出する検査のセクションを新たに設けました．

　第4章では，輸血実施時に必要な血液型から交差適合試験までの基礎知識や検査法について，可能な限り実際の現場に沿った表現で，手順，手法，結果の解釈，注意事項を分かりやすくまとめることを心がけました．特にABO血液型やRhD血液型などについては，図や表を使って初学者に分かりやすく記述しました．さらに移植に関しても，現場で必要なHLA抗原を初めとした各種抗原や，移植免疫に関する基礎知識と検査法について解説しました．

　編集が終わって改めて全体を眺めてみると，卒前教育用に作製したにも拘わらず多くの情報が満載されていて，卒後にも適宜参照していただける内容となっています．しかし，医療の現場は複雑かつ流動的で時々刻々変化しており，完璧な教科書を完成させることはできません．学生諸君には，まずはこの一冊をしっかり勉強して基礎知識を身につけた上で，専門的なことや新しい情報は自ら検索し，将来，それぞれの領域で大いに活躍していただくことを期待しています．

2017年1月

編者を代表して　窪田　哲朗

● 編集

窪田　哲朗　つくば国際大学教授（医療保健学部臨床検査学科）
　　　　　　東京医科歯科大学名誉教授

藤田　清貴　群馬パース大学教授／学長

高橋　克典　群馬パース大学准教授（医療技術学部検査技術学科）

梶原　道子　東京医科歯科大学講師
　　　　　　東京医科歯科大学病院輸血・細胞治療センター副センター長

細井　英司　徳島大学名誉教授
　　　　　　徳島大学非常勤講師（医学部保健学科）

国分寺　晃　広島国際大学教授（保健医療学部医療技術学科）
　　　　　　広島国際大学大学院教授（医療科学研究科）

● 執筆者（50音順）

大西　宏明　杏林大学教授（医学部臨床検査医学教室）

長田　誠　　国際医療福祉大学教授（保健医療学部医学検査学科）

梶原　道子　（前掲）

川崎　健治　千葉大学医学部附属病院検査部臨床検査技師長

窪田　哲朗　（前掲）

高　陽淑　　日本赤十字社近畿ブロック血液センター検査三課

国分寺　晃　（前掲）

小林　洋紀　日本赤十字社関東甲信越ブロック血液センター検査部

高橋　克典　（前掲）

永井　有理　東京大学医学部附属病院検査部

西尾　久英　神戸大学院教授（総合リハビリテーション学部）

藤田　清貴　（前掲）

藤田　浩　　東京都立墨東病院輸血科部長

藤原　孝記　帝京大学教授（医療技術学部臨床検査学科／医学部附属病院輸血部課長）

坊池　義浩　神戸学院大学准教授（栄養学部）

細井　英司　（前掲）

松井　智浩　日本文理大学教授（保健医療学部保健医療学科）

山﨑　聡子　杏林大学（医学部臨床検査医学教室）

最新臨床検査学講座
免疫検査学／輸血・移植検査学　第2版
CONTENTS

第1章　免疫系の仕組み …………… 1

I　免疫系の構成要素 ………………… 1
1　免疫系の概念 …………………… 1
2　主な免疫担当細胞 ……………… 2
　1）顆粒球（granulocytes）　2
　2）単球（monocytes）・マクロファージ（macrophages）　3
　3）樹状細胞（dendritic cells；DCs）　4
　4）肥満細胞（mast cells）　5
　5）リンパ球（lymphocytes）　5
3　中枢リンパ組織 ………………… 6
　1）骨髄（bone marrow）　7
　2）胸腺（thymus）　7
4　末梢リンパ組織 ………………… 8
　1）リンパ節（lymph nodes）　8
　2）脾臓（spleen）　10
　3）皮膚・粘膜のリンパ組織　10
　4）リンパ球の再循環　12
5　接着分子（adhesion molecule） …… 13
6　サイトカイン（cytokine），ケモカイン（chemokine） ………………… 13

II　自然免疫 …………………………… 14
1　自然免疫における病原体認識の特徴 …… 14
2　自然免疫の構成要素と機能 …… 15
　1）皮膚・粘膜の生体防御機能　15
　2）好中球・マクロファージの活性化と炎症　16
　3）形質細胞様樹状細胞・マクロファージの抗ウイルス作用　17
　4）NK細胞　18
　5）補体系　18
　6）その他の血漿蛋白質　18
　7）自然免疫と獲得免疫の相互作用　19

III　MHC分子による獲得免疫系への抗原提示 ………………………………… 20
1　抗原提示細胞による外来性抗原の取り込み …………………………… 20
2　MHC分子 ……………………… 20
　1）MHCの多型と免疫応答性　20
　2）MHC分子の構造　21
　3）MHC分子の種類と発現細胞　22
　4）MHCハプロタイプ　23
　5）MHC分子の多型性の意義　24
3　抗原蛋白質のプロセシング …… 24
　1）外来性抗原の提示　24
　2）内因性抗原の提示　26

IV　抗体の構造と機能 ……………… 27
1　抗体の基本構造 ………………… 27
　1）抗体の基本的な構造単位　27
　2）抗原と抗体の結合様式　29
　3）抗体の多様性のメカニズム　29
2　各クラスの抗体の特徴 ………… 30
　1）IgG　30
　2）IgA　32
　3）IgM　32
　4）IgD　33
　5）IgE　33
　6）抗体のアイソタイプ・アロタイプ・イディオタイプ　34
3　ポリクローナル抗体とモノクローナル抗体 ………………………… 34
　1）ポリクローナル抗体の作製法　35
　2）モノクローナル抗体の作製法　35

V　獲得免疫 …………………………… 37
1　T細胞の抗原レセプター ……… 38
2　T細胞の活性化に必要な分子群 …… 39
　1）共受容体とTCR複合体　39
　2）共刺激分子　39
　3）接着分子　41

ix

  3 T細胞活性化の生化学的経路…………41
  4 B細胞の抗原レセプターと活性化………42
  5 ヘルパーT細胞のエフェクター機構…44
  6 B細胞の抗体産生におけるヘルパーT細胞の役割 46
   1) 同一の抗原に特異的なT細胞との相互作用 46
   2) 抗体産生細胞への分化とクラススイッチ 47
   3) 抗体の親和性の増加 48
   4) 形質細胞・メモリーB細胞への分化 48
  7 T細胞非依存性抗原……………………49
  8 細胞傷害性T細胞のエフェクター機構…49
  9 免疫反応の抑制・終息…………………50
  10 腫瘍免疫……………………………51
   1) CAR-T療法 51
   2) 免疫チェックポイント阻害薬療法 52
 Ⅵ 補体系の役割………………………………53
  1 各経路の前半部分………………………54
   1) 別経路 54
   2) 古典経路 54
   3) レクチン経路 54
  2 各経路の後半部分………………………55
  3 補体系のその他の機能…………………56
  4 補体系活性化の調節機構………………57
 Ⅶ 能動免疫・受動免疫・免疫の発達と老化……………………………………58
  1 能動免疫…………………………………58
  2 受動免疫…………………………………59
  3 免疫の発達と老化………………………61
   1) 免疫の発達 61
   2) 免疫の老化 61

第2章 免疫学的検査が有用な疾患……63

 Ⅰ 免疫学的検査が有用な感染症…………63
  1 細菌感染症………………………………63
   1) 連鎖球菌感染症 63
   2) インフルエンザ菌感染症 64
   3) レジオネラ感染症 64
   4) 百日咳 64
   5) ブルセラ症 64
   6) ヘリコバクター・ピロリ感染症 65
   7) ライム（Lyme）病 65
   8) 梅毒（syphilis） 66
   9) クラミジア感染症 67
   10) リケッチア感染症 67
   11) マイコプラズマ感染症 68
   12) 結核（tuberculosis） 68
   13) クロストリディオイデス・ディフィシル感染症 68
  2 ウイルス感染症…………………………69
   1) ヘルペスウイルス群感染症 69
   2) アデノウイルス感染症 71
   3) ヒトパルボウイルスB19感染症 71
   4) インフルエンザ 71
   5) パラミクソウイルス感染症 72
   6) 風疹（rubella） 73
   7) 日本脳炎（Japanese encephalitis） 73
   8) コクサッキーウイルス感染症，エコーウイルス感染症 74
   9) ロタウイルス感染症 74
   10) ノロウイルス感染症 74
   11) コロナウイルス感染症 75
   12) レトロウイルス感染症 75
   13) ウイルス性肝炎 76
  3 真菌感染症………………………………80
   1) カンジダ症 80
   2) アスペルギルス症 81
   3) クリプトコックス症 81
  4 寄生虫感染症……………………………81
   1) 赤痢アメーバ症 81
   2) トキソプラズマ症 81
   3) アニサキス症 81
   4) エキノコックス症 82

II アレルギー 83
1 I型アレルギー 83
2 II型アレルギー 84
3 III型アレルギー 85
4 IV型アレルギー 85

III 自己免疫疾患 86
1 組織特異的自己免疫疾患 86
 1) 慢性甲状腺炎（chronic thyroiditis） 86
 2) Basedow（バセドウ）病（Basedow disease, Graves disease） 86
 3) 重症筋無力症（myasthenia gravis） 87
 4) 悪性貧血（pernicious anemia） 88
 5) 自己免疫性溶血性貧血（autoimmune hemolytic anemia；AIHA） 88
 6) 特発性血小板減少性紫斑病（idiopathic thrombocytopenic purpura；ITP） 89
 7) 原発性胆汁性胆管炎（primary biliary cholangitis；PBC） 90
 8) 自己免疫性肝炎（autoimmune hepatitis） 90
 9) Goodpasture（グッドパスチャー）症候群（Goodpasture syndrome） 90
 10) 1型糖尿病（type 1 diabetes mellitus） 90
2 全身性自己免疫疾患（膠原病） 90
 1) 全身性エリテマトーデス（systemic lupus erythematosus；SLE） 90
 2) 全身性強皮症（systemic sclerosis；SSc） 92
 3) 多発性筋炎（polymyositis；PM），皮膚筋炎（dermatomyositis；DM） 92
 4) 混合性結合組織病（mixed connective tissue disease；MCTD） 93
 5) 関節リウマチ（rheumatoid arthritis；RA） 93
 6) 血管炎症候群 94
 7) 抗リン脂質抗体症候群（antiphospholipid syndrome；APS） 96
 8) Sjögren（シェーグレン）症候群（Sjögren syndrome；SS） 97

IV M蛋白血症・原発性免疫不全症 98
1 M蛋白血症 98
 1) 意義不明の単クローン性ガンマグロブリン血症（monoclonal gammopathy of undetermined significance；MGUS） 98
 2) 多発性骨髄腫（multiple myeloma） 98
 3) 原発性マクログロブリン血症 99
 4) H鎖病（heavy chain disease） 99
2 原発性免疫不全症 99
 1) 複合免疫不全症 100
 2) 特徴的な臨床症状を呈する複合免疫不全症 100
 3) 抗体産生不全を主とする疾患 100
 4) 免疫調節異常症 101
 5) 食細胞の数または機能の異常症 102
 6) 自然免疫の異常症 102
 7) 補体系構成要素の欠損症 102

第3章 試験管内抗原抗体反応の基礎 103

I 抗原および抗原抗体反応 103
1 抗原の種類 103
 1) 機能による分類 103
 2) 存在形式による分類 104
2 抗原抗体反応の性質 104
 1) 抗原と抗体の間に働く作用 104
 2) 親和性（affinity） 105
 3) 結合性（avidity） 105
 4) 特異性と交差反応 106
3 抗原抗体反応に影響する因子 106
 1) 抗原と抗体の濃度 106
 2) 塩濃度 107
 3) 水素イオン濃度（pH） 107

4）温度　108
Ⅱ 血清分離，抗体の精製 ……………… 109
　1 血清の分離法 ………………………… 109
　2 血清の保存法 ………………………… 109
　3 抗体の精製法 ………………………… 110
　　1）塩析（salting out）　110
　　2）イオン交換クロマトグラフィ（ion exchange chromatography）　110
　　3）ゲル濾過クロマトグラフィ（gel filtration chromatography）　110
　　4）アフィニティクロマトグラフィ（affinity chromatography）　111
Ⅲ 沈降反応 ……………………………… 113
　1 混合法 ………………………………… 113
　2 ゲル内免疫拡散法 …………………… 114
　　1）二重免疫拡散法（double immunodiffusion）　114
Ⅳ 凝集反応 ……………………………… 116
　1 凝集反応に関与する抗原と抗体 …… 116
　2 凝集反応の機序 ……………………… 116
　3 凝集反応に影響する因子 …………… 117
　4 凝集反応の種類 ……………………… 118
　　1）直接凝集反応（direct agglutination test）　118
　　2）間接（受身）凝集反応［indirect (passive) agglutination test］　119
　　3）間接（受身）凝集抑制反応［indirect (passive) agglutination inhibition test］　122
　5 凝集反応に用いられる担体の異常反応… 122
Ⅴ 溶解反応 ……………………………… 123
　1 溶解反応に関与する抗原と抗体 …… 123
　2 溶解反応の機序 ……………………… 123
　3 溶解反応の種類 ……………………… 123
　　1）溶菌反応（bacteriolysis）　123
　　2）溶血反応（hemolysis）　123
　4 溶解反応の臨床応用 ………………… 124
　　1）血清補体価（CH_{50}）の測定　124
　　2）Ham（ハム）試験　125
　　3）リンパ球細胞傷害試験（lymphocyte cytotoxicity test；LCT）　125
　5 溶血素と補体の相補性 ……………… 125
　6 補体結合反応（complement fixation reaction；CF reaction）（補体結合試験，CF試験） ………………………………… 126
　　1）補体結合反応の機序　126
　　2）補体結合反応にあずかる抗原　127
　　3）補体結合反応にあずかる抗体　127
　　4）補体結合反応に影響を与える要因　127
Ⅵ 中和反応 ……………………………… 128
　1 中和反応に関与する抗体 …………… 128
　2 中和反応の種類 ……………………… 128
　　1）毒素中和反応　128
　　2）ウイルスおよびリケッチア中和反応　129
　3 トキソイド …………………………… 130
Ⅶ 非標識免疫測定法 …………………… 131
　1 免疫比濁法（turbidimetric immunoassay；TIA） ……………………………… 131
　　1）測定原理　131
　　2）特徴　132
　2 免疫比ろう法（nephelometric immunoassay；NIA） ……………………………… 132
　　1）測定原理　132
　　2）特徴　132
　3 ラテックス凝集免疫比濁法（latex turbidimetric immunoassay；LTIA）……… 133
　　1）測定原理　133
　　2）特徴　133
　4 ラテックス凝集免疫比ろう法（latex nephelometric immunoassay；LNIA）…… 134
　　1）測定原理　134
　　2）特徴　134
Ⅷ 標識免疫測定法 ……………………… 135
　1 酵素免疫測定法（enzyme immunoassay；EIA） ……………………………… 135
　　1）不均一測定法（heterogeneous EIA）　135

2) 均一測定法（homogeneous EIA） 136
3) ELISA（enzyme linked immunosorbent assay） 137
2 発光免疫測定法 ………………………… 139
　1) 化学発光免疫測定法（chemiluminescence immunoassay；CLIA） 139
　2) 化学発光酵素免疫測定法（chemiluminescence enzyme immunoassay；CLEIA） 139
　3) 電気化学発光免疫測定法（electrochemiluminescence immunoassay；ECLIA） 141
　4) 生物発光免疫測定法（biochemiluminescence immunoassay；BCLIA） 141
3 蛍光免疫測定法 ………………………… 141
　1) 蛍光偏光免疫測定法（fluorescence polarization immunoassay；FPIA） 141
　2) 蛍光抗体法 142
4 イムノクロマトグラフィ（immunochromatography；IC）……………………… 142
5 インターフェロンγ遊離試験（interferon gamma release assay；IGRA） …… 144
6 フローサイトメトリ（flow cytometry；FCM） ……………………………… 145

IX 電気泳動法 …………………………… 146
1 免疫電気泳動法（immunoelectrophoresis；IEP）……………………………… 146
　1) 原理および特徴 146
　2) 検査の意義 147
　3) 検査のポイント 149
2 免疫固定電気泳動法（immunofixation electrophoresis；IFE） ……………… 151
　1) 原理および特徴 151
　2) 検査の意義 152
　3) 検査のポイント 152

3 ウエスタンブロッティング（western blotting；WB）法 ………………………… 153
　1) 原理および特徴 153
　2) 検査の意義 154
　3) 検査のポイント 155
4 ラインイムノアッセイ（line immunoassay；LIA） ……………………………… 155
　1) 原理および特徴 155
　2) 検査の意義 155

第4章 試験管内抗原抗体反応の応用 … 157

I 感染症の免疫学的検査 ……………… 157
1 化膿レンサ球菌（A群β溶血性連鎖球菌，溶連菌）感染症 …………………… 157
　1) 溶連菌関連検査【抗原検査】 157
　2) 溶連菌関連検査【抗体検査】 158
2 梅毒 …………………………………… 160
　1) 抗カルジオリピン抗体（抗CL抗体）関連検査 161
　2) 抗梅毒トレポネーマ抗体（抗TP抗体）関連検査 162
　3) 臨床的意義 165
3 クラミジア感染症 ……………………… 166
　1) クラミジア関連検査【抗原検査】 166
　2) クラミジア関連検査【抗体検査】 167
　3) 臨床的意義 167
4 リケッチア感染症 ……………………… 167
4-1 日本紅斑熱 …………………………… 167
4-2 ツツガムシ病 ………………………… 167
　1) ツツガムシ関連検査【抗体検査】 168
　2) 臨床的意義 168
5 マイコプラズマ感染症 ………………… 168
　1) マイコプラズマ関連検査【抗原検査】 168

2）マイコプラズマ関連検査【抗体検査】 168
6 ヘルペスウイルス群感染症 ……………169
6-1 単純ヘルペスウイルス感染症 ………170
  1）HSV 関連検査【抗原検査】 170
  2）HSV 関連検査【抗体検査】 171
6-2 水痘・帯状疱疹ウイルス感染症 ……171
6-3 EB ウイルス感染症 …………………171
  1）EBV 関連抗体検出法 171
6-4 サイトメガロウイルス感染症 ………172
  1）CMV 関連検査【抗原検査】 172
  2）CMV 関連検査【抗体検査】 173
7 レトロウイルス感染症 …………………174
7-1 ヒト免疫不全ウイルス感染症 ………175
  1）HIV 関連検査【スクリーニング検査】 174
  2）HIV 関連検査【確認検査】 175
  3）臨床的意義 176
7-2 ヒトT細胞白血病ウイルス1型（HTLV-1）感染症 …………………176
  1）HTLV-1 関連検査【スクリーニング検査】 176
  2）HTLV-1 関連検査【確認検査】 177
8 ウイルス性肝炎 …………………………178
8-1 A 型肝炎 ………………………………179
  1）HAV 関連検査【抗体検査】 179
  2）臨床的意義 179
8-2 B 型肝炎 ………………………………179
  1）HBV 関連検査【抗原検査】 180
  2）HBV 関連検査【抗体検査】 181
  3）臨床的意義 182
8-3 C 型肝炎 ………………………………184
  1）HCV 関連検査【抗原検査】 184
  2）HCV 関連検査【抗体検査】 185
  3）臨床的意義 185
8-4 D 型肝炎 ………………………………186
  1）HDV 関連検査 186
  2）臨床経過 186
8-5 E 型肝炎 ………………………………186
  1）HEV 関連検査 186
  2）臨床経過 187

Ⅱ アレルギー検査 ………………………188
1 総 IgE（非特異的 IgE）の定量 ………188
  1）検査の目的と特徴 188
  2）測定法 188
2 特異的 IgE 抗体の検査 …………………188
  1）検査の目的と特徴 188
  2）測定法 189
3 アレルギー関連物質の検査 ……………190
  1）ヒスタミン遊離試験（histamine release test；HRT） 190
  2）好酸球塩基性蛋白（ECP）測定 191

Ⅲ 自己免疫疾患関連検査 ………………192
1 関節リウマチ関連抗体 …………………192
  1）RF の測定法 193
  2）抗 CCP 抗体の測定法 193
  3）基準範囲 193
  4）検査の注意点 193
  5）RF の臨床的意義 194
  6）抗 CCP 抗体と RA の発症 194
2 抗核抗体関連検査 ………………………194
  1）間接蛍光抗体法による抗核抗体検査 194
  2）特異的抗原を用いた抗核抗体検査 198
3 抗ミトコンドリア抗体（anti-mitochondrial antibodies；AMA） ……………198
  1）AMA の測定法 199
  2）基準範囲 200
  3）検査のポイント 200
  4）AMA の臨床的意義 200
4 甲状腺自己抗体検査 ……………………200
  1）抗サイログロブリン抗体（anti-thyroglobulin antibody） 201
  2）抗マイクロソーム抗体（anti-thyroid microsomal antibody） 201
  3）抗 TSH レセプター抗体（anti-TSH receptor antibody） 201

Ⅳ 免疫不全症関連検査·················202
  1 液性免疫系······························202
  2 細胞性免疫系··························202
    1）リンパ球サブセット解析　202
    2）末梢血単核球の分離　202
    3）マイトジェン刺激（幼若化）試験　202
    4）NK細胞活性（NK cell activity）　203
    5）サイトカイン定量　203
    6）好中球（食細胞）機能検査　203
  3 補体系·····································203
    1）補体価および補体成分蛋白の検査　203
    2）補体制御蛋白の検査　204

Ⅴ 腫瘍マーカー検査······················205
  1 胎児性抗原······························206
    1）CEA　206
    2）AFP　206
  2 糖鎖抗原·································206
    1）Ⅰ型基幹糖鎖　207
    2）Ⅱ型基幹糖鎖　208
    3）コア蛋白　208
  3 蛋白抗原·································208
    1）CYFRA　208
    2）PSA　208
    3）SCC抗原　208
    4）PIVKA-Ⅱ　209
    5）proGRP　209
    6）NSE　209

Ⅵ 血清蛋白異常症関連検査·············210
  1 免疫グロブリン······················210
    1）IgG, IgA, IgMの測定　210
    2）IgDの測定　210
    3）IgEの測定　210
    4）IgGサブクラスの測定　211
    5）免疫グロブリン測定の臨床的意義　212
    6）異常免疫グロブリンの検査　213
  2 温度依存性蛋白······················213
    1）クリオグロブリン（cryoglobulin）　214
    2）パイログロブリン（pyroglobulin）　215
    3）Bence Jones蛋白（Bence Jones protein；BJP）　216
  3 遊離L鎖, κ/λ比·······················218
    1）遊離L鎖, κ/λ比の測定法　218
    2）FLC, κ/λ比の基準範囲　218
    3）FLC, κ/λ比測定の臨床的意義　218
  4 補体·······································219
    1）補体の測定法　219
    2）基準範囲　220
    3）検査のポイント　220
    4）補体測定の臨床的意義　220
  5 CRP··222
    1）CRPの測定法　222
    2）基準範囲　222
    3）検査のポイント　222
    4）CRP測定の臨床的意義　223

第5章 輸血・移植のための検査学···225

Ⅰ 輸血療法とは······························225
  1 輸血の歴史······························225
  2 輸血の目的と特性···················227
  3 輸血の種類······························227
    1）同種血輸血と自己血輸血　227
    2）全血輸血と成分輸血　228
  4 輸血に関する通達・法律（血液法）····228
  5 輸血についてのインフォームドコンセント
   ···229

Ⅱ 輸血用血液製剤の種類と特性········230
  1 血液製剤·································230
  2 供血者（献血者）の基準··········230
  3 全血採血と成分採血···············232
    1）全血採血　232
    2）血小板成分採血　232
    3）血漿成分採血　234
  4 血液製剤の種類と製造方法·····234
  5 血液製剤に対する安全対策·····242
    1）血小板製剤の外観検査　242
    2）血小板製剤のスワーリング　243

3）血液バッグのセグメントチューブ　243
4）供血者検体の保存　244
6 細胞保存液…………………………………244
1）赤血球の保存液　244
2）血小板の保存液　245
3）凍結保護液　245
7 献血者血液の検査…………………………246
1）献血受付時の検査　246
2）全献血者血液について行っている検査（品質部門：検査部門）　246
3）一部の献血者血液への検査（品質部門：検査部門）　247

Ⅲ 輸血の適応と製剤の選択…………………249
1 血液製剤の使用指針………………………249
2 輸血療法の原則……………………………251
3 赤血球液の投与……………………………251
4 血小板濃厚液の投与………………………252
5 新鮮凍結血漿の投与………………………252
6 アルブミン製剤の投与……………………252

Ⅳ 自己血輸血…………………………………253
1 自己血輸血の利点と問題点………………253
1）利点　253
2）問題点　254
2 自己血輸血の種類とそれぞれの特徴…256
1）貯血式自己血輸血　256
2）希釈式自己血輸血　257
3）回収式自己血輸血　258
3 貯血式自己血採血の実際…………………258
1）貯血計画　258
2）採血前診察（問診）　259
3）採血時　259
4 貯血式自己血輸血の保管管理と輸血時の注意点……………………………………260
1）保管管理　260
2）輸血時の注意点　260

Ⅴ 輸血前に必要な検査………………………261
1 検査用検体…………………………………261
1）患者検体（血液）　261
2）検体の外観（溶血・乳び）　261
3）検体の取り扱い　261
4）検体の保管　262
2 ABO/RhD 血液型の目的…………………262
3 不規則抗体スクリーニング・同定検査および交差適合試験の目的…………………262
4 輸血時の輸血検査…………………………263
1）ABO 血液型の検査　264
2）RhD 抗原の検査　264
3）不規則抗体スクリーニング・同定検査　264
4）乳児の検査　264
5）交差適合試験　264
5 タイプアンドスクリーンとコンピュータクロスマッチ………………………………265
1）タイプアンドスクリーン（type and screen）　265
2）コンピュータクロスマッチ　266

Ⅵ 血液型とその検査…………………………268
1 血液型総論…………………………………268
2 ABO 血液型…………………………………268
1）ABO 血液型の歴史と Landsteiner の法則　268
2）ABO 血液型抗原の生合成と構造　270
3）出現頻度　271
4）遺伝形式と ABO 遺伝子　272
5）分泌型と非分泌型　274
6）亜型と変種　275
7）cisAB 型　277
8）キメラ，モザイク　278
9）ABO 血液型の後天性変化　279
10）ABO 血液型の検査方法　279
11）臨床的意義　285
3 Rh 血液型……………………………………285
1）Rh 血液型の歴史　285
2）抗原と抗体　286
3）D 陽性と D 陰性　286
4）各抗原の免疫原性　287
5）出現頻度　287

6) RhD血液型の表現型（表現型と遺伝子型）288
7) 遺伝子と遺伝形式　288
8) 変異型　289
9) RhD血液型の検査方法　291
10) 臨床的意義，輸血上の注意，胎児・新生児溶血性疾患（HDFN）294

4 MNS血液型 ………………………… 295
1) 遺伝子　296
2) 特徴　296
3) 抗体の臨床的意義　296

5 P1PK血液型とGloboside（グロボシド）血液型 ……………………………… 296
1) 特徴　297
2) 抗体の臨床的意義　297

6 Lutheran（ルセラン）血液型 ………… 297
1) 遺伝子　298
2) 特徴　298
3) 抗体の臨床的意義　298

7 Kell（ケル）血液型 ………………… 298
1) 遺伝子　299
2) 特徴　299
3) 抗体の臨床的意義　299

8 Lewis（ルイス）血液型 …………… 299
1) 遺伝子　300
2) 特徴　301
3) 抗体の臨床的意義　301

9 Duffy（ダフィ）血液型 ……………… 301
1) 遺伝子　302
2) 特徴　302
3) 抗体の臨床的意義　302

10 Kidd（キッド）血液型 ……………… 303
1) 遺伝子　303
2) 特徴　303
3) 抗体の臨床的意義　304

11 Diego（ディエゴ）血液型 …………… 304
1) 遺伝子　304
2) 特徴　305
3) 抗体の臨床的意義　305

12 I血液型 ……………………………… 305
1) 遺伝子　305
2) 特徴　305
3) 抗体の臨床的意義　305

13 Xg血液型 …………………………… 306
1) 遺伝子　306
2) 特徴　306
3) 抗体の臨床的意義　306

14 高頻度抗原と低頻度抗原 …………… 307
15 まれな血液型 ………………………… 308

VII 抗赤血球抗体検査 ………………… 309
1 規則抗体と不規則抗体 ……………… 309
2 完全抗体と不完全抗体 ……………… 309
1) 完全抗体（complete antibody）　309
2) 不完全抗体（incomplete antibody）309
3 不規則抗体検査法 …………………… 309
1) 検体　310
2) 不規則抗体スクリーニング赤血球　310
3) 不規則抗体スクリーニングの実際　310
4 不規則抗体検査の特徴，結果の解釈 … 312
1) 生理食塩液法　312
2) 蛋白分解酵素法　312
3) 間接抗グロブリン試験　313
4) アルブミン法　314
5 反応態度による抗体の鑑別 ………… 314
6 凝集反応の見方と分類 ……………… 317
7 不規則抗体スクリーニングの判定法 … 317
8 不規則抗体同定検査 ………………… 317
1) 不規則抗体同定用パネル赤血球　317
2) 検査法　318
3) 不規則抗体同定検査の判定法　318
4) 新生児・乳児の不規則抗体検査　319
9 直接抗グロブリン試験と間接抗グロブリン試験 ………………………………… 321
1) 直接抗グロブリン試験　321
2) 間接抗グロブリン試験　323

VIII 交差適合試験 …………………… 325
1 交差適合試験の目的 ………………… 325

2 交差適合試験に用いる検体……………325
3 輸血用血液の選択………………………326
　1) 基本的な製剤選択　326
　2) 緊急時および大量輸血時の製剤選択　326
　3) 造血幹細胞移植時の製剤選択　327
4 交差適合試験の方法……………………328
　1) 生理食塩液法　330
　2) 酵素法　330
　3) 間接抗グロブリン試験　330
5 結果の解釈………………………………330
　1) 主試験が陽性の場合　331
　2) 副試験が陽性の場合　331
　3) 自己対照が陽性の場合　331
　4) 技術的な誤り　331
6 交差適合試験の省略……………………332
　1) 赤血球製剤（赤血球液）と全血製剤の使用時　332
　2) 血漿製剤（新鮮凍結血漿）と血小板製剤（濃厚血小板）の使用時　332
　3) コンピュータクロスマッチ　332
7 交差適合試験の限界……………………332
　1) 遅発性溶血性輸血反応（DHTR）が生じる可能性がある　332
　2) RhD不適合の検出はできない　333
　3) 血液型抗原による免疫（感作）の防止はできない　333
　4) 非溶血性輸血反応の防止はできない　333
　5) 検査方法による限界　333
　6) 検査ミスの防止はできない　333

IX 自動輸血検査装置を用いた輸血検査…334
1 カラム凝集法……………………………335
　1) カラム凝集法における密度（比重）勾配遠心法の原理　335
2 マイクロプレート法……………………338
　1) 直接凝集法　338
　2) 固相法　338

X 輸血検査における精度管理……………340
1 医療関係者の責務………………………340
2 内部精度管理，外部精度管理…………340

XI 自己免疫性溶血性貧血と自己抗体……342
1 自己抗体の種類と特異性………………342
　1) 温式抗体　343
　2) 冷式抗体　344
2 薬剤性の自己免疫性溶血性貧血………346
　1) 病型　346
　2) 臨床像・検査所見　347
　3) 治療　348
　4) セファロスポリンによる直接抗グロブリン試験の陽性化　348

XII 母児間血液型不適合と胎児・新生児溶血性疾患…349
1 胎児・新生児溶血性疾患とは…………349
2 血液型不適合妊娠による胎児・新生児溶血性疾患のメカニズム…………349
3 原因となる抗赤血球抗体………………350
4 ABO不適合妊娠とRh不適合妊娠の比較…350
5 母体血の間接抗グロブリン試験………351
6 臍帯血・新生児血の直接抗グロブリン試験…351
7 胎児・新生児溶血性疾患の治療と予防…351
　1) 既感作妊婦と胎児の管理　351
　2) 胎児・新生児溶血性疾患の治療　351
　3) 未感作妊婦の管理　352

XIII 輸血副反応……………………………353
1 輸血副反応の種類と分類………………353
2 溶血性輸血反応…………………………353
　1) 免疫学的溶血と非免疫学的溶血　353
　2) 血管内溶血と血管外溶血　354
　3) 即時型溶血と遅発型溶血　354
3 血管内溶血………………………………354
　1) 主な症状　355
　2) 主な検査所見　355
　3) 血管内溶血の病態生理　355

4）血管内溶血への対処法　356
　　5）ABO 不適合輸血の発生原因　356
　　6）ABO 不適合輸血事故の防止対策　357
　4 血管外溶血·····································357
　　1）主な症状　357
　　2）防止対策　357
　5 非溶血性輸血反応·····························358
　　1）輸血後 GVHD（PT-GVHD）　358
　　2）アレルギー性輸血反応　359
　　3）非溶血性発熱性輸血反応（febrile non-hemolytic reaction；FNHR）　359
　　4）輸血関連急性肺障害（transfusion-related acute lung injury；TRALI）　360
　　5）輸血関連循環過負荷（transfusion associated circulatory overload；TACO）　362
　　6）輸血後感染症　362
　　7）その他の病態　364
　　8）非溶血性輸血反応防止・減少のための方法　365
　6 輸血副反応・感染症の報告体制·········365

XIV HLA 検査·······································367
　1 HLA 検査の種類と応用分野···············367
　　1）HLA 抗原型検査　367
　　2）抗 HLA 抗体検査　375
　　3）HLA 検査の応用分野　377
　2 HLA と疾患感受性···························378
　3 血小板輸血不応と HLA 適合血小板···380
　　1）血小板輸血不応の機序　380
　　2）HLA 適合血小板にかかる検査と供給システム　380
　　3）輸血後の評価　383

XV 血小板抗原·····································384
　1 血小板抗原系···································384
　2 血小板上の抗原と検出される抗体······384
　　1）ヒト血小板抗原（HPA）　384
　　2）HLA 抗原（クラス I）　385

　　3）ABO 血液型抗原　385
　　4）血小板膜糖蛋白（GP）の欠損で産生される抗体（イソ抗体）　387
　3 HPA の臨床的意義···························387
　　1）新生児血小板減少症（NAIT）　387
　　2）血小板輸血不応（PTR）　388
　　3）輸血関連急性肺障害（TRALI）　388
　　4）輸血後紫斑病（post-transfusion purpura；PTP）　389
　4 抗血小板抗体検査法··························389
　　1）混合受身凝集（mixed passive hemagglutination；MPHA）法　389
　　2）MAIPA（monoclonal antibody-specific immobilization of platelet antigen）法　389
　　3）蛍光ビーズ法（Luminex 法）　390
　　4）その他の血小板抗体検査方法　390

XVI 顆粒球抗原···································391
　1 顆粒球抗原系···································391
　　1）HNA-1 抗原系　391
　　2）HNA-2 抗原系　392
　　3）その他の抗原系　394
　2 顆粒球抗原・抗体検査·······················395
　　1）血清学的検査　395
　　2）DNA タイピング法　398
　3 HNA の臨床的意義··························399

XVII 成分採血····································400
　1 成分採血の種類と原理······················400
　2 使用器具···400
　3 手技と注意点···································401
　　1）事前準備　401
　　2）患者/ドナーへの説明　402
　　3）穿刺部位の決定　402
　　4）消毒　402
　　5）穿刺とルートの接続　402
　　6）固定　402
　　7）アフェレーシス　402
　　8）終了後の抜針　403
　4 抗凝固剤···403

5 末梢血幹細胞採取……………………403
　　1）採取前の末梢血中 CD34 陽性細胞数
　　　測定　403
　　2）採取産物中の CD34 陽性細胞数測定
　　　403
　　3）末梢血幹細胞の処理と保存　404
　6 血漿採取……………………………404
　7 血小板採取…………………………404
　8 リンパ球採取………………………405

XVIII 移植……………………………………406
　1 移植の種類…………………………406
　2 拒絶反応……………………………406
　3 移植が行われる臓器・組織・細胞……407
　　1）腎臓移植　407
　　2）心臓移植　407
　　3）肝臓移植　407
　　4）組織の移植　407
　4 臓器移植に際して必要な検査…………407
　　1）HLA　407
　　2）血液型　407
　5 免疫抑制薬…………………………408

　6 造血幹細胞移植……………………408
　　1）造血幹細胞とは　408
　　2）造血幹細胞・造血前駆細胞の同定法
　　　408
　　3）造血幹細胞移植とはどのような治療
　　　法か　409
　　4）造血幹細胞移植の目的，対象となる
　　　疾患　410
　　5）造血幹細胞移植の種類　410
　　6）同種移植の場合のドナーの選択　413
　　7）同種造血幹細胞移植と免疫反応　414
　　8）同種移植と自家移植の比較　415
　　9）造血幹細胞移植の合併症　415
　　10）造血幹細胞移植の治療成績　416

付表 A　免疫検査学関連の主な CD 抗原……417
付表 B　主なサイトカイン………………418
付表 C　主な接着分子……………………419
参考文献／URL……………………………420
索引…………………………………………422

側注マークの見方　国家試験に必要な知識は本文に，プラスアルファの内容は側注で紹介しています．

用語解説　関連事項　トピックス

● **執筆分担**

第1章	窪田哲朗
第2章	窪田哲朗
第3章	
Ⅰ，Ⅱ，Ⅲ，Ⅳ，Ⅸ	藤田清貴
Ⅴ，Ⅵ，Ⅷ（4〜6）	高橋克典
Ⅶ，Ⅷ（1）	川崎健治
Ⅷ（2〜3）	永井有理
第4章	
Ⅰ，Ⅲ（4），Ⅳ，Ⅵ（4）	高橋克典
Ⅱ	長田　誠
Ⅲ（1, 3），Ⅵ（1〜3, 5）	藤田清貴
Ⅲ（2）	窪田哲朗
Ⅴ	川崎健治

第5章	
Ⅰ，Ⅲ，ⅩⅠ，ⅩⅡ，ⅩⅢ，ⅩⅧ	梶原道子
Ⅱ	坊池義浩，西尾久英
Ⅳ	藤田　浩
Ⅴ，Ⅵ，Ⅶ（5, 9）	細井英司
Ⅵ（凝集反応の見方と分類），Ⅶ（1〜4, 6〜8）	松井智浩
Ⅷ，Ⅸ，Ⅹ	国分寺　晃
ⅩⅣ	高　陽淑
ⅩⅤ	小林洋紀
ⅩⅥ	藤原孝記
ⅩⅦ	大西宏明，山﨑聡子

第1章 免疫系の仕組み

I 免疫系の構成要素

〈到達目標〉
(1) 主な免疫担当細胞を列挙し，それぞれの役割について説明できる．
(2) 中枢リンパ組織の機能について説明できる．
(3) 末梢リンパ組織の機能について説明できる．

　免疫とは文字通り「疫を免れる」，すなわち感染症などから身を守るための仕組みのことである．外から入り込んでくる細菌，ウイルス，真菌など，さまざまな異物の侵入を防ぐために，私たちの体はまず健康な皮膚や粘膜で覆われていることが大事である．しかし，病原体がそのバリアを突破して侵入してきたときには，皮膚や粘膜の監視役である樹状細胞，マクロファージ，肥満細胞などが，自然免疫とよばれる働きで初期対応をしてくれる．あるいは血液の中に入り込んできた場合には好中球などの細胞が対応する．さらに，これらの自然免疫の反応のみでは取り除くことができない病原体に対しては，T細胞やB細胞といったリンパ球を中心とする，より強力な獲得免疫の反応が起動する．第1章では，このような免疫系の一連の流れを勉強して，私たちの体に備わっている生体防御の仕組みの概略を理解していただきたい．

1　免疫系の概念

　細菌，ウイルス，真菌などの微生物によってもたらされる感染症に対して免疫系が働くことを**免疫応答**（immune response），免疫応答を引き起こす原因物質を**抗原**（antigen）あるいは**免疫原**（immunogen）とよぶ．病原体以外にも，たとえば投与された薬剤や，移植された臓器など，人為的に体内に入れられた物質も異物とみなされて免疫応答が起こることがある．また，悪性腫瘍など自分の体内に発生した抗原（腫瘍免疫）や，時には全く正常な細胞や組織の構成要素に対して免疫応答が働くこともある（自己免疫）．

　免疫系は大きく**自然免疫**（innate immunityまたはnatural immunity）と**獲得免疫**（acquired immunityまたはadaptive immunity）に分けられる．詳細はあとに学ぶが，自然免疫は特異性は低いが早期（時間の単位）に働く免疫

> **自己（self）と非自己（non-self）**
> 免疫系は通常は自分の体の正常な構成成分に対しては反応せず，それ以外の異物を排除するために作用する．そのために，免疫系には自己と非自己を識別するさまざまな仕組みが備わっている．

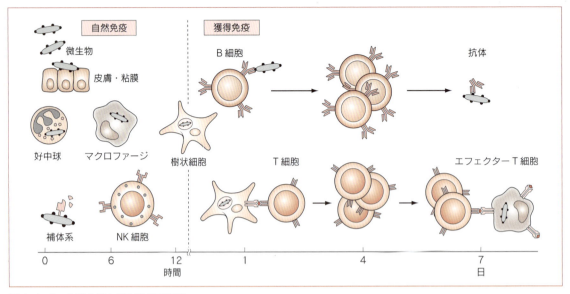

図1-I-1　自然免疫と獲得免疫の概略
微生物が皮膚・粘膜のバリアを突破して体内に侵入すると，まず自然免疫が働く．リンパ球（T細胞やB細胞）による特異性の高い獲得免疫が機能するには数日かかる．

系であり，マクロファージ，好中球，樹状細胞，NK細胞などが主役となって抗原を排除する仕組みである．一方，獲得免疫は，特異性は高いが細胞増殖を必要とするために時間がかかり（日の単位），T細胞やB細胞が主役となって抗原を排除する（図1-I-1）．

また，免疫応答の結果で生じる血漿や粘液の中の免疫関連蛋白である抗体，補体，サイトカインなどの働きを**液性免疫**（humoral immunity），好中球やマクロファージが貪食した細菌を殺菌したり，NK細胞や細胞傷害性T細胞がウイルス感染細胞や腫瘍細胞を殺したりする働きを**細胞性免疫**（cellular immunity）とよぶこともある．しかし，詳しくはあとで学ぶように，両者は相互に関連し合っていて切り離すことはできない．

2　主な免疫担当細胞

1）顆粒球（granulocytes）

顆粒球には，**好中球**（neutrophils），**好酸球**（eosinophils），**好塩基球**（basophils）があり（図1-I-2），いずれも骨髄の**造血幹細胞**（hematopoietic stem cells）から派生している．好中球と好酸球は貪食能をもっているが，好酸球の貪食能は好中球に比べてかなり弱い．

好中球は末梢血白血球のなかでは最も数が多く，成熟したものでは核が3～5つにくびれた形をしているため，**多形核白血球**（polymorphonuclear leukocytes）ともよばれる．細胞質に，リゾチーム（lysozyme）などの酵素が入っていてヘマトキシリンでもエオジンでも強く染まらない特異顆粒や，デフェン

特異性（specificity）
鍵と鍵穴の関係のように，ある抗原を認識するが他の抗原は認識しない状態を「特異性が高い」，あるいは「特異的」という．多数の抗原に反応する場合には「特異性が低い」という．

エンドサイトーシス（endocytosis）
細胞の表面で細胞膜が陥入して，小胞を形成して細胞内に微粒子などが取り込まれる過程をいう．光学顕微鏡でも観察できる0.5～5μm程度の比較的大きい粒子が取り込まれる場合を**貪食**（phagocytosis），より小さい物質が取り込まれる場合を**貪飲**（pinocytosis）とよぶことがある．貪食は単球，マクロファージ，好中球，好酸球，樹状細胞などの細胞にみられる．貪飲は，ほとんどの有核細胞が行っている．

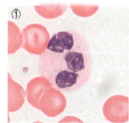 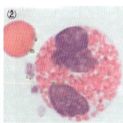 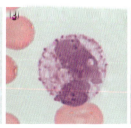 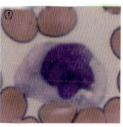

図1-I-2　末梢血中の顆粒球と単球
①好中球，②好酸球，③好塩基球，④単球
(①〜③：『最新臨床検査学講座/血液検査学　第2版』, p.30, 42, 医歯薬出版, 2021.)

シン（defensin）などの抗菌ペプチドやミエロペルオキシダーゼ（myeloperoxidase）などの酵素を含みアズールAで染色されるアズール顆粒を有している．これらは一種のリソソームであり，貪食された細菌を含むファゴソームと融合して強力な殺菌作用を発揮する．

　また，好中球は強い刺激を受けて活性化すると凝集したクロマチンの構造が緩んで核膜が消失し，DNAが細胞質に広がり，さらにはヒストン，好中球エラスターゼ，ミエロペルオキシダーゼ，その他の抗菌蛋白などを付着したNETs（neutrophil extracellular traps）とよばれる構造物を細胞外に放出して細菌や真菌をとらえようとする．近年，NETsの放出は感染症のみならず，血栓症や自己免疫疾患など，さまざまな病態の形成にかかわっていることが判明し，さかんに研究が進められている．

　好酸球は細胞質に，エオジンなどの酸性色素で赤く染まる塩基性の蛋白質を含んだ顆粒を多数有しており，アレルギーや寄生虫感染症の病態にかかわっている．

　好塩基球はヘマトキシリンなどの塩基性色素で青く染まる顆粒を含んでおり，アナフィラキシーショックなどの病態にかかわっている．

2）単球（monocytes）・マクロファージ（macrophages）

　血液中の**単球**も骨髄の造血幹細胞に由来する細胞で，核はくびれのある不整形をしており（図1-I-2），炎症に伴って血管外に遊走すると**マクロファージ**に分化して，細菌などを貪食し，炎症性サイトカイン（→p.13）を産生したり，遊走してきたエフェクターヘルパーT細胞に抗原を提示して相互作用する．また，壊死組織などの異物を処理して，血管新生や線維化を促進することで，組織の修復にも活躍する（図1-I-3）．

　マクロファージには卵黄嚢または胎児肝臓由来の前駆細胞が組織に定着して維持されている組織マクロファージもある．それらは脾臓やリンパ節などの末梢リンパ組織および皮膚，消化管粘膜に多数存在するほか，肺胞マクロファージ，腹腔マクロファージ，肝臓のクッパー細胞（Kupffer cells），脳のミクログリア（microglial cells），破骨細胞（osteoclasts）など，それぞれの組織で

> **マクロファージの活性化**
> 細菌やTh1細胞が産生するサイトカインIFN-γなどの刺激によって活性化し，活性酸素，一酸化窒素，リソソームの酵素などによる強力な殺菌能を発揮したり，炎症性サイトカインを産生するようになったマクロファージをM1マクロファージとよぶ．一方，Th2細胞が産生するサイトカインIL-4やIL-13によって，炎症を終息させ，組織の修復，線維化をもたらす方向に活性化したマクロファージはM2マクロファージとよばれる．

I　免疫系の構成要素　**3**

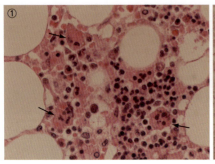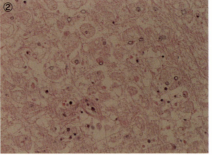

図1-I-3 マクロファージ
①血球貪食症候群の骨髄中で赤血球や白血球を貪食しているマクロファージ（矢印）．②脳梗塞の病巣に集積して壊死組織を除去しているマクロファージ．
（東京医科歯科大学・北川昌伸博士提供）

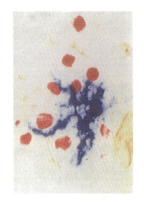

図1-I-4 樹状細胞
ラットのリンパ節の免疫染色．樹状細胞（青）がT細胞（赤）と接触している．
(Saiki T. et al.: *J Leukoc Biol*, 69：705, 2001)

固有の名称を得て特有の機能を担っているものもある．

3）樹状細胞（dendritic cells；DCs）

　樹状細胞は多数の長い突起をもつ表面積の大きい細胞で，皮膚，粘膜，リンパ組織，臓器の間質などに分布している．多くは骨髄の造血幹細胞から分化し，血流を介して各臓器に移動するが，表皮に存在するランゲルハンス細胞（Langerhans cells）は，組織マクロファージと同様に卵黄嚢または胎児肝臓由来の前駆細胞によって維持されている．

　ランゲルハンス細胞や真皮の樹状細胞は，皮膚から侵入した抗原を貪食し，処理しながら近くのリンパ節に移動して提示し，ナイーブヘルパーT細胞を活性化させる（**図1-I-4**）．一方，ウイルス感染細胞や腫瘍細胞，あるいはそれらの残骸などを取り込んで処理し，それらの抗原を提示してナイーブ細胞傷害性T細胞を活性化する樹状細胞もある．また，形質細胞様樹状細胞（plasmacytoid dendritic cells）は末梢血（単核球の約0.2％）やリンパ組織に存在し，ウイルスを感知すると，抗ウイルス性のサイトカイン，インターフェロン（IFN）-αを産生する．

樹状細胞（DCs）のサブセット

T細胞，B細胞，マクロファージなど，樹状細胞などの免疫系を構成するさまざまな細胞集団も，研究が進むにつれて機能的に異なるいくつかの小集団から構成されていることが明らかになり，それぞれの小集団をサブセットとよぶ．樹状細胞のサブセットには，最も多く存在し，ヘルパーT細胞に抗原提示するconventional DC2 (cDC2)，クロスプレゼンテーション（→p.40）して細胞傷害性T細胞に抗原提示する働きが強いcDC1，形質細胞様樹状細胞，炎症時に単球から分化する樹状細胞，ランゲルハンス細胞（マクロファージの一種とする分類もある）などがある．

ナイーブ（naive）細胞・エフェクター（effector）細胞

成熟して抗原レセプターを発現しているが，まだ特異的に結合する抗原と出会って活性化したことのないリンパ球を，ナイーブT細胞，ナイーブB細胞などとよぶ．抗原と結合して活性化し，抗原を排除するためのさまざまな機能を発揮できる状態になった細胞を，エフェクターT細胞，エフェクターB細胞などとよぶ．

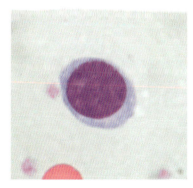

図1-I-5 末梢血中のリンパ球
この写真のみではB細胞かT細胞かはわからない.(『最新臨床検査学講座/血液検査学 第2版』, p.45, 医歯薬出版, 2021.)

4) 肥満細胞 (mast cells)

肥満細胞は好塩基球に似て，細胞質に塩基性の色素に染まる顆粒を多数有している．骨髄の造血幹細胞由来であるが好塩基球とは別系統の細胞で，血液中にはほとんど認められず，皮膚や粘膜の小血管や神経に接して存在する．顆粒には炎症を起こしたり抗菌作用を発揮する成分が含まれており，細胞が微生物の刺激で活性化するとそれらが細胞外に放出されて自然免疫の役割を果たす．また，IgEという種類の抗体を介して刺激を受けると，アレルギーの病態にもかかわる（➡ p.83）.

5) リンパ球 (lymphocytes)

リンパ球は獲得免疫に中心的な役割を果たす．1つの細胞が分裂・増殖してできる，同一の遺伝子をもった細胞の集団を**クローン**とよぶが，1つのクローンのリンパ球はすべて同一の抗原レセプター（抗原受容体：特定の抗原と結合する蛋白）を表出している．私たちの体には何百万種類ものリンパ球のクローンが存在しているといわれ，侵入してくるさまざまな抗原に対応できるようになっている．

リンパ球には**T細胞**，**B細胞**，**NK細胞**などがあり（図1-I-5），その数は成人では$5×10^{11}$個に及び，約2％が血液中，4％が皮膚，10％が骨髄，15％が粘膜組織，65％がリンパ節や脾臓などのリンパ組織に存在する．

(1) T細胞 (T cells)

T細胞は骨髄の**造血幹細胞**から派生するが，前駆細胞の段階で血流を介して胸腺に入り，ここで成熟する．T細胞は抗原レセプターとして**T細胞レセプター**（T cell receptor）を発現している．働きの異なるいくつかの種類に分けられるが，主なものはCD4分子を発現している**ヘルパーT細胞**（helper T cells；Th）と，CD8分子を発現している**細胞傷害性T細胞**（cytotoxic T cells；Tc）である．また，CD4陽性T細胞のなかには**制御性T細胞**（regulatory T cells；Treg）もあり，過剰な免疫応答や自己免疫反応を抑制する働きを担っている．

細胞のクローン
1個の細胞が分裂した子孫からなる，同一の遺伝子をもった細胞集団．体内にはあらかじめ特異性の異なる多数の種類のB細胞やT細胞のクローンが存在している．獲得免疫においては，侵入してきた抗原と反応できるクローンが活性化し，細胞分裂を繰り返して一時的に細胞数が増加し，抗体産生細胞に分化して抗体を分泌する．下図にはB細胞を示したが，T細胞クローンについても同様で，抗原刺激を受けて特異的なヘルパーT細胞や細胞傷害性T細胞のクローンの拡大が起こる．

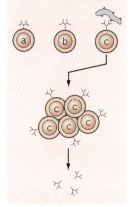

リンパ球の組成
健常成人の末梢血リンパ球数は1,000～4,000/μL程度で，そのおよその内訳は，Th細胞40～50％，Tc細胞20～30％，NK細胞10～20％，Treg細胞1～2％である．

T細胞，B細胞の語源
T細胞は胸腺（thymus）で成熟し，B細胞は鳥類のファブリキウス嚢（bursa of Fabricius）で成熟することが，それぞれの名前の由来となっている．その後，ヒトではファブリキウス嚢相当器官がみつからず，B細胞が骨髄で成熟することが明らかにされたが，都合のよいことに骨髄（bone marrow）の頭文字もBである．

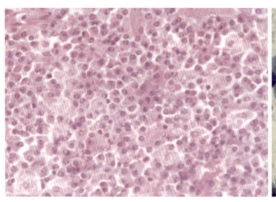
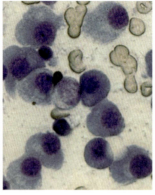

図1-I-6 形質細胞
核が偏在し，ゴルジ装置が発達して核周明庭（やや明るくみえる部分）を形成し，大量の抗体を産生，分泌している．多発性骨髄腫の骨髄．左：H-E染色，右：Giemsa染色．
（東京医科歯科大学・北川昌伸博士提供）

(2) B細胞（B cells）

B細胞は骨髄で，造血幹細胞からプロB細胞（pro-B cells），プレB細胞（pre-B cells）などの段階を経て，抗原レセプターとして**膜型IgM**を表出したナイーブB細胞となる．その後，骨髄を離れて脾臓に移行し，膜型IgMと膜型IgDを表出した成熟ナイーブB細胞となって，血液中や全身の末梢リンパ組織を循環する．抗原レセプターに特異的な抗原が結合すると，同じ抗原に特異的なT細胞とB細胞が相互に刺激しあって活性化し，B細胞は抗体産生細胞へと分化し，増殖する．抗体産生細胞は，さらに大量の抗体を産生する**形質細胞**（plasma cells）（図1-I-6）に分化して，**液性免疫**に重要な役割を果たす．

(3) NK細胞〔natural killer（NK）cells〕

NK細胞は，顆粒をもった大型のリンパ球で，自然免疫に重要な役割を果たしている．抗原認識には，B細胞やT細胞とは異なるレセプターを使用している．

> **CD分類**
> 細胞表面に発現しているさまざまな分子を，モノクローナル抗体を反応させて検出し，整理したもの．適宜，巻末の**付表A**を参照されたい．

3 中枢リンパ組織

免疫機能の中心的な役割を果たしている組織をリンパ組織とよぶが，免疫担当細胞が分化・成熟する場である**中枢リンパ組織**（primary lymphoid organs，一次リンパ組織）と，実際に免疫応答が開始される場である**末梢リンパ組織**（peripheral lymphoid organs，二次リンパ組織）に分けられる．中枢リンパ組織には**骨髄**と**胸腺**がある．

免疫系は病原体や異物，腫瘍など，異常な抗原を排除しようとして働くものであって，自分自身の正常な細胞の抗原に対しては攻撃しない，すなわち寛容でなくてはならない．このような仕組みを免疫系の自己寛容（tolerance，トレランス）とよぶ．中枢リンパ組織は，リンパ球が成熟する過程におけるトレランスの確立にも重要な場所となっている．

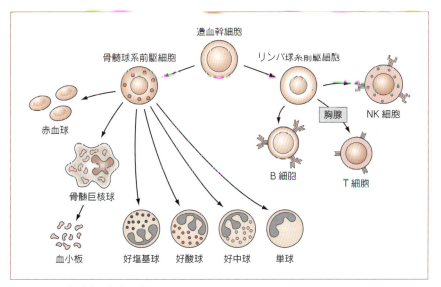

図 1-I-7 血液中の細胞の分化
骨髄中の造血幹細胞は、骨髄球系の前駆細胞とリンパ球系の前駆細胞に分化する. 骨髄球系前駆細胞はさらに、赤血球、血小板、好塩基球、好酸球、好中球、単球に分化する. リンパ球系前駆細胞は、B細胞、T細胞、NK細胞に分化する.

1) 骨髄 (bone marrow)

骨髄には**造血幹細胞**が存在して、自己複製する一方で骨髄の間質細胞からの刺激や種々のサイトカインの刺激によって、赤血球、血小板、顆粒球、単球、リンパ球などの血液細胞や樹状細胞に分化する（図 1-I-7）。造血は、出生時には全身の骨で行われているが、思春期までには主に胸骨、椎骨、腸骨に限定されてくる.

リンパ球のうち、T細胞は非常に初期の段階で血流に入り、胸腺に移って成熟する. 一方、B細胞は成熟の大部分を骨髄で成し遂げ、最終段階を脾臓で終える. その過程で抗原レセプターはさまざまなものがランダムにつくられるので、自己抗原と強く結合するレセプターを表出した未熟B細胞も生じうる. そのような未熟B細胞が骨髄内で自己抗原に遭遇すると、抗原レセプターから入る強い刺激のためにアポトーシスを起こして死滅してしまう. あるいは、再び新たな抗原レセプターを作製して表出する「レセプター編集」という現象もみられる. このようにして最終的に自己反応性B細胞の大半のものは除かれ、それ以外の細胞が骨髄を出てゆく.

2) 胸腺 (thymus)

胸腺は前縦隔に位置する組織で、10歳前後で最大の大きさ（約40g）となるが、その後は徐々に退縮し、成人では多くの部分が脂肪と線維組織になってしまう. 左右2葉からなり、各葉は線維状の隔壁で多数の小葉に分けられている. 小葉は外層の皮質と内層の髄質からなる（図 1-I-8）. 胸腺に存在する

> **骨髄の間質細胞（ストローマ細胞）**
> 細胞の発生・分化に必要な微小環境を構築している細胞群.

> **アポトーシス[またはアポプトーシス (apoptosis)]**
> 細胞死の1つの形式. 細胞は萎縮し、核は凝縮して断片化し、細胞膜に包まれて細胞表面に移動し、近隣のマクロファージに貪食される. 細胞内物質が周辺に散らばらないので、炎症を引き起こさない. 複数のカスパーゼ (caspase) がかかわる反応系が活性化されて生じる.

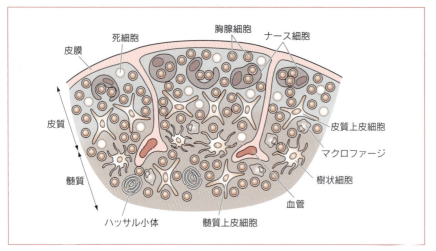

図 1-I-8 胸腺の小葉
胸腺内の多数の小葉では，未熟な T 細胞（胸腺細胞）が皮質から髄質に向かって移動しながら，分化・成熟していく．この過程で，自己の MHC 分子を認識することができ，かつ，その上に提示されている自己抗原と強くは反応しないような細胞のみが選ばれ，他の細胞はアポトーシスを起こして死滅してしまう．

リンパ球を胸腺細胞（thymocytes）とよぶこともあるが，ほとんどが T 細胞である．

骨髄を出た T 細胞の前駆細胞は皮質に流入し，胸腺皮質上皮細胞，ナース細胞などの影響を受けて分化・成熟しながら髄質に向かって移動する．この過程で，自己の MHC 分子（→ p.20）を認識できる細胞が選ばれ（positive selection，正の選択），認識できない細胞はアポトーシスを起こして死滅してしまう．髄質では，胸腺髄質上皮細胞やマクロファージ，樹状細胞などと接触する過程で，自己抗原と強く反応する自己反応性 T 細胞もアポトーシスで除かれてしまう（negative selection，負の選択）．このように，胸腺は免疫系の自己と非自己の識別に重要な働きをしている．

4 末梢リンパ組織

1）リンパ節（lymph nodes）

リンパ節は数 mm から 1 cm 程度の大きさの豆形の組織で，全身に張り巡らされているリンパ管で結ばれている．全身に 500 個ほど存在し，特に気道周囲や消化管周囲に多い．全身の組織にある毛細リンパ管は組織液を集めて合流し，多くの弁をもつリンパ管となって，右上半身のものは右リンパ本管を経て右鎖骨下静脈に，他からのものは胸管とよばれるリンパ本管を経て左鎖骨下静脈に注いでいる（図 1-I-9）．1 日に 2 L ほどのリンパ液が血流に注がれているといわれる．毛細リンパ管中のリンパ液にはほとんど細胞が含まれないが，リンパ節を経るに従って多くのリンパ球が含まれるようになる．

リンパ節は皮膜で被われていて，中は皮質と髄質からなり，多数のリンパ球

ナース細胞
胸腺皮質でリンパ球を包み込む大型の細胞．詳細な性格は不明．

胸腺髄質上皮細胞
AIRE（autoimmune regulator）とよばれる特殊な転写因子様核蛋白質の作用により，体内のさまざまな組織に発現する蛋白質の遺伝子を発現させることができる（たとえば膵臓のインスリンなど）．そのため，成熟途中の T 細胞は，胸腺内にありながら，体内の多数の自己抗原と出会う機会が与えられている．

リンパ管造影
足背の皮下に造影剤を注入すると，時間とともにリンパ管を上行して，リンパ管やリンパ節の状態を撮影することができる．悪性リンパ腫の診断に際して行われる．

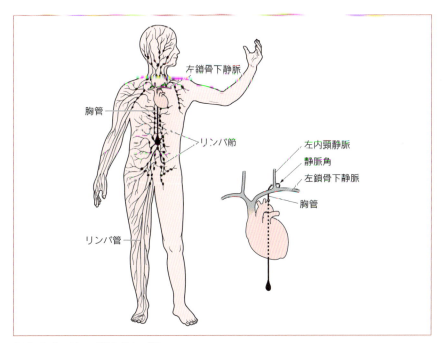

図 1-I-9　リンパ節とリンパ管
抗原の侵入しやすい気道や消化管の周囲，頸部，腋窩，鼠径部などにはリンパ節が多数存在している．それらは周囲の組織に張り巡らされたリンパ管で結ばれている．最も太いリンパ管の本管は胸管で，横隔膜の高さの膨大部から始まり，大動脈の後ろを上行して，静脈角（左内頸静脈と左鎖骨下静脈が合流する角）で血流に注いでいる．

のほか，樹状細胞，マクロファージなどが存在する．B細胞は皮質に多く，**濾胞**を形成している．抗原刺激を受けて活性化したB細胞は活発に分裂，増殖して，胚中心（germinal center）を伴う二次濾胞を形成する．T細胞はそのやや髄質寄りの傍皮質に多い．リンパ節にはリンパ管と血管の2種類の流入経路がある（**図 1-I-10**）．輸入リンパ管からは，周囲の組織からの抗原，抗原を取り込んだ樹状細胞，リンパ球などが入ってくる．また，血液はリンパ節門の動脈から入り，皮質で毛細血管となったあと，静脈から流出する．この間，傍皮質の接着分子を発現した丈の高い内皮細胞が並んでいる**高内皮細静脈**（high endothelial venule）とよばれる部分で，リンパ球が内皮細胞の間を抜けてリンパ節内に入ってくる．

　細胞の分布には，ケモカイン（→ p.13）が重要な役割を果たしている．輸入リンパ管や高内皮細静脈から入ったナイーブB細胞はケモカインレセプターCXCR5を発現しているため，リンパ濾胞に存在する濾胞樹状細胞（follicular dendritic cells）が産生するケモカインCXCL13を感知して，濾胞に集まる．一方，リンパ節に入ったナイーブT細胞はCCR7を発現しており，傍皮質の間質細胞が産生するCCL19やCCL21を感知して，傍皮質に移動する．このように，B細胞とT細胞は分かれて存在しているが，抗原が入ってきて免疫応答が起こる際には互いに近づいて相互作用する（→ p.10）．

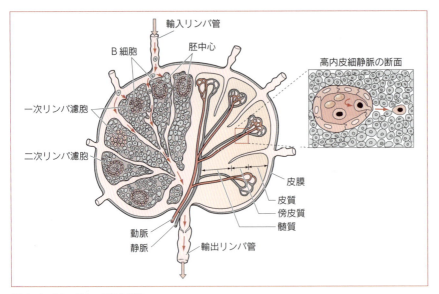

図 1-Ⅰ-10　リンパ節の構造
リンパ球，抗原，抗原を捕捉した樹状細胞などを含むリンパ液は，周囲の組織から輸入リンパ管を経てリンパ節に流入し，皮質，髄質を経て，輸出リンパ管から出ていく．皮質には濾胞を形成したB細胞が豊富に存在し，周囲にはマクロファージや樹状細胞も多数存在している．濾胞のうち，免疫応答が起こってB細胞が活発に増殖している胚中心を伴うものを二次濾胞，伴わないものを一次濾胞とよぶ．その深部の傍皮質にはT細胞が豊富に存在している．傍皮質の高内皮細静脈からは，血液中のリンパ球がリンパ節内に入ってくる．活性化してエフェクター細胞となったT細胞や，B細胞から分化した形質細胞は髄質に移動し，やがて輸出リンパ管から外に出る．

2）脾臓（spleen）

　脾臓は左上腹部に位置する長径 10～12 cm，重さ 120～130 g 程の血流の豊富な臓器で，肉眼的には血液が充満して赤味が濃くみえる赤脾髄と，その中に斑点状に存在するリンパ球が豊富な白脾髄からなっている．

　血液は脾動脈から入って枝分かれした脾柱動脈，中心動脈を通り，さらに細い血管を経て脾洞に注ぐ（図 1-Ⅰ-11）．脾洞の血液は細い静脈を通って，脾柱静脈，脾静脈を経て門脈へと向かう．脾洞には赤血球が充満し，その内皮細胞の外側の基底膜には窓が空いていて細胞が通り抜けることができ，その外側には多数の**マクロファージ**が存在して，古くなった赤血球，**オプソニン**が結合した細菌，**免疫複合体**，その他の血流によって運ばれてくる異物を取り込んでいる．

　中心動脈の周囲はT細胞が豊富で，さらにその周辺にはB細胞が集まって一次濾胞や二次濾胞を形成しており，このリンパ球が豊富な部分が白脾髄に相当する．リンパ節の場合と同様に，T細胞とB細胞は相互に作用しながら，またマクロファージなどの抗原提示細胞からの刺激も受けて活性化する．

3）皮膚・粘膜のリンパ組織

　外界に面する皮膚と粘膜は，微生物などの異物が侵入する門戸であり，生体

> **オプソニン（opsonin）**
> IgG，C3b，C4b，CRPなど，細菌の表面に結合し，貪食細胞が表出しているレセプターとも結合して貪食を促進する蛋白質．

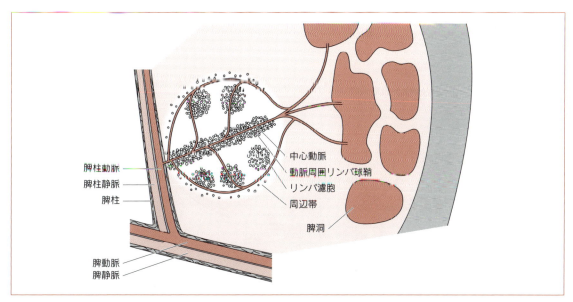

図 1-Ⅰ-11　脾臓の白脾髄・赤脾髄
白脾髄では中心動脈の周囲をT細胞が囲んで動脈周囲リンパ球鞘（periarterial lymphatic sheath）を形成，この周囲にはB細胞が一次濾胞または二次濾胞を形成している．これ以外の場所は赤血球が豊富で赤脾髄とよばれる．脾洞や濾胞の周囲の周辺帯（marginal zone）にはマクロファージが豊富で，血液中から流入する抗原を捕捉する役割を担っている．

防御機構の働く最前線といえる．

　皮膚は，主に上皮細胞によって形成される上皮と，薄い基底膜を挟んでその下の結合組織，毛根，汗腺などを含む真皮によって構成されていて，成人では1.6 m² ほどの面積がある．皮膚の**樹状細胞**は，皮内に入ってきた抗原を捕捉して活性化すると，組織に留まるための接着分子の発現が低下するとともにケモカインレセプターを発現して，ケモカインの濃度勾配に従ってリンパ管を通って近傍のリンパ節に入り，**抗原提示細胞**として働く（図1-Ⅰ-12）．また，上皮には上皮間T細胞，真皮にはリンパ球，マクロファージ，肥満細胞なども存在している．皮膚のリンパ球をすべて集めると，血液中のリンパ球の2倍ほどになるといわれている．

　一方，気道，消化管，泌尿生殖器の表面は粘膜上皮，基底膜，粘膜固有層からなる粘膜に被われている．粘膜固有層にはリンパ球，マクロファージ，樹状細胞，肥満細胞などが散在するほか，皮膚で被われていない**粘膜付属リンパ組織**（mucosa-associated lymphoid tissue；MALT）とよばれる組織が存在している．MALTは，T細胞，B細胞，形質細胞などが集簇した組織で，咽頭部の扁桃，小腸のパイエル板（Peyer patches），虫垂など，固有の名称をもつものもある．小腸のパイエル板では，M細胞とよばれる特殊な細胞が管腔側の異物を取り込んで，粘膜下側の樹状細胞，マクロファージ，リンパ球に提供している（図1-Ⅰ-13）．

> **上皮間T細胞**
> 皮膚や粘膜に存在するγδ型T細胞（→ p.38）で，他の組織で多数を占めるαβ型T細胞に比べると多様性が乏しく，細菌の非ペプチド抗原などに反応する．

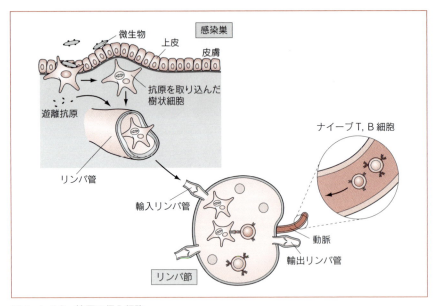

図 1-I-12 抗原の侵入経路
多くの外来抗原は皮膚の上皮細胞のバリアを破って体内に侵入してくる．上皮のランゲルハンス細胞や真皮の樹状細胞は抗原を捕捉すると，接着分子の発現が低下して移動しやすくなり，リンパ液の流れに従って近傍のリンパ節に入り，活性化して MHC 分子やケモカインレセプターの発現を増強し，ケモカインの濃度勾配に導かれて T 細胞の多い傍皮質に向かう．この間に抗原を処理して MHC 分子とともに提示する．

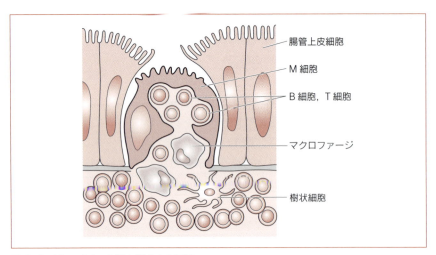

図 1-I-13 パイエル板を構成する細胞
小腸のパイエル板の表面には，M 細胞とよばれるヒダが多い特殊な上皮細胞が散在しており，抗原を取り込んで細胞質内を通過させ（トランスサイトーシス），その下に存在するリンパ球やマクロファージ，樹状細胞に引き渡す．

4）リンパ球の再循環

　骨髄，脾臓，胸腺で成熟したナイーブリンパ球は，末梢リンパ組織を循環し，リンパ管から血液循環に入る．血液中からリンパ節の高内皮細静脈などを通って再びリンパ組織に入る．リンパ組織で樹状細胞が提示している特異抗原

と遭遇した場合には活性化し，エフェクター細胞に分化して，増殖する．増殖したエフェクター細胞は末梢リンパ組織を出て血流に入り，防御機能を発揮するために炎症部位で血管外の組織に遊走する．このような細胞の移動が効果的に行われるためには，接着分子，サイトカイン，ケモカインなどの働きが重要である．

5 接着分子（adhesion molecule）

接着分子は，細胞膜に発現して，細胞間あるいは細胞と細胞外基質との接着にかかわる分子群の総称で，それぞれの結合する相手方の分子を**リガント**（ligand）とよぶ．細胞の活性化，遊走，組織の形態形成などに重要な働きをしている．構造に基づき，免疫グロブリンスーパーファミリー，インテグリンファミリー，セレクチンファミリーなどに分類されている（➡巻末の**付表 C**）．

免疫グロブリンスーパーファミリーは，細胞外に免疫グロブリン（抗体）と相同性のあるドメインをもつ分子群で，多くはリンパ球や血管内皮細胞に発現する．インテグリンファミリーの分子群は，α鎖とβ鎖の2量体を形成しており，細胞外基質との結合にかかわるものが多い．セレクチンファミリーの分子群は，糖鎖を認識するドメインを最外側に有し，白血球が血管内皮細胞上をローリングする際などに必要である（➡ p.17）．

> **免疫グロブリンスーパーファミリー**
> 免疫グロブリン（抗体）のドメインと相同性のあるドメインをもつ一群の蛋白質で，T細胞レセプター，MHC分子，CD4，CD8，ICAM，VCAMなどの接着分子も含まれる．進化の過程で共通の遺伝子から派生してできたものと考えられている．

6 サイトカイン（cytokine），ケモカイン（chemokine）

サイトカインは，多くは分子量1万〜3万程度の糖蛋白質であり，特異的なレセプターを表出している細胞に作用する（➡巻末の**付表 B**）．1つのサイトカインが多様な機能をもち，他のサイトカインの機能と重複することも多い．複数のサイトカインが働いた場合には，互いの機能が相加的な場合も拮抗的な場合もあって，実際の生体内では多数のサイトカインによるネットワーク全体のバランスで効果が決まってくる．白血球間の相互作用に働くという意味のinterleukinという呼称を表すILを冠して命名されたものが多いが，赤芽球の分化にかかわるエリスロポエチン（erythropoietin）のように，機能に基づいて命名されたものもある．IL-1β，IL-6，TNF-α（tumor necrosis factor）など，炎症反応の要となるサイトカインを**炎症性サイトカイン**とよぶこともある．

ケモカインは白血球の**遊走**（chemotaxis）をもたらすサイトカインの総称で，類似の構造をもつ50種類ほどの分子が知られている．N末端に連続する2つのシステインが存在するCCケモカイン，2つのシステインの間に他のアミノ酸が1つ挟まっているCXCケモカイン，他のアミノ酸が3つ挟まっているCX$_3$Cケモカインなどに分類される．このような構造上の特徴と，リガンド（ligand）を意味するLをつけて，CCL1，CCL2，CXCL1などと命名されている．一方，ケモカインと結合するレセプター（receptor）は，Rをつけて，CCR1，CCR2，CXCR1などと命名されているが，それぞれのケモカインが同じ符号のレセプターと結合するわけではない．

> **ドメイン（domain）**
> 分子量の大きい蛋白質では，構造上の単位（領域）がいくつか連なって1つの分子を構成している場合があり，一つ一つの単位をドメインという．各ドメインのアミノ酸配列には，ある程度の相同性がある．

I　免疫系の構成要素

II 自然免疫

〈到達目標〉
(1) 自然免疫の構成要素と機能を説明できる.
(2) 自然免疫が病原体を認識する仕組みを説明できる.
(3) 自然免疫と獲得免疫の特徴を比較して説明できる.
(4) 自然免疫と獲得免疫の共同作用の例をあげることができる.

　自然免疫（innate immunity または natural immunity）は，感染症に際して病原体を排除するために働く最初の生体防御機構で，その主な働きとしては，**炎症**，**抗ウイルス作用**，**獲得免疫の誘導**の3つがある．上記の到達目標(3)，(4)については，第1章を一通り勉強し終わったあとで再度まとめてみてほしい．

1　自然免疫における病原体認識の特徴

　感染症における自然免疫の抗原認識機構では，獲得免疫のリンパ球や抗体による特異性の高い抗原認識とは異なり，自己の正常細胞にはないが多くの病原体が共通して保持しているような構造が認識され，**パターン認識**とよばれる．パターン認識される病原体の分子構造（pathogen-associated molecular patterns；PAMPs）の例として，グラム陰性菌が共通にもつリポ多糖（lipopolysaccharide；LPS），グラム陽性菌が共通にもつリポタイコ酸（lipoteichoic acid）やペプチドグリカン（peptidoglycan），細菌に多くみられる非メチル化DNA，細菌が蛋白合成する際にみられる N-ホルミルメチオニン，ウイルスのRNAなどがある．また，自然免疫は外傷，梗塞，代謝異常，細胞死などで生じた自己の細胞に由来する成分（damage-associated molecular patterns；DAMPs），たとえば尿酸塩結晶（monosodium urate），熱ショック蛋白質，核の外に出た dsDNA などによっても活性化する．

　PAMPs や DAMPs を認識する自然免疫の抗原レセプターの遺伝子には，獲得免疫のレセプターにみられるような再構成や多くの変異はみられず（→ p.29），生殖細胞遺伝子がそのまま使われていて多様性が少ない．しかし，それらのレセプターによって認識される構造は，微生物の生存，増殖に必須の基本的構造であるため，微生物は自然免疫の仕組みから逃れることがむずかしい．また，獲得免疫では抗原の詳細な構造に特異的なレセプターを発現している細胞の数は非常に少ないので，効果を発揮するためにはその細胞が増殖してクローンが拡大する必要があり時間を要するが，自然免疫では多くの細胞が共通して発現しているレセプターで抗原の大まかなパターンを認識するので，クローンの拡大は必要なく，すみやかに効果が発揮される．さらに，獲得免疫では初回

N-ホルミルメチオニン（N-formylmethionine）
メチオニンのアミノ基の部分がホルミル化されたもので，大腸菌などが合成した蛋白質のN末端部分にみられる．

ウイルスのRNA
RNA は宿主の細胞にもあるが局在が異なる．RNAウイルスがエンドソーム内に入ってくると，エンドソーム内に発現している TLR-7 や TLR-8 によって ssRNA が，TLR-3 によって dsRNA が認識される．

熱ショック蛋白質（heat shock proteins）
細胞が熱，炎症，紫外線，その他のさまざまなストレスにさらされた際に発現が亢進する一群の蛋白質．細胞内で合成された蛋白質が正常の立体構造をとるように誘導する分子シャペロンとしての機能や，細胞質で合成された蛋白質をミトコンドリアなどの小器官へ輸送する機能を有する．

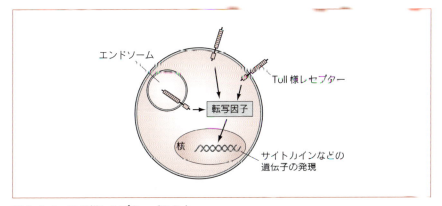

図 1-II-1　Toll 様レセプター（TLRs）
TLRs はロイシンに富む繰り返し構造を有し，好中球，単球，マクロファージ，樹状細胞，その他種々の細胞の細胞膜の表面やエンドソーム内に発現しており，細菌のリポ多糖，ペプチドグリカン，リポ蛋白，非メチル化 DNA，ウイルスの RNA など，微生物に特有な分子構造のパターンを認識する．そのシグナルは順次，核内に伝達され，転写因子を活性化して，自然免疫の作用に必要な炎症性サイトカインやケモカイン，接着分子などの遺伝子の発現をもたらす．

（**一次免疫応答**）より 2 回目（**二次免疫応答**）以降の方が，速く，強力な応答を示すが（→ p.49），自然免疫では繰り返す抗原刺激に対して毎回ほぼ同じように反応する．

　抗原認識にかかわるレセプターの一種に **Toll 様レセプター**（Toll-like receptors；TLRs）があり，ヒトでは 10 種類ほどが知られている（**図 1-II-1**）．たとえば TLR-2 はペプチドグリカンを，TLR-4 はリポ多糖（LPS）を，TLR-5 は細菌のフラジェリンを，TLR-9 は非メチル化 DNA を認識する．TLRs がこれらを認識して細胞内シグナル伝達系が活性化すると，NF-κB などの転写因子の作用で，殺菌に必要な酵素やサイトカイン，ケモカインなどの産生がもたらされる．

2　自然免疫の構成要素と機能

1）皮膚・粘膜の生体防御機能

　健康な皮膚は物理的に病原体や有害物質の侵入を防いでいるだけでなく，抗菌ペプチド，酸などを分泌している（**図 1-II-2**）．皮膚の樹状細胞は，侵入してきた抗原を貪食して Toll 様レセプターなどで非自己と認識すると活性化し，近くのリンパ節に向かって移動してゆく（→ p.12 の**図 1-I-12**）．

　一方，消化管の粘膜は栄養物を消化，吸収するために 200 m^2 もの表面積があり，多数の常在菌が存在するほか，病原体に曝される機会も多い．消化管上皮は薄い基底膜を挟んで内腔側の粘膜上皮細胞と，外側の粘膜固有層からなり，5×10^{10} 個ものリンパ球を含んでいる．このほか，気道，泌尿器，生殖器も粘膜上皮に被われているが，これらの粘膜上皮の直下には，粘膜付属リンパ組織（MALT）が存在する．小腸では，異物はパイエル板の上にある M 細胞とよばれる特殊な細胞に取り込まれる（→ p.12 の**図 1-I-13**）．

自然免疫の抗原レセプター
TLRs の他にも，NOD-like receptors（NLRs），RIG-like receptors（RLRs）など，多くの分子が発見され，炎症の分子機構の解明が進んできた．また，それらの先天性の変異によって，感染症がないにもかかわらず炎症発作を繰り返す**自己炎症疾患**（autoinflammatory disorders）と総称される種々の病態も明らかにされてきた．これには，家族性地中海熱，クリオピリン関連周期熱症候群，TNF 受容体関連周期性症候群など多くが含まれる．

フラジェリン（flagellin）
細菌の鞭毛のらせん状線維を構成する蛋白質．

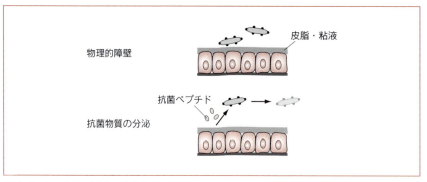

図 1-II-2　皮膚・粘膜の抗菌作用
毛根部の皮脂腺から分泌される脂肪酸や乳酸は，皮膚の pH を 3～5 に保って細菌の増殖を防いでいる．粘膜の表面は粘液でおおわれ，胃内は塩酸で，腟内は乳酸で酸性に保たれている．さらに皮膚，粘膜の分泌液にはデフェンシン (defensin) などの抗菌ペプチドや，リゾチーム (lysozyme) などの蛋白分解酵素も含まれている．

真皮や粘膜固有層には，B 細胞，樹状細胞，マクロファージ，肥満細胞なども散在している．

2) 好中球・マクロファージの活性化と炎症

　貪食能が強い細胞（phagocytes）には，血液中の好中球，組織のマクロファージ，樹状細胞などがある．最も殺菌能が強いのは**好中球**で，活性酸素などを産生して細胞内で殺菌するほか，DNA や抗菌物質を細胞外に放出して細菌をとらえるネトーシス (NETosis) とよばれる自爆攻撃も行う．**マクロファージ**は，大量の炎症性サイトカインやケモカインを産生して援軍を呼び寄せるとともに，抗原の分解産物を T 細胞に提示して相互作用を行う．一方，**樹状細胞**は取り込んだ抗原を処理しながら近くのリンパ節に移動して T 細胞に提示し，獲得免疫を稼働させる．

　皮膚や粘膜に病原体が入ってくると，以下のような機序で**炎症** (inflammation) が起こる．まず，見張りをしていた組織マクロファージが侵入してきた病原体を認識して貪食し殺菌するとともに，**IL-1β，IL-6，TNF-α** などの**炎症性サイトカイン**を産生する．それらの刺激を受けて近傍の細静脈の内皮細胞は E-セレクチン，P-セレクチンなどの接着分子を発現する．

　一方，血管周囲の肥満細胞が PAMPs や DAMPs の刺激でヒスタミンやプロスタグランジンを放出し，血管の拡張や透過性亢進をもたらすため，局所の血流は増加するものの流速は低下して，血液細胞は血管壁の近くをゆっくり流れるようになる．これらの効果により，もともとセレクチンと弱く結合する糖鎖 (sialyl Lewis X) を発現している好中球や単球は，内皮細胞上をゆっくり転がるようになり (rolling)，その間にインテグリン（LFA-1 など）の構造が変化して，内皮細胞上のリガンド（ICAM-1 など）と強い親和性で結合する（→巻末の**付表 C**）．最終的に細胞は停止して，内皮細胞の間をくぐり抜けて血管

貪食細胞のオプソニンレセプター
好中球，マクロファージ，樹状細胞は，IgG 抗体のレセプターである FcγR を発現している．好中球とマクロファージは，補体の分解産物 C3b，C4b のレセプターであるタイプ 1 補体レセプター (CR1，CD35) も発現している．

炎症の 4 主徴
rubor（発赤），tumor（腫脹），calorie（発熱），dolore（疼痛）は炎症の 4 主徴として古代ローマの医師 Celsus の時代から知られていたが，近年そのメカニズムが本文で解説したように細胞レベル，分子レベルで明らかにされてきた．

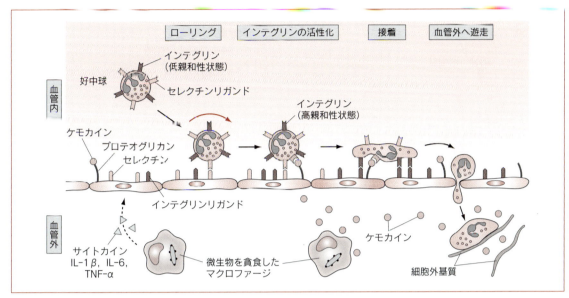

図 1-II-3　白血球の感染巣への遊走
感染巣では微生物の刺激で活性化した組織マクロファージが炎症性サイトカインを分泌し，これによって活性化した血管内皮細胞が種々の接着分子を表出する．また，血管周囲の肥満細胞からはヒスタミン，プロスタグランジンが産生され，血管の拡張，血管壁透過性の亢進がもたらされ，血流が遅くなる．それらの作用で白血球は血管壁と接触し，やがて静止し，血管外に遊走して，さらにマクロファージが産生しているケモカインの濃度の濃い方向に向かい，接着分子の作用でフィブリン，フィブロネクチンなどの細胞外基質と結合して局所にとどまる．病巣に集まる白血球は，初期には好中球と単球から分化するマクロファージが主体であるが，慢性期にはリンパ球とマクロファージが主体となる．

外に遊走してゆく．このようにして血管外に動員された好中球は殺菌作用を発揮し，単球はマクロファージへと分化する（**図 1-II-3**）．さらに透過性の亢進した血管壁からは，補体，抗体，C 反応性蛋白（C-reactive protein；CRP）などの血漿成分も血管外に浸み出してオプソニン作用などを発揮して病原体の除去に働く．

　マクロファージは貪食した病原体を処理して，そのペプチド抗原を細胞表面に提示している．やがて樹状細胞の働きで獲得免疫が始動し，活性化した同じ抗原に特異的なヘルパー T 細胞が遊走してくると，その作用を受けてマクロファージは貪食能，殺菌能をさらに亢進させる．

3）形質細胞様樹状細胞・マクロファージの抗ウイルス作用

　ウイルスの核酸が TLRs などの自然免疫レセプターに認識されると，形質細胞様樹状細胞やマクロファージからインターフェロン-α（interferon-α；IFN-α）が，さまざまな細胞から IFN-β が産生される．これらのインターフェロンのレセプターはほとんどの細胞に発現しており，IFN-α や IFN-β が結合することによって，ウイルス遺伝子の転写を抑制するプロテインキナーゼや，ウイルス RNA を分解する酵素の発現がもたらされる．

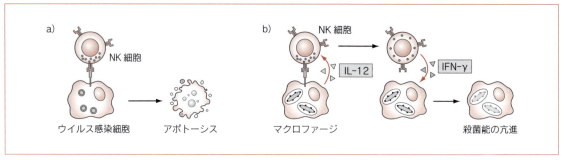

図 1-Ⅱ-4　NK 細胞の機能
a：ウイルス感染細胞を攻撃してアポトーシスを起こさせる．
b：細菌を貪食して活性化したマクロファージが産生する IL-12 は，NK 細胞を活性化して IFN-γ を産生させる．IFN-γ はマクロファージの殺菌能を亢進させる．

4）NK 細胞

　NK 細胞は細胞内に多くの顆粒をもつ大型のリンパ球で，末梢血リンパ球の約 10〜20％ を占める．ウイルス感染細胞や腫瘍細胞を認識して活性化すると，顆粒内の**パーフォリン**や**グランザイム**を放出する．パーフォリンは標的細胞の細胞膜に穴をあけ，この穴からグランザイムとよばれる蛋白分解酵素が標的細胞内に流入して，アポトーシスがもたらされる．また，活性化 NK 細胞は **IFN-γ** を分泌して，病原菌を貪食しているマクロファージの殺菌能を亢進させる（**図 1-Ⅱ-4**）．

　また，NK 細胞は獲得免疫との共同作業も行う．すなわち，NK 細胞は IgG の Fc 部分と結合するレセプター（FcγR）を発現しているので，感染細胞の表面に IgG 抗体が結合していると，このレセプターを介して結合し，活性化して感染細胞を攻撃する．このような作用を**抗体依存性細胞傷害**（antibody-dependent cell-mediated cytotoxicity）とよぶ．

5）補体系

　補体系については後述するが（→1章-Ⅵ），血漿中の多くの蛋白分解酵素が連鎖反応して病原体などを排除する機構である．古典経路，別経路，レクチン経路の 3 つがあり，古典経路では獲得免疫で産生される抗体が重要な働きをするが，他の 2 つは自然免疫の反応である．

6）その他の血漿蛋白質

　血液中には補体系以外にも自然免疫にかかわる蛋白質がある．たとえば CRP は，細菌のホスホリルコリンに結合し，CRP レセプターをもったマクロファージに貪食されやすくする（オプソニン作用，→p.10）．CRP は炎症性サイトカインの刺激によって肝細胞による合成が著しく亢進するため，炎症のマーカーとして臨床検査で日常的に測定されている．

パーフォリン（perforin）
NK 細胞と細胞傷害性 T 細胞の顆粒中に存在する蛋白質．放出されると標的細胞の細胞膜に結合するとともに，重合して，細胞膜に直径 160 Å の穴が形成される．構造と機能が補体の C9（→p.56）と類似している．

7) 自然免疫と獲得免疫の相互作用

　自然免疫の反応は，獲得免疫の反応を始動させる働きもある．また，獲得免疫の反応が自然免疫の機能をさらに亢進させる場合もある．あとで学ぶものも含めて以下に例をあげるので，第1章を一通り勉強したあとで再び考察して理解してほしい．

(1) 自然免疫の反応が獲得免疫を促進する例

- 細菌の刺激で活性化した樹状細胞はCD80，CD86などの共刺激分子を発現してナイーブT細胞を活性化し，エフェクターT細胞にする（➡ p.40の図1-V-4）．
- 樹状細胞やマクロファージが産生するIL-12は，ヘルパーT細胞のTh1細胞への分化を促す（➡ p.40の図1-V-4，p.45の図1-V-12）．
- 樹状細胞やマクロファージが産生するIL-6，IL-23は，ヘルパーT細胞のTh17細胞への分化を促す（➡ p.45の図1-V-12）．
- 補体の分解産物（C3d）はB細胞の活性化を促進する（➡ p.44の図1-V-10）．

(2) 獲得免疫の反応が自然免疫を促進する例

- IgG，IgMクラスの抗体は，免疫複合体形成を介して補体系の古典経路を活性化する（➡ p.55〜56の図1-VI-1，2）．
- Th1細胞（や自然免疫のNK細胞）が産生するIFN-γは，マクロファージを活性化し，殺菌能を増強する（➡ p.45の図1-V-13）．
- Th1細胞はCD40Lを発現して，マクロファージの貪食能を増強する（➡ p.45の図1-V-13）．

Ⅲ MHC 分子による獲得免疫系への抗原提示

〈到達目標〉
(1) MHC クラス Ⅰ 分子の構造，発現細胞，機能を説明できる．
(2) MHC クラス Ⅱ 分子の構造，発現細胞，機能を説明できる．

　自然免疫が PAMPs や DAMPs を認識して反応したのに対し（➡ p.14），獲得免疫では，個々の抗原の微細な構造の差異を識別した特異性の高い免疫反応が起こる．抗体などの血清中の成分が主役となる液性免疫と，リンパ球などの細胞が主役となる細胞性免疫があるが，いずれにしても，まず抗原が抗原提示細胞により T 細胞に提示されることから始まる．その際，T 細胞レセプターは抗原蛋白や病原微生物と直接結合することができないので，抗原が処理されて短いペプチドとなり，MHC 分子の上に結合した形で提示される必要がある．

1 抗原提示細胞による外来性抗原の取り込み

　皮膚や粘膜のバリアを突破して体内に侵入した抗原は，自然免疫の反応を引き起こすとともに，樹状細胞，マクロファージ，B 細胞などの**抗原提示細胞**（antigen presenting cells；APCs）に捕捉され，処理され，MHC 分子とともに T 細胞に提示される．なかでも**樹状細胞**は，ナイーブ T 細胞に抗原提示して活性化させエフェクター細胞にする作用が強い．一方，マクロファージや B 細胞の働きは，すでにエフェクター細胞になっている T 細胞に抗原提示して，その機能を発揮させることが主体となる．

　皮膚など末梢組織で見張りをしている樹状細胞は通常は活性化されておらず，後述する細胞表面の MHC 分子上にはさまざまな自己抗原ペプチドが提示されている．しかし，微生物などの異物を取り込むと活性化して，ケモカインに対するレセプター CCR7 を発現し，近くのリンパ節に向かって移動してゆく（➡ p.12 の図 1-Ⅰ-12）．CCR7 は，リンパ節の T 細胞領域で産生されているケモカイン CCL19 および CCL21 を検知して，それらの濃度が高い方向に細胞を導く．この間に樹状細胞の表面では，発現している MHC 分子の数が増加して，自己抗原のみならず，異物抗原由来のさまざまなペプチドを結合した MHC 分子も発現するようになる．

2 MHC 分子

1) MHC の多型と免疫応答性

　主要組織適合性遺伝子複合体（major histocompatibility complex；MHC）によってコードされる分子群は，臓器移植で，レシピエントの免疫系が移植臓器を非自己と認識して拒絶反応を起こす際に標的となる分子の探求から見出さ

> **MHC 分子の数**
> 樹状細胞は普段から細胞表面に MHC クラス Ⅱ 分子を発現しているが，その数は細胞1個あたり 10^6 分子程度で，活性化すると $7×10^6$ 分子程度に増加する．

> **MHC 分子以外の組織適合性抗原**
> ABO 血液型の A 抗原，B 抗原は，赤血球以外の細胞にも広く発現しており，一種の組織適合性抗原である．

> **遺伝子多型**（genetic polymorphism）
> 遺伝子の DNA の塩基配列に集団の1％以上の頻度に認められる個体差を遺伝子多型または単に多型という．もっともまれな例外的な個体差は変異（mutation）とよばれる．しかし，両者の区別はあいまいになってきており，まとめてバリアント（variant）という語を使うことが推奨されつつある．本書では従来の呼称を用いる．

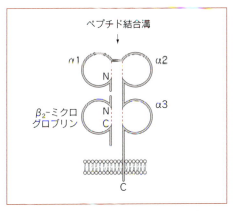

図 1-Ⅲ-1　MHC クラス I 分子の基本構造
α鎖とβ₂-ミクログロブリンの非共有結合により形成されている．点線は S-S 結合（ジスルフィド結合）．

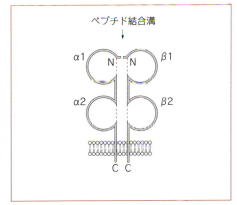

図 1-Ⅲ-2　MHC クラス II 分子の基本構造
α鎖とβ鎖の非共有結合により形成されている．点線は S-S 結合．

れた．MHC 遺伝子には多くの**多型**（polymorphism）があるため，同じ動物種でも個体によって発現している MHC 分子が異なり，そのために移植臓器が非自己と認識されて拒絶される主な原因となっている．

　移植は自然には起こりえない人為的な操作であるため，MHC 分子の本来の機能が何であるのか，長い間謎であった．しかし，純系のマウスが多数つくられるようになってから研究が進展した．たとえば，2つの系統のマウスをある抗原で免疫した場合，片方の系統では強い免疫応答が起こるが，他方は応答しない，というようなことが起こりうる．1970 年頃から，このような免疫応答性を規定しているものが，まさに MHC であることが次第に明らかにされてきたのである．MHC 分子はほとんどの脊椎動物に存在するが，ヒトの MHC 分子は **HLA**（human leukocyte antigen，ヒト白血球抗原），マウス MHC 分子は H-2 抗原ともよばれている．

2）MHC 分子の構造

　MHC 分子は細胞膜を貫通して発現している膜蛋白質であり，クラス I 分子とクラス II 分子がある．

　MHC クラス I 分子は，α鎖とβ₂-ミクログロブリンが非共有結合して形成されている（図 1-Ⅲ-1）．α鎖は構造上，α1，α2，α3 のドメイン（領域）に分けられ，N 末端側の α1 と α2 が抗原ペプチドを結合する溝をつくっている．この溝には，大体 8～11 個のアミノ酸からなるペプチドが結合できる．溝の両側の壁の部分には，**T 細胞レセプター**によって認識される部位がある．また，α3 ドメインには，細胞傷害性 T 細胞の **CD8 分子**が結合する部位がある．

　MHC クラス II 分子は，ほぼ同じ大きさのα鎖とβ鎖が非共有結合したヘテロダイマーとなっている（図 1-Ⅲ-2）．抗原ペプチドが結合する溝は，α1 と β1 のそれぞれのドメインの N 末端側に形成されており，10～30 個のアミノ

純系（近交系）のマウス
20 世代以上にわたって兄弟交配を繰り返し，99.9% 以上の遺伝子が同一になったマウスの系統．研究用に多数の系統がつくられ，維持されている（写真は BALB/c マウス）．

共有結合（covalent bond）と非共有結合（noncovalent bond）
共有結合は 2 つの原子が電子を共有する強固な結合．ペプチド鎖や側鎖を形成する C-C，C-H，C-N，C=O などや，蛋白質の高次構造の形成に重要なジスルフィド結合（S-S）が該当する．
非共有結合にはイオン結合，水素結合，ファンデルワールス力，疎水結合などがあり，一つ一つの力は弱いが，多数の非共有結合が集まると強い結合力を示し，蛋白質同士，蛋白質と核酸，抗原と抗体などの反応にかかわる．

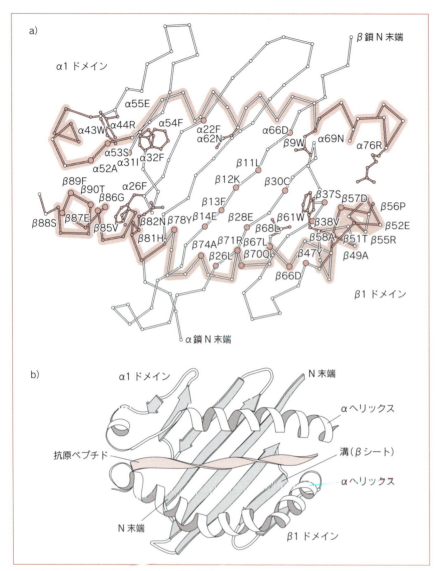

図 1-III-3　MHC 分子が抗原を提示する構造
a：MHC クラス II 分子の例．抗原を結合する溝を上から（T 細胞の側から）見下ろしたところ．α1 ドメインと β1 ドメインの β シート構造が溝の床部分を，α ヘリックス構造が側壁を形成している．この溝を構成するアミノ酸配列の色丸で示されている部分は特に多型性に富んでおり，反対にアミノ酸の側鎖が描かれている部分は多くの MHC 分子に共通している（Brown, J. H. et al.: *Nature*, 364：33, 1993）．
b：同様の分子のリボン型構造モデル．ピンク色のリボンで抗原ペプチドを示した．

酸からなるペプチドが結合する（図 1-III-3）．α2 ドメインおよび β2 ドメインには，ヘルパー T 細胞の **CD4 分子**が結合する部位がある．

3）MHC 分子の種類と発現細胞

　ヒトの MHC クラス I 分子には **HLA-A**，**HLA-B**，**HLA-C** の 3 種類があり，ほとんどすべての有核細胞と血小板に発現している．ウイルス感染症の際に

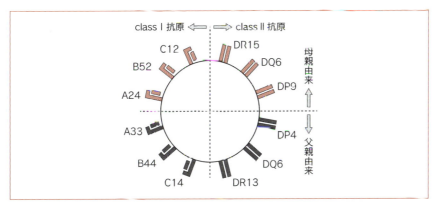

図 1-Ⅲ-4　HLA ハプロタイプの例
抗原提示細胞（B 細胞など）には，クラス I 分子とクラス II 分子が基本的には 6 種類ずつ発現している．

は，自然免疫の働きで産生される I 型インターフェロン（IFN-α，IFN-β）がクラス I 分子の発現を増強させて，細胞傷害性 T 細胞により多くのウイルス抗原を提示できるようにする．

　MHC クラス II 分子には **HLA-DR，HLA-DQ，HLA-DP** の 3 種類があり，その発現は平常時には主に，樹状細胞，マクロファージ，B 細胞，単球，胸腺髄質上皮細胞などに限られている．前述したように，これらのうちナイーブ T 細胞を活性化して獲得免疫を始動させる作用が強いのは樹状細胞であり，マクロファージと B 細胞は主にエフェクター T 細胞に抗原を提示して相互作用する．これらの細胞のクラス II 分子の発現量は，II 型インターフェロン（IFN-γ）の作用で増加する．また，胸腺髄質上皮細胞は成熟途上の T 細胞にさまざまな自己抗原を提示して，自己反応性 T 細胞の除去に重要な役割を果たしている（➡ p.8）．

4）MHC ハプロタイプ

　MHC はきわめて多型性に富んでいるが，1 つの細胞上に父親から受け継いだアレルと母親から受け継いだアレルが，両方とも発現している［共顕性（共優性）］．すなわち，クラス I 分子は HLA-A，HLA-B，HLA-C のそれぞれの遺伝子を両親から受け取って，合計 6 種類が発現している（**図 1-Ⅲ-4**）．β_2-ミクログロブリン遺伝子には多型がなく，すべてのクラス I 分子に同じものが使われている．

　クラス II 分子の場合は，HLA-DR，HLA-DQ，HLA-DP 各分子の遺伝子をそれぞれ両親から受け取るので，やはり 1 つの細胞上には基本的に 6 種類の分子が発現している．しかし，ハプロタイプによっては DR 分子の β 鎖の遺伝子座が 2 つ存在して，それぞれの産物が α 鎖と会合するので，結局 1 つの細胞上に 6〜8 種類のクラス II 分子が存在することになる．

アレル（allele）
遺伝子には，同一の種のすべての個体が（まれな変異を除いて）基本的に同じ塩基配列をもっている遺伝子と，ある集団のなかで個体ごとに異なる塩基配列が一定の頻度で認められる遺伝子がある．後者の場合，その遺伝子には多型があるといい，個々の遺伝子をアレル（対立遺伝子）とよぶ．

共顕性（共優性）（codominant）
父親由来のアレルと母親由来のアレルが，その表現型を優劣の関係なく両方とも示していること．ABO 血液型の A 遺伝子と B 遺伝子もこれにあたる．

ハプロタイプ（haplotype）
MHC 遺伝子などのように 1 本の染色体上に多型を有する遺伝子座が密に連鎖して存在している場合，同一染色体上の各遺伝子のアレルの組合せをハプロタイプとよび，セットとして子孫に伝わっていくことが多い．

5）MHC 分子の多型性の意義

　MHC 分子をコードする遺伝子群は，第 15 染色体に存在する β_2-ミクログロブリン遺伝子を除いて，すべて第 6 染色体の短腕に並んでいる．β_2-ミクログロブリン以外の各 MHC 分子は，生体内で最も多型に富んでいる分子であり，細胞表面に発現している MHC 分子の組合せ（ハプロタイプ）は個人個人で異なる．各個人の細胞にどのような MHC 分子が表出しているかを調べることを HLA タイピングとよぶが，これには従来，被検者の細胞に抗体を反応させて調べる血清学的な方法や，被検者のリンパ球とあらかじめ用意されたタイピング用の細胞を混合培養する方法が用いられてきた．このように，HLA は抗体や他人のリンパ球によって認識される「抗原」として免疫学的方法で検査され分類されてきたので，クラス I 分子，クラス II 分子とよぶ代わりに，**クラス I 抗原，クラス II 抗原**とよばれることも多い．また，近年普及してきた遺伝子レベルのタイピング法を用いると，さらに非常に多くの種類があることがわかってきた．

　MHC が多型性に富んでいるということは，要するに MHC 分子のアミノ酸配列が個人個人で多様であるということであるが，特に抗原ペプチドを収容する溝を取り囲む部分のアミノ酸が変化に富んでいる（図 1-III-3）．したがって，ある 1 つのペプチドが，ある人のクラス II 分子の溝にうまくフィットして抗原として提示されたとしても，そのペプチドは別の人のクラス II 分子には親和性が低く，T 細胞への提示がうまくゆかないかもしれない．その結果，たとえば B 型肝炎ウイルスワクチンなど同じ抗原の接種を受けても，高力価の抗体をつくれる人（responder）と，あまり抗体価の上がらない人（low responder あるいは non-responder）がいるわけである．このような免疫応答性の多様性は，ある 1 種類の伝染病によって人類が絶滅してしまう危機を防ぐ，すなわち種の維持，繁栄という目的のために重要な意味をもっている．

> **HLA と疾患感受性**
> MHC の特定のアレルを有する個人がある疾患を発症する頻度が，有意に高い場合や低い場合がある．特に顕著な例をあげると，日本人で HLA B27 を有する者は 1.5％ほどにすぎないが，強直性脊椎炎の患者では約 85％である．同様に，HLA B51 は健常日本人では 14％，Behçet（ベーチェット）病の日本人では 57％に認められる．これらは臨床検査所見として診断の際に参考となる．

3　抗原蛋白質のプロセシング

1）外来性抗原の提示

（1）MHC クラス II 分子による提示

　抗原提示細胞は，微生物表面の種々の分子と結合するレセプターや，結合している IgG 抗体や補体の分解産物 C3b，C4b などのオプソニンに対するレセプターを介して，抗原を捕捉し貪食する．また，B 細胞は，親和性の強い抗原レセプターを利用して，低濃度にしか存在しない抗原でも効率的に取り込むことができる．細胞内に取り込まれた蛋白抗原を含むエンドソーム（endosome）はリソソーム（lysosome）と融合し，このリソエンドソーム（lysoendosome）で抗原は酵素によって分解され，MHC 分子による提示が可能な長さのペプチドとなる．この過程をプロセシング（processing）とよぶ（図 1-III-5）．

　MHC クラス II 分子は小胞体（endoplasmic reticulum；ER）でつくられる．ER 内では，生成されたクラス II 分子の抗原ペプチド結合部位にインバリアン

> **Fc レセプター（Fc receptor；FcR）**
> 抗体の Fc 部分（→ p.28）と結合するレセプター．IgG，IgE に特異的なものを，それぞれ FcγR，FcεR と表す．FcγR はマクロファージ，好中球，NK 細胞，樹状細胞などに発現している（→ p.30）．FcεR は肥満細胞や好塩基球に発現していて，即時型アレルギーにかかわる．

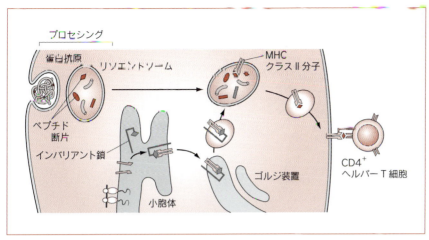

図1-III-5　MHCクラスII分子による外来性抗原の提示
細胞外から取り込まれた蛋白抗原を含むエンドソームはリソソームと融合する．このリソエンドソームで抗原はさまざまなペプチド断片に分解される．そのうち，抗原結合溝に適合するものがMHCクラスII分子に結合して細胞膜表面に提示され，CD4$^+$ヘルパーT細胞に認識される．

ト鎖とよばれる蛋白質が結合して，ERに入ってくる内因性ペプチドが結合してしまうのを防いでいる（その結果，通常は内因性ペプチドはクラスI分子に優先的に結合する）．その後，クラスII分子はリソエンドソーム内に移動してインバリアント鎖と解離し，外来抗原由来のペプチドを結合して細胞表面に表出される．抗原ペプチドと結合できなかったクラスII分子は不安定で，分解されてしまう．すなわち，感染症などがない場合であっても，細胞外から取り込んだ自己の蛋白由来の何らかのペプチドがクラスII分子上に提示されているのであって，ペプチドが入る溝が空のままになっていることはない．感染症の際には，そのような自己抗原ペプチドを提示していたMHC分子（細胞1個あたり数百万個もある）の一部が，病原体由来ペプチドを提示したMHC分子に代わるわけである．

また，1個体が発現しているクラスII分子は6〜8種類しかないので，プロセシングを受けたペプチドがそのいずれかに結合できるとは限らないし，結合できる場合も，その蛋白抗原のどの部分のペプチドが結合し，エピトープ（→ p.29）としてT細胞に認識されて免疫応答を起こすかは，個体によって異なる．

(2) MHCクラスI分子による提示

一部の樹状細胞（cDC1, → p.4）はウイルス感染細胞や腫瘍細胞，あるいはそれらの残骸を貪食して，ウイルスや腫瘍由来のペプチドをERに運んでMHCクラスI分子に結合させ，CD8$^+$T細胞に提示することができる．貪食した抗原をクラスIIではなくクラスI分子に提示させる機能を**クロスプレゼンテーション**（cross-presentation）（→ p.38の図1-V-1）とよび，このような仕組みがあることによって，ウイルスや腫瘍の抗原に特異的なナイーブ細胞

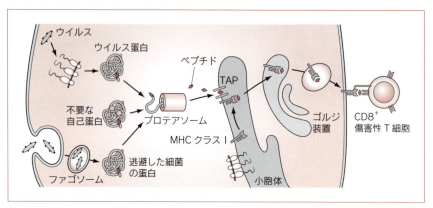

図 1-Ⅲ-6　MHC クラス I 分子による内因性抗原の提示
宿主細胞内で複製しているウイルスの抗原，不要でユビキチン化された自己の蛋白質，ファゴソームの外に脱出した細菌の蛋白質など，プロテアソームで処理された蛋白質に由来するペプチド抗原のうち，抗原結合溝に適合するものが MHC クラス I 分子に結合して細胞表面に提示され，CD8$^+$ 細胞傷害性 T 細胞に認識される．

傷害性 T 細胞を活性化してエフェクター細胞傷害性 T 細胞にすることができる．

2）内因性抗原の提示
(1) MHC クラス I 分子による提示

　細胞に感染して，細胞質内で宿主細胞の機能を利用して複製するウイルスや，結核菌などの細胞内寄生菌が産生する非自己蛋白質，あるいは正常な立体構造をとることができなかった自己蛋白質など，細胞質内で産生された不要な蛋白質にはユビキチン（ubiquitin）が結合し，巨大な蛋白分解酵素複合体であるプロテアソーム（proteasome）に運ばれてペプチドに分解される．生成されたペプチドは，抗原処理関連トランスポーター（transporter associated with antigen processing；TAP）により ER の中に運搬される（図 1-Ⅲ-6）．ER 内で生成された MHC クラス I 分子は，結合可能なペプチドを抗原として受け取って細胞表面に移動し，CD8$^+$T 細胞に提示する．ペプチドが結合できなかったクラス I 分子は分解されてしまうので，感染症などがない場合は何らかの内因性自己抗原由来ペプチドが提示されている．

 細胞内寄生菌
マクロファージに貪食されても，その殺菌能に抵抗して生き延びる細菌．リケッチア，クラミジア，結核菌，リステリア，サルモネラ，ブルセラ，梅毒トレポネーマ，レジオネラなどがある．

 プロテアソーム
細胞質内で不要な蛋白質を分解する巨大な酵素の集合体．ユビキチンとよばれるペプチドが結合した蛋白質を選択的に取り込んで分解している．

Ⅳ 抗体の構造と機能

〈到達目標〉
(1) IgG の基本構造を図示して説明できる．
(2) 各クラスの抗体の構造と機能の特徴を比較して説明できる．
(3) ポリクローナル抗体とモノクローナル抗体の特徴を比較して説明できる．

結核菌の発見で有名なドイツの Robert Koch の研究所に留学していた北里柴三郎は 1890 年，同僚の Emil von Behring とともに，破傷風菌やジフテリア菌の培養液をウサギに注射すると，血液中にそれぞれの毒素を特異的に中和する活性が生じることを発見した．さらに，このウサギの血液を腹腔内に投与されたマウスは，それぞれの菌に対する抵抗力を発揮することを報告し，血清療法の道を開いた．その後，抗毒素活性をもつ蛋白質は**抗体**（antibody）と名付けられ，血清の電気泳動のγ-グロブリン分画に存在することなどが明らかにされて，1958 年の Gerald Edelman による IgG の分子構造の解明へとつながっていった．当時の研究には血清中のポリクローナル抗体や，骨髄腫患者の M 蛋白が使われていたが，1980 年頃からモノクローナル抗体が作製されるようになると，抗体の構造と機能に関する詳細な解析が可能になった．

北里柴三郎
（1852～1931）

1889 年，破傷風菌の純粋培養に成功．1890 年，血清療法を開発し，液性免疫の先駆けとなる．1894 年，ペスト菌を発見．慶応義塾大学医学部の初代医学部長．

1 抗体の基本構造
1）抗体の基本的な構造単位
(1) 抗体の5つのクラス

抗体は構造と機能の異なる 5 つのクラスに分類されるが，いずれも基本的な構造単位は図 1-Ⅳ-1 に示す IgG の構造のように，2 本の **H 鎖**（heavy chain，重鎖）と 2 本の **L 鎖**（light chain，軽鎖）からなる計 4 本のポリペプチドで形成されている．1 本の H 鎖には 1 本の L 鎖がジスルフィド結合（S-S 結合）し，H 鎖同士も S-S 結合して，全体で Y 字型の構造をつくっている．

L 鎖には **κ（kappa）鎖**と **λ（lambda）鎖**の 2 種類があり，C 末端側のアミノ酸配列が異なっている．一方，H 鎖には **γ（gamma）鎖**，**α（alpha）鎖**，**μ（mu）鎖**，**δ（delta）鎖**，**ε（epsilon）鎖**の 5 種類があり，C 末端側のアミノ酸配列が異なっている．これら 5 種類の H 鎖は κ 鎖か λ 鎖のいずれかと結合して，それぞれ構造や機能の異なる 5 つの**クラス**（class），すなわち免疫グロブリン G（immunoglobulin G；**IgG**），免疫グロブリン A（immunoglobulin A；**IgA**），免疫グロブリン M（immunoglobulin M；**IgM**），免疫グロブリン D（immunoglobulin D；**IgD**），免疫グロブリン E（immunoglobulin E；**IgE**）を構成する．たとえば，1 分子の IgG は 2 本の γ 鎖と 2 本の κ 鎖，または 2 本の γ 鎖と 2 本の λ 鎖によって構成されていて，1 分子中に κ 鎖

ジスルフィド結合（S-S 結合）
ポリペプチド鎖中の 2 つのシステイン残基の SH 基間に形成される結合で，蛋白質の高次構造の保持に重要である．還元剤処理で解離する．

$$S-S \underset{\text{酸化}}{\overset{\text{還元}}{\rightleftharpoons}} SH \quad HS$$

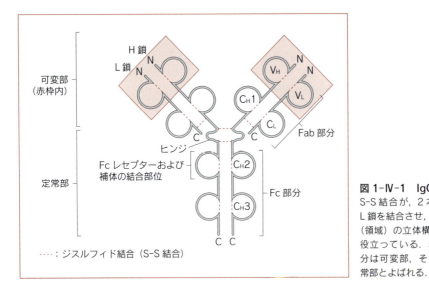

図 1-Ⅳ-1　IgG の基本構造
S-S 結合が，2本のH鎖と2本のL鎖を結合させ，また，各ドメイン（領域）の立体構造を保持するのに役立っている．赤枠で囲まれた部分は可変部，それ以外の部分は定常部とよばれる．

とλ鎖が混在することはない．ヒトの抗体の約60%にκ鎖，約40%にλ鎖が使われている．

　H鎖およびL鎖は，類似の構造をしたドメイン（領域）が複数つながって形成されている．L鎖ではN末端側のドメインは**可変部**（variable region；V_L），C末端側のドメインは**定常部**（constant region；C_L）とよばれる．H鎖ではN末端側に1つの可変部ドメイン（V_H）があり，C末端側にIgG，IgA，IgDでは3つ（C_H1〜C_H3），IgM，IgEでは4つのドメイン（C_H1〜C_H4）からなる定常部がある．H鎖の定常部には，Fcレセプターや補体が結合する部位がある．

(2) 抗原との結合部位

　H鎖とL鎖の可変部によって形成される凹みに抗原が結合する．可変部という名は，抗体分子ごとにこの部分のアミノ酸配列が多様であることを表しているが，そのなかでもとりわけ多様性に富んでいる部分がH鎖とL鎖にそれぞれ3カ所あって，**超可変部**（hyper variable region）とよばれる．超可変部は抗原と直接接触する部分でもあり，それぞれの抗体の**特異性**（specificity）を決定しているため，相補性決定領域（complementarity determining region；CDR）ともよばれる．H鎖，L鎖，それぞれのN末端側からCDR1，CDR2，CDR3とよばれる10個程度のアミノ酸からなる領域で，3次構造ではこれら6つのCDRが近接して，抗原の構造に相補的な立体構造（パラトープ，paratope）を構築している．

　V_H，C_H1，V_L，C_Lからなる部分を**Fab部分**（antigen binding fragment）とよぶ．一方，Y字型の下部の定常部のみの部分は結晶化できるので，**Fc部分**（crystallizable fragment）とよばれる．

　Fab部分とFc部分の間には，抗体の中で構造的に柔軟な部位（hinge，ヒ

結晶化

純度の高い物質を低温に静置すると，規則正しい構造の結晶が形成されることがある．結晶化に成功すると，X線解析などの方法で立体構造を研究することができる．

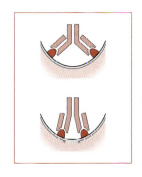

図 1-IV-2　抗体の柔軟性
ヒンジ（蝶番）部の角度は，エピトープの間隔に対応してある程度変化することができる．

ンジ部）があり，2つのFab部分がそれぞれ抗原上のエピトープと結合する際に角度を調節している（図1-IV-2）．

2）抗原と抗体の結合様式

抗体は，水素結合，イオン結合，疎水結合，van der Waals（ファンデルワールス）力などの非共有結合で抗原と可逆的に結合する（→ p.104）．抗原分子の，抗体に直接接触する部分の構造を**エピトープ**（epitope）または**抗原決定基**（antigen determinant）とよぶ．蛋白質抗原の場合，エピトープはその分子の表面に露出している1カ所の線状のペプチド（linear epitope）（アミノ酸6個程度の長さ）である場合も，3次構造で近接する複数のペプチド領域によって構成される構造である場合もある（conformational epitope）．すなわち，抗原と抗体の特異的な結合は，エピトープとパラトープの間に形成されるいくつかの非共有結合によって成り立っている．

3）抗体の多様性のメカニズム

B細胞が活性化して抗体を産生する場合，1つのB細胞が何種類もの特異性の異なる抗体をつくるのではなく，1つのB細胞が産生する抗体は1種類である．体内に侵入してくる可能性のある多数の抗原に対応できるように，私たちの体の中にはB細胞のクローンが何百万種類もあるといわれており，それぞれが特異性の異なる，すなわち可変部の構造が異なる抗体を産生することができる．しかし，それほど多数の抗体遺伝子があらかじめ個々の細胞に用意されているとは考えにくい．「1つの蛋白質は1つの遺伝子がコードしている」というそれまでの常識を覆して，**遺伝子の再構成**（rearrangement）というメカニズムによって多様な遺伝子がつくりだされることを発見したのが利根川進である．

すなわち，免疫グロブリンH鎖の可変部の遺伝子は，約100種類のV遺伝子のうちの1つと，23種類程度のD遺伝子のうちの1つと，6種類ほどのJ遺伝子のうちの1つが結合してつくられる．V-D-Jの結合が終わると，それが定常部の遺伝子（C）と結合して，最終的なH鎖遺伝子となる（図1-IV-3）．L鎖では可変部遺伝子にD遺伝子がなく，V遺伝子とJ遺伝子が結合してできる．

利根川進
（1939〜）

分子生物学者．抗体遺伝子の再構成，T細胞レセプター遺伝子の再構成を証明し，1987年にノーベル生理学・医学賞を受賞した．

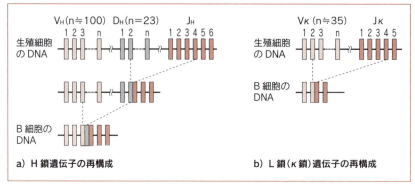

図 1-Ⅳ-3　抗体遺伝子の再構成
a：H鎖の可変部の遺伝子は，V_H，D_H，J_H の3つのセグメントにある複数の遺伝子から1つずつが選ばれて結合し，他の遺伝子は除かれてつくられる．
b：L鎖の可変部の遺伝子は，V_L，J_L の2つのセグメントから各1つの遺伝子が選ばれて結合してつくられる．これらの可変部の遺伝子の下流に定常部の遺伝子が存在する．

特異性がきわめて多様な抗体がつくられうるメカニズムを整理すると，以下のような点があげられる．

- どのV，D，J遺伝子が選ばれて使われるか，その組合せによる多様性．
- 遺伝子再構成の際に，V，D，J遺伝子の結合部の塩基が欠落したり，他から塩基が入り込んだりして生じる結合部の不正確さによる多様性．
- H鎖とL鎖の組合せによる抗体の特異性の形成．
- 活性化B細胞のなかでは超可変部の遺伝子は頻繁に点突然変異を起こすため，さらに多様性が増大する．

2　各クラスの抗体の特徴（表1-Ⅳ-1）

1) IgG

IgGは図1-Ⅳ-1に示したような基本構造をとっている分子量15〜16万の糖蛋白である．血清中の濃度が最も高く，血清中の抗体の主力として以下のようなメカニズムで働いている．構造と機能が少しずつ異なる**サブクラス**に分けられ，通常の濃度が高い順にIgG1，IgG2，IgG3，IgG4の4種類がある．抗体が結合する部位にもよるが，細菌の産生する毒素や，細菌やウイルスの感染性を阻止する**中和抗体**として働く．

IgGは抗原と結合した後，好中球，マクロファージ，樹状細胞などに発現しているIgGの**Fcレセプター**（FcγR）に結合して，**オプソニン**（→p.10）としての機能を果たす．また胎盤では胎児性Fcレセプター（neonatal Fc receptor；FcRn）に結合した母親のIgGは胎児血液中に能動的に取り込まれて，生後しばらくの間，**受動免疫**の役割を果たす．さらに定常部には補体C1qの結合部位があり，抗原と結合して免疫複合体を形成すると**古典経路**（→p.54）を活性化することができる．ウイルス感染細胞などが発現している非自己抗原に結合すると，NK細胞のFcγRに結合して，**抗体依存性細胞傷害**（anti-

表 1-IV-1　各クラスの抗体の特徴

クラス	構造	サブクラス	およその分子量	血清中濃度 (mg/dL)	特徴的な機能
IgG		IgG1 IgG2 IgG3 IgG4	15万	800〜1,800	血清中の主要抗体. 胎盤通過性（＋）. IgG1, IgG2, IgG3 は補体の古典経路活性化能（＋）. 血清中の半減期が長い（約3週間）.
IgA		IgA1 IgA2	17万 （分泌型は40万）	100〜400	粘膜表面の局所免疫の主要抗体で, 唾液, 涙液, 鼻汁, 初乳, 呼吸器・消化管・生殖器の粘液中などに含まれている. 粘膜表面ではJ鎖を介して2量体を形成する.
IgM			90万	60〜200	感染後最も早く出現する. 補体の古典経路活性化能（＋）. J鎖を介して5量体を形成する. 血清中の半減期が短い（約5日）. IgG に比べて赤血球や細菌を凝集, 溶血, 溶菌する活性が高い（完全抗体）.
IgD			18万	1〜10	血清中のこの抗体の意義はよくわかっていない.
IgE			20万	0.01〜0.1	I型アレルギーにかかわる.

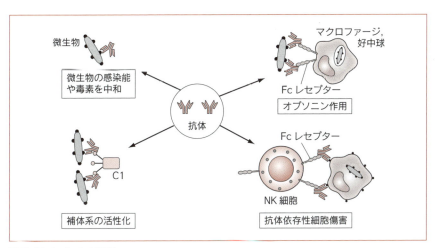

図 1-IV-4　IgG の機能

body-dependent cellular cytotoxicity；ADCC）を起こすことができる（図 1-IV-4）.

　血液中の半減期は約3週間と, 他のクラスの抗体の半減期が数日であるのと比べて長い.

　IgG を蛋白分解酵素の**ペプシン**で処理すると, ヒンジ部のC末端側で切断されてF（ab）部分が2つつながったF（ab'）₂とよばれるフラグメントが得

F（ab'）₂：ファブ プライム ツーと読む.

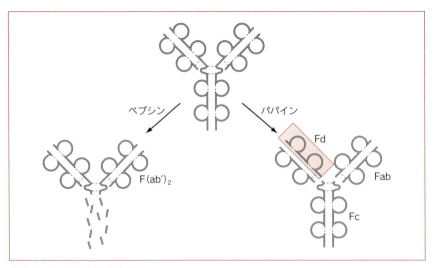

図 1-IV-5　IgG の限定分解
IgG をペプシンで処理すると F (ab')$_2$ が，パパインで処理すると Fab と Fc が得られる．Fab の H 鎖部分は Fd とよばれる．

られ，Fc 部は細かく分断されてしまう（図 1-IV-5）．また，パパインで処理した場合にはヒンジ部の N 末端側が切断されるので，2 つの Fab フラグメントと Fc フラグメントに分かれる．たとえば，免疫組織化学的染色法で抗体を使って組織中の抗原を検出する際に，Fc レセプターを介した非特異的な反応を除くために，IgG の代わりに F (ab')$_2$ を用いることがある．

また，抗体を 2-メルカプトエタノール（2-ME），ジチオスレイトール（DTT）などの還元剤で処理すると，S-S 結合が切れて H 鎖と L 鎖に分かれる（→ p.27 の側注）．

2) IgA

IgA は気道や消化管の粘液中の主要な抗体である．血清中の IgA はほとんどが単量体（monomer）であるが，粘膜の MALT などの形質細胞から分泌される**分泌型 IgA** は，やはり形質細胞から分泌される **J 鎖**（joining chain）に結合して **2 量体**（dimer）を形成する．粘膜上皮細胞に発現している Ig 受容体は，この J 鎖と結合して IgA を細胞内に取り込み，さらに管腔側に運んで分泌する（トランスサイトーシス）．その際に分泌成分とよばれる Ig 受容体の一部分が抗体と結合したままになっており，酵素による分解から抗体を護る役割を果たす（図 1-IV-6）．IgA は母乳にも含まれ，乳児の消化管の**受動免疫**に役立っている．IgA1, IgA2 のサブクラスがある．

3) IgM

J 鎖を介して **5 量体**（pentamer）を形成しているため，分子量が大きい．Fab 部分が 10 個あり，最大 10 価の抗体として働く（図 1-IV-7）．このため，

母乳中の抗体
主として 2 量体の IgA で，特に授乳開始後数日間の初乳には高濃度（150～200 mg/dL 前後）に含まれるが，その後も IgG や IgM（数 mg/dL）よりはるかに高い濃度（50 mg/dL 前後）で含まれる（佐藤則文，他：日本小児栄養消化器病学会雑誌，11：49，1997）．

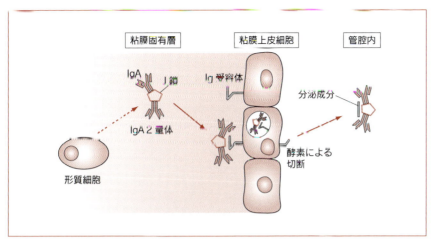

図1-Ⅳ-6 粘膜におけるIgAの分泌

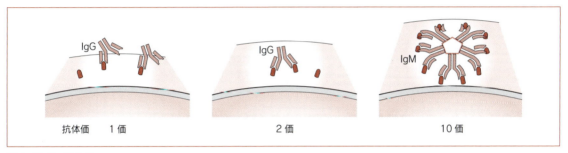

図1-Ⅳ-7 抗体価
エピトープがまばらに存在している場合には，抗体は1カ所のみで（1価の抗体として）抗原と結合する．エピトープが近い距離に多数存在している場合には，IgGは2価の抗体として，IgMは最大10価の抗体として作用でき，抗原との親和力（avidity）が格段に強くなる．

目でみえるような凝集反応や沈降反応を起こしやすく，**完全抗体**ともよばれてきた（IgGは不完全抗体とよばれてきた）．感染症の際には最も早く産生される．抗原と結合して免疫複合体を形成すると，補体の古典経路を活性化することができる．

4) IgD

少量しか分泌されず，IgDの機能や臨床的意義ははっきりしていない．

5) IgE

血清中の濃度がきわめて低いため，1966年に石坂公成・照子夫妻によって発見されるまで知られていなかった．IgEのFcレセプター（FcεR）は肥満細胞や好塩基球に発現しており，これらの細胞の表面にはIgE抗体が結合していて，**即時型アレルギー**の病態形成に深くかかわっている．このほか，寄生虫などに対する感染防御の役割が示唆されている．

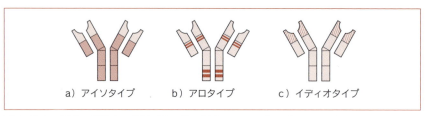

図 1-IV-8　抗体の構造上の分類（色の濃い部分のアミノ酸配列によって規定される）
a：アイソタイプは定常部の構造に基づいている．
b：さらに定常部の限られた部分の多型によりアロタイプが決められる．
c：可変部の多様な構造はイディオタイプとよばれる．

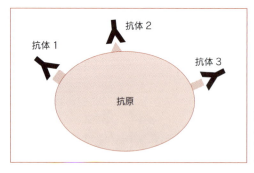

図 1-IV-9　ポリクローナル抗体
ある抗原に対してつくられた血清中の抗体（1, 2, 3）は通常，抗原上の種々のエピトープに対する抗体の混合物である．

6）抗体のアイソタイプ・アロタイプ・イディオタイプ

　前述のように，抗体は H 鎖の定常部の構造の違いによりクラス，サブクラスに分類され，また L 鎖も 2 種類あるが，そのような構造の違いは**アイソタイプ**（isotype）とよばれている．すなわち，H 鎖のアイソタイプには $\gamma 1$，$\gamma 2$，$\gamma 3$，$\gamma 4$，$\alpha 1$，$\alpha 2$，μ，δ，ε があり，L 鎖のアイソタイプには κ と λ がある．しかし，同一のクラスあるいはサブクラスの抗体であっても，定常部には個人により遺伝的に受け継いでいる何種類かのわずかな構造の違い（多型）があって，**アロタイプ**（allotype）とよばれている（図 1-IV-8）．さらに，同一のアイソタイプ，同一のアロタイプの抗体であっても（たとえば 1 人のヒトの血清中の IgG1 についても），可変部，特に超可変部の構造は抗体分子ごとに多様であり，**イディオタイプ**（idiotype）とよばれている．イディオタイプは，その抗体の特異性と密接に関連している．

3　ポリクローナル抗体とモノクローナル抗体

　分子量の大きい抗原は表面に多くの種類のエピトープをもっている．そのような抗原が体内に入ると，抗原は 1 種類でも複数の B 細胞クローンが刺激され，活性化し，抗体産生細胞に分化する．したがって，血清中に検出される抗体は通常，認識するエピトープが異なる抗体や，同一のエピトープに対するものであっても親和性が強い抗体や弱い抗体などの混合物であり，**ポリクローナル抗体**（polyclonal antibody）（図 1-IV-9）とよばれる．ポリクローナル抗体を含む血清を**抗血清**（antiserum）とよぶことがある．これに対して，実験

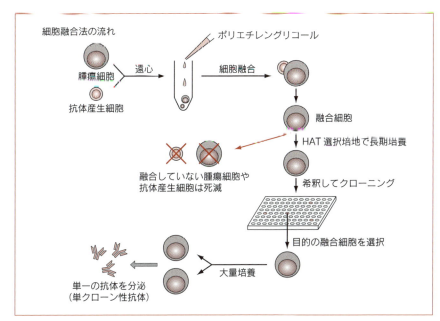

図 1-IV-10 モノクローナル抗体の作製法
抗体産生細胞と形質細胞腫株の細胞をポリエチレングリコールを用いて融合させる．融合した細胞をHAT選択培地を用いて選別したあと，目的の抗体を産生しているクローンを選別する．

的につくられる1つのB細胞クローンに由来する均一な抗体が**モノクローナル抗体**（monoclonal antibody）である．近年，多数のモノクローナル抗体がつくられ，臨床検査や研究に使われている．

1）ポリクローナル抗体の作製法

ウサギ，ヤギ，ヒツジなどを免疫して作製する．分子量が大きい抗原は単独で，小さい抗原（**ハプテン**，→ p.104）は適当な**キャリアー蛋白質**に結合させて用いる．いずれにしても，免疫反応を促進するために，抗原と**アジュバント**（adjuvant）とよばれる試薬を混合して接種することが多い．2～3週間隔で2～3回追加免疫を繰り返してから採血すると，高力価の抗血清が得られる（→二次免疫応答：p.49，→ affinity maturation：p.48）．

2）モノクローナル抗体の作製法

モノクローナル抗体を作製するには，2～3回免疫したマウスの脾臓のリンパ球と，あらかじめ用意したマウス形質細胞腫株を細胞融合させて，B細胞の抗体産生能と形質細胞腫の増殖能を兼ね備えた**ハイブリドーマ**（hybridoma，融合細胞株）を作製することが多い（図1-IV-10，11）．こうして得られたハイブリドーマは，抗体を産生しながら半永久的に増殖できるので，細胞を増やして，その培養上清から抗体を精製し，モノクローナル抗体として使用する．

 HAT 選択培地
（hypoxanthine, aminopterin, thymidine 含有培地）

通常の細胞はヌクレオチドの合成経路として de novo 経路と，チミジン（thymidine），ヒポキサンチン（hypoxanthine）の存在下で働く salvage 経路を有している．細胞融合には，抗体を産生しておらず，かつ salvage 経路が変異のために働かない形質細胞腫株を用いる．このような腫瘍細胞は in vitro で増殖するが，培地に de novo 経路の阻害薬アミノプテリン（aminopterin）を加えると死滅してしまう．一方，免疫したマウスから得た抗体産生B細胞は，もともと in vitro では寿命が短く，死滅してしまう．これらの細胞が融合して，salvage 経路と抗体産生能をB細胞から受け取った腫瘍細胞ができると，HAT 選択培地中で増殖できるため，融合しなかった腫瘍細胞から選別することができる．
この方法の発明により，César Milstein と Georges J. F. Köhler は1984年にノーベル生理学・医学賞を受賞した．

アジュバント

動物に強い免疫応答を誘発させるために，抗原と混合して用いられる免疫賦活剤．結核菌の死菌を用いた Freund のアジュバントなど，細菌の成分を用いたものが多く，樹状細胞を活性化して抗原提示が促進される．ただし，ヒトに用いると副作用があるので，予防接種の際には水酸化アルミニウムなどが用いられる．

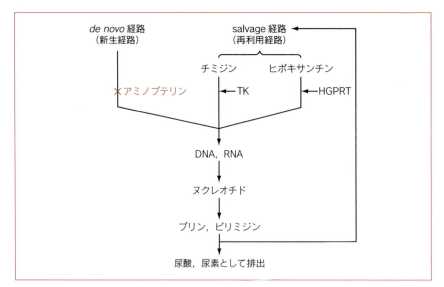

図 1-Ⅳ-11　核酸の合成経路と HAT 選別
salvage 経路には TK と HGPRT が両方とも必要である．細胞融合に TK または HGPRT を欠損している形質細胞腫株を用いると，正常リンパ球と融合しなかった細胞は HAT 選択培地中で死滅してしまう．
TK：thymidine kinase，HGPRT：hypoxanthine guanine phosphoribosyl transferase

　最近では，遺伝子改変技術を応用して，抗原結合部位以外の構造をヒトの抗体に置き換えたヒト型モノクローナル抗体も作製され，たとえば関節リウマチや Crohn（クローン）病に用いられている抗 TNF-α 抗体製剤のように，医薬品として患者に投与されているものもある．

Ⅴ 獲得免疫

〈到達目標〉
(1) ヘルパーT細胞が抗原を認識し，活性化して，リンパ組織の中あるいは感染局所に遊走して機能を発揮する一連の流れを説明できる．
(2) 細胞傷害性T細胞が抗原を認識し，活性化して機能を発揮する一連の流れを説明できる．

　獲得免疫における細胞性免疫では，マクロファージの中でも生き延びる細胞内寄生菌（→ p.26の側注）やウイルス感染細胞を排除するためにT細胞が重要な役割を果たす．一方，液性免疫ではB細胞や形質細胞から分泌される抗体が細胞外の病原菌やウイルスと結合して感染防御に働くが，抗体の産生にはB細胞とT細胞の相互作用が必要である．

　胸腺で成熟したナイーブT細胞は，細胞ごとに特異性の異なるさまざまな**T細胞レセプター**（T cell receptor；TCR）を表出しているが，ある1つの抗原を認識できるT細胞の，T細胞全体に占める割合は非常に小さい（10万〜100万個に1個といわれている）．一方，多くの抗原は**樹状細胞**に捕捉されて近くのリンパ節に移動する間にプロセシングを受けてペプチドになり，**MHCクラスⅡ分子**とともに提示される．血液中から高内皮細静脈を経て，あるいは輸入リンパ管を通って巡回してくるナイーブT細胞と樹状細胞は，リンパ節のT細胞領域で産生されるケモカインを感知するレセプターCCR7（→ p.9）を表出しているので，同じ場所におびき寄せられてくる．

　ナイーブT細胞は，樹状細胞上のさまざまなペプチド抗原とMHC分子との複合体と接触し，それらとの親和性が低いT細胞はそのまま離れて次のリンパ節へと出て行ってしまうが，それらと強い親和性で結合するTCRをもっているT細胞はそこにとどまって活性化し，IL-2を産生して増殖するとともにエフェクターT細胞に分化する．その結果，抗原に特異的なT細胞の数がリンパ節の中で急速に増え，あるものはB細胞と相互作用をし，あるものは輸出リンパ管から外に出て血液循環に入り感染の現場に向かってゆくのである．

　また，活性化したT細胞の一部は**メモリーT細胞**となって感染が収束した後も長期間生存し，二次免疫応答（後述）に備えて全身を巡回する．末梢血中のT細胞は，小児では大半がナイーブT細胞であるが，中年以降の成人では過半数がメモリーT細胞となっている．

　獲得免疫の概略を**図1-Ⅴ-1**に示したが，以下に個々のステップについて説明を加える．

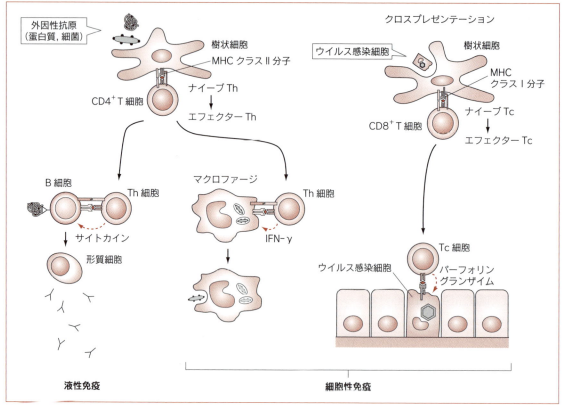

図 1-V-1　獲得免疫のアウトライン

1　T細胞の抗原レセプター

　T細胞レセプター（TCR）は，蛋白質や微生物などの抗原丸ごとと直接結合することはできず，MHC分子と，その上に結合しているペプチドとの複合体を認識する．TCRは，1本ずつのα鎖とβ鎖が共有結合してできている（図1-V-2）．α鎖，β鎖ともに，N末端側の可変部（V region）とC末端側の定常部（C region）からなっていて，可変部で抗原を認識し，定常部は細胞膜を貫通している．

　TCRの可変部は，抗体の可変部と同様に多様であり，遺伝子の再構成によってつくりだされる．すなわち，α鎖の可変部遺伝子は，複数あるV遺伝子とJ遺伝子の1つずつが選ばれて結合してつくられる．β鎖の可変部遺伝子は，複数あるV遺伝子と，D遺伝子と，J遺伝子から1つずつが選ばれて結合してつくられる．ただし，抗体遺伝子の超可変部にみられたような頻繁な突然変異は起こらない．

　末梢血中のT細胞はほとんどがα鎖とβ鎖からなるTCRを表出しているが，一部のT細胞はγ鎖とδ鎖からなるTCRを表出している（γδ型T細胞）．γδ型T細胞の多くは皮膚や粘膜に存在している．

図 1-V-2　T細胞レセプター（TCR）の基本構造
TCRは，α鎖とβ鎖（一部のT細胞ではγ鎖とδ鎖）が共有結合して構成されている．

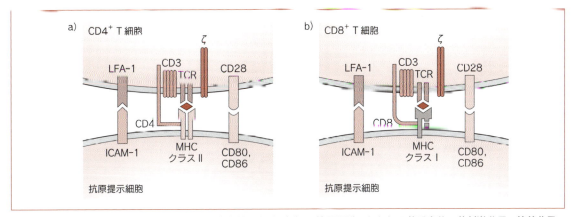

図 1-V-3　ヘルパーT細胞（a）および細胞傷害性T細胞（b）の抗原認識にかかわる共受容体，共刺激分子，接着分子
広義には，共受容体や共刺激分子も接着分子である．

2　T細胞の活性化に必要な分子群

T細胞が抗原提示細胞（APCs）に提示された抗原を認識する機構には，TCRに加えて，以下のような分子がかかわっている（図 1-V-3）．

1）共受容体と TCR 複合体

CD4⁺ヘルパーT細胞（Th細胞）のTCRは，MHCクラスII分子とペプチド抗原を同時に認識し，その結合を補強するようにCD4分子がMHCクラスII分子のβ鎖の定常部と結合する（**図 1-V-3a**）．CD4分子は，抗原提示細胞がTh細胞を必要としていることを確認する役割を果たしているともいえよう．一方，**CD8⁺細胞傷害性T細胞（Tc細胞）**では，TCRがMHCクラスI分子とペプチド抗原を認識し，CD8分子がMHCクラスI分子のα鎖の定常部と結合する（**図 1-V-3b**）．CD8分子は，その抗原提示がTc細胞を求めていることを確認する役割を果たしているともいえる．このように，CD4，CD8はTCRと一緒に抗原認識にかかわるので**共受容体**（coreceptor）ともよばれる．

さらに，TCR自体は細胞内の部分が短くて単独ではシグナル伝達ができないので，γ（gamma）鎖，δ（delta）鎖，ε（epsilon）鎖からなる**CD3分子群**と**ζ（zeta）鎖**がTCRと非共有結合して**TCR複合体**（TCR complex）を形成し，共受容体とともに，抗原を認識したというシグナルを細胞内に伝播する役割を担っている．

2）共刺激分子

ナイーブT細胞（ThおよびTc）の活性化には，T細胞がAPCs（主に樹状細胞）に十分な量発現している**共刺激分子**（costimulator）と結合することも必要である．APCs上の共刺激分子には，CD80とCD86という2つの類似した分子があり，これらはAPCsが自然免疫のレセプターでPAMPsを認識して活性化すると発現が増加する．CD80/CD86は，T細胞に発現しているCD28

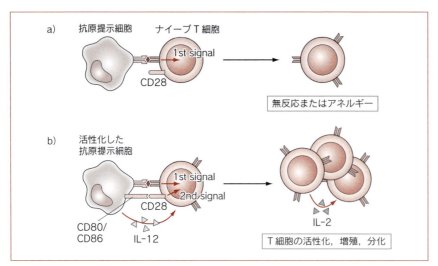

図1-V-4 T細胞活性化における共刺激分子の役割
a：抗原提示細胞がCD80/CD86を発現していない場合には、T細胞は抗原を認識しても活性化しない。場合によってはアネルギー（抗原刺激に不応）とよばれる状態になって、のちにCD80/CD86を発現している細胞から同じ抗原の提示を受けても反応できなくなってしまう。
b：微生物の刺激や自然免疫によって産生されるサイトカインの刺激で活性化した抗原提示細胞は、CD80/CD86を発現する。この場合、T細胞にはCD28を介した副刺激（second signal）が入り、活性化してIL-2などのサイトカインを産生し、増殖する。活性化した抗原提示細胞はIL-12などのサイトカインも分泌し、T細胞のエフェクター細胞への分化を促す。

という共刺激分子と結合する（**図1-V-4**）。TCR複合体と共受容体による抗原を認識したというシグナルを主刺激（first signal），CD80/CD86との結合によってCD28から入る刺激を副刺激（second signal）とよぶが，主刺激のみではナイーブT細胞の活性化は起こらない。このような仕組みによって，ナイーブT細胞が無害な抗原，すなわちAPCsに多くの共刺激分子を発現させないような抗原（たとえば自己抗原）に対して活性化してしまうことを防ぐことができる。

　CD8$^+$細胞傷害性T細胞（Tc細胞）は，ウイルス感染細胞や腫瘍細胞の除去に重要な働きをする。それらの細胞はMHCクラスI分子上にウイルスや腫瘍由来の抗原ペプチドを提示しているが，APCs以外の多くの細胞は通常は共刺激分子を発現していないので，それだけではナイーブTc細胞の活性化は起こらない。ナイーブTc細胞の活性化のためには，感染細胞や腫瘍細胞（あるいはそれらの破片，残骸）がいったん樹状細胞に取り込まれて，十分量の共刺激分子とともにMHCクラスI分子上に提示される必要がある。このような，外から取り込んだ抗原をクラスIIではなくクラスI分子に提示することをクロスプレゼンテーション（cross-presentation）とよび，一部の樹状細胞サブセット（cDC1，→ p.4）がそのような機能を果たしている。こうしていったん活性化し，エフェクター細胞となったTc細胞が感染細胞や腫瘍細胞のところに遊走してきて攻撃する際には，もはや標的細胞上に共刺激分子の発現を必

CD80/CD86
CD86はAPCs上に平常時から低レベルに発現していて，細胞が活性化すると急速に発現量が増加する。一方，CD80は細胞の活性化後，数時間から数日して発現してくる。

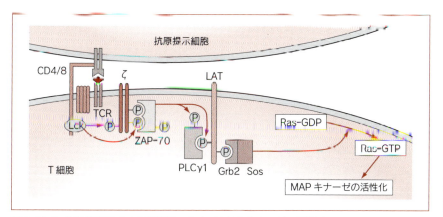

図1-V-5 T細胞活性化の初期部分，および MAP キナーゼの活性化
TCR が MHC とペプチドの複合体と結合し，同時に CD4 または CD8 が MHC と結合して抗原提示細胞側に集簇すると（clustering），わずか数秒のうちに CD4 または CD8 に会合しているチロシンキナーゼ Lck が CD3 複合体やζ鎖の ITAM (immuno-receptor tyrosine-based activation motif) とよばれる部分のチロシンをリン酸化する．ここに ZAP-70（ζ-associated protein of 70 kD）というチロシンキナーゼの SH2（Src homology 2）ドメインが結合する．結合した ZAP-70 が Lck によってリン酸化を受けると，ZAP-70 の酵素としての活性化が起こる．
　さらに細胞内にシグナルを伝達するためのアダプター蛋白質の一つに，LAT（linker for the activation of T cells）がある．LAT が ZAP-70 によってリン酸化されると，Grb-2 の SH2 ドメインが結合し，それに Ras GTP/GDP 変換因子 Sos が結合する．Ras はグアニンヌクレオチド結合蛋白質（G 蛋白質）の一種で，GDP と結合しているときは不活性型であるが，GDP が GTP に置き換わると構造が変化して活性型となり，他の種々の酵素を活性化する働きがある（悪性腫瘍には Ras が変異して絶えず活性型をとっているものがある）．Sos によって活性型となった Ras は，MAP キナーゼとよばれる一群の酵素を活性化する．

要としない．

3）接着分子

T 細胞の接着分子（LFA-1 など）が，APCs 上のリガンド（ICAM-1 など）と結合して，T 細胞と APCs の結合を補強する（**図1-V-3**）．

3　T細胞活性化の生化学的経路

TCR が抗原を認識すると，共受容体と TCR 複合体によって細胞質内の一連の生化学的反応系が活性化する．これには Ras-MAP キナーゼ経路，ホスホリパーゼ Cγ1 (phospholipase Cγ1；PLCγ1) が活性化してプロテインキナーゼ C (protein kinase C；PKC) を活性化する経路，PLCγ1 が活性化して細胞内 Ca^{2+} 濃度が上昇する経路などがある（**図1-V-5, 6**）．細胞内シグナル伝達系の反応では，蛋白質をリン酸化する酵素キナーゼ（kinase）と，脱リン酸する酵素ホスファターゼ（phosphatase）の働きが重要で，細胞質内には多くの種類のキナーゼやホスファターゼが存在している．
　最終的には NFAT，AP-1，NF-κB などの転写因子の活性化が起こり，それらが核内に移送され，種々のサイトカイン，サイトカインレセプター，接着分子など，炎症や免疫にかかわる多くの遺伝子の転写を起こすことによって，細

蛋白質のリン酸化
多くの細胞機能が蛋白質のリン酸化と脱リン酸化の反応によって調節されている．リン酸化を受けるアミノ酸は，セリン，スレオニン，チロシンの3種類であるが，情報伝達系では特にチロシンのリン酸化が重要である．

キナーゼ (kinase) とホスファターゼ (phosphatase)

タクロリムス (tacrolimus)
筑波山の土壌中の菌から分離された免疫抑制薬．カルシニューリンに結合して NFAT の脱リン酸化を阻害する．移植臓器拒絶反応の抑制や膠原病の治療に用いられている．

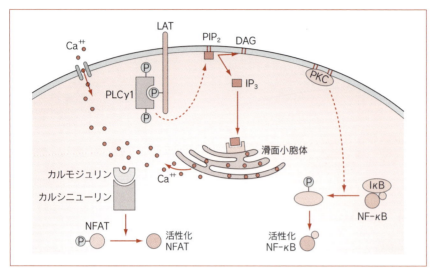

図 1-V-6　T 細胞活性化における細胞内カルシウムイオン濃度の上昇，および PKC（protein kinase C）の活性化

図 1-V-5 のようにチロシンリン酸化を受けた LAT には，数分以内にイノシトールリン脂質の加水分解にかかわるホスホリパーゼ Cγ1（PLCγ1）が結合し，細胞膜のリン脂質であるホスファチジルイノシトール-2 リン酸（PIP_2）をイノシトール-3 リン酸（IP_3）とジアシルグリセロール（DAG）に分解する．IP_3 は細胞質内に拡散して滑面小胞体の膜表面にあるレセプターに結合し，内部に蓄えられていたカルシウムイオンの放出を引き起こす．さらに，滑面小胞体内のカルシウムが減少することが引き金となって，細胞外からのカルシウムイオンの流入も生じる．このようにして急速に濃度が上昇した細胞質内のカルシウムイオンは，カルシウム依存性調節蛋白質カルモジュリン（calmodulin）とともにセリン/スレオニンホスファターゼであるカルシニューリン（calcineurin）を活性化する．これが転写因子 NFAT（nuclear factor of activated T cells）の脱リン酸化をもたらし，NFAT が核内に移行する．

一方，もう一つの PIP_2 の分解産物である DAG は，細胞内カルシウムイオン濃度の上昇と相まって細胞膜の PKC を活性化して，IκB（inhibitors of κB）のリン酸化と分解をもたらし，IκB から遊離した転写因子 NF-κB が核内に移行する．

胞が機能を発揮することとなる（**図 1-V-7**）．

4　B 細胞の抗原レセプターと活性化

B 細胞が抗原を認識する B 細胞レセプター（B cell receptor；BCR）は，実は細胞膜に結合した抗体に他ならない．BCR は C 末端に疎水性アミノ酸に富んだ α ヘリックス構造をとる膜貫通領域と，細胞膜の内側の陰性荷電リン脂質に親和性をもつ陽性荷電アミノ酸に富んだ細胞質内領域を有している（**図 1-V-8**）．B 細胞が活性化して抗体産生細胞に分化すると，選択的スプライシングによって，これらの領域を欠いたものがつくられて細胞外に分泌されるようになり，これが血液や他の体液中を流れている可溶性抗体である．

骨髄である程度まで成熟したナイーブ B 細胞は，IgM の BCR を表出した状態で脾臓などの末梢リンパ組織に移動し，最終的に IgM と IgD の BCR を表出した成熟ナイーブ B 細胞となって，全身の末梢リンパ組織に入る．リンパ節では，成熟ナイーブ B 細胞は濾胞樹状細胞が産生するケモカイン CXCL13 に

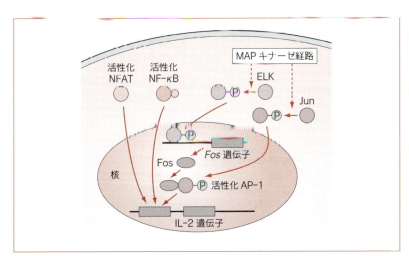

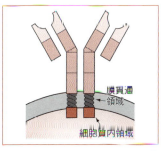

図1-V-8　抗体の細胞膜貫通部位

図1-V-7　T細胞活性化の核内部分
MAPキナーゼ経路酵素群が活性化すると，転写因子JunやELKがリン酸化を受けて核内に移行する．ELKはFosの発現を誘導する．JunとFosは結合して転写因子AP-1を構成する．これらの転写因子が，IL-2などのサイトカイン遺伝子の上流にあるプロモーター領域に結合して遺伝子を発現させ，T細胞が機能を発揮することになる．

対するレセプターCXCR5を表出しているために，リンパ濾胞の部位に集まってくる（→ p.9）．一方，組織に侵入した抗原は，樹状細胞に取り込まれるか，あるいはプロセシングを受けることなく単独で輸入リンパ管からリンパ濾胞に入ってくるが，B細胞は後者をBCRで認識する．

その結果でB細胞が活性化する細胞内シグナル伝達系の仕組みは，T細胞の場合と役者は異なるものの，かなり類似している．BCRは細胞質部分が短く，単独では細胞内にシグナルを伝達できないが，抗原上の複数のエピトープが複数のBCRを架橋する（cross-linking），あるいは集簇させる（clustering）と，付随しているチロシンキナーゼLynが相互作用して活性化される．BCRにはさらに，IgαとIgβとよばれる分子が結合していて，BCR複合体を形成している（**図1-V-9**）．Igα，Igβの細胞質部分は，免疫に関与するレセプターに共通なチロシン活性化部位（immuno-receptor tyrosine-based activation motif；ITAM）をもっていて（TCR複合体のCD3やζ鎖に相当，**図1-V-5**），Lynの作用でリン酸化される．このリン酸化チロシンに，Sykとよばれるアダプター蛋白質が結合する．結合したSykは自身もリン酸化され，シグナルを伝達する（SykはT細胞のZap70に相当する）．T細胞ほど詳細には解明されていないが，B細胞のシグナル伝達系もT細胞と類似しており，最終的には転写因子NFAT，NF-κB，AP-1などの活性化がもたらされる．

また，補体C3の分解産物であるC3dが病原体に付着していると，B細胞はC3dを結合するタイプ2補体レセプター［complement receptor 2；CR2（CD21）］をもっているので，BCRと同時にCR2でも病原体と結合することができ，活性化が促進される（**図1-V-10**）．

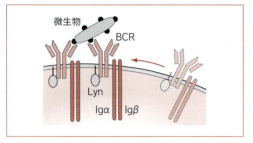

図1-V-9 B細胞レセプターの架橋（cross-linking），集簇（clustering）
B細胞レセプター（BCR）に付随しているLynの活性化は，抗原によってレセプターが架橋されることが刺激になって生じる．

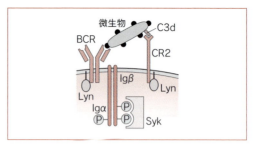

図1-V-10 B細胞の活性化
B細胞レセプター（BCR）に抗原が結合すると，Lynなどのキナーゼが活性化してBCRに付随しているIgα，Igβをリン酸化する．ここにSykキナーゼが結合して活性化し，細胞内のシグナル伝達系が順次活性化する．抗原に補体成分C3dが付着していると，CR2を介したシグナルも入り，活性化が促進される．

5　ヘルパーT細胞のエフェクター機構

　ナイーブT細胞は末梢リンパ組織（リンパ節の傍皮質など）で樹状細胞による抗原提示を受けて活性化し，エフェクターT細胞に分化する．その際，特にTh細胞は1〜2時間後にはIL-2（interleukin 2）などのサイトカインの分泌を始める．活性化Th細胞はIL-2レセプターも発現するので，autocrine, paracrineの機構で増殖し（**図1-V-11**），その抗原に特異的なTh細胞の数は約1,000倍に増加する（**クローンの拡大**）．その結果，Th細胞は，そのリンパ組織内でB細胞と相互作用してB細胞を抗体産生細胞に分化させるほか，ナイーブT細胞と異なり，セレクチンリガンド，インテグリン，ケモカインレセプターを発現しているため，リンパ組織から出て血流にのって体内を循環し，血管内皮細胞がそれらのリガンドを発現している場所に到達すると，図1-II-3（→p.17）と同様の機序で血管外に遊走する．

　樹状細胞は抗原を提示するのみではなく，病原体の種類によっても異なる種々のサイトカインを分泌してT細胞を刺激する．そのほか，マクロファージ，NK細胞，肥満細胞などの自然免疫反応によって産生されるサイトカインも加わった環境のなかで，Th細胞はTh1細胞，Th2細胞，Th17細胞などのサブセットに分化し，病原体の種類に対応した機能を発揮することになる（**図1-V-12**）．

　Th1細胞は，インターフェロンγ（interferon-γ；IFN-γ）を産生してマクロファージの貪食能や殺菌能を亢進させるほか，マクロファージ，樹状細胞，B細胞などの抗原提示細胞（APCs）のMHCクラスII分子や共刺激分子CD80/CD86の発現量を高める．さらに，Th1細胞は別の共刺激分子であるCD40リガンド［CD40L（CD154）］を発現してCD40と結合することによってもAPCsを活性化させ，活性化したAPCsはTh1細胞をさらに活性化させる（**図1-V-13**）．このように，APCsとTh1細胞の相互作用は，正のフィードバック機構となって強力な生体防御機能を発揮する（自然免疫と獲得免疫の

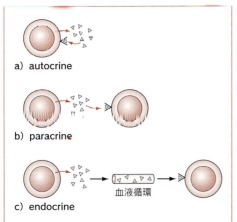

図 1-V-11　サイトカインの作用様式
サイトカインは特異的なレセプターを発現している細胞に作用する．多くは産生細胞自身（autocrine action）か，近傍の細胞（paracrine action）に作用するが，ホルモンのように遠方の細胞に作用する場合もある（endocrine action）．

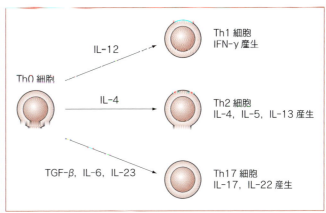

図 1-V-12　ヘルパー T 細胞の分化
CD4⁺ナイーブ Th 細胞（Th0 細胞ともよばれる）は，抗原および，その抗原に対する自然免疫反応で産生されるサイトカインの作用によって，Th1，Th2，Th17 などのエフェクター細胞に分化する．

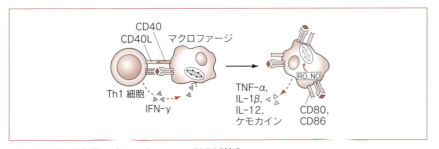

図 1-V-13　T 細胞によるマクロファージの活性化
活性化 Th1 細胞は CD40L を発現して CD40 を介し，また IFN-γ を産生して，マクロファージを活性化する．その結果，ファゴリソソーム内の活性酸素（RO）や一酸化窒素（NO）が貪食された微生物を殺菌し，MHC 分子や共刺激分子，炎症性サイトカインの発現も亢進する．

共同作業の例ともいえる）．IFN-γ の刺激を受けて，貪食能，活性酸素や一酸化窒素の産生による殺菌能，炎症性サイトカインの産生などが亢進したマクロファージは M1 型とよばれる．また，IFN-γ は抗体産生 B 細胞に IgG へのクラススイッチを誘導する（→ p.47）．

　Th2 細胞は，IL-4，IL-5，IL-13 などを産生する．IL-4 は抗体産生 B 細胞に IgE へのクラススイッチを誘導する（意義は不明であるが，IgG4 へのクラススイッチも誘導される）．肥満細胞は IgE の Fc レセプター（FcεR）を発現しており，これが抗原で架橋されると活性化して細胞質の顆粒を放出する．一方，IL-5 は好酸球の分化，増殖を促進する．詳細はまだ不明の点が多いが，これら肥満細胞や好酸球は消化管の蠕動運動も活発にして，寄生虫など消化管の病原体の排除に働くと考えられている．食物アレルギーも同様の機序で起こることが推測される．IL-4 と IL-13 には，気道や消化管の粘液分泌を促進す

メポリズマブ（mepolizumab）
IL-5 に対するモノクローナル抗体製剤で，好酸球が病態形成にかかわっている気管支喘息，好酸球性多発血管炎性肉芽腫症（→ p.95）などの治療に用いられている．モノクローナル抗体製剤は「…mab」と命名される．

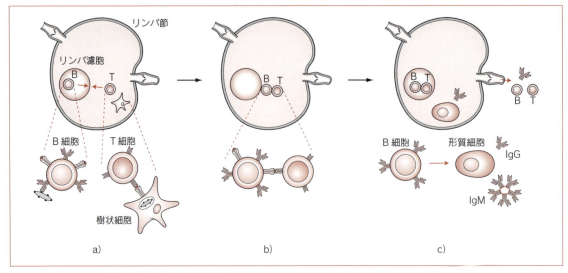

図 1-V-14　リンパ節における免疫応答の開始
a：抗原はそのままの形で単独に，あるいは樹状細胞に捕捉されてプロセシングされながら，輸入リンパ管から近くのリンパ節に入る．
b：抗原を BCR で認識して活性化した B 細胞と，樹状細胞に提示された抗原を認識して活性化した T 細胞は，リンパ濾胞の辺縁で出会って相互作用する（図 1-V-16）．
c：その結果，リンパ濾胞の外側では抗原特異的 T 細胞の増殖，分化，リンパ濾胞の中では抗原特異的 B 細胞の増殖，抗体産生細胞や形質細胞，メモリー B 細胞への分化，抗体のクラススイッチ，親和性の増加などがもたらされる．

る作用もある．また，IL-4，IL-13 の刺激を受けたマクロファージは M2 型とよばれ，IL-10 などの抑制性サイトカインを分泌して M1 型マクロファージの向炎症作用を抑えるとともに，TGF-β を産生して血管新生や線維化を促進し，炎症後の組織の修復にあたる（➡ p.4 の図 1-I-3 ②）．

　Th17 細胞は IL-17 や IL-22 を産生する．これらのサイトカインは上皮細胞や間質細胞に作用してケモカインを産生させ，好中球を動員することによって，細胞外で増殖する細菌や真菌の排除に働く．また，Th17 細胞は乾癬などの慢性炎症性病態にも深くかかわっており，抗 IL-17 モノクローナル抗体［セクキヌマブ（secukinumab）など］が高い臨床効果を示す．

6　B 細胞の抗体産生におけるヘルパー T 細胞の役割

1）同一の抗原に特異的な T 細胞との相互作用

　リンパ濾胞で抗原刺激を受けて活性化した B 細胞は，CXCR5（➡ p.9）の発現が減少し，代わりに CCR7 を発現するため，濾胞の外に向かって移動する．反対に，T 細胞領域で樹状細胞による抗原刺激を受けて活性化した Th 細胞では，CCR7 の発現が減少して CXCR5 を発現するようになるため，リンパ濾胞に向かって移動する（図 1-V-14）．

　濾胞の外に出てきた B 細胞は，BCR に結合した抗原を細胞内に取り込んでプロセシングし，MHC クラス II 分子上に提示しており，これを CD4$^+$Th 細胞が認識する．一方，B 細胞が提示している抗原を認識し，CD28 からの副刺激

図1-V-15 B細胞（抗体）とT細胞が認識するエピトープ
BCRは立体構造をとる蛋白質の表面の構造（灰色の部分）しか認識できないが、TCRが認識するエピトープは蛋白質の内部のペプチド（赤い部分）のこともありうる．したがって，同一の抗原に特異的といっても，B細胞とT細胞では認識するエピトープは異なることが多い．

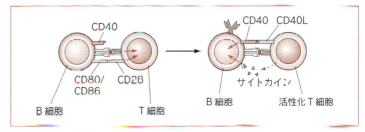

図1-V-16 T細胞とB細胞の相互作用
共刺激分子CD80/CD86を発現しているB細胞によって抗原提示を受けたTh細胞は，活性化して共刺激分子CD40Lを発現し，種々のサイトカインを産生する．CD40からの刺激やサイトカインの刺激を受けたB細胞は，増殖，分化，クラススイッチなどを起こす．

も受けたTh細胞は，共刺激分子CD40リガンドを発現し，B細胞上のCD40を介してB細胞にシグナルを伝えるとともに，サイトカインも産生して，増殖と抗体産生細胞への分化を促す（**図1-V-16**）．

2）抗体産生細胞への分化とクラススイッチ

このようにして濾胞の外でB細胞とT細胞の相互作用が起こり，数日後には一部のB細胞とT細胞は再び濾胞の中に入って胚中心を形成しながら，さらなる相互作用を起こす．この経過中にB細胞は抗体産生細胞へと分化して，膜貫通部分をもたない分泌型BCRもつくるようになって，それが可溶性抗体として細胞外に分泌される（ただし，IgDの分泌型は少ししかつくられない）．

さらにTh細胞は，IgMを分泌していたB細胞に，異なるクラスの免疫グロブリンを産生させる**クラススイッチ**を誘導する．クラススイッチには，CD40から入る刺激とサイトカインの刺激の両方が必要であり，その際のサイトカインの種類によって，どのクラスのH鎖にスイッチするかが決定される．たとえば，多くのウイルスや細菌の感染症では，Th1細胞が産生するIFN-γがIgGへのクラススイッチを誘導する．IgGは血清中の主力抗体で，細胞外に存在する病原体に結合して感染を阻止したり，オプソニンとして食細胞による病原体の貪食を促進する．

クラススイッチが起こる前のB細胞では，遺伝子再構成が起こった免疫グロブリンH鎖可変部のVDJ遺伝子のすぐ下流にある定常部遺伝子の$C\mu$と$C\delta$が利用されて，IgMとIgDがつくられている．一方，Th細胞から刺激を受けたB細胞では，VDJ遺伝子の下流にある他の定常部遺伝子のうち，サイトカインの種類によって異なる定常部遺伝子のみが転写され，途中の遺伝子が除去されてH鎖mRNAがつくられ，クラススイッチが起こる（**図1-V-17**）．

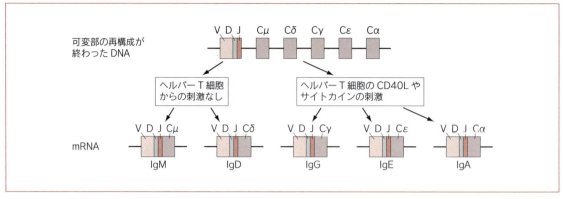

図 1-V-17 抗体のクラススイッチ
B細胞では抗体の可変部の遺伝子に再構成が生じる．定常部の遺伝子はこの下流に存在しており，転写されたRNAからT細胞の刺激に応じて不要な部分が除去されて，最終的なmRNAがつくられる．

3）抗体の親和性の増加

　同一の抗原に2度，3度と繰り返し曝露されるうちに，その抗原に対する血清中の抗体の親和性が増加していく（affinity maturation）．これは，免疫グロブリン遺伝子の可変部，特に超可変部の遺伝子の点突然変異などによってもたらされる．

　リンパ濾胞の胚中心でB細胞が活発に分裂・増殖しているときには，Th細胞との相互作用によって誘導される酵素の影響もあって，抗体遺伝子の変異が起こりやすい．抗原に対する結合力の強いBCRをもつ細胞が生まれると，そのようなクローンは濾胞樹状細胞の表面に付着している抗原と強く結合して刺激されるので，他のクローンより優先的に増殖する．このときのB細胞の分裂速度は，6時間で2倍となる程度といわれ，形態学的にも多くの分裂細胞を観察することができる．その結果，次第に抗原との親和性の強い抗体を産生するクローンの割合が大きくなってくるため，血清中のポリクローナル抗体全体としてみた場合にも**力価**が高くなってくるのである．

4）形質細胞・メモリーB細胞への分化

　抗体産生B細胞はさらに分泌型BCR，すなわち抗体のみを大量に産生する形質細胞に分化する．濾胞の外のT-B相互作用で分化した形質細胞は短命で抗原との親和性も低いが，胚中心でのT-B相互作用の結果つくられた形質細胞は骨髄まで移動して，長期間にわたって抗体産生を続けることができる．血液中の免疫グロブリンの多くはこのような形質細胞から分泌された抗体であり，その個体が生後多くの種類の病原体やワクチンなどに曝露されてきた歴史を反映している．

　また，一部のB細胞は**メモリーB細胞**に分化して，抗アポトーシス分子Bcl-2を発現して長期間生存し，全身のリンパ組織を巡回しながら再度の抗原侵入に備えている．ある抗原に対する初回の免疫応答を**一次免疫応答**（primary

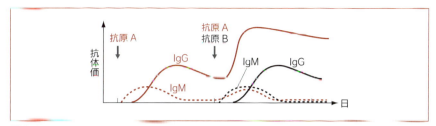

図 1-V-18 一次免疫応答と二次免疫応答
はじめて侵入してきた抗原 A に対して，まず IgM クラスの抗体価が上昇し，遅れて IgG クラスの抗体価が上昇する（一次免疫応答）．IgM 抗体は半減期が短い．のちに再び同じ抗原 A で感作された場合には，より速く，より強く IgG 優位の免疫応答が起こり，二次免疫応答とよばれる．しかしこのとき，前回と異なる抗原 B が侵入してきたのであれば，その抗原に対しては一次免疫応答が起こる．細胞性免疫についても同様のことがいえる．図の縦軸は抗体価を示すが，これは細胞性免疫の強さについても当てはまる．

図 1-V-19 T 細胞非依存性抗原
同じエピトープを多数もつ構造の抗原は，BCR の強い集簇（clustering）を起こす．

immune response），同じ抗原が再度侵入してきた場合の免疫応答を**二次免疫応答**（secondary immune response）とよぶ．二次免疫応答の際には，メモリー T 細胞やメモリー B 細胞が残っているために，一次免疫応答と比べて細胞性免疫も液性免疫もすみやかに強力に起こる（**図 1-V-18**）．ワクチン接種はこの仕組みを利用した感染防御対策といえる．

7　T 細胞非依存性抗原

　蛋白質などのように，それに対する抗体の産生にヘルパー T 細胞が必要な抗原を **T 細胞（または胸腺）依存性抗原**という．

　これに対し，多糖，糖脂質，核酸などの多くは，T 細胞がなくても B 細胞に抗体産生を引き起こすことができ，それらを **T 細胞（または胸腺）非依存性抗原**とよぶ．これらの抗原は MHC 分子に結合できないため TCR にも認識されないが，1 分子中に多くの同じエピトープが繰り返される構造をもっているため，特異的 BCR の強い集簇（clustering）を起こして B 細胞を活性化する（**図 1-V-19**）．しかし，T 細胞からのヘルプがないので，クラススイッチや親和性の増加は起こらず，主に IgM クラスの低親和性の抗体が産生される．

8　細胞傷害性 T 細胞のエフェクター機構

　ナイーブ $CD8^+$ Tc 細胞は，ウイルス感染などに際して樹状細胞から十分量の共刺激分子とともに抗原ペプチドのクロスプレゼンテーション（→ p.38 の**図 1-V-1**）を受けると活性化し，急速に増殖して，その抗原に特異的な Tc 細胞の数が一時的に数万倍以上に増える．エフェクター Tc 細胞となってリンパ組織を離れ，血流にのって感染部位に遊走して標的細胞に結合すると，内部にもっていた顆粒成分を細胞外に放出する（exocytosis）．この場合の標的細胞は，ウイルス由来ペプチドなどの非自己抗原を MHC クラス I 分子とともに提示している細胞で，共刺激分子を発現している必要はない．

　顆粒から放出されたパーフォリン（perforin）とよばれる蛋白質は，カルシ

ウイルス感染に対する獲得免疫

ウイルス感染に対する獲得免疫では，特異抗体による感染阻止や，Tc 細胞による感染細胞の攻撃がみられる．抗体の産生および Tc 細胞の活性化・増殖には，Th 細胞がかかわっている．すなわち，ウイルス感染細胞（またはウイルス抗原を含んだ細胞の残骸）を貪食した樹状細胞が，MHC クラス II 分子で抗原提示して Th 細胞を活性化することと，クラス I 分子でクロスプレゼンテーションして Tc 細胞を活性化することの両方が必要となる．これらが，同じ樹状細胞によってなされているのか，別々のサブセットの樹状細胞によってなされているのかは，まだ明確には解明されていない．

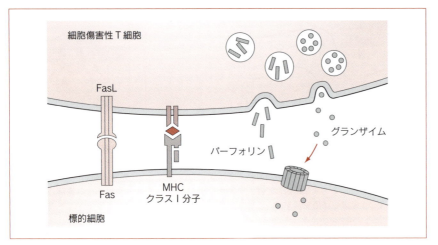

図1-V-20　細胞傷害性T細胞の機能
活性化してエフェクター細胞となったCD8⁺Tc細胞は，特異抗原を表出している標的細胞に出会うとパーフォリンを分泌する．パーフォリンは重合して標的細胞の細胞膜に穴をあけ，これを通してグランザイムが流入して，標的細胞にアポトーシスを誘導する．また，Fas-FasLを介するシグナルもアポトーシスを誘導する．

ウムイオン存在下で重合して標的細胞の細胞膜に穴をあける（図1-V-20）．この穴から，同時に放出されたグランザイム（granzyme）という蛋白分解酵素が標的細胞の中に入り，細胞質にあるアポトーシス関連蛋白分解酵素であるカスパーゼ（caspase）を活性化させて，アポトーシス（細胞死）を誘導する（→ p.18のNK細胞による標的細胞傷害と同様）．さらに，活性化Tc細胞はFasリガンド（FasL）を発現し，標的細胞上のFas（CD95）に結合することによってもカスパーゼを活性化し，アポトーシスを誘導する．アポトーシスを起こした細胞は，マクロファージに貪食されて処理される．

9　免疫反応の抑制・終息

ここまで獲得免疫におけるリンパ球の活性化について述べてきたが，一方で免疫系には過剰な免疫反応を制御する仕組みも備わっている．たとえば，病原体が一掃されて抗原からの刺激が入らなくなると，エフェクターT細胞の大半はアポトーシスを起こして1〜2週間以内に死滅する．つまり，リンパ球にとって適度の抗原刺激は，抗アポトーシス蛋白を発現させるサバイバルシグナルとして生存に必要なのである．

また，抗原刺激が長時間続いている場合には，活性化T細胞に**CTLA-4**（cytotoxic T lymphocyte antigen 4），**PD-1**（programmed cell death protein 1）などの**免疫チェックポイント分子**が発現し，過剰な活性化を抑制しようとする．CTLA-4のリガンドはCD80/CD86で，CD28より強い親和性をもっているために，CD28の副刺激を伝える作用を競合阻害してしまう（**図1-V-21**）．PD-1のリガンドは，抗原提示細胞やその他の種々の細胞に

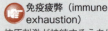

免疫疲弊（immune exhaustion）
抗原刺激が持続するうちにT細胞に免疫チェックポイント分子が発現して免疫応答が抑制されてくる現象を，T細胞の免疫疲弊とよぶこともある．

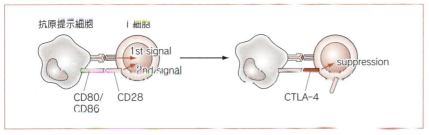

図 1-V-21　免疫チェックポイント分子の発現
抗原刺激が長時間続くと，T細胞に活性を抑制するCTLA-4が発現する．このリガンドはCD28のリガンドと同じであるが，より強い親和性を有していて，CD28と置き換わる．

発現するPD-L1，PD-L2という分子である．PD-1がそれらのリガンドと結合すると，PD-1に付随するホスファターゼが活性化して，TCR複合体やCD28からの刺激で活性化したキナーゼによるシグナル伝達系の作用を阻害してしまう．

また，$CD4^+$T細胞のサブセットである**制御性T細胞**（Treg，→ p.5）はCTLA-4を発現している．リンパ組織において，TregのCTLA-4が樹状細胞のCD80/CD86を，強い親和性で結合して占拠してしまう，あるいは抜去してしまうと，樹状細胞がT細胞を活性化する機能が低下してしまう．さらにTregは抑制性サイトカインIL-10や，組織の線維化を促進するサイトカインTGF-βを産生する．これらの仕組みによってTregは，過剰な免疫応答や自己免疫応答の抑制，炎症反応の終息などに重要な働きをしている．

10　腫瘍免疫

手術で摘出された腫瘍組織にはT細胞，マクロファージ，NK細胞などの浸潤が認められ，免疫系が腫瘍細胞を非自己と認識して反応していることがうかがわれる．近年，細胞傷害性T細胞の作用を増強することによって腫瘍の縮小・消滅を目指す免疫療法の開発が試みられ，著効例も経験されるようになってきた．

1）CAR-T療法

腫瘍抗原に特異的に結合する抗体の可変部遺伝子と，細胞内刺激伝達にかかわるζ鎖などのCD3分子群およびCD28などの共刺激分子の細胞質部分の遺伝子をつなげた形の遺伝子改変キメラ型抗原レセプターを細胞傷害性T細胞に導入して発現させ［CAR-T細胞（chimeric antigen receptor T cell）］，これをIL-2および抗CD3抗体と抗CD28抗体で刺激し増殖させて患者に投与する方法である．本来のTCRは自己のMHC分子上に提示されたペプチド抗原しか認識できないが，CAR-T細胞はそのようなMHC拘束性がないので，同様の抗原を発現した腫瘍に罹患しているすべての患者に使うことができる．体内に入ったCAR-T細胞は腫瘍に結合すると，細胞内シグナル伝達系が強く

活性化して増殖しながら腫瘍細胞を攻撃する．白血病，悪性リンパ腫などの治療に用いられている．

2）免疫チェックポイント阻害薬療法

　腫瘍免疫においても，細胞傷害性T細胞がCTLA-4を発現すると細胞の活性が抑えられてしまう．そこでモノクローナル抗CTLA-4抗体を投与してこの免疫チェックポイント分子の作用をブロックし，免疫反応を再活性化させようという治療が最初に悪性黒色腫の症例で試みられ，少なくとも一部には有効であった．その後，抗PD-1抗体や抗PD-L1抗体の臨床研究も行われ，さまざまな腫瘍に対して有効性が確認されている．PD-1とCTLA-4の両方を阻害するとより効果が高くなるという研究結果も報告されている．

　免疫チェックポイント阻害薬の最大の副作用は，さまざまな組織に発症しうる炎症や自己免疫反応であるが，過剰な免疫反応を制御するという免疫チェックポイント分子の本来の意義を考えれば当然のことといえよう．

> **免疫チェックポイント阻害薬療法**
> 本庶佑（1942～）は，PD-1を阻害して腫瘍免疫を活性化させる基礎研究の功績により，2018年にノーベル生理学・医学賞を授与された．

Ⅵ 補体系の役割

〈到達目標〉
(1) 補体の各経路がどのようにして活性化されるか説明できる．
(2) 補体系の機能について説明できる．

　補体（complement）は抗体の機能を補うものという意味から名づけられたが，多くの補体蛋白質および調節因子がかかわっていることが明らかになり（表1-Ⅵ-1），全体として補体系が構成されている．補体系は抗体と並んで液性免疫において重要な役割を果たしている．構成している蛋白質はcomplementの頭文字Cと番号をつけて，C1，C2，C3などと名づけられているものが多く，それらの分解産物には小文字のa，bなどをつけて，C3a，C3bなどとよぶ．

　補体系には3つの経路がある．**別経路**（alternative pathway，副経路，第二経路ともよばれる）と**レクチン経路**（lectin pathway）は自然免疫の仕組みで，もう一つは抗原とIgMまたはIgGクラスの抗体との免疫複合体によって活性化されるために獲得免疫がかかわっており，最初に研究が進んだために**古典経路**（classical pathway）とよばれている．

補体の発見
1895年，Jules Bordetは細菌に対する抗体を含有する新鮮な血清は溶菌を引き起こすが，加熱した血清では細菌を凝集する活性はあっても溶菌活性が失われていることを発見した．

構成成分の命名法
補体の構成成分の分解産物には小文字のアルファベットa，bなどを付ける．原則として，小さい方の分子にa，大きい方の分子にbをつけることになっているが，歴史的な経緯でC2の場合は逆になっていることが多い．

表1-Ⅵ-1　補体系の主な構成要素と機能

〈古典経路〉		〈レクチン経路〉	
C1（C1qr$_2$s$_2$）	古典経路の反応を開始する	MBL	マンノースやN-アセチルグルコサミンに結合
C1q	免疫複合体を形成した抗体のFc部分に結合	MASP-1	MBLに結合するセリンプロテアーゼ
C1r	C1sを活性化するセリンプロテアーゼ	MASP-2	MBLに結合するセリンプロテアーゼ
C1s	C4，C2を分解するセリンプロテアーゼ	〈各経路に共通の部分〉	
C4	C4aはアナフィラトキシン，C4bは標的細胞に結合	C5	C5aはアナフィラトキシン，C5bはMAC形成を誘導
C2	C3およびC5転換酵素を構成するセリンプロテアーゼ	C6	MACの構成要素
〈別経路〉		C7	MACの構成要素
C3	C3aはアナフィラトキシン，C3bは標的細胞に結合しC3およびC5転換酵素を構成，またオプソニンとして機能	C8	MACの構成要素
		C9	MACの構成要素
B因子	Bbはセリンプロテアーゼで，C3およびC5転換酵素を構成		
D因子	セリンプロテアーゼで，C3bに結合したB因子を分解		
プロペルジン	別経路のC3転換酵素（C3bBb）を安定化		

MBL：mannose-binding lectin（マンノース結合レクチン）
MASP：MBL-associated serine protease（MBL関連セリンプロテアーゼ）
MAC：membrane attack complex（膜攻撃複合体）

1 各経路の前半部分

1）別経路

C3 は少しずつではあるが，血液中で自然に加水分解している．この C3 の分解産物 **C3b** が細菌の表面に結合することにより，補体系の別経路が活性化される．C3b は免疫複合体にも結合する（後述）．

ヒトの細胞の表面ではシアル酸が多く存在している影響で，C3b は結合しても不活化されやすく，また後述する調節蛋白の作用もあって，補体経路の反応が進まない．しかし，細菌の表面では，C3b は蛋白質や多糖類（LPS など）に共有結合で結合して安定化し，さらに血漿中の **B 因子**とよばれる蛋白質が結合，これが **D 因子**によって分解されて，**C3bBb** が形成される．C3bBb は別経路における C3 転換酵素（C3 convertase）として働き，C3 をさらに分解して C3b を生成し，病原体により多くの C3b を結合させ，次々と C3bBb を形成させる（図 1-Ⅵ-1 左列）．一部の C3bBb はもう 1 分子の C3b を結合して **C3bBbC3b 複合体**を形成するが，これは C5 転換酵素（C5 convertase）として働き，補体系経路の後半の機構が働く．

2）古典経路

古典経路は，IgM あるいは IgG（IgG1，IgG2，IgG3 サブクラスのみ）クラスの抗体が病原体などの抗原に結合して**免疫複合体**（immune complex）を形成することにより活性化される．抗体が抗原と結合すると，立体構造が変化して Fc 部分（IgG の C$_H$2 ドメイン，IgM の C$_H$3 ドメイン，→ p.28 の図 1-Ⅳ-1）が **C1** を構成している **C1q** に結合できるようになる．C1 の活性化のためには，2 カ所以上で抗体と結合する必要があり，IgG では 2 分子以上の抗体が接近して存在する必要があるが，IgM は 1 分子でもよい（図 1-Ⅵ-2）．

C1q の 2 つ以上の球状部分が抗体と結合すると，セリンプロテアーゼ C1r の活性化が起こってセリンプロテアーゼ C1s を切断して活性化させ，これが C4 を C4a と C4b に分解する．C4 は C3 と類似した蛋白質で，C4b は別経路の C3b と同様に抗原と共有結合する．そこに C2 が結合すると，C1s によって C2a と C2b に切断され，**C4b2a** が形成される．これは，古典経路における C3 転換酵素として働き，C3 を分解して抗原表面に C3b を結合させる．その結果，別経路と同じ作用も起動することになる．一部の C3b は C4b2a に結合して **C4b2aC3b 複合体**を形成し，C5 転換酵素として働く（図 1-Ⅵ-1 中列）．

3）レクチン経路

レクチン経路は，細菌表面のマンノースに血液中の**マンノース結合レクチン**（mannose-binding lectin；MBL）が結合することによって活性化する．MBL は補体系の C1 に類似しており，C4 と C2 を分解して古典経路と同様の経路を活性化する（図 1-Ⅵ-1 右列）．

補体の非働化

血清中の抗体による血球凝集反応や細菌凝集反応をみる検査では補体系が働いて細胞が溶解しては困るので，あらかじめ血清を 56℃で 30 分間加熱しておくことがあり，この処理を非働化（不活化，heat-inactivation）とよぶ．構成要素の一部が熱に弱く変性するため補体系は働かなくなるが，抗体活性にはほとんど影響しない．

C1 の構造

C1 は，C1q，C1r，C1s という亜成分分子が Ca イオンの存在下で複合体を形成している．C1q は抗体との結合にかかわり，C1r と C1s は蛋白分解酵素として働く．

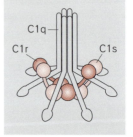

補体系と 2 価イオン

古典経路における C1 の構造維持には Ca^{2+} が必要である．C3b と Bb，および C4b と C2a の結合には Mg^{2+} が必要である．

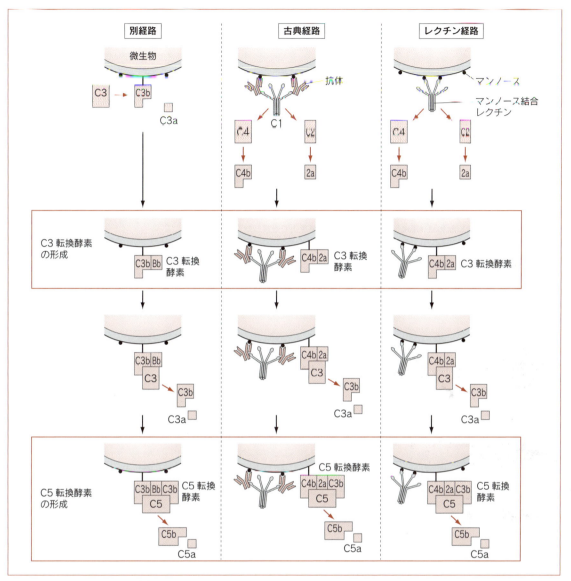

図 1-Ⅵ-1　補体各経路の前半部分
活性化する因子は各経路ごとに異なるが，C3 転換酵素が形成され，さらに C5 転換酵素が形成されるという点では，基本的に共通している部分が多い．

2　各経路の後半部分

　補体経路の後半は，C5 が C5 転換酵素によって分解されることにより始まり，C5 の分解産物 C5b に C6，C7，C8，C9 が順次結合し，**膜攻撃複合体**（membrane attack complex；MAC）が形成されていく．C9 は重合して標的細胞の膜に穴をあけ，水やイオンが流入して細胞は死滅（溶解）する（図 1-Ⅵ-3）．この機構は厚い細胞壁を有する菌にはあまり効果がないが，ナイセリア属など一部のグラム陰性菌の感染制御には有効である．

> **補体による細胞溶解**（cell lysis）
> 標的細胞が細菌の場合は溶菌（bacteriolysis），赤血球の場合は溶血（hemolysis）とよぶ．

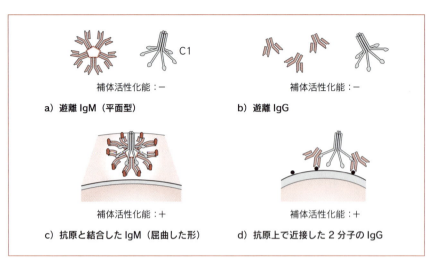

図 1-Ⅵ-2　古典経路の活性化
血中の IgM，IgG は単独では補体系を活性化しないが（a，b），抗原と結合して免疫複合体を形成すると，IgM は 1 分子で，IgG は近接する 2 分子で C1q を結合し，古典経路を活性化する（c，d）．

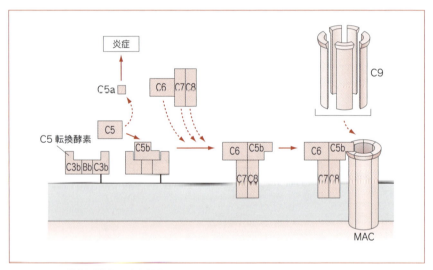

図 1-Ⅵ-3　補体活性化の後半部分
C5 転換酵素が C5 を C5a と C5b に分解すると，以降は各経路に共通に進み，C9 が筒状に重合して標的細胞の膜に穴をあける．C9 の構造は細胞傷害性 T 細胞から分泌されるパーフォリン（➡ p.50 の図 1-Ⅴ-20）に似ている．

3　補体系のその他の機能

　前述の各経路による細胞溶解のほか，補体系各蛋白質には次のような作用も知られている．
　病原体をおおった C3b や C4b は**オプソニン**の一種であり，貪食細胞に発現する**タイプ 1 補体レセプター**［CR1（CD35）］に結合して貪食されやすくする（➡ p.16）．CR1 は赤血球にも表出しており，血液中の免疫複合体に結合している C3b または C4b と結合して，免疫複合体を肝や脾に運搬する．そこでマ

クロファージに免疫複合体を渡した赤血球は，再び循環血液中に戻る．

C5aは**好中球走化因子**として働き，好中球を炎症の局所におびき寄せる．また，C5aやC3aは単球，樹状細胞，肥満細胞などに発現しているレセプターに結合して，自然免疫の反応を増強することも明らかになってきた．

そのほか，C3bの分解産物C3dは，B細胞のタイプ2補体レセプター（CR2）に認識され，抗体産生を亢進させる（➡ p.44 の図 1-V-10）．

4　補体系活性化の調節機構

ヒトの細胞には補体活性化を調節する蛋白質が存在して，補体系が自己の細胞表面において異常に活性化するのを抑えている．

細胞膜上の **CD55**（decay accelerating factor；DAF）は，C3bとBbの結合ならびにC4bと2aの結合を阻害することにより，補体系の反応を抑制する．

CD59（homologous restriction factor；HRF）は，細胞膜表面に形成されたC5b-8複合体に結合して，C9の結合を阻止する．

血漿蛋白である **C1 インヒビター**（C1 inhibitor；C1-INH）は，免疫複合体により活性化したC1の機能を抑制し，過剰な反応を防いでいる．

一方，補体系の反応を促進する調節蛋白質としては**プロペルジン**（properdin）が有名である．プロペルジンは細菌表面に形成されたC3bBbに結合して安定化させ，別経路の反応を促進するが，ヒトの細胞の表面のC3bBbには結合しない．これらは，免疫系が自己と非自己を識別する仕組みの例としても重要な意味がある．

> **アナフィラトキシン（anaphylatoxin）**
> 補体系活性化の過程で生じるC3a，C5aは，好塩基球や肥満細胞のレセプターに結合して脱顆粒を起こし，高濃度ではアナフィラキシー様の病態を引き起こすため，アナフィラトキシンとよばれる（➡ p.84 の図 2-Ⅱ-1）．

> **補体系蛋白質の欠損症**
> C1-INHの欠損症では**遺伝性血管性浮腫**（HAE）を発症する．これは古典経路のC4，C2の分解が過剰に進行して，血管透過性が亢進するものである（➡ p.102）．CD55，CD59の欠損症では溶血が起こりやすく，**発作性夜間ヘモグロビン尿症**（PNH）を発症する（➡ p.102）．

Ⅶ 能動免疫・受動免疫・免疫の発達と老化

〈到達目標〉
(1) 能動免疫と受動免疫の意義について，実例をあげて説明できる．

1　能動免疫

　感染症や予防接種などによって体内に侵入してきた抗原に対して生体が起こす免疫応答を，**能動免疫**（active immunity）とよぶ．

　予防接種（vaccination）が実施されることによって，かつて世界的な大流行を繰り返して多くの人命を奪ってきた天然痘（痘瘡）は撲滅され，他にも多くの感染症が激減してきた．しかし，その結果として，先進国においては感染症そのものによる死亡がまれになるに従って，予防接種による重篤な後遺症のリスクがきわめてまれとはいえ相対的にクローズアップされるという問題もあり，より効果的かつ安全なワクチンの開発が求められている．

　現在わが国で用いられているワクチンを**表1-Ⅶ-1**に示す．従来は不活化ワクチンと生ワクチンが使われていたが，最近はmRNAワクチンも実用化された．一般に，弱毒化した生ワクチンは最も効果的に免疫応答を引き起こすことができ，小児期に接種して生涯にわたって効果が持続する場合もあるが，免疫不全状態にある人に使用する場合は慎重に判断する必要がある．不活化ワクチンには，病原体を変性させたもの，病原体の成分の一部のみを精製したものや，毒素を変性させて抗原性は保持しながら失活させたトキソイドなどが含まれる．B型肝炎ワクチンには，遺伝子組換え技術で酵母に産生させたHBs抗原が使われている．インフルエンザワクチンには，その年に流行が予測されるA型とB型のウイルス株各2種類ずつをエーテルで処理して混合したものが広く用いられているが，最近，弱毒化した生ワクチンを鼻腔に噴霧するタイプも欧米では承認されている．

　mRNAワクチンはCOVID-19ワクチンで有名になったが，これは新型コロナウイルス（SARS-Cov-2）のスパイク蛋白をコードするmRNAを脂質ナノ粒子で包んで筋肉注射するものである．これを取り込んだ筋肉細胞や樹状細胞の細胞質でスパイク蛋白が合成され，その抗原ペプチドがT細胞に提示されて，液性免疫と細胞性免疫が誘導される．また，RNAには自然免疫の核酸センサーを刺激するアジュバント（→ p.35）としての効果もある．

　一方，ヒト免疫不全ウイルス（HIV）ではgp120という糖蛋白が主な抗原決定部位となっているが，ここの突然変異でアミノ酸が変化することが多いために，有効なワクチンがつくられていない．

Edward Jenner
(1749〜1823)

イギリスの医師．はじめて種痘を試みた．すなわち，牛痘（ウシ，ネコ，ネズミなどに感染する．ヒトが感染しても天然痘より症状が軽い）にかかった乳搾り婦は天然痘に抵抗力ができることにヒントを得て，牛痘の膿を健康な少年の皮下に接種した．さらに，その6週間後に天然痘の膿を接種して，種痘の予防効果を確認した．

Louis Pasteur
(1822〜1895)

フランスの細菌学者．病原微生物の存在を明らかにし，Jennerの種痘の原理が他の感染症の予防接種にも応用できることを示した．約100年前のJennerの功績をたたえて，この方法をvaccination（ラテン語でvaccaは牛のこと）と命名した．

表 1-VII-1　日本で接種可能なワクチン（2023 年 8 月現在）

定期接種 臨時接種 （対象年齢は 政令で指定）	生ワクチン	BCG 麻疹・風疹混合（MR） 麻疹（はしか） 風疹 水痘 ロタウイルス：1 価，5 価
	不活化ワクチン・ トキソイド	百日咳・ジフテリア・破傷風・不活化ポリオ混合 　（DPT-IPV） 百日咳・ジフテリア・破傷風混合（DPT） ポリオ（IPV） ジフテリア・破傷風混合トキソイド（DT） 日本脳炎 肺炎球菌（13 価結合型） インフルエンザ菌 b 型（Hib） B 型肝炎 ヒトパピローマウイルス（HPV）：2 価，4 価，9 価 インフルエンザ 肺炎球菌（23 価莢膜ポリサッカライド） 新型コロナ
	mRNA ワクチン	新型コロナ
任意接種	生ワクチン	流行性耳下腺炎（おたふくかぜ） 黄熱 帯状疱疹（水痘ワクチンを使用）
	不活化ワクチン・ トキソイド	破傷風トキソイド 成人用ジフテリアトキソイド A 型肝炎 狂犬病 髄膜炎菌：4 価 帯状疱疹 肺炎球菌（15 価結合型）
	定期接種を対象年齢以外で受ける場合	

（国立感染症研究所：日本で接種可能なワクチンの種類．https://www.niid.go.jp/niid/ja/vaccine-j/249-vaccine/589-atpcs003.html　2023 年 11 月 13 日閲覧）

2　受動免疫

　外毒素を産生する細菌の感染症や毒蛇の咬傷などにおいては，毒素に対する中和抗体が産生されるのを待っていたのでは間に合わない．そのため，あらかじめ毒素をウマなどに接種して中和抗体（抗毒素）を作製し，これを患者に投与する．このように抗体を移入する方法を**受動免疫**（passive immunity）とよび，実際にジフテリア菌，破傷風菌，ボツリヌス菌，B 型肝炎ウイルスなどの感染や，マムシ，ハブの咬傷に対して用いられている（図 1-VII-1）．抗体を保有している健常成人の免疫グロブリン製剤を，麻疹や A 型肝炎の予防に用いることもある．

　また，胎児では免疫機構が十分発達していないが，母体の IgG 抗体が胎盤に発現している胎児性 Fc レセプター（FcRn，→ p.30）に結合して能動輸送され，胎児の循環血液中に取り込まれる．このため，出生時の血中 IgG 量は成人並みとなる（図 1-VII-2）．また，母乳に含まれている IgA 抗体（→ p.32）は，乳児の消化管からの微生物の侵入を防いでいる．

> **血清病**
> （serum sickness）
> 異種抗血清の投与を受けた者は 1～3 週間後に異種抗原に対する抗体を産生して Ⅲ 型アレルギー（→ 2 章-Ⅱ）を起こし，発熱，皮疹，関節痛などを発症することがある．

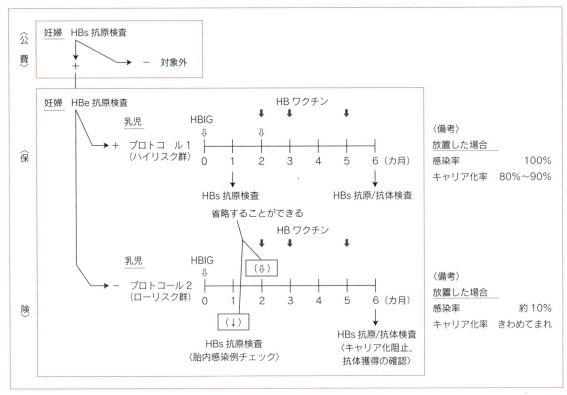

図1 Ⅶ-1　B型肝炎母子感染防止対策フローチャート
B型肝炎ウイルスキャリアの母親から生まれた新生児に対して，抗HBsヒト免疫グロブリン（HBIG）投与による受動免疫と，ワクチン接種（能動免疫）が行われている．
（日本産婦人科医会：B型肝炎母子感染防止対策の手引き．https://www.jaog.or.jp/sep2012/JAPANESE/jigyo/boshi/HBs/flow.jpg　2023年2月27日閲覧）

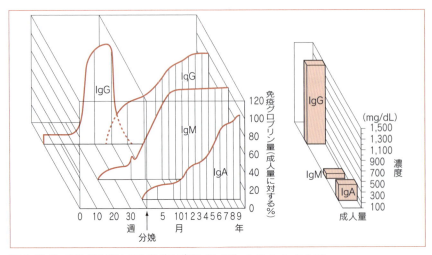

図1-Ⅶ-2　新生児血清中の免疫グロブリン量（Alford, C. A. Jr. による）

3 免疫の発達と老化

1) 免疫の発達

　新生児は出生直後から環境中のさまざまな細菌やウイルスにさらされ，母親からの受動免疫が切れるころから頻繁に発熱や発疹などを発症し，さらにいくつものワクチンの定期接種を受ける．そのたびに免疫系は刺激を受け，抗原特異的なリンパ球クローンの拡大，縮小を繰り返しながら，メモリーB細胞，メモリーT細胞のレパートリーを増やしてゆく．また一部の形質細胞は骨髄に移動して長年にわたって抗体を産生し続ける．免疫系は消化管や呼吸器の粘膜，あるいは皮膚に存在する多くの常在菌からも刺激を受け続ける．T細胞レセプターはMHC分子上のペプチドを認識するので，そのような短いアミノ酸配列は感染症を引き起こしたもの以外の多くの病原体にも存在し，T細胞はそれらとも交差反応できる．また，EBウイルス，サイトメガロウイルス，単純ヘルペスウイルス，水痘・帯状疱疹ウイルスなど，感染すると生涯にわたって体内に残存する多くの病原体に対して，免疫系は反応し続けなくてはならない．このようにして私たちは青年期までに，きわめて多数の病原体に対応できる免疫力を獲得してゆくのである．

2) 免疫の老化

　その後の免疫系の機能に関しては，高齢化社会を迎えてさまざまな研究が行われているが，総じて自然免疫も獲得免疫も加齢に伴い反応が鈍くなってゆく．たとえば，血液中の形質細胞様樹状細胞の数が減少してI型インターフェロンの産生が低下する；マクロファージや樹状細胞が発現するMHCクラスII分子の数が少なくなる；マクロファージや好中球の貪食・殺菌能が低下する；ヘルパーT細胞やB細胞のサイトカイン産生が減少するため，ワクチン接種後の抗体の産生量が低下し，親和性の増加やクラススイッチも起こりにくくなる，などさまざまな知見が報告されている．老朽化した自然免疫系の細胞からは微量の炎症性サイトカインが分泌され続けるため，動脈硬化，認知症，発癌などをもたらす要因となることも示唆されている．以上の結果として，高齢者では感染症が重症化しやすくなり，悪性腫瘍の発症率も高まってゆく．老化による免疫力低下のメカニズムの解明が進んで，健康寿命の延伸につながることが期待されている．

第2章 免疫学的検査が有用な疾患

I 免疫学的検査が有用な感染症

〈到達目標〉
(1) 免疫学的検査が行われている主な感染症について，病態を簡潔に説明し，抗原または抗体の検査がどのように役立つかを述べることができる．
(2) 特にウイルス性肝炎の検査について，さまざまな抗原や抗体の検査の意義を整理して説明できる．

　感染症の診断には，病原体を検出して同定することが第一であることはいうまでもない．しかし，実際の臨床の現場では，すでに感染が成立してから時間が経っているために病原体が検出できない場合や，病変が深部で検体を採取できない場合，あるいは検体中に病原体が十分に含まれていなかった場合，一般の検査室では培養できない種類である場合，そのほか，さまざまな理由で直接同定できないことも多い．そのような場合には，感染後に産生される特異的な抗体の測定が有用である．また近年は，抗体を用いて抗原を検出する迅速検査法も多くの感染症に対して実用化され，補助診断として役立っている．
　検査法の実際については3章，4章を参照のこと．

1 細菌感染症
1) 連鎖球菌感染症
(1) 化膿レンサ球菌（A群β溶血性連鎖球菌，溶連菌）感染症
　溶連菌（*Streptococcus pyogenes*）は小児の咽頭炎の原因菌として重要であり，発熱，咽頭痛，扁桃や舌の発赤（いちご舌），頸部リンパ節腫脹をきたす．感染経路は主に飛沫感染と接触感染で，冬から春にかけて学校などで集団発生することがある．菌が産生する発赤毒に対して免疫がない場合には猩紅熱を発症し，高熱が続き，全身に紅斑を生じる．致命的な病態として，壊死性筋膜炎，劇症型溶連菌感染症がある．
　免疫学的検査としては，咽頭拭い液のイムノクロマトグラフィによる抗原検査が用いられている．
　治癒した数週間後に，産生された抗体の交差反応などによって関節炎・心

壊死性筋膜炎（necrotizing fasciitis）
A群β溶血性連鎖球菌や嫌気性菌による浅層筋膜を中心として急速に拡大する感染症．紅斑，腫脹，水疱，紫斑，壊死などを認め，すみやかな壊死組織の外科的除去および抗菌薬投与が行われないと致死的となる．

劇症型溶連菌感染症（severe invasive streptococcal infection）
小児よりむしろ成人に多い，まれながら重篤な病態．突発的に発症して，軟部組織壊死，急性腎不全，急性呼吸窮迫症候群（ARDS），播種性血管内凝固（DIC），多臓器不全，敗血症性ショックを引き起こす．

炎・輪状紅斑・皮下結節・舞踏病を特徴とする**リウマチ熱**を発症したり，**免疫複合体の沈着**による**急性糸球体腎炎**を発症することがある．その診断に際して先行する溶連菌感染があったことを確認するために，溶血毒である**ストレプトリジンO**（streptolysin O）や，**ストレプトキナーゼ**（streptokinase）などの菌が産生する酵素に対する抗体の測定を参考にすることがある．

(2) 肺炎球菌感染症

肺炎球菌（*Streptococcus pneumoniae*）は肺炎（市中肺炎の20〜40％），副鼻腔炎，中耳炎，髄膜炎，心内膜炎などの原因となる．

肺炎の場合は尿中で，髄膜炎の場合は髄液中の抗原をイムノクロマトグラフィで検出する迅速診断法が有用である．

2）インフルエンザ菌感染症

インフルエンザ菌（*Haemophilus influenzae*）は，呼吸器や中耳に感染するグラム陰性桿菌であり，莢膜型と無莢膜型に大別される．莢膜型は，莢膜に存在する多糖抗原の差異によりa〜fに分類されるが，このうち血清型b型（Hib）は小児髄膜炎の重要な起因菌として知られている．

インフルエンザ菌の抗原検査には，抗インフルエンザ菌P6抗原ポリクローナル抗体を利用したELISAがある．

3）レジオネラ感染症

レジオネラ菌（*Legionella pneumophila*）は主に肺炎を起こす．汚染されたビルの空調設備，給湯システム，24時間風呂，加湿器などの水系から発生するエアロゾルを吸入することによって，**異型肺炎**を発症する．発熱・咳嗽などで発症するが，重症例では死亡率が高く，早期診断が重要である．

診断には，特殊培地を使った菌の培養のほか，ELISAによる抗体の測定，尿中に排泄される抗原のイムノクロマトグラフィによる検出，PCR法などが用いられる．

食細胞内でも増殖できるため，ペニシリンなどのβ-ラクタム系抗菌薬は効果が弱い．

4）百日咳

グラム陰性桿菌である**百日咳菌**（*Bordetella pertussis*）による呼吸器感染症である．小児に発症するが，近年では予防接種が行われているために患者数が少ない．菌は気管支上皮の線毛に付着して，長期間の咳発作を起こす．

急性期の培養検査，遺伝子検査の機会を逃した場合には，酵素免疫測定法（EIA）による抗体の測定が用いられている．

5）ブルセラ症

ブルセラ属菌による人獣共通感染症で，感染したヤギ・ウシ・ブタ・イヌな

● 尿中への病原体抗原排出
肺炎球菌やインフルエンザ菌，レジオネラ菌などの感染症においては，尿中に菌由来の抗原が排出され，その排出量は血中抗原量を反映する．

● 異型肺炎（atypical pneumonia）
発熱や激しい咳など，肺炎を疑わせる症状があるわりには聴診所見に乏しく，白血球増多も認めず，ペニシリンなどの抗菌薬が効きにくい，一般細菌による肺炎とはやや異なる肺炎をいう．原因として，**マイコプラズマ，クラミジア，レジオネラ**などが多い．

● *H. pylori* の除菌
プロトンポンプ阻害薬またはカリウムイオン競合型アシッドブロッカーによる胃酸分泌の抑制と，2種類の抗菌薬（アモキシシリンとクラリスロマイシン）の内服を併用すると，7日間で約90％の症例で除菌できるが，最近はクラリスロマイシン耐性菌が増加している．

● 迅速ウレアーゼ試験
胃内視鏡検査時の生検組織を反応液に入れ，ウレアーゼ活性の有無をみる検査．ウレアーゼが存在すると，試薬中の尿素が加水分解されてアンモニアが生じ，1時間以内にpHが上昇して色調が変化する．

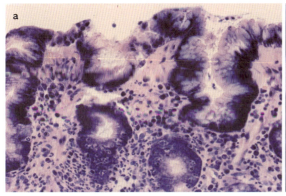

図 2-I-1　*H. pylori* 感染慢性胃炎の生検組織像
a：粘膜下に炎症細胞浸潤を認める．
b：強拡大像では粘膜表面に多数の菌体が付着している．
（東京医科歯科大学・滝澤登一郎博士提供）

どの生肉，生乳などが感染源となる．わが国では家畜のブルセラ症はほぼ清浄化されているが，海外で感染した例がみられる．発熱，倦怠感，頭痛，筋肉痛，関節痛などを引き起こす．

診断には，抗体価の測定（細菌凝集反応など）が有用である．

6）ヘリコバクター・ピロリ感染症

ヘリコバクター・ピロリ菌（*Helicobacter pylori*）は高いウレアーゼ活性を有して尿素を分解しながらアンモニアを産生しているので，酸性の胃粘膜に定着することができ，慢性胃炎，胃潰瘍，胃癌を引き起こす．わが国における感染率は衛生環境の改善に伴って低下傾向にあるが，中高年者ではいまだ感染者が多く，除菌療法が勧められている．

内視鏡検査で得られた検体を用いた培養法，迅速ウレアーゼ試験，病理組織学的検査（図 2-I-1）のほか，尿素呼気試験，便中抗原検出法（ELISA），血清抗体検出法（EIA）が利用されている．血清の抗体は，除菌後も 1 年以上陰性にならないので，除菌療法の効果判定のためには尿素呼気試験と便中抗原検出法が推奨されている．

7）ライム（Lyme）病

ボレリア属スピロヘータ（*Borrelia burgdorferi*）による感染症．シュルツェマダニ（図 2-I-2）によって媒介される．シュルツェマダニは北海道や長野県などの高原に生息する 2 mm ほどの大きさのダニで，藪の中に潜んで動物が近づくのを待っている．皮膚に吸着すると，数日間吸血して小豆ほどの大きさになる．

ボレリアに感染すると，発熱・倦怠感・頭痛・筋肉痛などの症状に続き，マダニ刺咬部に紅斑を生じる．重症例では，のちに髄膜炎・顔面神経麻痺・慢性関節炎など多彩な症状をきたすことがある．

尿素呼気試験の原理
尿素呼気試験は，非放射性同位元素 ^{13}C で標識した尿素を内服し，ウレアーゼで分解されて生じた $^{13}CO_2$ が呼気に排出される量を測定する検査である．

$$(NH_2)_2CO + H_2O$$
$$\downarrow \text{ウレアーゼ}$$
$$2NH_3 + CO_2$$

図 2-I-2　シュルツェマダニ
ライム病の原因菌を媒介する．病名は，1970 年代に米国コネチカット州ライムで若年性関節リウマチに類似した症例が多発したことによる．
（平山謙二：最新臨床検査学講座　医動物学　第 2 版．p.99, 医歯薬出版，2021．）

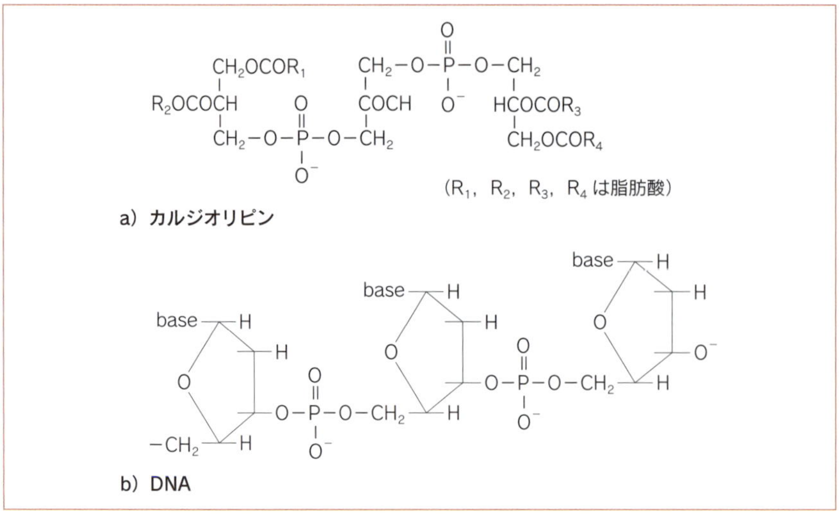

図 2-1-3　カルジオリピン（a）と DNA の糖-リン酸骨格（b）
カルジオリピンは，2 分子のホスファチジルグリセロールが連結しているので，ジホスファチジルグリセロール（diphosphatidylglycerol）ともよばれる．また，3 つの炭素原子とリン酸基が交互に並んでいる点は DNA の骨格と共通するので，全身性エリテマトーデスで産生される抗 DNA 抗体には，カルジオリピンと交差反応するものも多い．

診断には，ボレリアの培養のほか，抗体の検出（ELISA）が有用である．

8）梅毒（syphilis）

梅毒トレポネーマ（*Treponema pallidum*；TP）による感染症で，妊婦から経胎盤的に感染する先天梅毒と，性感染症である後天梅毒がある．

後天梅毒では，性行為における病変部との接触により，皮膚，粘膜の微小な傷から感染し，臨床経過は 4 期に分類される．第 1 期では，感染約 3 週間後から侵入部位に初期硬結とよばれる丘疹が生じ，やがて中央が潰瘍化した硬性下疳となる．TP は血行性またはリンパ行性に全身に播種する．鼠径リンパ節の腫脹を伴うこともあるが，これらの病変は無治療でもやがて消退する．第 2 期は感染約 3 カ月後から始まり，全身の皮膚・粘膜の発疹が 2〜3 年にわたって出没する．その後，第 3 期に至ると，皮膚の結節性病変，大動脈炎，大動脈瘤などの心・血管系病変を生じ，さらに第 4 期に至ると，麻痺・認知症などをきたす神経梅毒となる．最近では第 3 期以降の症例はほとんどみられないが，ペニシリンによる治療が普及する以前はたいへん恐れられていた．

病原体の検出には，第 1 期の潰瘍部をメスで傷つけ，圧迫して得られた漿液をスライドガラスにブルーブラックインクと混和して塗抹し，油浸レンズで検鏡するパーカーインク法が有名である．血清学的診断では，患者抗体がリン脂質の**カルジオリピン**（cardiolipin）（**図 2-1-3**）と交差反応することを利用した簡便な検査法（**RPR 法**）と，病原体由来の抗原を用いた特異性の高い方法（**TPPA，イムノクロマトグラフィ，FTA-ABS テスト**など）がある（→ 4

9）クラミジア感染症

ヒトに病原性を示すクラミジア科の微生物は，*Chlamydia trachomatis*，*Chlamydia psittaci*，*Chlamydia pneumoniae*の3種類で，細胞内に寄生する偏性細胞内寄生細菌である．培養がむずかしいので，診断には遺伝子検査法や抗原・抗体の検出が用いられている．

*Chlamydia trachomatis*はヒトからヒトへと感染し，血清型D〜Kが性感染症として尿道炎，精巣上体炎，子宮頸管炎，卵管炎，反応性関節炎などを起こす．女性の場合は不妊の原因となったり，腹腔内に感染が広がる場合がある．

Chlamydia psittaci（オウム病クラミジア）はオウム・インコ・ハト・ニワトリなどの排泄物中に存在し，オウム病とよばれる肺炎の原因となる．オウム病は人獣共通感染症で，1〜2週間の潜伏期ののち，高熱，乾性咳嗽，肝障害などを引き起こす．

Chlamydia pneumoniae（肺炎クラミジア）は鳥類からではなく，ヒトからヒトへと感染して呼吸器感染症を起こす．症状はオウム病より軽く，不顕性感染も多いが，乾性咳嗽が長く続くこともある．

10）リケッチア感染症

リケッチアは偏性細胞内寄生病原体で，人工培地では増殖できない．ダニやシラミなどの節足動物に寄生しており，それらに咬まれたあと，1〜2週間の潜伏期間をおいて，2週間ほど続く高熱・発疹などを生ずることがある．病原体の種類によって症状や流行地域が異なるが，発疹チフス，発疹熱，ロッキー山紅斑熱，日本紅斑熱，ツツガムシ病，腺熱リケッチア症，Q熱などが有名である．

リケッチア感染症の患者血清中には，リケッチアと共通の抗原を有する特定のプロテウス菌株を凝集する抗体（**異好抗体**）が産生されることが多いため，**Weil-Felix（ワイル・フェリックス）反応**とよばれる細菌凝集反応が補助診断法として用いられることもある．最近では個々の病原体を細胞株に感染させて，間接蛍光抗体法で抗体を検出する方法や，血液または刺し口部位の皮膚を用いたPCR検査も可能となっている．

わが国でしばしば発生するのは，日本紅斑熱とツツガムシ病である．

（1）日本紅斑熱

*Rickettsia japonica*をマダニが媒介する．主に西日本で4〜10月に発生する．重症例ではSIRS，ARDS，DIC，AIPFに至ることがある．

（2）ツツガムシ病

*Orientia tsutsugamushi*をダニの一種のツツガムシ（**図2-I-4**）が媒介する．冬以外の季節に，北海道を除く日本各地でみられる．Gilliam株，Karp株，

クラミジアの分類（科＞属＞種）
クラミジアの分類は，新種の発見や遺伝子解析の結果などに基づいて変遷している．2000年前後にChlamydiaceae科を，*trachomatis*種を含むChlamydia属と，*pneumoniae*種や*psittaci*種を含むChlamydophila属に分ける改変が行われたが，最近はふたたび両属をChlamydia属に統一する分類が主流となっている．

反応性関節炎（reactive arthritis）
関節腔内に細菌が侵入する感染性関節炎とは異なり，微生物の成分に対するアレルギー反応で関節の腫脹・疼痛を生じるもの．クラミジア，サルモネラなどの感染症のあとに発症する．

SIRS：systemic inflammatory response syndrome（全身性炎症反応症候群）
ARDS：acute respiratory distress syndrome（急性呼吸窮迫症候群）
DIC：disseminated intravascular coagulation（播種性血管内凝固）
AIPF：acute infectious purpura fulminans（電撃性紫斑病）

図2-I-4　フトゲツツガムシの幼虫
ツツガムシの幼虫は草むらや林の土の中にいて，ツツガムシ病のリケッチアを媒介する．（高橋優三（編者）：基本人体寄生虫学 第3版. 医歯薬出版，2000.）

Kato 株などの病原体を用いた間接蛍光抗体法が行われている．

11）マイコプラズマ感染症

　マイコプラズマ肺炎は *Mycoplasma pneumoniae* によって惹起される肺炎で，異型肺炎（→ p.64）の原因としては最も多い．菌は気管支の線毛上皮細胞に付着し，発熱，長期にわたる咳嗽を引き起こす．

　診断には，喀痰からの菌の分離のほか，マイコプラズマ DNA の検出，咽頭拭い液を用いたイムノクロマトグラフィによる抗原の検出，抗マイコプラズマ抗体の測定が利用されている．また，寒冷凝集素価が上昇することも知られているが，本疾患に特異的な現象ではない（→ 4章- I）．

12）結核（tuberculosis）

　結核菌群（*Mycobacterium tuberculosis* complex）による感染症．感染すると 10%が活動性結核を発症し，それ以外は潜在性結核感染症となる．肺結核が 77%と多いが，あらゆる臓器に発症しうる．わが国の結核患者数は減少傾向が続き，2021 年にようやく低蔓延国の仲間入りを果たしたが，世界では 4 人に 1 人が潜在性結核感染症，活動性結核の年間発症数が 1,000 万人程度，死亡者数が 150 万人程度で，10 大死因の一つとなっている．

結核低蔓延国
結核の年間新規患者数が人口 10 万人対 10 人未満の国．

　活動性肺結核は発熱，全身倦怠感などで始まり，肺結核では咳，痰，進行すると血痰，呼吸困難などを呈する．潜在性結核感染症は，免疫抑制状態になると活動性結核を発症する可能性がある．治療は多剤併用療法が行われるが，そのためにも培養検査による菌種同定と薬剤感受性試験が行われていることが望ましい．

　診断には喀痰の 3 日連続塗抹検査，培養検査，核酸増幅法などが行われるが，菌量が少ない場合には検出できない．そこで，末梢血単核球を用いたインターフェロンγ遊離試験（IGRA，→ p.144）が診断補助として用いられている．

13）クロストリディオイデス・ディフィシル感染症

　抗菌薬投与に伴う腸内細菌叢の多様性の減少により，トキシン産生性の *Clostridioides difficile* 感染または増加が生じて腸炎を発症する．

　下痢，便中のトキシン陽性または培養によるトキシン産生株の分離，下部消化管内視鏡または生検による偽膜性腸炎の証明などに基づいて診断される．トキシン非産生株は病原性がないので，トキシン産生の有無を確実に診断することが大切である．

　院内感染も多くアルコール耐性のため，石鹸と流水による手指消毒，接触予防策を行い，次亜塩素酸ナトリウムによる環境消毒が必要となる．

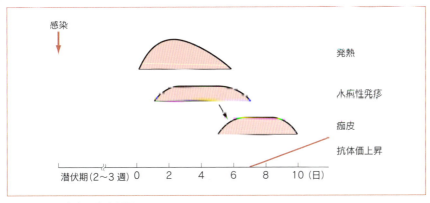

図2-I-5 水痘の臨床経過

2 ウイルス感染症

1) ヘルペスウイルス群感染症

ヒトに感染するヘルペスウイルス (human herpesvirus；HHV) は，初感染後も宿主体内に生涯にわたって潜伏し，免疫能が低下した際などに再活性化して，さまざまな病態をもたらす．

診断に際して，特に再活性化の疑われる場合には，抗体の測定では限定的な情報しか得られないので，抗原の免疫学的，または遺伝子検査的検出が求められる．

(1) 単純ヘルペスウイルス感染症

単純ヘルペスウイルス (herpes simplex virus；HSV) には，口唇周囲に膿疱を生じたり，髄膜炎・脳炎を起こす1型 (HHV-1，別称 HSV-1) と，外陰部に膿疱を生じる2型 (HHV-2，別称 HSV-2) がある．唾液や性行為を介した初感染の後，三叉神経，仙髄神経などの知覚神経節に潜伏して，ストレス，免疫力の低下などによって再活性化する．

診断には，抗体価の測定，血液または髄液中のウイルス DNA の検出が行われる．通常の口唇ヘルペス程度では抗体価は変動しない．性器ヘルペスでは，イムノクロマトグラフィによる抗原の検出も行われる．

(2) 水痘・帯状疱疹ウイルス感染症

水痘・帯状疱疹ウイルス (HHV-3，別称 varicella-zoster virus；VZV) の経気道感染によって，2～3週間の潜伏期間ののち皮膚・粘膜に水疱性発疹を生じる感染症で，いわゆる「みずぼうそう」である（**図2-I-5**）．ワクチンが定期接種となり減少しているが，まれに脳炎を起こすことがある．

治癒後もウイルスは脊髄後根神経節に潜伏し，高齢者や免疫不全者では再活性化して帯状疱疹を引き起こす．神経の支配領域に沿った水疱を生じ，長期間続く疼痛を残すことが多い．重症例では全身に播種したり，脳炎を起こすことがある．

IgG 抗体が初診時と2週間後で有意な上昇を示す症例もあるが，あまり上昇

> **無菌性髄膜炎** (aseptic meningitis)
> 髄膜炎には，細菌性・ウイルス性・薬剤性などがある．**ウイルス性髄膜炎**の原因は，エコーウイルス，コクサッキーウイルス，エンテロウイルス，ムンプスウイルス，単純ヘルペスウイルス，水痘・帯状疱疹ウイルス，サイトメガロウイルスなどが多く，診断には，髄液中の抗原の検出，血清抗体価の測定などが行われる．

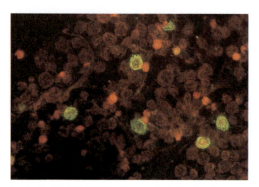

図 2-Ⅰ-6　間接蛍光抗体法による抗 EBV 抗体の検出
EBV 感染細胞に患者血清を反応させ，結合した抗体を蛍光標識抗ヒト免疫グロブリン抗体で検出する．
（山根誠久：臨床検査学講座 微生物学/臨床微生物学 第3版．p.xxxiv，医歯薬出版，2010.）

表 2-Ⅰ-1　EBV 感染症—病期の判断

	未感染	初感染	既感染
IgG 抗 VCA 抗体	−	＋	＋
IgM 抗 VCA 抗体*	−	＋	−
IgG 抗 EA 抗体**	−	＋/−	
抗 EBNA 抗体	−	−	＋

＊ IgM 抗 VCA 抗体は初感染の急性期に陽性となり，1～2 カ月で消失する．
＊＊IgG 抗 EA 抗体は初感染の急性期のほか，慢性活動性感染，再活性化時にも陽性になる．
VCA；viral capsid antigen, EA；early antigen, EBNA；EB virus-determined nuclear antigen

しない症例もある．診断には，水疱中のウイルス DNA の検出や，血中・髄液中の抗体価の測定が行われる．早期の水疱の表皮を剥がして，基底部のウイルス感染細胞を綿棒で強く拭って採取し，塗抹標本を作製して蛍光抗体法で抗原を検出することも有用である．

(3) EB ウイルス感染症

EB ウイルス（HHV-4, 別称 Epstein-Barr virus；EBV）は 1963 年に Epstein と Barr によって，アフリカの小児に多発する Burkitt（バーキット）リンパ腫から分離されたウイルスである．B 細胞の CD21 分子（→ p.43）は EBV のレセプターとなっている．多くの人は幼児期までに不顕性または軽症の感染を経験しており，唾液中にウイルスが検出されることが多い．思春期以降にキスなどによって初感染すると**伝染性単核球症**を発症することがあり，発熱，頸部リンパ節腫脹，咽頭痛，肝脾腫，肝機能障害などを生じる．末梢血では，活性化した細胞傷害性 T 細胞や NK 細胞が**異型リンパ球**として認められる．通常は 1～4 週間で自然軽快するが，まれに**血球貪食症候群**を起こしたり，**慢性活動性 EBV 感染症**を起こして重症になることもある．鎮静化すると，ウイルスは通常は B 細胞に潜伏するが，T 細胞や NK 細胞に持続的に感染する場合もある．

診断には，酵素免疫測定法（EIA）や間接蛍光抗体法（図 2-Ⅰ-6）による抗 EBV 抗体の測定が有用であり，表 2-Ⅰ-1 のようなパターンから初感染か既感染かを判断する．

(4) サイトメガロウイルス感染症

サイトメガロウイルス（HHV-5, 別称 cytomegalovirus；CMV）には，多くの成人が不顕性感染しているが，主にマクロファージ系の細胞に潜伏しており，免疫不全状態になると再活性化して，網膜炎，肺炎，消化管潰瘍などの日和見感染症を引き起こす．

> **伝染性単核球症（infectious mononucleosis）**
> EB ウイルスによるものが多いが，サイトメガロウイルス，ヒト免疫不全ウイルス，トキソプラズマ原虫，ヒトヘルペスウイルス6型なども原因となり，類似の症状を呈するので鑑別が重要である．

> **血球貪食症候群（hemophagocytic syndrome）**
> リンパ球・単球・マクロファージなどが異常に活性化し，炎症性サイトカインの高レベル状態が持続して，重篤な状態に陥る病態．発熱・汎血球減少・肝障害・フェリチン高値を認め，骨髄に血球を貪食しているマクロファージを多数認める（→ p.4 の図 1-Ⅰ-3）．先天性と二次性があり，後者の場合の原疾患としては，重症ウイルス感染症（EBウイルスが最も多い），悪性リンパ腫，全身性エリテマトーデス（SLE）などが多い．

活動性の感染症を起こしている時期には，末梢血白血球（主に好中球）の免疫染色でウイルスのpp65抗原が陽性となる（CMVアンチゲネミア法，➡p.172）．これは，感染巣のウイルス抗原を取り込んだ好中球が血中を流れているためで，ウイルスが血中で増殖していることを意味するものではない．IgM抗体は初感染時には検出されないことがある．また，再活性化のときには陽性になることもある．

(5) ヒトヘルペス6B型および7型感染症

ヒトヘルペス6B型（HHV-6B）および7型（HHV-7）は，乳幼児の**突発性発疹**の原因ウイルス．1回目の突発性発疹が6B型，2回目が7型によることが多い．38〜40℃の熱が3〜4日続いたあと，腹部に細かい発疹が出現して全身に広がる．しばしば乳児がはじめて高熱を出す疾患として経験される．通常は良好な経過をとるが，まれに髄膜炎，脳炎を起こす．

診断にはペア血清（➡p.127の側注）で抗体価の上昇をみることが有用である．

2) アデノウイルス感染症

アデノウイルスには多くの型があるので，病型も多彩である．主として小児に，咽頭炎，咽頭結膜熱（プール熱），流行性角結膜炎，下痢症，出血性膀胱炎などを引き起こす．

咽頭拭い液，鼻腔吸引液，糞便を用いたイムノクロマトグラフィによる抗原の検出が行われる．下痢症の場合はロタウイルスを同時に検出できるキットも有用である．遺伝子検査を行えば，型別も判定できる．

> **アデノウイルスの検体採取**
> アデノウイルスは，鼻腔中のウイルスが少ない傾向にあるため，咽頭拭い液を検体抽出液に用いる．特に小児の咽頭炎・扁桃炎のおよそ4割はアデノウイルスに起因しているため，小児に対する咽頭拭い液を対象とした検査は意義が大きい．

3) ヒトパルボウイルスB19感染症

ヒトパルボウイルスB19は小児のリンゴ病（伝染性紅斑）の原因ウイルス．微熱，風邪様症状のあと，頬部に境界鮮明な紅斑が出現し，続いて四肢に網目状の発疹がみられる．これらの発疹は1週間前後で消失する．

しかし，このウイルスは，他にもまれながらさまざまな病態を引き起こすので，鑑別診断のために抗体検査が行われることが多くなっている．成人の感染では発熱，関節炎，手足の腫脹などの全身症状が強く，脳炎，髄膜炎，心筋炎なども起こしうる．妊婦の初感染では，胎児水腫，胎児死亡をきたすことがある．赤芽球系細胞に感染して一時的に造血を停止させるため，溶血性貧血で赤血球寿命の短い患者では急激に貧血が進行することがある（骨髄無形成発作：aplastic crisis）．重症例では血球貪食症候群を起こす．抗核抗体陽性，抗DNA抗体陽性，低補体血症，急性腎炎を認めることがあり，全身性エリテマトーデスとの鑑別が必要となる．

IgM抗体の測定（3〜4カ月継続），ウイルスDNAの検出が行われる．

4) インフルエンザ

インフルエンザウイルスは抗原性によりA，B，C，Dの4型に分けられる

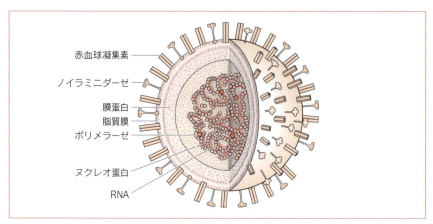

図2-I-7　インフルエンザウイルス
(山根誠久：臨床検査学講座　微生物学/臨床微生物学　第3版. p.331, 医歯薬出版, 2010.)

が，通常ヒトに感染して流行するのはA型とB型である．さらにA型ウイルスは，表面の**赤血球凝集素（H）**および**ノイラミニダーゼ（N）**の種類によって，H1N1，H2N2，H3N2など，多くの亜型に分けられる（図2-I-7）．

12月から2月ごろに流行し，高熱，頭痛，筋肉痛，関節痛，倦怠感などで発症し，やがて咽頭痛，咳などの気道症状を伴う．普通の感冒より全身症状が強く，高齢者や免疫力の低下している者では肺炎を併発するなどして重症になる場合がある．

鼻腔・咽頭拭い液中のウイルス抗原を検出するイムノクロマトグラフィが行われている．

5）パラミクソウイルス感染症
(1) パラインフルエンザウイルス感染症
乳幼児に風邪症候群を起こすことが多いが，クループ，気管支炎，肺炎を起こすこともある．
赤血球凝集抑制反応などによる抗体価の測定が可能である．

(2) 流行性耳下腺炎（mumps）
いわゆる「おたふくかぜ」で，ムンプスウイルスの感染によって耳下腺，顎下腺などの唾液腺が腫脹し，1週間ほどで軽快する．精巣炎，卵巣炎を起こすこともある．まれに髄膜炎，脳炎，膵炎などを起こして重症になることもある．
診断にはEIAによるIgM抗体の検出，ペア血清のIgG抗体の上昇，遺伝子検査などが行われる．

(3) 麻疹（measles）
いわゆる「はしか」のことで，春から夏にかけて麻疹ウイルスによって引き起こされる急性の伝染性感染症である．10〜14日の潜伏期間のあと，発熱，鼻汁，くしゃみ，咳，結膜充血などで発症し，数日後には特徴的な口腔内の白

インフルエンザウイルス検査の検体採取
インフルエンザウイルスの検査には，鼻腔拭い液や鼻腔吸引液を検体抽出液に用いる．咽頭拭い液も使用可能だが，その検出率は低い傾向にある．

クループ（croup）
喉頭周囲の炎症のために気道が狭くなり，吸気時にヒューヒューと音がしたり，犬の遠吠えのようなかん高い咳をする状態．パラインフルエンザなどのウイルス，インフルエンザ桿菌などの細菌感染症，アレルギー（声門浮腫），異物などが原因となる．

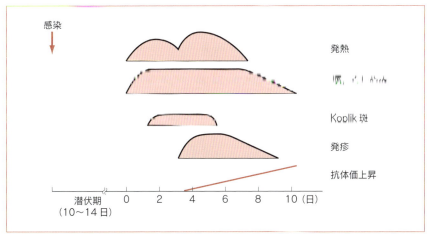

図2-I-8 麻疹の臨床経過

斑（Koplik 斑）が出現する．やがて，全身に発疹が広がるとともに再び熱が上がり，発症後 10 日ほどで軽快する（図2-I-8）．ワクチンの定期接種が行われているために患者発生数は少ないが，まれに脳炎を起こす．

発疹の出現後 4〜28 日に IgM 抗体が検出される．遺伝子検査も行われている．

(4) RS ウイルス感染症

呼吸器感染症を引き起こし，培養細胞に感染させると合胞体（多核細胞：syncytium）を形成するため，respiratory syncytial virus と命名されている．乳幼児の細気管支炎や肺炎の原因として重要である．

イムノクロマトグラフィによる鼻腔拭い液中の抗原検査が有用である．

6）風疹（rubella）

経気道的感染によって春から初夏にかけて流行する風疹ウイルスの感染症で，いわゆる「三日はしか」のこと．2〜3 週間の潜伏期間ののち，発熱，上気道炎症状，頸部リンパ節腫脹を生じ，やがて発疹を認める．発疹は 3 日間ほどで軽快するが，リンパ節腫脹は数週間続く（図2-I-9）．まれに脳炎を起こすことがあり，妊婦が罹患すると流産や**先天性風疹症候群**を起こすことがある．

診断にはリアルタイム PCR，発疹出現後 4 日目以降における IgM 抗体の検出，ペア血清による IgG 抗体価の上昇をみることなどが有用である．

先天性風疹症候群
妊娠の早期に母体が風疹ウイルスに感染すると，児の低体重・心奇形・精神発達遅滞・聴力障害などをきたす場合がある．

7）日本脳炎（Japanese encephalitis）

日本脳炎ウイルスによる感染症で，コガタアカイエカによって媒介される．ウイルスは東〜東南アジア，オセアニアまで広く分布している．ウイルスは中枢神経系に侵入し，脳炎，髄膜炎を起こして，頭痛，発熱，痙攣，意識障害な

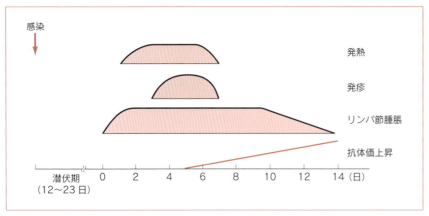

図 2-1-9 風疹の臨床経過

どをきたし，死亡例や後遺症を残す例がある．近年，国内では衛生環境の改善とワクチンの定期接種のために症例数は年間 10 例以下となっている．

発症初期には髄液中のウイルス RNA の検出が可能であるが，発症後 1 週間以上経過した場合には IgM 抗体の検出，ペア血清による IgG 抗体価の上昇をみることなどが有用である．

8) コクサッキーウイルス感染症，エコーウイルス感染症

コクサッキーウイルス，エコーウイルスは，小児の呼吸器感染症，手足口病，ヘルパンギーナ，下痢症，無菌性髄膜炎などの原因となる．

ウイルス RNA の検出や，ペア血清を用いた中和反応などによる抗体価の上昇をみることが有用である．

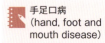

手足口病（hand, foot and mouth disease）
小児に，発熱，咽頭痛，口腔内および四肢末梢の水疱を生じる．

9) ロタウイルス感染症

ロタウイルスは冬季の乳幼児下痢症の原因として重要であるが，ワクチンの定期接種で減少している．嘔吐に続いて水様の下痢が 4～5 日続く．成人にも胃腸炎を起こすが，症状は軽い．

糞便中の抗原をイムノクロマトグラフィで検出する迅速診断キットが有用である．

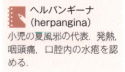

ヘルパンギーナ（herpangina）
小児の夏風邪の代表．発熱，咽頭痛，口腔内の水疱を認める．

10) ノロウイルス感染症

ノロウイルスは冬季の下痢症の原因として重要である．感染力が強く，集団感染，食中毒，院内感染などを引き起こす．通常は 1～3 日で回復するが，乳幼児や高齢者では重症になることもある．

イムノクロマトグラフィによる糞便中の抗原検査が行われるが，RT-PCR 法より感度が劣り，陰性であっても感染を否定できない．

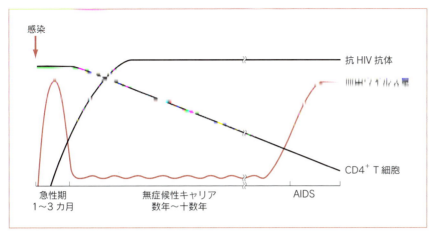

図 2-I-10　HIV 感染症の自然経過

11) コロナウイルス感染症

通常の風邪を引き起こす種類のほかに，重症急性呼吸器症候群コロナウイルス（SARS-CoV，2002 年から 2003 年にかけて流行，致死率 10％），中東呼吸器症候群コロナウイルス（MERS-CoV，2012 年以降発生が続いている，致死率 34％），新型コロナウイルス（SARS-CoV-2，2020 年以降 COVID-19 パンデミックを起こしている）など，重篤な病態を引き起こす種類がある．

COVID-19 の診断には鼻咽腔拭い液や唾液を用いて，RT-PCR 法およびイムノクロマトグラフィによる抗原検査が行われている．

12) レトロウイルス感染症

(1) ヒト免疫不全ウイルス感染症

ヒト免疫不全ウイルス（human immunodeficiency virus；HIV）に感染している状態を HIV 感染症とよび，その結果免疫不全状態が進行して，日和見感染症や腫瘍を発症しやすくなった状態を**後天性免疫不全症候群**（acquired immunodeficiency syndrome；AIDS）とよぶ．HIV には HIV-1 と HIV-2 があり，ともに AIDS を起こすが，世界中に広く流行しているのは HIV-1 で，HIV-2 は西アフリカなど限られた地域にみられる．わが国では過去に血液製剤による感染者が多発して社会問題となったが，現在では性行為，母子感染，医療事故などが感染ルートとして重要である．

HIV 表面の gp120 分子が CD4 分子と親和性が高いことから主として $CD4^+T$ 細胞に感染するが，ケモカインレセプターの CCR5 や CXCR4 にも結合して，中枢神経系のミクログリア細胞やマクロファージにも感染する．感染後 2 週〜2 カ月の間に血中のウイルス量は急激に増加し，発熱・リンパ節腫脹などの急性期症状を呈するが，細胞性免疫・液性免疫の成立とともに症状は消失し，血中ウイルス量も低下する（図 2-I-10）．その後，無症候期が数年以上続くが，

> **HIV の遺伝子型分類**
> HIV-1，HIV-2 というタイプ分類にはじまり，グループ，サブグループへと詳細な分類がなされている．主な流行株である HIV-1 は，M (major)，O (outlier)，N (new) の 3 グループに分けられ，さらに M グループは A〜K の 11 種のサブタイプに分類されている．

> **わが国の HIV-2 感染者**
> 以前は国外で感染した例であったが，2009 年には国内感染例と思われる 2 例の日本人女性が報告された．現在も感染者は非常に少ないが，スクリーニング検査は HIV-1 と同時に実施されている．

この間もウイルスはリンパ節などで増殖を続けており，末梢血 $CD4^+T$ 細胞数が徐々に減少していく．$CD4^+T$ 細胞数が $200/\mu L$ 以下になると，種々の日和見感染症，悪性腫瘍を発生して，AIDS とよばれる状態に至る．中枢神経系の細胞にも感染するため，認知症などの症状も進行する．

近年，抗ウイルス薬の服用によって，ある程度はウイルス量を減らしたり $CD4^+T$ 細胞数を回復させて，AIDS 発症までの期間を延長することが可能となってきたが，完治させるには至っていない．長期生存例では，若年でもがん，認知障害，骨粗鬆症などを合併しやすい．

診断には抗体の検出が有用で，粒子凝集反応（PA），酵素免疫測定法（EIA），イムノクロマトグラフィ（IC），化学発光免疫測定法（CLIA）などがスクリーニング検査に用いられている．感染直後の2～3週間は抗体が検出されない．最近，抗体とともに HIV 抗原も同時に検出することが可能な試薬も開発され（第4世代スクリーニング試薬），**ウインドウ期**（感染後，検査が陽性となるまでの期間）を 15 日程度に短縮できることから推奨されている．陽性の場合にはさらにウエスタンブロッティング法でウイルスの構成分子である gag，pol，env に対する抗体の存在を確認するか，RT-PCR 法によるウイルス遺伝子の検出が行われる．一方，HIV に感染している母親から生まれた新生児では，感染が成立していない場合でも，数カ月間は経胎盤的に母親から移行した抗体が検出されることがある．

HIV 感染者の骨粗鬆症
体重減少，生活習慣，HIV による破骨細胞活性化など，さまざまな要因が指摘されている．

(2) ヒトT細胞白血病ウイルス1型感染症

ヒトT細胞白血病ウイルス1型（human T-cell leukemia virus type 1；HTLV-1）は，成人T細胞白血病/リンパ腫（adult T-cell leukemia lymphoma；ATLL）の原因ウイルスである．感染者は世界中に広く分布しているが，特にわが国の沖縄，九州，四国南西部には感染者が多い．血液，精液，乳汁などリンパ球が混入した体液を介して感染する．感染者のほとんどは無症候性キャリアとなるが，1/1,000～2,000 人/年の頻度で ATLL の発症がみられる．ATLL 細胞は，$CD3^+$，$CD4^+$，$CD8^-$，$CD25^+$ である．

感染者は抗 HTLV-1 抗体を有しており，PA，EIA，CLIA などのスクリーニング検査によって検出される．陽性の場合にはさらにラインイムノアッセイ（LIA），蛍光抗体法，RT-PCR 法などによって確認する．

CD25
活性化T細胞や活性化B細胞に発現している IL-2 レセプターの α 鎖．

13) ウイルス性肝炎

ウイルス性肝炎は，Epstein-Barr ウイルス（EBV）やサイトメガロウイルス（CMV）などによる場合もあるが，肝細胞に親和性があって肝細胞内で増殖することが確認されているウイルスを特に肝炎ウイルス（hepatitis virus）とよび，A，B，C，D，E 型の5種類が同定されている．いずれの場合も，肝機能障害はウイルス感染細胞を攻撃する NK 細胞や細胞傷害性T細胞によってもたらされる．

肝炎ウイルスのうち，特にB型とC型は，肝細胞癌の発症に密接なかかわ

表2-I-2 肝炎ウイルスの種類と特徴

種類	A型	B型	C型	D型	E型
核酸	RNA	DNA	RNA	RNA	RNA
ウイルス科	Picornaviridae	Hepadnaviridae	Flaviviridae	Hepadna associated	Hepeviridae
肝細胞内局在	細胞質	細胞質，核	細胞質	細胞質	細胞質
感染経路	経口感染	非経口感染 性行為，輸血，経産道など	非経口感染 性行為，輸血，経産道など	非経口感染 HBV感染下のみ成立	経口感染
感染源	糞便	血液，体液	血液，体液	血液，体液	糞便
好発年齢	若年者	無関係	無関係	無関係	成人
流行型	流行性型	血清肝炎型	血清肝炎型	劇症型	流行性型
慢性化	まれ	高率―乳幼児期感染 低率―成人初感染	高率		まれ
潜伏期	2～6週間	1～6カ月	2～18週間		2～7週間
ワクチン	あり	あり	なし	なし	なし

りをもつことが明らかにされている．わが国における肝細胞癌による死亡者数は近年減少傾向にあるものの，いまだに年間2万5千人程度（男性：女性＝2：1）が報告され（日本肝臓学会：令和4年度「肝がん白書」），このうちHBVおよびHCV感染が関与する割合は約70％と高率である．

肝炎ウイルスの種類と特徴を**表2-I-2**にまとめた．

(1) A型肝炎

A型肝炎ウイルス（hepatitis A virus；HAV）感染によって引き起こされ，上下水道などの衛生環境の整っていない地域において，汚染された生水・魚介類・野菜などを介して**経口感染**する．HAV感染者は不顕性感染で終わるか，または約2～6週間の潜伏期間ののち急性肝炎を発症する（**図2-I-11**）．発症前後の患者の糞便中には多量のHAVが排泄される．まれに劇症化することがあるが，慢性化することはない．

アフリカ，東南アジア，中南米など流行地へ渡航する場合には，ワクチン接種が有効である．

(2) B型肝炎

B型肝炎ウイルス（hepatitis B virus；HBV）は，C型肝炎ウイルスやD型肝炎ウイルスと同様に，血液や体液を介して感染し，急性肝炎，慢性肝炎，肝硬変，肝細胞癌などを引き起こす．HBV感染者は東南アジア，アフリカを中心に全世界で3億5千万人程度存在し，わが国にも人口の1％程度の感染者が存在し，その約1％はHBV血症を呈する感染力のあるHBVキャリアの状態にある．HBVキャリア率は，東南アジアなどの途上国ではさらに高く，性行為，医療事故などで高頻度に感染が成立する．

わが国におけるHBVの蔓延は，ほとんどが母子感染によるものであるが，

抗体名の表記

免疫学では，たとえばIgGクラスの抗dsDNA抗体であれば「IgG抗dsDNA抗体（IgG anti-dsDNA antibodies）」と記載することが一般的である．しかし，臨床の現場で肝炎ウイルスに対する抗体は「IgM-HA抗体」などと冒頭の「抗」を省略してよぶことが多いし，輸血検査の現場では「IgG型の抗M」などと最後の「抗体」を省略してよぶことが多い．本書ではこのような事情に配慮して各領域で多く使われている記載法を優先し，あえて統一しないこととしている．

医療事故による感染

HBe抗原陽性HBVキャリア患者からの針刺し事故による感染率は，約30％程度とされている．

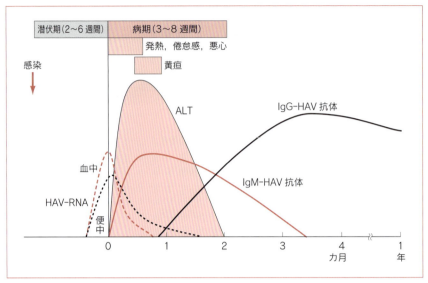

図2-I-11 急性A型肝炎の自然経過

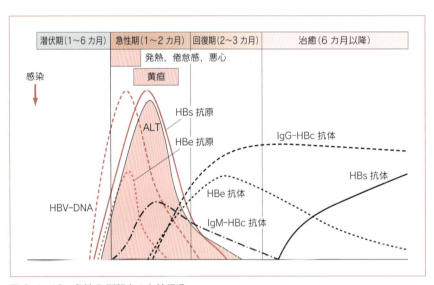

図2-I-12 急性B型肝炎の自然経過

1972年から実施されている血液製剤のHBs抗原のスクリーニングや，1986年からの母子感染防止事業に加え，2016年からはHBVワクチンが定期接種となり，若年者における感染率は激減している．

成人期における水平感染では不顕性感染例が多いものの，一部は1〜6カ月の潜伏期間のあと急性肝炎（**図2-I-12**）あるいは劇症肝炎などの一過性肝炎を起こし，慢性化する例はまれである．

免疫系が未熟な時期の母子感染や幼児期（5歳以下）の水平感染の場合には，HBVに対して免疫寛容が成立した持続感染状態となる．すぐには発症せずに

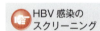 HBV感染のスクリーニング

従来，HBV感染の診断やスクリーニングにはHBs抗原の測定が行われてきた．しかし近年，HBs抗原が変異して分泌が抑制されている血中HBs抗原陰性の感染状態が存在することがわかり，HBc抗体もあわせて測定されるようになってきた．

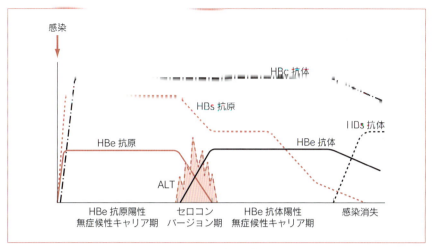

図2-I-13　HBVキャリアにおける典型的な抗原・抗体の推移

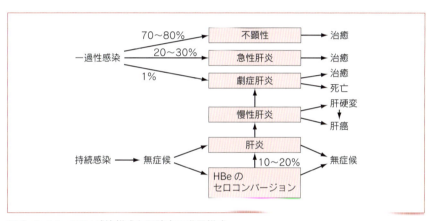

図2-I-14　HBV感染様式と肝障害の進展様式

HBV血症が持続する**無症候性キャリア**（HBV関連抗原が陽性で，ウイルス量も多い）となって無症状のまま経過した後，思春期〜成人期において免疫応答が生じ，HBe抗体の陽転化に伴ってHBe抗原は陰性化し，やがてHBs抗体が出現して肝炎は鎮静化する．血清のHBe抗原陽性がHBe抗体陽性へと変化することを**HBeのセロコンバージョン**（sero-conversion）といい，この時期に肝炎を発症する例もあるが大多数は再び無症候性となる．しかし，一部（10〜20％）は慢性肝炎，肝硬変，肝細胞癌へと進行する（**図2-I-13, 14**）．

(3) C型肝炎

　C型肝炎ウイルス（hepatitis C virus；HCV）は1989年に発見された肝炎ウイルスで，それまで輸血後nonA-nonB型肝炎とよばれていた肝炎の原因であることが判明した．今日においては，血液製剤のスクリーニング検査やディスポーザブル注射針の導入などが実施され，わが国における新たな感染者は激減しているが，依然として人口の1％程度が感染している．母子感染や性

劇症肝炎
（fulminant hepatitis）
急激かつ広範な肝細胞死によって肝不全に至る予後不良な疾患．プロトロンビン時間（活性％）が40％以下に低下し，アンモニア濃度の上昇などの代謝異常による意識障害も加わる．近年，抗ウイルス薬や肝移植などの新しい治療法の開発により，救命率が向上しつつある．

行為での感染は少ないと考えられている．

HCVは不顕性感染または急性肝炎を引き起こしたあとに，高率（約70～80％）で持続感染状態となり，やがて**慢性肝炎**，**肝硬変**，**肝細胞癌**へと進行する．感染者血液には **HCV抗体**が検出されるが，これは中和抗体でなく，血液は感染源となりうる．クリオグロブリンを認めることがある．

(4) D型肝炎

D型肝炎ウイルス（hepatitis D virus；HDV）は単独では存在せず，HBVと同時に感染するか，あるいはHBVのキャリアに感染する．医療行為，汚染針，性行為などが感染源となる．

HBVの重症化例，HBVキャリアの肝機能の増悪時などにHDV抗体を検出することが有用であるが，わが国では現在，試薬が販売されていない．HDV RNAの検査は保険適用がない．

(5) E型肝炎

E型肝炎ウイルス（hepatitis E virus；HEV）によって引き起こされるE型肝炎は，従来，衛生環境が整っていない地域において発生する流行性肝炎で，糞便中に排泄されたウイルスに汚染された飲料水を摂取することで経口感染するnonA-nonB型肝炎として認識されていた．したがって，わが国ではまれな輸入感染症の一つとされていたが，HEVに汚染されたイノシシ，シカなどの生肉やブタのレバーを，十分な加熱処理を行わずに摂食して感染した事例が東北，北海道で散発性に報告され，E型肝炎は2011年よりA型肝炎と同様に四類感染症に分類されて，**人獣共通感染症**として再認識されるようになった．2014年の調査によると，既往感染者は500万人程度存在し，年間約12万人が新規に感染していると推定される．

E型肝炎は，A型肝炎と同様の臨床経過をたどり，2～8週の潜伏期間のあとに一過性の急性肝炎を発症することもあるが，慢性化することはない．ただし，A型肝炎に比べて重症化する頻度が高く，妊婦の死亡率は10～20％程度と報告されている．

ELISAによるIgA-HEV抗体の検査が感度・特異度ともに優れている．

3 真菌感染症

1）カンジダ症

カンジダ（*Candida*）属は皮膚，口腔，消化管などの常在菌叢中に存在しているが，免疫能の低下，静脈内カテーテル留置，広域抗菌薬投与などの際に**日和見感染症**として種々の組織で増殖する（図2-Ⅰ-15）．

抗体は健常人でも多くがもっているため，血清学的な補助診断法としては抗原の検出のほうが有用性が高い．細胞壁成分のβ-D-グルカンの検出も行われているが，他の真菌症でも検出される．

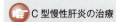

C型慢性肝炎の治療
従来は主としてインターフェロン製剤が用いられてきたが，最近では，HCVの複製，増殖を阻止する経口抗ウイルス薬（sofosbuvir, ledipasvir）が開発，承認されるなど，治療法の選択肢が増えてきた．

わが国におけるD型肝炎の発生頻度
欧米に比べて低く，HBVキャリアの0.6％と報告されている．

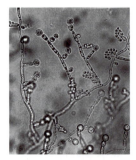

図2-Ⅰ-15 *Candida albicans*
（宮治 誠：臨床検査学講座 微生物学/臨床微生物学 第3版．p.285, 医歯薬出版, 2010．）

2）アスペルギルス症

アスペルギルス（*Aspergillus*）属の胞子は空気中に浮遊しており，アレルギー性の気管支喘息の原因になったり，肺結核や気管支拡張症の空洞性病変のなかで増殖したり，免疫不全者の肺組織中に浸潤したりする．

血清学的補助診断法としては，抗体の検出，アスペルギルス細胞壁成分のガラクトマンナン抗原の検出などが用いられている．βDグルカンも上昇する．

3）クリプトコックス症

ハトの糞中などで増殖した酵母状真菌である *Cryptococcus neoformans* が空気中に飛散し，それを吸入することによって，肺病変や，肺から血行性に中枢神経系に達して髄膜炎などを引き起こすものである．免疫不全状態では，全身の種々の組織に播種されることもある．

血清，髄液，あるいは気管支肺胞洗浄液中の，莢膜多糖抗原であるグルクロノキシロマンナンのラテックス凝集反応による検出，髄液中の病原体の検出（図2-Ⅰ-16）が有用である．

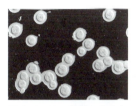

図2-Ⅰ-16 莢膜におおわれた *Cryptococcus neoformans* の墨汁染色
（宮治 誠：臨床検査学講座 微生物学/臨床微生物学 第3版．p.294，医歯薬出版，2010.）

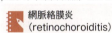

網脈絡膜炎
（retinochoroiditis）

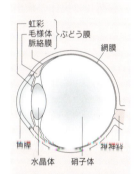

虹彩・毛様体・脈絡膜は連続した組織で，まとめてぶどう膜とよばれる．後方は網膜に連なる．虹彩と毛様体に炎症が起こっているものを前部ぶどう膜炎または虹彩毛様体炎，網膜と脈絡膜の炎症を後部ぶどう膜炎または網脈絡膜炎とよび，いずれも，さまざまな原因で起こる．眼がかすんだり，視力が低下する．

4 寄生虫感染症

1）赤痢アメーバ症

原虫 *Entamoeba histolytica* の囊子が経口的に摂取されることによって起こる感染症で，熱帯地方を中心に流行している．わが国では，衛生環境が悪い地域からの帰国者や同性愛者がハイリスクである．粘血便・肝膿瘍などを起こす．

診断には，糞便の検鏡と抗体の検出，PCR法が行われる．

2）トキソプラズマ症

トキソプラズマ（*Toxoplasma gondii*）はネコ科の動物を終宿主とする原虫で，ヒトは中間宿主である．感染したネコの糞便は感染源となる．汚染された水や野菜，加熱処理されていないブタなどの中間宿主の肉を介して経口感染するか，妊娠中に初感染した母親から経胎盤的に先天感染を起こす．

後天感染では無症状のことが多いが，免疫不全状態では脳炎などを起こす．先天感染では中枢神経系の炎症のため，網脈絡膜炎，精神・運動障害などをみる．

診断には，抗体の検出やPCR法が有用であるが，先天感染では抗体価が低い．

3）アニサキス症

アニサキス（*Anisakis simplex*）はクジラの胃に寄生している線虫であるが，種々の魚類（サバ，アジ，タラ，イカなど）が中間宿主となっており，これらを生食すると，幼虫がヒトの胃や腸の粘膜に刺入する（図2-Ⅰ-17）．

図2-Ⅰ-17 胃粘膜に刺入したアニサキスの幼虫

無症状のうちに感染して抗体をもっている人も多いが，再感染すると**即時型アレルギー反応**による強い症状を呈する．胃アニサキス症は，摂取4〜8時間後に急激に上腹部痛，悪心・嘔吐を発症し，内視鏡検査で虫体の検出，摘出が行われる．腸アニサキス症は，摂取数十時間後に強い下腹部痛を発症するもので，原因不明のまま開腹手術を受けることもある．症状が長時間持続する場合や，内視鏡で虫体を発見できない場合に，抗体価の測定が行われる．発症直後には陰性または低力価であったものが，1〜2週後に高値になれば，診断は確定的である．

なお，アニサキスの幼虫は，60℃で数秒，−20℃では数時間で死滅するので，加熱または冷凍された刺身であれば感染しない．

4）エキノコックス症

多包条虫（エキノコックス：*Echinococcus multilocularis*）は，北海道に生息するキタキツネなどの腸管に寄生している．ヒトが虫卵を摂取すると，幼虫が腸管壁から門脈を経て肝臓に入り，数年から十数年かけて多数の小さい囊胞をつくりながら増殖し，肝腫大，黄疸，腹水などを生じるようになる．

診断には抗体の検出が有用である．

II アレルギー

〈到達目標〉
(1) アレルギーの各型の病態形成機構の概略を説明し, 疾患例をあげることができる.

本来は生体防御のための仕組みである免疫系の反応が, 特定の抗原に対して過剰に反応しすぎてしまい, かえって生体にとって有害となる病態を**過敏反応**（hypersensitivity）または**アレルギー**（allergy）とよぶ. アレルギーの病態に関しては, Coombs と Gell による分類が有名で, 基本的な病態の理解に役立つので, ここでもその分類に従って解説する（表2-II-1）. なお, 実際の病態は複数の型がかかわって複雑な場合もある.

1 I 型アレルギー

皮膚や粘膜に存在する**肥満細胞**（mast cells）や血液中の**好塩基球**（basophils）は, IgE に対する Fc レセプター（FcεR）を表出し, これを介して IgE を結合している. これが抗原（アレルギー反応を引き起こす抗原を**アレルゲン**ともよぶ）で架橋されると細胞が活性化し, **ヒスタミン**・**ヘパリン**・蛋白分解酵素などを含有する好塩基性の顆粒の放出や, 細胞質における**ロイコトリエン**（leukotriens）, **プロスタグランジン**（prostaglandins）などの脂質メディエータの合成, 分泌が起こる（図2-II-1）. これらの分子は化学伝達物質（ケミカルメディエータ）とよばれ, 気管支平滑筋の収縮, 血管透過性の亢進をもたらすため, 気管支喘息・アレルギー性鼻炎・蕁麻疹などの原因となる.

I 型アレルギーは, 抗原に曝露された数分後から発症することが多いので, **即時型アレルギー**ともよばれる. 最も劇症であるのが**アナフィラキシーショック**（anaphylactic shock）で, たとえばヨードの入った造影剤や, 抗菌薬を静注した場合（ペニシリンショックなど）に, 血圧低下・呼吸困難などが出現し, 緊急の対応が求められる.

I 型アレルギーでは, 血清中の総 IgE 値や, 特定の抗原に対する IgE クラスの抗体価が高値を示すことが多く, 診断の際の参考になる. しかし, 抗体が

表 2-II-1 アレルギーの各型における代表的な免疫現象・疾患

I 型	蕁麻疹, 花粉症, 気管支喘息, 食物アレルギー, アナフィラキシーショック
II 型	自己免疫性溶血性貧血, 特発性血小板減少性紫斑病, 新生児溶血性黄疸, 異型輸血, 超急性移植片拒絶反応, 重症筋無力症
III 型	全身性エリテマトーデス, 急性糸球体腎炎, 過敏性肺臓炎, 血清病
IV 型	接触性皮膚炎, 過敏性肺炎, 結核, Hansen 病, サルコイドーシス

肥満細胞
好塩基性顆粒をもち, 血液中の好塩基球と似ているが, 別の細胞と考えられている. 骨髄の造血幹細胞由来で, 血中の前駆細胞が皮膚や粘膜で分化する.

I 型アレルギーのアレルゲン

スギ花粉

室内塵中のヤケヒョウヒダニ

アトピー型気管支喘息
気管支周囲の平滑筋がヒスタミン, ロイコトリエンなどの作用で収縮すると, 気道が著しく狭窄する.

（窪田哲朗：臨床病態学, 松浦雅人（編）, p.99, 医歯薬出版, 2009, 改変）

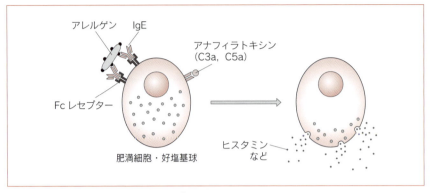

図 2-Ⅱ-1　Ⅰ型アレルギーのメカニズム
肥満細胞や好塩基球の表面に結合している IgE 抗体がアレルゲンによって架橋されると，細胞が活性化して細胞内の顆粒に含まれる化学伝達物質が放出される．補体系が活性化している病態においては，アナフィラトキシンもこのような脱顆粒を引き起こす（→ p.57）．

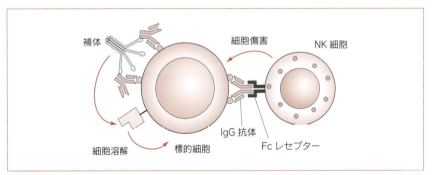

図 2-Ⅱ-2　Ⅱ型アレルギーのメカニズム
標的細胞表面の抗原を認識する抗体が結合すると，補体系が活性化されたり，NK 細胞が結合して，標的細胞が傷害される．

陽性でも症状がみられない例もあるので，抗体が陽性というだけで食物を制限したりする必要はない．末梢血細胞にアレルゲンを添加して，好塩基球活性マーカーの CD63，CD203c の発現量の増加が起こるかをフローサイトメトリでみる好塩基球活性化試験も有用である．

2　Ⅱ型アレルギー

　Ⅱ型アレルギーでは，標的細胞表面の抗原に主として IgG および IgM クラスの抗体が結合し，オプソニン作用による貪食や補体系（古典経路）の活性化（→ p.31，ADCC）が起こって標的細胞が傷害される（図 2-Ⅱ-2）．
　たとえば新生児溶血性黄疸は，胎児の赤血球に結合する母親由来の IgG 抗体が引き起こすものである．自己抗体によって引き起こされる病態の例としては，特発性血小板減少性紫斑病（ITP，→ p.88），自己免疫性溶血性貧血（AIHA，→ p.88）などがある．薬剤アレルギーで血球減少をきたすことがあるが，このなかには，薬剤が赤血球，血小板などの表面に付着し（ハプテン-キャリア

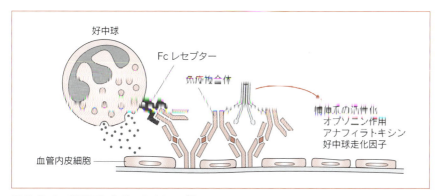

図2-II-3 III型アレルギーのメカニズム
免疫複合体が血管壁に沈着し，活性化された補体や好中球が組織を傷害する．

複合体の形成），これに対して抗体が産生されてII型アレルギーが引き起こされるものがある．

また，細胞傷害を伴わずに，抗体がかえって細胞の機能の亢進をもたらす特殊な例（V型アレルギーとよぶ場合もある）として，Basedow（バセドウ）病がある．この場合は，甲状腺上皮細胞の甲状腺刺激ホルモン（thyroid stimulating hormone；TSH）レセプターに自己抗体が結合し，これが細胞に刺激を伝えて甲状腺ホルモンの過剰分泌がもたらされる．

3 III型アレルギー

IgGやIgMクラスの抗体と抗原を含む**免疫複合体**（immune complex）が組織に沈着し，これを認識した好中球や補体系（古典経路）が組織を傷害するものである（**図2-II-3**）．溶血性連鎖球菌感染症後の急性糸球体腎炎，全身性エリテマトーデスのループス腎炎などが代表的な例で，急性期には血清中の補体価（C_3，C_4，CH_{50}）は低値を示す．

4 IV型アレルギー

T細胞やマクロファージによる細胞性免疫を主体とした炎症反応である．たとえば接触性皮膚炎では，化粧品および医薬品の軟膏やクリームに含まれる薬物・香料・着色料・保存料などの化学物質，洗剤に含まれる香料・漂白剤，ゴム手袋，腕時計のバンドのニッケルなどのアレルゲンと接触した皮膚に，2～3日後をピークとする炎症反応が生じる．I型アレルギーと比べて反応が遅いので，**遅延型アレルギー**ともよばれる．

結核，Hansen（ハンセン）病などの慢性感染症では病原菌が死滅しないために遅延型アレルギー反応が長期間続き，活性化したマクロファージなどの細胞が**肉芽腫**を形成しながら病原体を封じ込めるが，同時に周囲の組織の傷害ももたらされる．

III 自己免疫疾患

〈到達目標〉
(1) 主な組織特異的自己免疫疾患について病態を簡潔に説明し，自己抗体をあげることができる．
(2) 主な全身性自己免疫疾患について病態を簡潔に説明し，自己抗体をあげることができる．

なんらかの機序で**自己抗原**に対する寛容（トレランス）が破綻し，自己免疫反応が起こって病態を形成する疾患を，**自己免疫疾患**（autoimmune diseases）とよぶ．

自己免疫疾患という概念をはじめて明確に提唱したWitebskyらは1957年，ウサギの甲状腺抽出液（サイログロブリン）でウサギを免疫すると，それに対する抗体が産生され，さらに甲状腺には著明な炎症細胞浸潤を伴う組織破壊が生じることを報告した．その後，自己免疫の病態には抗体のみならず，自己反応性リンパ球による細胞性免疫機構もかかわっていること，誰でもあるいはどんな実験動物でも発症するのではなく，特定の遺伝的素因を有する個体に，なんらかの環境要因が働いて発症すること，などがわかってきた．

自己免疫疾患には多くの疾患が含まれるが，1種類の細胞または組織にのみ傷害がみられる組織特異的自己免疫疾患と，さまざまな細胞や組織が傷害される全身性自己免疫疾患に大別される．

1 組織特異的自己免疫疾患

1) 慢性甲状腺炎（chronic thyroiditis）

最初に橋本策によって報告されたので，**橋本病**ともよばれる．成人女性に多く，甲状腺が腫大し，生検で多数のリンパ球を主体とした炎症細胞浸潤が認められる（図2-III-1）．長い経過のうちに腺組織が破壊されて，甲状腺機能低下症をきたすと，寒がり，動作緩慢，嗄声，易疲労感などの症状が出てくる．

一般的検査ではコレステロール，中性脂肪，CKが高値を示し，内分泌検査では甲状腺刺激ホルモン（TSH）高値，T3，T4低値となる．自己抗体も検出され，甲状腺組織から抽出したサイログロブリンやマイクロソーム分画の抗原をゼラチン粒子に吸着させた粒子凝集反応（PA）や，抗原として甲状腺ペルオキシダーゼを用いた電気化学発光免疫測定法（ECLIA）が利用されている．

2) Basedow（バセドウ）病（Basedow disease, Graves disease）

抗TSHレセプター抗体によって，甲状腺上皮細胞（濾胞細胞）が活性化し，甲状腺機能亢進症をきたす疾患である．成人女性に好発する．甲状腺の腫大，

橋本策
（1881～1934）

外科医．1912（大正元）年，ドイツの外科雑誌に「甲状腺リンパ節腫症的変化に関する研究報告」を発表した．

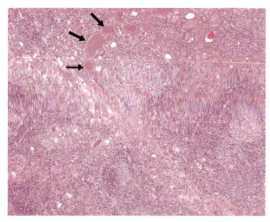

図2-III-1 橋本病の甲状腺組織像
著明な炎症細胞浸潤を認め，この写真のようにリンパ濾胞を形成している部分もある．甲状腺濾胞は破壊され，小さいものが散在するのみとなっている（矢印）．
（東京医科歯科大学・北川昌伸博士提供）

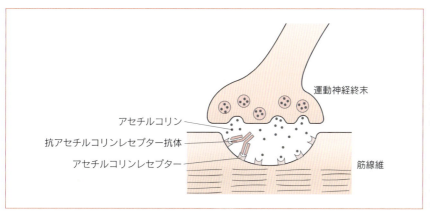

図2-III-2 重症筋無力症のメカニズム
運動神経の神経筋接合部では，興奮した神経線維からアセチルコリンが放出され，筋線維側のアセチルコリンレセプターを介して，筋線維に刺激が伝達される．重症筋無力症では，抗アセチルコリンレセプター抗体がこの刺激伝達を阻害している．

動悸，体重減少，手指のふるえ，眼球突出などを生じる．

TSH低値，T3，T4高値を認める．自己抗体として橋本病と同様にサイログロブリン，マイクロソーム，甲状腺ペルオキシダーゼに対する抗体を認めるほか，ECLIAで測定される**抗TSHレセプター抗体**が高値を示す．

3) 重症筋無力症（myasthenia gravis）

骨格筋の神経筋接合部では，神経終末から放出されるアセチルコリンが筋線維側のアセチルコリンレセプターに結合することによって，筋線維イオンチャネルの開口，脱分極，収縮がもたらされる．重症筋無力症では，アセチルコリンレセプターに対する自己抗体によって，この刺激伝達が阻害される（図2-III-2）．さらに，抗体はIgG1サブクラスが主体で，補体古典経路の活性化による障害も加わる．その結果，まばたきを繰り返していると眼が開かなくなる，話し続けていると声が小さくなるなどの症状が生じ，短時間の休息で回復する．呼吸筋の脱力による呼吸困難をきたすこともある．20歳代の女性と中年の男性に好発する．

ラジオイムノアッセイ（RIA）で**抗アセチルコリンレセプター抗体**を測定す

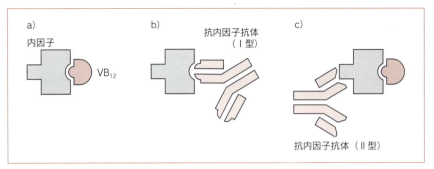

図 2-Ⅲ-3 悪性貧血のメカニズム
a：ビタミン B_{12}（VB_{12}）は，胃の壁細胞から分泌される内因子と結合したかたちで回腸末端から吸収される．
b,c：悪性貧血では抗内因子抗体がこれを阻害する．Ⅰ型抗体は VB_{12} と内因子の結合を阻害し（b），Ⅱ型抗体は内因子の吸収を阻害しており（c），いずれの場合も VB_{12} の吸収が低下する．

ることができる．

4）悪性貧血（pernicious anemia）

巨赤芽球性貧血にはビタミン B_{12} 欠乏性と葉酸欠乏性があるが，前者のうち自己免疫機序によるものが悪性貧血とよばれ，1920年代までは致死的であった．白血球や血小板も減少することが多い．ビタミン B_{12} は胃粘膜から分泌される内因子と結合して回腸末端から吸収されるが，抗内因子抗体がこの過程を阻害する（**図 2-Ⅲ-3**）．萎縮性胃炎，舌の萎縮，手足の指のしびれ，歩行障害などの神経症状もきたす．中高年者にみられる．

検査所見としては，**大球性貧血**，無効造血により細胞内の物質が血液中に出るためLDや間接ビリルビンの高値がみられ，ハプトグロビンは低値となるが，網赤血球は増加しない．骨髄塗抹標本で巨赤芽球を認める．自己抗体として**抗内因子抗体**（CLEIA）や**抗胃壁細胞抗体**（動物の胃粘膜切片を基質とした間接蛍光抗体法）を認めるが，前者のほうが特異的で，後者は単なる萎縮性胃炎の場合でも陽性となることがある．

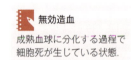

無効造血
成熟血球に分化する過程で細胞死が生じている状態．

5）自己免疫性溶血性貧血（autoimmune hemolytic anemia；AIHA）

赤血球表面の抗原と反応する自己抗体が原因となる自己免疫性溶血性貧血は，抗原抗体反応の至適温度が37℃前後の**温式抗体**によるものが約9割を占めるが，低温（4℃）で反応しやすい**冷式抗体**によるものもある．

温式 AIHA では，抗体は IgG の場合が多く，脾臓のマクロファージが Fcγ レセプターを介して赤血球を貪食し，血管外溶血をきたす．赤血球表面で補体系が活性化して C3b が沈着するので，C3b レセプターも貪食を促進する．悪性リンパ腫，膠原病などに伴う続発性と，特発性がある．特発性血小板減少性紫斑病（ITP）を合併するものを Evans（エバンス）症候群とよぶ（→p.343の側注）．

表 2-III-1　組織特異的自己免疫疾患で検出される主な自己抗体

慢性甲状腺炎	抗サイログロブリン抗体, 抗マイクロソーム抗体, <u>抗甲状腺ペルオキシダーゼ抗体</u>
Basedow 病	抗サイログロブリン抗体, 抗マイクロソーム抗体, 抗甲状腺ペルオキシダーゼ抗体, <u>抗 TSH レセプター抗体</u>
重症筋無力症	<u>抗アセチルコリンレセプター抗体</u>
悪性貧血	<u>抗内因子抗体</u>, 抗胃壁細胞抗体
自己免疫性溶血性貧血（AIHA）	<u>抗赤血球抗体</u>
特発性血小板減少性紫斑病（ITP）	<u>抗血小板抗体</u>
原発性胆汁性胆管炎（PBC）	<u>抗ミトコンドリア抗体</u>
自己免疫性肝炎	抗核抗体, 抗平滑筋抗体
Goodpasture 症候群	<u>抗糸球体基底膜抗体</u>
1 型糖尿病	<u>抗 GAD 抗体</u>

疾患特異性が比較的高いものにアンダーラインを付した

　冷式 AIHA には**寒冷凝集素症（cold agglutinin disease）** と**発作性寒冷ヘモグロビン尿症（paraxysmal cold hemoglobinuria；PCH）** がある．寒冷凝集素は IgM クラスの抗 I または抗 i 抗体であり，マクロファージは IgM に対する Fc レセプターはもたないが，C3b レセプターを介して貪食する．マイコプラズマ，EB ウイルス，サイトメガロウイルスなどの感染後に発症して若年者に多い続発性と，高齢者に多い特発性がある．**発作性寒冷ヘモグロビン尿症**は，小児のウイルス感染症に続発するものがほとんどである．IgG クラスの抗 P 抗体［Donath-Landsteiner（ドナート・ランドシュタイナー）抗体］が原因となり，低温で赤血球と結合した抗体が 37℃で補体系を活性化して血管内溶血を起こす．

　正球性（網赤血球が非常に多い場合は大球性）貧血，網赤血球の増加，LD や間接ビリルビンの高値，ハプトグロビンの低値を認め，**直接抗グロブリン試験**（→ p.321）が陽性となる．冷式抗体による疾患の鑑別には，寒冷凝集素価の測定（→ p.169），**Donath-Landsteiner 試験**（→ p.345）などが行われる．

6）特発性血小板減少性紫斑病（idiopathic thrombocytopenic purpura；ITP）

　血小板表面の抗原（GPIIb/IIIa，GPIb/IXなどの糖蛋白質であることが多い）と反応する自己抗体による血小板減少症である．小児にみられるウイルス感染症後に発症する急性型と，成人女性と高齢者に多い慢性型がある．

　血清中の**抗血小板抗体**は，すでに血液中で血小板と結合してしまっているためか陽性率は 50％程度である．血小板に付着している IgG（platelet associated IgG；PAIgG）は高値を示すが，本症に特異的ではない．再生不良性貧血などの血小板の産生が低下する疾患と鑑別するため，骨髄巨核球数が正常または増

加していることを確認することが重要である．

7）原発性胆汁性胆管炎（primary biliary cholangitis；PBC）

肝内胆管の慢性非化膿性炎症のために胆汁うっ滞をきたし，肝の線維化が進行する疾患で，中年以降の女性に好発する．

ALP，γ-GT などの胆道系酵素が高値を示し，進行すると皮膚の搔痒感や黄疸を生じて総ビリルビンも高値となる．自己抗体として**抗ミトコンドリア抗体**が高率に検出されることが特徴的であるが，その病態形成とのかかわりについてはよくわかっていない．

8）自己免疫性肝炎（autoimmune hepatitis）

中年以降の女性に好発する原因不明の肝炎で，自己抗体，高 γ-グロブリン血症，肝組織における形質細胞浸潤などが認められ，自己免疫機序が推定される疾患である．

高力価の抗核抗体や**抗平滑筋抗体**を高率に認める．抗核抗体はウイルス性肝炎でもしばしば陽性となるが，その場合は力価が低いことが多い．

9）Goodpasture（グッドパスチャー）症候群（Goodpasture syndrome）

抗糸球体基底膜抗体を認めて，急速進行性糸球体腎炎をきたすまれな疾患である．約半数に肺胞出血を合併する．原因不明の発熱，倦怠感などで始まり，進行すると乏尿，浮腫などの腎不全症状や，咳，血痰，息切れなどの呼吸器症状が加わり，早期に治療しないと死亡する．診断には，腎糸球体や肺胞に豊富に存在するⅣ型コラーゲンの α$_3$ 鎖を抗原として用いた**抗糸球体基底膜抗体**測定キットが用いられている．

10）1 型糖尿病（type 1 diabetes mellitus）

肥満，運動不足，遺伝的素因などによって発症する 2 型糖尿病と異なり，1 型糖尿病では自己免疫機序による膵 β 細胞の破壊が原因となってインスリンが不足する．早期からグルタミン酸脱炭酸酵素（glutamic acid decarboxylase；GAD）と反応する抗体（**抗 GAD 抗体**）が検出されることが多く，病型診断に有用である．

2 全身性自己免疫疾患（膠原病）

1）全身性エリテマトーデス（systemic lupus erythematosus；SLE）

20〜40 歳代の女性に好発する．初発症状としては発熱，関節痛，皮膚症状，レイノー現象（Raynaud phenomenon）などが多い．皮膚症状では蝶形紅斑が特徴的であるが，脱毛や光線過敏症もよく認められる（図 2-Ⅲ-4）．内臓病変としては，胸膜炎，心外膜炎，糸球体腎炎（ループス腎炎，図 2-Ⅲ-5），

膠原病

膠原病という概念は従来，全身性エリテマトーデス，全身性硬化症，多発性筋炎・皮膚筋炎，関節リウマチ，結節性多発動脈炎，リウマチ熱の 6 疾患を含むものであったが，最近では新しく確立された疾患や症候群も含めて，全身性自己免疫疾患という概念とほぼ同じ感覚で用いられることも多い．

レイノー現象

寒冷刺激や精神的緊張によって血管が収縮し，手指が白く冷たくなる発作．やがて紫色に，さらに紅潮に変化して回復する．SLE などの膠原病や動脈硬化症などがあると起こりやすい．

光線過敏症

通常の人には何ともない程度の紫外線に当たっても，皮膚が赤くなる．SLE の患者にはよくみられるが，降圧剤など薬剤の副作用で生じる場合もある．

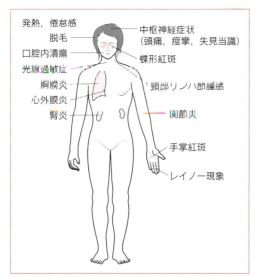

図2-Ⅲ-4 全身性エリテマトーデス（SLE）によくみられる症状

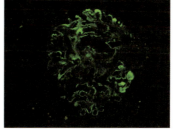

図2-Ⅲ-5 ループス腎炎（蛍光抗体法）
SLE（20歳，女性）の糸球体に沈着したIgG（上）とC4（下）．
（東京医科歯科大学・内田信一博士，頼建光博士提供）

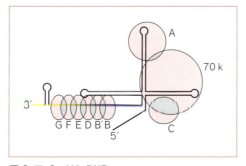

図2-Ⅲ-6 U1-RNP
太線はRNA，丸は蛋白質を示す．

SLEの尿沈渣

ループス腎炎の尿沈渣は，初期は硝子円柱を認める程度であるが，進行すると白血球，変形赤血球，顆粒円柱，白血球円柱など多彩な所見を認める telescoped sediment とよばれる状態となる．

RNP, Sm

遺伝子が発現する際にはDNAを鋳型としてmRNAがつくられ（転写），このあとにイントロン部分のRNAを取り除いて，その前後のエキソン部分をつなぎ合わせるスプライシングという作業が行われる．切断されるべき部位は特定の塩基配列をもっており，これと相補的な配列をもつ核内に存在する小さい（200塩基以下）RNA分子（small nuclear RNA；snRNA）が認識する．snRNAは核内低分子蛋白質と会合し，small nuclear ribonucleoprotein（snRNP）を形成してこの作業を行っている．スプライシングにかかわるsnRNAは主にU1，U2，U4，U5，U6の5種類で，それぞれ70 kDa, A, B/B', C, D, E, F, Gなど7種類以上の蛋白質と会合してU1-, U2-, U4-, U5-, U6-RNPを形成している（U4とU6は一緒になってU4/6-RNPを形成する）．**SLEやMCTDで検出される抗RNP抗体**は，U1-RNA（図2-Ⅲ-6）と会合している蛋白質のうちの70 kDa，A，Cと反応するものである．また，**SLEに特異性の高い抗Sm抗体**は，U1-, U2-, U4/6-, U5-RNPのB/B', D, E, F, Gなどの蛋白質と反応する．間接蛍光抗体法による抗核抗体検査では，抗RNP抗体と抗Sm抗体はいずれも**核粗大斑紋型**（→p.197）を示す．

中枢神経症状（CNSループス）などがあり，病態は症例ごとに多彩である．CNSループスでは，失見当識，痙攣，精神症状，意識障害などをきたす．

血算ではリンパ球減少を認めることが多く，さらに直接抗グロブリン試験陽性の溶血性貧血や，自己免疫性の血小板減少を認めることもある．検尿では，活動性の腎炎がある場合には蛋白，円柱などを認める．自己抗体としては，抗核抗体，抗二本鎖DNA抗体［抗 ds (double-stranded) DNA 抗体］，抗RNP抗体，抗Sm抗体などが検出されることが多い．特に**抗dsDNA抗体と抗Sm抗体は本疾患に特異性が高く，診断に有用である**．疾患活動性の高い時期には免疫複合体が高値を示し，補体は消費されてC_3，C_4，CH_{50}は低値を示すことが多い．

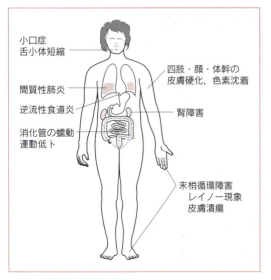

図2-Ⅲ-7　全身性強皮症（SSc）によくみられる症状

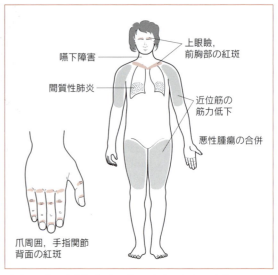

図2-Ⅲ-8　皮膚筋炎（DM）によくみられる症状

2）全身性強皮症（systemic sclerosis；SSc）

　皮膚，粘膜および内臓諸臓器の線維化と内腔狭窄を伴う血管病変を特徴とする疾患で，好発年齢は30〜50歳，女性に多い．初期にはレイノー現象，手や顔の皮膚のこわばりなどが認められ，進行すると恒常的な末梢循環障害，消化管の蠕動運動の低下による胸焼け，腹部膨満感，間質性肺炎による息切れなどを生じる（図2-Ⅲ-7）．

　皮膚硬化が全身に広がるびまん皮膚硬化型と，末梢のみにとどまる限局皮膚硬化型がある．びまん皮膚硬化型では**抗トポイソメラーゼⅠ抗体**（抗Scl-70抗体）や**抗RNAポリメラーゼⅢ抗体**が，限局皮膚硬化型では**抗セントロメア抗体**が高率に検出される．いずれの病型でも，罹病期間が長くなると，肺動脈性肺高血圧症や消化管病変が出現してQOLが低下することが多い．限局皮膚硬化型のうち，皮下の石灰沈着（calcinosis），レイノー現象（Raynaud phenomenon），食道の機能低下（esophageal dysmotility），手指の皮膚硬化（sclerodactyly），皮膚や口腔内にみられる毛細血管拡張（telangiectasia）の5徴候が目立つ症例は，頭文字をとってCREST症候群とよばれる．

　間質性肺炎の活動性の評価には，画像検査のほか，呼吸機能検査や血清中のKL-6，SP-Dの測定が用いられる．

3）多発性筋炎（polymyositis；PM），皮膚筋炎（dermatomyositis；DM）

　小児と中年成人にみられる炎症性筋疾患である．体幹に近い筋の筋力低下が主症状で，物を持ち上げにくい，しゃがんだ状態から立ち上がれない，食物を飲み込みにくいなどの症状が出現する．さらに上眼瞼の浮腫状の紅斑，爪の周

 KL-6，SP-D

KL-6は肺胞Ⅱ型上皮細胞や呼吸細気管支上皮細胞に発現している糖蛋白質で，SP-Dは肺胞Ⅱ型上皮細胞などが分泌して，肺胞内をおおっている肺サーファクタントの成分の蛋白質である．いずれも間質性肺炎などで血中濃度が上昇する．

囲や手指の関節の伸側の紅斑などの皮膚症状を伴うものが皮膚筋炎である（図2-Ⅲ-8）．

血液生化学的検査ではCK，アルドラーゼなどの筋原性酵素の上昇を認める．倦怠感を訴えて受診した症例が，AST高値のために肝疾患として扱われている場合も見受けられる．自己抗体としては，細胞質に存在する種々のアミノアシルtRNA合成酵素（aminoacyl tRNA synthetase）と反応する抗体が特徴的である．総称して**抗ARS抗体**とよばれるが，特にヒスチジンをtRNAに結合させるヒスチジルtRNA合成酵素に対する抗体（**抗Jo-1抗体**）の検出率が高い．このほか，MRI，筋電図，筋生検などの検査が行われる．

最近，PM/DMの病型と自己抗体の研究が進展し，2016年に抗MDA5抗体，抗Mi-2抗体，抗TIF1-γ抗体の3種類の検査が保険適用となっている．**抗MDA5抗体**は，PM/DMのなかでも筋炎症状が軽く診断がむずかしい症例（clinically amyopathic DM：臨床的無筋症性皮膚筋炎）に検出されることが多い．このような症例は時に急速進行性の間質性肺炎を発症することがあるので，早期の病型診断の重要性が高い．一方，抗Mi-2抗体陽性例は，皮膚症状と筋炎症状を呈する典型的な症例で，予後も比較的良好な場合が多いとされている．また，抗TIF1-γ抗体陽性例は，悪性腫瘍の合併率が高い．

4）混合性結合組織病（mixed connective tissue disease；MCTD）

レイノー現象または手指の浮腫状の腫脹（ソーセージ様手指）を認め，前記のSLE，SSc，PM/DMの症状を部分的に併せ持ち，かつ**抗RNP抗体**が陽性となる疾患で，中年女性に多い．多関節炎や，無菌性髄膜炎・三叉神経障害などの神経病変を認めることもある．間質性肺炎や肺高血圧症を合併する例では，これらが生命予後を規定する．

5）関節リウマチ（rheumatoid arthritis；RA）

関節炎をきたす疾患は，各種膠原病をはじめとして多数存在する（たとえば，痛風，偽痛風，変形性関節症，感染性関節炎，テニス肘）．それらは，急性か慢性か，あるいは単関節炎か多関節炎かによって分類することができるが，慢性の多関節炎をきたす疾患の代表がRAである．膠原病のなかでも最も患者数が多く，わが国における患者数は70万人程度と推定されている．20歳代〜60歳代に多く，男女比は1：4程度である．

炎症の主な部位は関節腔を裏打ちしている滑膜であり（図2-Ⅲ-9），ここで長期間にわたって続く炎症のために，蛋白分解酵素や活性化した破骨細胞の働きで軟骨や骨が破壊され（図2-Ⅲ-10），関節の可動域の減少や変形（図2-Ⅲ-11）がもたらされて日常生活動作（activities of daily living；ADL）が低下する．間質性肺炎，胸膜炎，血管炎などの関節外症状を伴う例もある．

進行した症例では特徴的な関節の変形やX線所見を認めるので診断は容易であるが，そのような変化をきたす前に正しく診断して治療を開始することが

アミノアシルtRNA合成酵素
tRNAは，mRNAの配列に対応するアミノ酸を，蛋白合成の行われるリボソームに運搬する役割をはたす．その際に，各アミノ酸に特異的なtRNAに当該アミノ酸を結合させる酵素が，アミノアシルtRNA合成酵素である．現在臨床検査で行われている抗ARS抗体検査には，ヒスチジル-，スレオニル-，アラニル-，グリシル-，アスパラギル-tRNA合成酵素の5種類の抗原のカクテルが用いられている．

MDA5（melanoma differentiation-associated gene 5）
細胞質に存在する自然免疫のRLRs（→p.15の側注）の一つで，ウイルスRNAを検知してIFN-αの産生をもたらす．

Mi-2
名称は患者の名前に由来する．

TIF1-γ（transcription intermediary factor 1-γ）
大腸癌，乳癌などの固形癌組織に過剰発現が確認されている転写修飾因子．

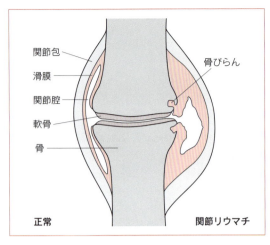

図 2-Ⅲ-9　関節の構造
図の左側が正常，右側が関節リウマチの状態を示す．関節リウマチでは，滑膜において炎症細胞の浸潤，血管の造成，滑膜細胞の増殖が生じ，さまざまなサイトカインやケモカインの産生が亢進している．その結果，分泌される蛋白分解酵素や活性化した破骨細胞が，骨・軟骨を侵蝕していく．

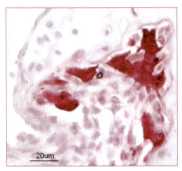

図 2-Ⅲ-10　破骨細胞
骨びらん部に侵入した滑膜の先端では，マクロファージから分化した TRAP 染色陽性の多核巨細胞が骨を破壊している（関節炎モデルマウスの標本）．

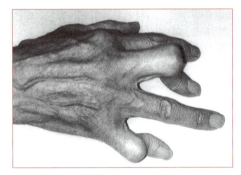

図 2-Ⅲ-11　関節リウマチの進行例にみられる手指の変形

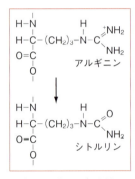

図 2-Ⅲ-12　シトルリン
シトルリンは，ペプチジルアルギニンデイミナーゼ（peptidylarginine deiminase）という酵素の働きでアルギニンからつくられる．関節リウマチの滑膜には，シトルリンを含む蛋白質が多いといわれている．

求められている．血液検査では，赤沈の促進，CRP の上昇，小球性低色素性貧血などを認めるほか，自己抗体として**リウマトイド因子**が検出されることが多いが，これは必ずしも特異的ではない．シトルリン化ペプチドに対する抗体（**抗 CCP 抗体**）は，RA に対して感度が 80％程度，特異度が 90％程度と，リウマトイド因子より優れている（**図 2-Ⅲ-12**）．

他の原因による関節炎との鑑別がむずかしい場合には，関節液を採取して検査することがある．RA の関節液中の細胞数は変形性関節症より多く，感染性関節炎より少ない．

6）血管炎症候群

血管壁の炎症を主病変とする種々の疾患を総称して血管炎症候群とよぶ．一

> **抗 CCP 抗体**
> シトルリンを含むペプチドと反応する抗体を高感度に検出するための工夫として，シトルリンを含む合成ペプチドを S-S 結合で環状にして固相化することが行われている．このようにして検出される抗体が抗 cyclic citrullinated peptide（CCP）抗体とよばれている．

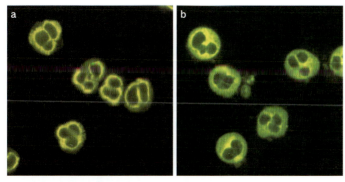

図2-III-13　p-ANCA（a）とc-ANCA（b）
（医学生物学研究所提供）

一般に血管炎症候群では，原因不明の発熱，赤沈の促進，CRPの上昇を認めるものの，特異的な検査所見に乏しい．病変部ではサイトカインやケモカインの作用で血管内皮細胞は活性化して接着分子などの発現が亢進し，血小板も活性化するので，血栓を生じやすくなる．このために臓器の梗塞をきたす可能性があり，たとえば皮膚の小血管でこのようなことが生じて皮下出血や皮膚潰瘍を認める場合には，その近傍を生検して病理学的に血管炎を証明することが可能である．しかし，深部の血管に病変がある場合にはそのようなことができないので，診断確定に苦慮することが多い．

　主として大動脈などの大きい血管を侵す高安動脈炎，中等大の動脈を侵す結節性多発動脈炎，小血管を主座として，間質性肺炎や急速進行性糸球体腎炎を起こしやすい**顕微鏡的多発血管炎**，川崎病，鼻腔・肺・腎に肉芽腫性の病変を生じる**多発血管炎性肉芽腫症**，気管支喘息と合併する**好酸球性多発血管炎性肉芽腫症**など，多数の疾患が含まれ，鑑別診断に有用な臨床検査法の開発が望まれている．

　このような状況下にあって，**抗好中球細胞質抗体**（anti-neutrophil cytoplasmic antibody；ANCA）の発見は画期的な進歩をもたらした．これには所定の条件で行った間接蛍光抗体法で，好中球の核の周囲が染色されるperinuclear ANCA（p-ANCA）と，細胞質が染色されるcytoplasmic ANCA（c-ANCA）がある（**図2-III-13**）．p-ANCAの対応抗原はミエロペルオキシダーゼ（myeloperoxidase；MPO）などであることが判明し，リコンビナント抗原を用いたMPO-ANCA定量キット［化学発光酵素免疫測定法（CLEIA）］が用いられている．一方，c-ANCAの対応抗原はプロテイナーゼ3（proteinase 3；PR3）などの酵素であるため，この抗原を用いたPR3-ANCA定量キット（CLEIA）が用いられている．顕微鏡的多発血管炎では，多くの場合MPO-ANCA陽性を示すが，PR3-ANCA陽性例も存在する．多発血管炎性肉芽腫症では，MPO-ANCA陽性例とPR3-ANCA陽性例が同程度存在する．好酸球性多発血管炎性肉芽腫症では約半数にMPO-ANCAを認めるが，PR3-ANCA陽性例は

> **関節液の細胞**
> 関節液中の白血球のおよその数は，正常では150/μL以下（リンパ球優位），変形性関節症では1,000/μL前後（リンパ球優位），関節リウマチでは10,000/μL前後（多型核白血球が半数前後），感染性関節炎では100,000/μL前後（多型核白血球優位）である．

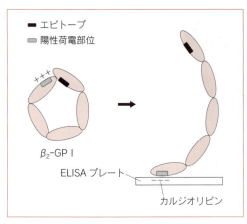

図 2-Ⅲ-14 β₂-グリコプロテインⅠ（β₂-GPⅠ）依存性抗リン脂質抗体の検出法

抗リン脂質抗体症候群を引き起こす抗体は，実は抗カルジオリピン（CL）抗体ではなく，CL などの陰性荷電リン脂質と結合する血漿中のリン脂質結合性蛋白質（β₂-GPⅠ，プロトロンビンなど）を認識する抗体であることがわかってきた．β₂-GPⅠは血漿中では環状構造をとっているが，陽性荷電部位が ELISA プレートに固相化したカルジオリピンや，炎症細胞，アポトーシス細胞などに表出している陰性荷電リン脂質ホスファチジルセリンと結合すると釣り針様構造になって，露出したエピトープに自己抗体が結合できるようになる．

表 2-Ⅲ-2 全身性自己免疫疾患で検出される主な自己抗体

疾患		自己抗体
全身性エリテマトーデス		抗核抗体，<u>抗 dsDNA 抗体</u>，抗 ssDNA 抗体，<u>抗 Sm 抗体</u>，抗 RNP 抗体，抗 SS-A 抗体
全身性強皮症	びまん皮膚硬化型	抗核抗体，<u>抗トポイソメラーゼⅠ（Scl-70）抗体</u>，<u>抗 RNA ポリメラーゼⅢ抗体</u>
	限局皮膚硬化型	抗核抗体，<u>抗セントロメア抗体</u>
多発性筋炎・皮膚筋炎		抗核抗体，抗 ARS 抗体，<u>抗ヒスチジル tRNA 合成酵素（Jo-1）抗体</u>，<u>抗 MDA5 抗体</u>
混合性結合組織病		抗核抗体，抗 RNP 抗体
関節リウマチ		<u>リウマトイド因子</u>，<u>抗 CCP 抗体</u>
抗リン脂質抗体症候群		<u>抗カルジオリピン-β₂-グリコプロテインⅠ抗体</u>
Sjögren 症候群		抗核抗体，<u>抗 SS-A 抗体</u>，<u>抗 SS-B 抗体</u>，リウマトイド因子
顕微鏡的多発血管炎		<u>p-ANCA</u>，<u>MPO-ANCA</u>，c-ANCA，PR3-ANCA
多発血管炎性肉芽腫症		p-ANCA，MPO-ANCA，c-ANCA，PR3-ANCA
好酸球性多発血管炎性肉芽腫症		<u>p-ANCA</u>，<u>MPO-ANCA</u>

疾患特異性が比較的高いものにアンダーラインを付した．

まれである．また，好酸球性多発血管炎性肉芽腫症では病変部に好酸球浸潤を認め，好酸球の顆粒から放出される好酸球塩基性蛋白（eosinophil cationic protein；ECP）の血中濃度も病勢の指標となる．

7）抗リン脂質抗体症候群（antiphospholipid syndrome；APS）

血栓症，流・早産などをきたし，カルジオリピンなどのリン脂質と反応する抗体を認める症候群である．血栓症は動脈にも静脈にも起こりうるため症状はさまざまであるが，脳梗塞，一過性脳虚血発作，下肢静脈血栓症，肺塞栓などが多い．基礎疾患のない原発性と，SLE などに合併する二次性がある．

本症候群に特徴的な抗体は，梅毒患者がもっているようなカルジオリピンと直接反応するものとは異なり，ELISA プレートに吸着させたカルジオリピン

> **流・早産**
> 流産とは妊娠 22 週までに妊娠が中断してしまうこと．早産とは 22 週から 36 週の間に出産すること．

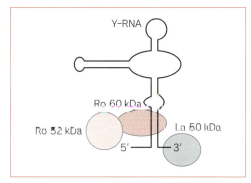

図 2-Ⅲ-15　SS-A（Ro）抗原，SS-B（La）抗原

に，ブロッキングに用いるウシ血清中のリン脂質結合性蛋白質 β_2-グリコプロテインⅠ（β_2-GPⅠ，構造はヒト血清中のものとほぼ同じ）が結合し，この結合によって構造の変化した β_2-GPⅠを認識する抗体であることが証明されている（図 2-Ⅲ-14）．また，プロトロンビンなど，β_2-GPⅠ以外のリン脂質結合性蛋白質と反応する抗体も本症候群にかかわっている．

　血液検査では，**β_2-GPⅠ依存性抗カルジオリピン抗体**のほか，**ループスアンチコアグラント陽性**，活性化部分トロンボプラスチン時間（APTT）延長，血小板減少などの所見を認める．原発性であっても補体は低値を示すことが多い．梅毒血清反応が生物学的偽陽性を示すことがある．

8）Sjögren（シェーグレン）症候群（Sjögren syndrome；SS）

　スウェーデンの眼科医 Henrik Sjögren が 1933 年に最初に報告した．涙腺と唾液腺の慢性炎症が長年続いて，やがて腺組織が破壊されると，ドライアイやドライマウスを生じる症候群で，20 歳代〜60 歳代の女性に多い．腺組織以外の病変もしばしば認められ，間質性肺炎，尿細管性アシドーシス，環状紅斑などを認めるほか，自己免疫疾患の合併も多い．

　一般的検査ではリンパ球減少，高 γ-グロブリン血症，自己抗体検査ではリウマトイド因子，抗核抗体，**抗 SS-A（別名 Ro）抗体**，**抗 SS-B（別名 La）抗体**などを認める．抗 SS-A 抗体の陽性率は約 60％，抗 SS-B 抗体の陽性率は約 30％であるが，後者のほうが本症候群に特異性が高い．

ブロッキング（blocking）
種々の免疫学的検出法において，抗体を反応させる際の非特異的な吸着を防ぐために，その抗原抗体反応に支障がないような蛋白質の溶液をあらかじめ抗原に反応させておく操作．アルブミン，ウシ血清，スキムミルクなどが用いられることが多い．

ループスアンチコアグラント
in vitro のリン脂質依存性凝固反応を阻害する免疫グロブリン．

SS-A（Ro）SS-B（La）
抗 SS-A 抗体，抗 SS-B 抗体の対応抗原は，Y RNA とよばれる 100 塩基対程度のノンコーディング RNA の一種と，それに結合する蛋白質との複合体である（図 2-Ⅲ-15）．その機能についてはまだよくわかっておらず，ましてや病態形成との関連については謎の域を出ない．Y RNA は最初に細胞質（cytoplasm）で発見されたので，核（nucleus）に存在する U RNA と対比して Y RNA とよばれるようになった．しかし，細胞の状態によってはむしろ核内に多く存在し，標準的な方法で行われる抗核抗体検査では，抗 SS-A 抗体，抗 SS-B 抗体は核微細斑紋型の染色を呈する（➡ p.195）．

IV M蛋白血症・原発性免疫不全症

〈到達目標〉
(1) M蛋白血症をきたす疾患をあげ，検査所見を説明できる．
(2) 原発性免疫不全症について，複合型免疫不全症，抗体産生不全を主とする疾患，食細胞の数または機能の異常症，補体成分の欠損症などの例をあげることができる．

1 M蛋白血症

血清中にモノクローナルな免疫グロブリンの増加を認める疾患を総称して**M蛋白血症**とよぶ．セルロースアセテート膜電気泳動法による血清蛋白分画解析のデンシトメトリのカーブが鋭いピークを呈することで気づかれ，免疫電気泳動法で確認される．M蛋白の成分は免疫グロブリンで，L鎖のみの場合は**Bence Jones蛋白**とよばれる．

M蛋白血症をきたす疾患には，表2-IV-1のように多発性骨髄腫・原発性マクログロブリン血症・悪性リンパ腫などの悪性疾患や，MGUSのように悪性になる可能性がある状態，Sjögren症候群などの良性疾患など，多彩な病態が含まれるので，鑑別診断が重要である．

1) 意義不明の単クローン性ガンマグロブリン血症（monoclonal gammopathy of undetermined significance；MGUS）

M蛋白が検出されるが基礎疾患を認めず，骨髄中の形質細胞数も10%未満である状態をいう．60歳以上の人の1%以上に認められるが，経過中に多発性骨髄腫，原発性マクログロブリン血症などが明らかになってくる場合があるので，経過観察が必要である．

2) 多発性骨髄腫（multiple myeloma）

腫瘍化した形質細胞が免疫グロブリンを分泌しながら単クローン性に増殖する疾患で，その免疫グロブリンの種類により，IgG型，IgA型，IgD型，IgE型，L鎖のみが分泌されるBence Jones蛋白型などに分けられる．M蛋白を認めない非分泌型骨髄腫も存在する．症状としては，骨折，骨痛，易感染性などが多い．

腫瘍細胞は骨髄内でゆっくり増殖し（→ p.6の図1-I-6），X線写真で骨にパンチで穴をあけたような像（punched-out lesions）を多数認め（図2-IV-1），血液検査では汎血球減少，連銭形成，赤沈促進，高カルシウム血症，腎機能障害などを認めることが多い．

Bence Jones蛋白
Bence Jones（1814～1873）が発見した特殊な性質を示す蛋白質．モノクローナルな免疫グロブリンのL鎖が2量体構造をとって，血清中や尿中に存在するもの．多発性骨髄腫やマクログロブリン血症の約60%の尿中に検出される．尿細管でTamm-Horsfall（タム・ホルスフォール）蛋白と結合して円柱を形成すると，腎機能障害の一因となる．加温すると，40℃で混濁，56℃で凝固するが，100℃で再溶解する（→ p.216）．

表2-IV-1 M蛋白血症をきたす主な疾患

多発性骨髄腫
孤立性形質細胞腫
原発性マクログロブリン血症
H鎖病
MGUS
原発性アミロイドーシス
慢性リンパ性白血病
悪性リンパ腫
膠原病
その他

悪性リンパ腫におけるM蛋白血症
B細胞系の悪性リンパ腫ではM蛋白血症を認めることがある．たとえば547例のMALTリンパ腫例のうち173例で診断時にM蛋白が検出され，追跡調査で非検出群より予後が不良

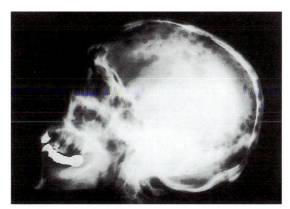

図2-Ⅳ-1　多発性骨髄腫での骨打ち抜き像
（小山高敏：臨床病態学．松浦雅人（編），p.165，医歯薬出版，2009）

> **悪性リンパ腫における M 蛋白血症（つづき）**
> ↗であったことなどが報告されている（Blood Adv 2023；7：5038. doi：10.1182/bloodadvances. 2023010133）．

3）原発性マクログロブリン血症

IgM を産生する B 細胞の腫瘍化によってもたらされる病態で，発見者の名を冠して Waldenström マクログロブリン血症ともよばれる．IgM は分子量が大きいので，血清粘度も高くなることが多く，連銭形成も著明である．血漿浸透圧上昇に伴う循環血漿量の増加により，心不全を起こしやすい．

4）H 鎖病（heavy chain disease）

腫瘍化した免疫グロブリン産生細胞が M 蛋白として H 鎖のみを分泌している病態で，γ鎖病，α鎖病，μ鎖病などがある．その H 鎖は可変部などを欠損した不完全な構造であることが多い．

> **Sjögren 症候群（SS）における M 蛋白血症**
> SS では，特に疾患活動性の高い症例で著明な多クローン性高γ-グロブリン血症を認めることが多いが，そのようなグロブリン分画には M 蛋白が含まれる場合がある．頻度は調査対象によって異なるが，221 例の一次性 SS（他の膠原病などの基礎疾患をもたない SS）の 48 例に M 蛋白を検出したという報告がある（J Autoimmun 2012；39：43. doi：10.1016/j.jaut. 2012.01.010）．したがって，高γ-グロブリン血症を認める症例では，免疫電気泳動で M 蛋白の有無を確認する必要があり，陽性の場合には悪性リンパ腫，多発性骨髄腫などの悪性疾患や C 型肝炎などの合併の有無も検討する必要がある．

2　原発性免疫不全症

原発性免疫不全症は，免疫系のなんらかの構成要素に先天的な異常を生じているもので，近年の遺伝子検査の進歩によって多くの疾患が知られるようになり，抗体産生系が障害されているもの，T 細胞が障害されているもの，貪食細胞が障害されているもの，補体系が障害されているものなどがある．すでに主な疾患については責任遺伝子が明らかにされ，骨髄移植や遺伝子治療などの新しい治療法も研究されているが，そのような根本的な治療が行われないかぎり，反復する重症感染症が致死的になって，成人になるまで生きられないことも多い．

免疫不全症が疑われた場合には詳細な病歴を聴取し，血算，B 細胞・T 細胞の数，マイトジェン刺激に対する増殖反応，各クラスの免疫グロブリンの定量（サブクラスも），補体活性などの検査を行いながら診断を絞り込み，変異が疑われる遺伝子を検査して確定する．

> **マイトジェン（mitogen）**
> 細胞に添加すると DNA 合成を促進して，分裂，増殖を引き起こす物質．リンパ球の機能を調べるためには，T 細胞を刺激するフィトヘマグルチニン（phytohemagglutinin；PHA），コンカナバリン（concanavalin A；Con A），B 細胞を刺激するリポポリサッカライド（lipopolysaccharide，LPS），T，B 両方とも活性化するポークウィードマイトジェン（pokeweed mitogen；PWM）などが用いられる．

1）複合免疫不全症
(1) 重症複合免疫不全症（severe combined immunodeficiency；SCID）
　液性免疫と細胞性免疫が両方とも障害されている免疫不全症である．約半数がX染色体上の共通γ鎖の遺伝子変異に起因するが，他にも*ADA*遺伝子を含む15種以上の原因遺伝子が知られている．T細胞の成熟が障害され，末梢血中のT細胞数は著減している．一方，B細胞はヘルパーT細胞との相互作用ができないために抗体産生細胞に分化することができず，免疫グロブリンも著減している．生後まもなくより日和見感染症を繰り返し，重症化する．治療として，造血幹細胞移植による免疫系の再建が行われる．

2）特徴的な臨床症状を呈する複合免疫不全症
(1) Wiskott-Aldrich（ウィスコット・アルドリッチ）症候群
　X染色体上の*WASP*遺伝子に異常を認め，血小板数と血小板の大きさの減少による出血傾向，アトピー性皮膚炎，T細胞の機能障害，多糖抗原に対する抗体産生障害をきたす．IgMは低値，IgEは高値を示すことが多い．造血幹細胞移植が行われる．

(2) DiGeorge（ディジョージ）症候群
　胸腺の発生に障害があり，T細胞数が著減している．胸腺と同じ部位（第3・4鰓囊）から発生してくる副甲状腺も低形成のため，生後まもなく低カルシウム血症によるテタニー症状を起こして気づかれる．小顎症，耳介低位などの顔面の形態異常や，大血管の奇形を伴う．細胞性免疫不全のため，ウイルス・真菌・結核菌などによる感染症や，またヘルパーT細胞の障害のために特異抗体の産生不全もあって細菌感染症に罹患しやすい．形態異常の手術，胸腺移植，造血幹細胞移植が試みられる．

3）抗体産生不全を主とする疾患
(1) 無ガンマグロブリン血症
　主としてX染色体上のブルトン型チロシンキナーゼ（Bruton tyrosine kinase）の*BTK*遺伝子の異常のために，B細胞の分化が障害されている．常染色体潜性遺伝の疾患もある．血液中のB細胞数および免疫グロブリンが著減しており，細菌感染症を繰り返す．免疫グロブリン製剤を定期的に補充する必要がある．

(2) 高IgM症候群
　免疫グロブリンのクラススイッチが障害されているため，IgMとIgDは産生されるが，IgG，IgA，IgEをつくることができない．X染色体上の，T細胞とB細胞の相互作用に重要なCD40リガンド（CD154，→ p.47の図1-V-16）の遺伝子異常によるものが多い（図2-IV-2）．

(3) 選択的IgA欠損症
　IgMやIgGは産生できるにもかかわらず，IgAへのクラススイッチができ

共通γ鎖
IL-2，IL-4，IL-7，IL-9，IL-15のレセプターに共通して使われている．

アデノシンデアミナーゼ（ADA）
プリン代謝・サルベージ経路に重要な酵素．*ADA*遺伝子の変異により活性が低下するADA欠損症では，細胞分裂の際に生じるアデノシン，デオキシアデノシンが蓄積し，リンパ球に毒性を発揮する．

SCIDマウス
突然変異により，T細胞とB細胞が著減しているマウス．ヒトの癌細胞を移植しても拒絶されないなどの特徴があり，さまざまな研究に用いられている．

テタニー
血液中のカルシウムやマグネシウムの不足のために，四肢の筋肉の拘縮が数分間続く発作．

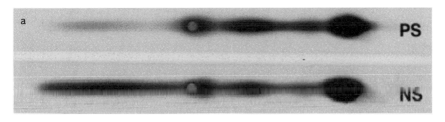
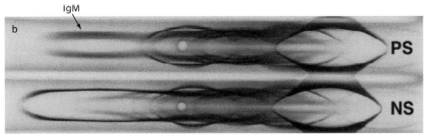

図 2-IV-2　高 IgM 症候群のスポット電気泳動（a）および免疫電気泳動像（b）
IgG，IgA は欠如し，IgM のみ異常な増加（多クローン性）が観察される（➡結果の見方は 3 章-IX p.147 を参照）．
PS：患者血清，NS：正常対照．
（群馬パース大学・藤田清貴博士提供）

ない．無症状のことが多いが，一部の患者は感染症を反復したり，自己免疫疾患を発症する．IgA が含まれる血液製剤の投与を受けると抗 IgA 抗体が産生されることがあり，そのあとに同様の血液製剤を投与されるとアナフィラキシー反応を起こしうる．

(4) IgG サブクラス欠損症

血清中の総 IgG 量が基準範囲内であっても，IgG サブクラスの欠損があると易感染性を示すことがある．これは，ウイルスや細胞外毒素などの蛋白質に対する抗体は主に IgG1 に属し，細菌の多糖類に対する抗体は主に IgG2 に属するためである．特に IgG2 が欠損していると肺炎球菌やインフルエンザ桿菌の感染症にかかりやすい．

(5) 分類不能型免疫不全症

B 細胞の分化障害により，IgG の著明な低下，IgA または IgM の低下，予防接種や罹患病原体に対する抗体産生の低下を認める．B 細胞数は正常のことが多い．多くは 10 歳以降に発症し，細胞外の病原菌に対する抵抗力が弱い．多くの原因遺伝子が特定されている．自己免疫疾患を合併することがある．免疫グロブリン補充療法が行われる．

4）免疫調節異常症

(1) Chédiak-Higashi（チェディアック・ヒガシ）症候群

細胞内顆粒輸送や微小管機能の調節にかかわる *LYST* 遺伝子の異常により，NK 細胞・細胞傷害性 T 細胞・好中球などの機能が低下している．細菌感染症

の反復，部分的白子症，白血球・血小板・メラノサイト内の巨大顆粒などを認める．造血幹細胞移植が行われる．

5）食細胞の数または機能の異常症
(1) 慢性肉芽腫症
NADPHオキシダーゼの遺伝子に異常があり，好中球やマクロファージが活性酸素を産生できないために，ブドウ球菌や大腸菌の感染が慢性化して，皮膚や深部臓器に膿瘍や肉芽腫をつくる．真菌感染に対する抵抗力も弱く，致命的になることが多い．定期的な抗真菌薬の投与が必要である．

6）自然免疫の異常症
(1) Toll様レセプター（TLR）シグナル伝達欠損症
TLRおよびIL-1レセプターの細胞内シグナル伝達にかかわるいずれかの分子異常のために自然免疫機構に障害があり，新生児期の臍帯脱落遅延を認め，乳幼児期に化膿性髄膜炎，敗血症，筋膜炎，関節炎などの侵襲性細菌感染症に罹患する．末梢血単球をリポ多糖（LPS）で刺激した際のTNF-α産生が低下している．小児期になって獲得免疫系が確立するに従って症状が軽減する．

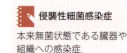
侵襲性細菌感染症
本来無菌状態である臓器や組織への感染症．

7）補体系構成要素の欠損症
(1) 古典経路欠損症
C1，C4，C2のいずれかの欠損症では，感染症に対する抵抗力が低下したり，糸球体腎炎など全身性エリテマトーデス（SLE）様の病態を呈することがある．C5，C6，C7，C8，C9のいずれかの欠損症ではMAC（➡ p.55）の形成ができないために，特に*Neisseria*属菌に対する抵抗力が減弱して重症の髄膜炎を起こすことがある．
(2) 遺伝性血管性浮腫（hereditary angioedema；HAE）
補体系のC1r，C1s，凝固系のXIa，XIIa，XIIf，キニン系のカリクレインを抑制している**C1インヒビター**（C1-INH，➡ p.57）の活性が低下または欠如しているために，血管透過性を亢進させるブラジキニンやC3a，C4aが産生され，皮下・粘膜下・喉頭部の浮腫，腹痛，吐き気などの消化器症状を発作的に繰り返す．発作は，精神的・肉体的ストレス，抜歯，妊娠，生理，薬物などで誘発され，3日間程度で消失することが多い．小児期から青年期に発症することが多く，常染色体顕性遺伝する．
(3) 発作性夜間ヘモグロビン尿症（paroxysmal nocturnal hemoglobinuria；PNH）
CD55（decay accelerating factor）および**CD59**（homologous restriction factor）（➡ p.57）の発現が低下しているために，自己の赤血球表面における補体系の活性化を抑制できず，**発作性夜間ヘモグロビン尿症**をきたす．

第3章 試験管内抗原抗体反応の基礎

Ⅰ 抗原および抗原抗体反応

〈到達目標〉
(1) 抗原の種類について説明できる．
(2) 抗原抗体反応に関与する4つの力について説明できる．
(3) 最適比および地帯現象について説明できる．

1 抗原の種類

抗原（antigen）とは免疫反応を誘導できる物質の総称であり，リンパ球を刺激して抗体をつくらせ，かつその抗体と特異的に反応する．免疫応答を引き起こす抗原には，微生物（細菌，ウイルスなど），蛋白，糖などさまざまなものがある．

> **免疫原性**
> 抗原が生体に対して免疫応答を促す能力を免疫原性（immunogenicity）という．免疫原性は，抗原側では分子量や形状などが関与し，生体側では投与量などが関与する．

1）機能による分類

(1) 完全抗原

抗原として2つの働きをもっているものを**完全抗原**（complete antigen）という．すなわち，生体内で単独で抗体を産生させる能力と，試験管内抗原抗体反応を起こす能力をもっている抗原である．

❶ **T細胞依存性抗原**（T-cell dependent antigen）

B細胞の抗体産生過程にT細胞の関与を必要とするものであり，代表的な抗原は蛋白である．

❷ **T細胞非依存性抗原**（T-cell independent antigen）

B細胞の抗体産生過程にT細胞の関与を必要としないものであり，代表的な抗原はリポ多糖（LPS）である．

❸ **スーパー抗原**

細菌やウイルスがつくる一部の蛋白（抗原）は，ペプチドに分解されることなく，MHC抗原とT細胞レセプター（TCR）の両方と直接結合してT細胞を活性化する．このような抗原を**スーパー抗原**（super antigen）という．スーパー抗原は最大20%ものT細胞を活性化し，T細胞を非特異的に活性化させ，

> **スーパー抗原**
> スーパー抗原は，T細胞（CD4陽性ヘルパーT細胞とCD8陽性細胞傷害性T細胞）表面のTCR Vβ領域（TCR・CD3複合体のβ鎖のVβ領域：TCR βchain variable region）と，抗原提示細胞（単球・マクロファージなど）のMHC α鎖に結合する．

多量のサイトカインを放出させる．スーパー抗原は病原性の微生物（細菌やウイルスなど）によって産生され，最も典型的なスーパー抗原を作り出す細菌は，黄色ブドウ球菌と化膿レンサ球菌である．

(2) 不完全抗原

単独では免疫応答を起こすことができない抗原を**不完全抗原**（incomplete antigen）といい，通常**ハプテン**（hapten）とよばれる．分子量の小さい，比較的構造が単純な物質が多く，脂質や核酸は不完全抗原である．ハプテンは単独では免疫原性のない抗原であるが，高分子の担体（キャリアー）となる蛋白や細胞などと結合させることによってのみ抗体産生を誘導できる．代表的な複合ハプテンとしてはカルジオリピンがあり，単純ハプテンにはステロイドホルモン，ジニトロフェニル（DNP）基などがある．

> **単純ハプテン，複合ハプテン**
> エピトープ（抗原決定基）を1つしかもたない1価抗原を単純ハプテン，エピトープを2つもつ2価抗原を複合ハプテンとよぶ．

2）存在形式による分類

(1) 同種抗原（アロ抗原）

同種間において遺伝的に異なる形質が発現して生じた抗原を**同種抗原**（alloantigen）という．血液型抗原，MHC抗原（HLA抗原），アロタイプ（Gm, Am, Km抗原）などがある．

(2) 異種抗原

異種動物間によって認識される抗原を**異種抗原**（heteroantigen）という．微生物もヒトにとっては異種抗原である．異種抗原の一種に異好抗原がある．**異好抗原**（heterophile antigen）とは，ある抗原により産生された抗体がまったく別の生物由来の抗原と反応するもので，交差反応の結果と考えられている．

(3) 自己抗原

自己抗原（autoantigen）とは，自己の生体構成成分がなんらかの機序により自己に対して抗原性を発揮するもので，DNA抗原，核抗原などがある．

2 抗原抗体反応の性質

1）抗原と抗体の間に働く作用

抗原抗体反応は**非共有結合**による可逆的な反応である．この相互作用には，イオン結合（クーロンの静電気力），水素結合，疎水結合，ファンデルワールス（van der Waals）力の4つの分子間の力が働いているが，その一つ一つの力は共有結合に比べて弱い．しかし，数多くの結合が形成されると大きな結合エネルギーとなる（図3-Ⅰ-1）．

(1) イオン結合（クーロンの静電気力）

それぞれの蛋白に存在するアミノ酸残基の側鎖で，互いに反対の符号の荷電をもつグループ間に働く力である．静電気力はクーロンの法則により，それぞれの電荷の積に比例し，距離の2乗に反比例する．

(2) 水素結合

原子団の間に水素原子を介した橋が形成されてできる結合である．水素と強

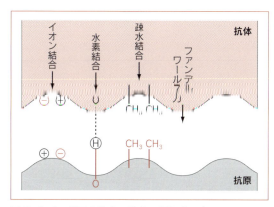

図 3-I-1　抗原と抗体の結合に関与する力

く結合している方をプロトン供与体，他方をプロトン受容体というが，後者は窒素または酸素原子である．結合エネルギーはファンデルワールス（van der Waals）力より大きい．

(3) 疎水結合

非極性で疎水性のグループが会合し，水との接触をできるだけ避けようとするために生ずる力である．抗原と抗体の相互作用に関与する力のほぼ半分を占める．

(4) ファンデルワールス（van der Waals）力

電子雲間に働く力であり，抗原分子と抗体分子の間に働く分子間引力である．イオン結合や水素結合よりは弱いが，お互いぴったりと立体的にはまり合うと強い結合力になる．

2）親和性（affinity）

抗原と抗体の相互作用は結合力と反発力の総和であり，その相互作用の強さは**親和性**（affinity）で表される．親和性は，抗原決定基と抗体の抗原結合部位の非共有結合（分子間の4つの力）と2つの間の距離に依存する．抗体の親和性を測定するためには，1つの抗原決定基（1価）を有するハプテンを使用する．抗体とハプテンの間の結合は非共有結合であり，質量作用の法則を適用できる．したがって，抗原抗体反応の親和性は**図 3-I-2**のような式で求められる．

3）結合性（avidity）

抗体の親和性は単一抗原決定基との反応力を示すが，実際に重要なのは抗原分子全体と抗体の反応の強さである．この抗体が抗原に結合する力の総和を**結合性**（avidity）とよぶ．1個の抗原分子には多数の抗原決定基があり，抗血清は多数の抗体の集まりであり，両者の反応は大変複雑である．IgMは5量体であり10個の同一結合部位があるので，他の免疫グロブリンに比べIgMの

質量作用の法則

化学反応の速度と反応にあずかる物質の濃度の関係を表す法則である．化学平衡が成立しているとき，反応物質の各濃度の積と生成物質の各濃度の積の比は，一定温度のもとにおいては一定の値（平衡定数）をとると表現される．

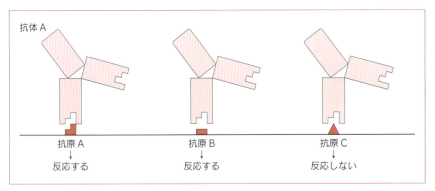

$$Ag + Ab \underset{k_2}{\overset{k_1}{\rightleftarrows}} Ag\text{-}Ab$$

Ag：抗原決定基，Ab：抗体結合部位，Ag-Ab：抗原-抗体結合，
k_1：結合定数，k_2：解離定数

親和性恒数　$K = \dfrac{[Ag\text{-}Ab]}{[Ag][Ab]}$　あるいは k_1/k_2 で表される．

図3-1-2　抗原抗体反応の親和性

図3-1-3　抗体の交差反応性

結合性は高い．

4）特異性と交差反応

抗体の**特異性**（specificity）は結合部位の特異性でもある．その結合部位のアミノ酸の配列や立体構造により抗原と相補的な「くぼみ」が形成され，抗体の特異性を決めている．

ある抗原決定基に対して誘導された抗体の結合部位は，他の抗原決定基と相補性をもたない．しかし，抗原A上に存在する抗原決定基の一部が抗原Bにも共通構造として存在する場合には，抗体Aの一部は抗原Bとも反応する．これを**交差反応**（cross reaction）という．しかし，共通する抗原決定基をもたない抗原Cとは交差反応しない（**図3-1-3**）．

一方，特異的な抗原抗体結合とは無関係に抗体が目的物質以外に付着してしまう反応を，**非特異的反応**（non-specific reaction）とよぶ（**図3-1-4**）．抗原抗体反応を原理とする測定系では，非特異的反応をいかにとらえ防止するかが重要である．

3　抗原抗体反応に影響する因子
1）抗原と抗体の濃度

抗原と抗体がうまく反応するためには，両者間の量的比率が一定でなくては

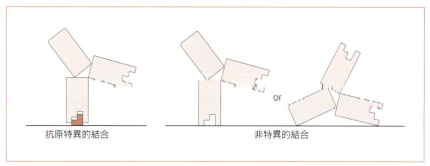

図3-I-4 抗体の非特異的反応

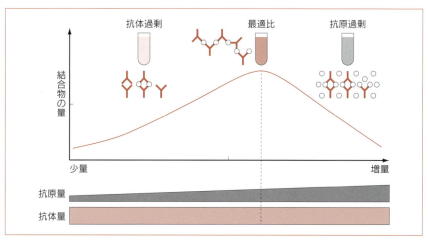

図3-I-5 最適比と地帯現象
一定量の抗体溶液を入れた試験管に抗原溶液を順に濃度が高くなるように加え観察すると，最適比の試験管で最も濁り，結合物の量が多くなる．

ならない．最も反応が強く沈降物が最大となる抗原と抗体の量的比率を，**最適比**（optimal proportion）という．最適比よりも抗原が過剰でも抗体が過剰でも，反応は一定の抑制を受け沈降物の量は少なくなってしまう．はなはだしい場合には沈降物がまったく形成されない場合もある．このような現象を**地帯現象**（zone phenomenon）とよぶ（図3-I-5）．

2）塩濃度

　免疫複合体（抗原抗体反応物）が沈降物を形成したり凝集を生じるためには，一定濃度の塩類が必要である．試験管内抗原抗体反応には，通常，生理食塩液（0.85～0.9% NaCl液）が用いられるが，塩濃度を高くすると，抗原抗体反応物は解離しやすくなる．

3）水素イオン濃度（pH）

　試験管内抗原抗体反応は，pH6～8の範囲で行うことが多い．形成された抗

原抗体反応物は酸性下（pH3.5以下）で解離することが多いが，アルカリ性下で解離するものもある．

4）温度

抗原抗体反応の最適温度は抗体の種類によって異なる．37℃前後の温度で最もよく反応する抗体は**温式抗体**（warm-reacting antibody）とよばれ，後天的に産生されたIgG抗体などがある．一方，低温でよく反応する抗体は**冷式抗体**（cold-reacting antibody）とよばれ，寒冷凝集素やDonath-Landsteiner抗体などがある．

II 血清分離,抗体の精製

〈到達目標〉
(1) 血清分離の注意点について説明できる.
(2) 血清保存の温度条件と防腐剤の注意点について説明できる.
(3) 抗体の精製に用いるイオン交換,ゲル濾過,アフィニティクロマトグラフィの原理と特徴について説明できる.

1 血清の分離法

免疫学的検査には血清が用いられることが多いので,血清の分離法について述べる.

採血した血液をガラス試験管に注ぎ,室温に1時間以上静置して十分に凝固させてから,細いガラス棒などで血餅を管壁からはがし,1,200 g(半径16 cm なら約 2,600 rpm)で10分間遠心して上清を回収するのが古典的な方法である.しかし,最近は当日の検査結果をみながら診療が行われることが多く,そのために凝固促進剤の入った試験管を使って,短時間で血清を分離している(図3-II-1).

なお,クリオグロブリン,寒冷凝集素など,低温で析出する物質を検査する際には,採血から血清分離までをできるだけ37℃に保ちながら行わなければならない.

2 血清の保存法

分離した血清はただちに検査に使用することが望ましいが,それが困難な場合には冷蔵もしくは冷凍保存する.適当な保存法は検査項目によって異なるので,それぞれの検査法マニュアルを参照してほしい.一般に,抗体活性を測定するのであれば4℃で数日,−20℃で数カ月,−80℃で数年は安定である.

図3-II-1 血清分離用真空採血管の例(テルモ社製).
3,000 g の加速力に耐えるプラスチック製の試験管で,内壁にコーティングされているトロンビンと,内部の円形フィルムに付着させてあるガラス粉によって,凝固反応を促進する.採血後ただちに,ゆっくりと5〜6回転倒混和し,5分以上静置したあと,1,200 g で10分間遠心する.底にあるゲル状の血清分離剤は,遠心後は比重の関係で血餅と血清の中間に浮き,血清を回収する際の血球の混入を防ぐ.

凍結，融解を繰り返すと抗体分子の構造変化などにより抗体活性が低下することがある．防腐剤として0.1% NaN_3（アジ化ナトリウム）などを添加して4℃で長期間保存する方法もあるが，ウイルス中和反応など，反応系に影響を与える場合には不可である．

3　抗体の精製法

ヒトや動物の血清，あるいはハイブリドーマの培養上清などに含まれる抗体を精製する場合には，一般に以下のような方法を単独で，もしくは適宜組み合わせて用いる．精製した抗体の濃度を推定するには，分光光度計で吸光度を測定する方法が便利であり，1 mg/mLの抗体溶液の280 nmの吸光度は約1.4である．

1）塩析（salting out）

尿・血清などの試料を，大まかな分画や濃縮を目的に粗分画を行う方法として最もよく利用されるのは，硫酸アンモニウム（硫安）による塩析法である．蛋白質の溶解度は低濃度の塩で増加し（塩溶），さらに，塩濃度を上げると逆に低下する（塩析）．したがって，一定の塩濃度で沈殿する蛋白質を遠心で分離することが可能となる．たとえば，50％飽和硫安の濃度では，血清蛋白質のグロブリンは沈殿するが，アルブミンは沈殿しない．さらに沈殿物をリン酸緩衝生理食塩液（phosphate-buffered saline；PBS）1.0 mLで溶解後，飽和硫安 0.5 mLを加えることにより（33％飽和硫安），IgGを含むγ-グロブリン粗分画を沈殿物として得ることができる（図3-II-2）．

> **飽和硫安の調整法**
> 飽和硫安は70〜80℃加熱水1 Lに約750 gの硫酸アンモニウム $(NH_4)_2SO_4$ を溶かし室温で飽和状態にある溶液で，弱酸性であるのでアンモニア水を少量加え，精製水で10倍希釈したときにpHが中性になるように調整する．硫酸アンモニウムの結晶が生じたら，そのまま上清を用いる．

2）イオン交換クロマトグラフィ（ion exchange chromatography）

蛋白質の総電荷は負（酸性蛋白質）から正の電荷（塩基性蛋白質）まで広く分布する．負の総電荷をもつ蛋白質は正の荷電をもつ陰イオン交換体に，正の総電荷をもつ蛋白質は負の荷電をもつ陽イオン交換体に静電気的に結合（イオン結合）することができる．この結合力は，蛋白質の総電荷に依存している．結合した蛋白質はNaCl濃度を高めた溶出液によって，結合の弱い蛋白質から順番に溶出される．

この方法は，等電点の差の大きい蛋白質を互いに分離する場合に威力を発揮するが，等電点の差の小さいもの同士の分離はむずかしい．IgGの精製にはジエチルアミノエチル（diethylaminoethyl；DEAE）セルロースなどの担体が用いられる．

3）ゲル濾過クロマトグラフィ（gel filtration chromatography）

分子サイズの違いを利用して分離する方法である．網状構造をもつ担体ゲルの分子ふるい効果によって，低分子はゲルの網状構造の内部に侵入しゆっくり溶出されるが，高分子はゲル粒子の内部に侵入できず間隙を速く移動する．ゲ

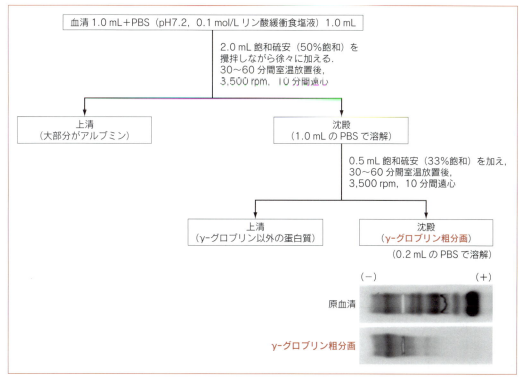

図3-Ⅱ-2 硫酸アンモニウムを用いた塩析法によるγ-グロブリン粗分画の分離例

ル濾過法は非常に単純なクロマトグラフィであり,操作も簡単である.分子ふるい効果の要因はゲル粒子に対する分子の大きさおよび形が基本的に大きな問題となるが,分離ゲルの種類,カラムの長さ,緩衝液の流速なども分離に最も影響する因子である.この方法では,分子量の差が2倍以上ないと分離することができない.すなわち,分子量が大きく異なるIgGとIgMの分離は比較的容易であるが,IgAとの分離はむずかしい.IgG,IgA,IgMの精製にはセファクリル(Sephacryl)400 HRなどの担体が用いられる.

4) アフィニティクロマトグラフィ(affinity chromatography)

蛋白質など多くの生体物質は,特定の物質(リガンド)と特異的に相互作用する性質をもっている.アフィニティクロマトグラフィは,その親和性(affinity)を利用して分離精製する代表的な吸着クロマトグラフィである.たとえば抗体は抗原に,サイトカインはレセプターに,酵素は基質に特異的に結合する.この結合能力を利用して,リガンドを担体に固定化し,そこに目的蛋白質を特異的に結合させ,他の蛋白質から分離する.アフィニティクロマトグラフィは,他のクロマトグラフィに比べて高い精製効率と回収率をもっている.

特定のアミノ酸,色素,レクチンなどをリガンドとして,これらに親和性をもつ一群の蛋白質を分離する方法を群特異的アフィニティクロマトグラフィと

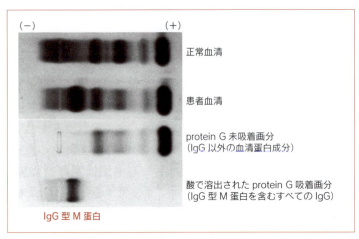

図 3-Ⅱ-3　protein G アフィニティクロマトグラフィによる多発性骨髄腫患者血清からの IgG 精製例

いう．そのなかのプロテイン A（protein A）およびプロテイン G（protein G）は抗原結合部位に影響を与えることなく，さまざまな動物種由来の IgG の Fc 領域と特異的に結合する性状をもつ（図 3-Ⅱ-3）．また，IgA の精製には，IgA1 に特異的なジャッカリン（jacalin）が用いられている．

プロテイン A，プロテイン G

それぞれ黄色ブドウ球菌，レンサ球菌の細胞壁の成分である．プロテイン A は IgG1，IgG2，IgG4 と結合するが，IgG3 とは結合しない．一方，プロテイン G は IgG サブクラスのすべてと結合することから，これらの担体は目的によりそれぞれ使い分けされている．

ジャッカリン

IgA には，IgA1 と IgA2 の 2 つサブクラスが存在する．正常ヒト血清中では，IgA1 と IgA2 の構成比が 93：7 と，圧倒的に IgA1 が多い．ジャッカリンは，ジャックフルーツの種（Artocarpus integrifolia）から抽出される α-D-ガラクトース結合性レクチンであり，ムチン型糖鎖をもつ IgA1 を認識し結合するが，この糖鎖が欠如している IgA2 とは反応しない．このようにジャッカリンを用いることにより，IgA1 と IgA2 を分離・精製することが可能である．

III 沈降反応

〈到達目標〉
(1) 沈降線の交差，部分融合および完全融合について説明できる．
(2) 抗原の分子量と拡散速度の関係について説明できる．
(3) 抗原過剰，抗体過剰および最適比について説明できる．

　可溶性抗原と抗体が特異的に反応して，肉眼的に認められる沈降物を生ずる抗原抗体反応を**沈降反応**（precipitation reaction）とよぶ．沈降物量の増減は抗原と抗体の量的関係によって決まる．したがって，沈降物の有無により抗原や抗体を定性的に，またその増減により定量的に観察することが可能である．特異性が高いので，免疫学の基礎的研究，臨床検査領域などで幅広く応用されている．

　沈降反応と凝集反応は本質的な相違はなく，光学顕微鏡で観察できる大きさの抗原（赤血球，細菌など）を用いた場合が凝集反応，抗原粒子が分子レベルの場合（蛋白質，多糖体など）が沈降反応となる．

　沈降反応は，抗原と抗体を反応させる形式により，**混合法，重層法，ゲル内免疫拡散法**（図3-III-1，2）に大別されるが，現在，重層法はほとんど行なわれていない．

1 混合法

　抗原液と対応する抗体（抗血清）を試験管内で混合すると混濁が生じ，時間とともに管底に沈降物が観察できる．現在では，その沈降物を肉眼で判定することはなく，<u>自動分析装置を用いて透過光（免疫比濁法）や散乱光（免疫比ろう法）を計測し，微量の抗原あるいは抗体を定量する</u>方法が用いられている．

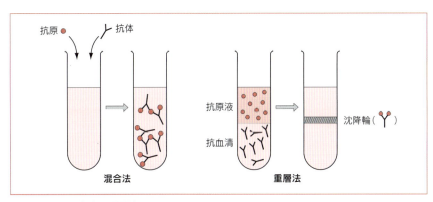

図3-III-1　混合法と重層法

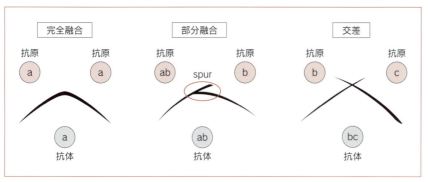

図3-Ⅲ-2　Ouchterlony法による抗原の同定

2　ゲル内免疫拡散法

　抗原あるいは抗体のどちらか一方または両者を，寒天やアガロースなどの支持体内で拡散させて抗原抗体反応を起こさせ，支持体内に生ずる沈降輪や沈降線を観察する方法である．混濁した試料でも測定が可能な点が特徴である．代表的なものに**単純免疫拡散法**（single immunodiffusion）と**二重免疫拡散法**（double immunodiffusion）があるが，現在，単純免疫拡散法はほとんど行なわれていない．

1）二重免疫拡散法（double immunodiffusion）

　寒天ゲル内で抗原と抗体を拡散させ沈降線を形成させる方法で，試験管内で行うBowen（ボーウェン）法と平板内で行う**Ouchterlony（オクタロニー）法**がある．現在，臨床検査領域で使用されているのはOuchterlony法である．

（1）平板内二重免疫拡散法（Ouchterlony法）

　シャーレあるいはガラス板上に寒天ゲル平板を作製し，この寒天ゲルに一定の間隔で孔をあけ，抗原液と抗体（抗血清）を孔の中に入れる．抗原と抗体が寒天ゲル内を拡散して**最適比**のところで沈降線が形成される．この方法は，種々の物質と抗血清の間にできる沈降線の融合，交差などを観察することにより，物質の同定に広く応用されている．理想的には抗原抗体反応系の数に応じただけの沈降線が現れる．

　近接する沈降線の関係は，**図3-Ⅲ-2**に示したようにさまざまな形をとり，抗原蛋白の抗原性の差異を推定するのに役立つ．基本的には，①同一抗原性を示す**完全融合**，②一部共通抗原性を示す**部分融合**（spur形成），③異なる抗原性を示す**交差**の3つである．

（2）二重免疫拡散法における沈降線の現れ方

❶抗原の分子量の大小による違い

　抗原の分子量の大きさによって拡散速度が異なり，分子量が大きいと拡散速度が遅くなるため沈降線は抗原側に形成される．一方，分子量が小さいと拡散速度が速くなるため抗体側に沈降線が形成される（**図3-Ⅲ-3，4**）．

電気泳動法とゲル内沈降反応を組み合わせた免疫電気泳動法，免疫固定電気泳動法，ウエスタンブロッティング法➡3章-Ⅸを参照．

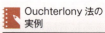
Ouchterlony法の実例

spur（スパー）形成
2つの抗原が一部共通の抗原決定基をもっている場合，Ouchterlony法において隣り合った2本の沈降線は突起状の分岐線が形成される．これをspur形成とよぶ．

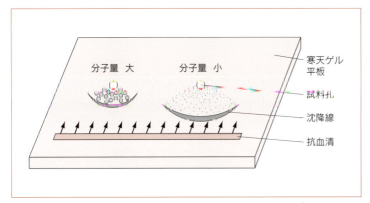

図 3-Ⅲ-3 抗原の分子量の違いによる沈降線の出現位置

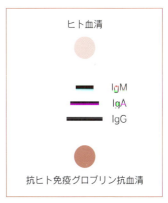

図 3-Ⅲ-4 各免疫グロブリンの沈降線の出現位置

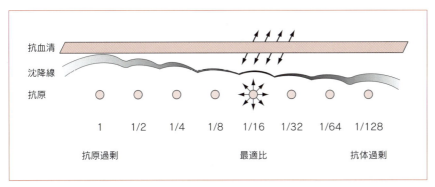

図 3-Ⅲ-5 抗原濃度の違いによる沈降線の出現位置

❷**抗原濃度による違い**

　沈降線は，抗原濃度が高いほど抗血清を入れた溝の近く（抗体側）に現れ，抗原濃度が低くなるにつれ抗原側に現れるようになる．沈降線は最適比のところで最も鮮明で細く，最適比からはずれるに従って太くなる．抗原過剰あるいは抗体過剰領域では沈降線がぼやけてくる（図 3-Ⅲ-5）．

❸**クリア・ライン（clear line）現象**

　抗原抗体複合体の蛋白濃度が高い場合，白色の沈降線が形成されず，透明な線がみられることがあり，clear line 現象とよぶ．

Ⅳ 凝集反応

〈到達目標〉
(1) 凝集反応の機序について説明できる．
(2) ゼータ電位を下げる必要性と方法について説明できる．
(3) 直接凝集反応および間接凝集反応の種類と特徴について説明できる．

　細菌や赤血球などの抗原が対応する抗体と反応して，顕微鏡あるいは肉眼で観察できる凝集塊をつくる現象を**凝集反応**（agglutination）という．基本的には沈降反応と同じ原理である．一般に，凝集反応は，肉眼的に沈降線を観察する反応と比べると 10〜100 倍鋭敏である．

1　凝集反応に関与する抗原と抗体

　抗原は**凝集原**（agglutinogen）ともよばれ，顕微鏡で観察できる大きさであり，細胞表面に抗原決定基が存在している赤血球や細菌はその代表的なものである．一方，抗体は**凝集素**（agglutinin）ともよばれ，沈降反応に関与する抗体と同じく IgG, IgA, IgM に属するが，凝集活性は IgG に比べ IgM のほうが強力である．抗体を希釈し凝集を認めうる最高希釈倍数を**凝集素価**（agglutinin titer）という．

2　凝集反応の機序

　凝集反応は，抗原粒子の電気二重層界面電位，抗体分子の大きさ，溶液の誘電率などによって影響される．赤血球凝集反応の場合，生理食塩液中で赤血球表面はシアル酸のカルボキシル基によって負に荷電している．生理食塩液中の NaCl は Na^+ と Cl^- になっていることから，陽イオンは赤血球の陰イオンによって引き寄せられ，赤血球の表面は電気的に二重層を形成している（図3-Ⅳ-1a）．これを**電気二重層界面電位**（ζ-potential，**ゼータ電位**）とよび，赤血球同士は表面の陽イオンによって相反発し，一定の距離（35 nm）を保っている．分子サイズの大きい IgM（35 nm）抗体が赤血球上の抗原に結合する場合は，電気二重層界面電位を容易に突破し，赤血球同士の結合を起こし肉眼的凝集がみられる（図3-Ⅳ-1b）．しかし，IgG が結合した場合は 2 つの Fab 部の距離は小さい（24〜25 nm）ので，電気二重層界面電位を突破できず，赤血球同士の結合が起こらず肉眼的凝集はみられない（図3-Ⅳ-1c）．そこで，IgG 抗体を検出するためには，ゼータ電位を下げる必要がある．具体的には，①蛋白分解酵素（ブロメリンなど）により赤血球を処理する，②高濃度（20%以上）のウシ血清アルブミンなどの高分子溶液を添加するなどの方法があり，これらにより赤血球間の距離が小さくなるので，IgG 抗体でも凝集を起こすよ

誘電率

物質内で電荷（物質や原子・分子などが帯びている電気やその量で，電磁相互作用の大きさを決めるもの）とそれによって与えられる力との関係を示す係数である．電媒定数ともいう．各物質は固有の誘電率（permittivity）をもち．この値は外部から電場を与えたとき物質中の原子（あるいは分子）がどのように応答するか（誘電分極の仕方）によって定まる．

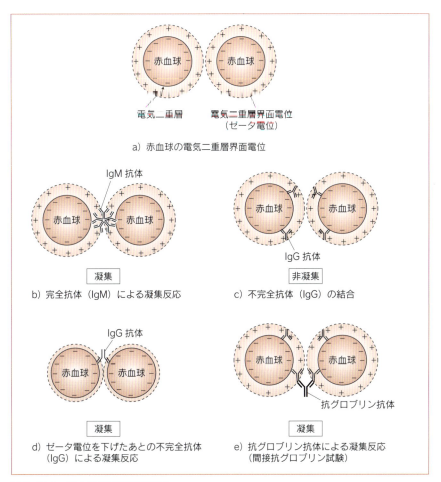

図 3-Ⅳ-1　赤血球凝集反応の機序

うになる（**図 3-Ⅳ-1d**，→ p.311〜蛋白分解酵素法，アルブミン法）．また，IgG 抗体が結合した赤血球を洗浄し，**抗グロブリン抗体**を反応させることにより，赤血球上の IgG 抗体同士を架橋することで凝集させ検出することもできる（**図 3-Ⅳ-1e**，→ p.315〜間接抗グロブリン試験）．このように，生理食塩液中で赤血球を凝集させることができる分子量の大きい IgM クラスの抗赤血球抗体を**完全抗体（complete antibodies）**とよぶ．自然抗体の多くは完全抗体である．一方，生理食塩液中で赤血球を凝集させることができない分子量の小さい IgG クラスの抗赤血球抗体は**不完全抗体（incomplete antibodies）**とよぶ．免疫抗体の多くは不完全抗体である．

3　凝集反応に影響する因子

　凝集反応は，抗体の分子サイズや形状，担体表面の抗原決定基の位置や数，ゼータ電位などに影響されやすい．その他の因子として，次のようなものが影響を及ぼす．

❶ pH
　pHの低下はゼータ電位を低下させ，自然凝集を増加させる．
❷ イオン濃度
　イオン濃度は抗原粒子のゼータ電位を大きく左右する．特に，Mg^{2+}，Ca^{2+}などの多価陽イオンの影響が大きい．
❸ 温度
　温度により反応の程度や時間に影響が認められる．一般に，抗原抗体反応による凝集反応は37℃付近で最も強いが，寒冷凝集素などの冷式抗体は0〜5℃で赤血球と最も強く凝集し，37℃では解離する．
❹ 混和および撹拌
　抗原と抗体を混和あるいは撹拌すると，抗原と抗体間のゼータ電位が低下し，粒子間の衝突頻度を高め凝集塊形成が早まる．しかし，一度凝集塊を形成した後は，混和により凝集塊がほぐれるので振動を与えてはならない．

4　凝集反応の種類

1）直接凝集反応（direct agglutination test）

(1) 細菌凝集反応

　細菌とそれに対する抗体が反応して起こる凝集反応をいう．Widal（ウィダール）反応（腸チフスやパラチフスの診断），Weil-Felix反応（→ p.67），ブルセラ凝集反応（→ p.65）などがある．

(2) 血球凝集反応

　赤血球，白血球，血小板などの血液成分と抗体が反応して起こる凝集反応をいう．代表的なものに血液型凝集反応がある．その他，寒冷凝集反応などが知られている．

❶ 寒冷凝集（cold agglutination）反応

　寒冷凝集素は赤血球膜抗原に対する自己抗体であり，低温域（0〜5℃）で自己赤血球またはO型ヒト赤血球と結合し凝集を起こす．再び37℃に温めると，寒冷凝集素は赤血球から遊離する性質があることから凝集は消失する．すなわち，寒冷凝集反応とは血清中から冷式赤血球自己抗体である寒冷凝集素を検出し，凝集素価を測定する検査である．

　寒冷凝集素は，図3-Ⅳ-2に示したように，成人赤血球の血液型Ⅰ抗原，または胎児赤血球のi抗原に対する抗体であり，免疫グロブリンのクラスは主にIgMであることが知られている（→ p.306）．寒冷凝集素は健常人の50〜90％に認められる．反応温度域は0〜5℃の範囲にあり，低温でのみ反応するものを生理的寒冷凝集素，広い温度域，すなわち，30℃ぐらいでも反応するものを病的寒冷凝集素とよぶ．マイコプラズマ肺炎のおよそ2/3の症例で寒冷凝集素の上昇がみられる（→ p.68, 169）．病的寒冷凝集素が著明に上昇するのは，自己免疫性溶血性貧血の一つである寒冷凝集素症（→ p.89）の場合である．本症は悪性リンパ腫に併発することが知られており，寒冷凝集素価は

寒冷凝集反応検査における注意事項
血清を分離する前に被検血液を冷蔵庫に入れてはならない．被検血液を冷やすと寒冷凝集素が自己の赤血球に結合してしまい，そのまま分離した血清は寒冷凝集素が減少しているので，この血清について測定された寒冷凝集素価は真の値よりも低くなる．

なぜO型赤血球を用いるのか？
O型赤血球は寒冷凝集反応以外にも用いられるが，その理由は被検者がいかなる血液型であっても，血清中の正常同種抗体による影響を受けないからである．しかし，ABO血液型以外の不規則抗体が被検血清に存在するときには，O型赤血球を用いてもその影響を受けることがある．

赤血球による非特異反応
赤血球表面の抗原結合部位以外のところに，目的の抗体ではない検体中の異好抗体などが反応し，見かけ上の凝集（偽陽性）が生じるためである．

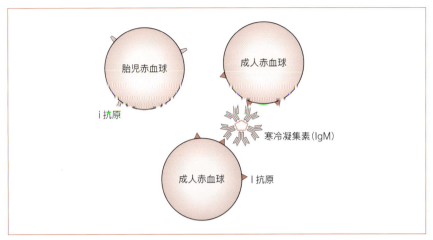

図 3-IV-2　寒冷凝集素（IgM）の赤血球凝集メカニズム

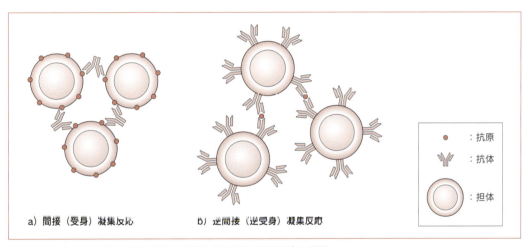

図 3-IV-3　間接（受身）凝集反応と逆間接（逆受身）凝集反応の原理

数万〜数百万倍にもなる．

2）間接（受身）凝集反応［indirect (passive) agglutination test］

担体（carrier）表面に人工的に蛋白質，多糖類などの抗原を吸着，結合させ，対応する抗体を検出する凝集反応を**間接（受身）凝集反応**という（図3-IV-3a）．逆に，抗体を担体に吸着させ，対応する抗原を検出する場合を**逆間接（逆受身）凝集反応**とよぶ（図3-IV-3b）．担体として，ポリスチレンラテックスやゼラチンなどの人工担体を用いた方法，赤血球や菌体などを用いた方法などがある．

従来，間接凝集反応の担体としてヒツジ，ウサギ，ニワトリなどの赤血球が用いられてきたが，赤血球による非特異反応を起こすことがあることから，人工担体を用いた**粒子凝集反応**（particle agglutination；PA）が開発・実用化

> **異好抗体**
> 異種動物の抗原（赤血球や蛋白成分）と反応する抗体をいう．ポール・バンネル抗体（→p.171），ハンガナチウ・ダイヘル抗体などが代表的であるが，検査測定系に影響を及ぼす異好抗体として，ウサギ・ウマのα_2-マクログロブリンと反応する抗体や，マウスの免疫グロブリンと反応する抗体（human anti-mouse antibody；HAMA）なども知られている．

表 3-IV-1　間接（受身）凝集反応の応用例

疾患	検査法	担体	感作抗原
梅毒	TPPA	ゼラチン粒子	*Treponema pallidum*（Nichols 株）
	RPR カードテスト	炭素粒子	カルジオリピン
マイコプラズマ肺炎	抗マイコプラズマ抗体検出	ラテックス粒子	マイコプラズマ抗原
トキソプラズマ症	抗トキソプラズマ抗体検出	ラテックス粒子	*Toxoplasma gondii* 虫体成分
B 型肝炎	HBs 抗体検出	ラテックス粒子	HBs 抗原
成人 T 細胞白血病	ゼラチン粒子凝集法	ゼラチン粒子	HTLV-1 蛋白質
AIDS	ゼラチン粒子凝集法	ゼラチン粒子	HIV 蛋白質
橋本病，Basedow（バセドウ）病	サイロイドテスト	ラテックス粒子	サイログロブリン
	ミクロソームテスト	ラテックス粒子	ミクロソーム

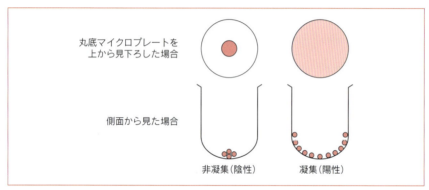

図 3-IV-4　丸底マイクロプレートを用いた間接凝集反応

され主流を占めている．

また，間接凝集反応の特徴は，直接赤血球凝集反応と異なり IgG，IgM 抗体のどちらも検出が可能なことである．表 3-IV-1 に間接凝集反応の応用例を示す．

（1）間接凝集反応の機序

丸底のマイクロプレートを用いた間接凝集反応の場合，マイクロプレートの表面は負に荷電している．抗原を付着した人工担体（粒子）または赤血球の表面も負に荷電しており，検体中に抗体が存在しない場合，プレート表面の負荷電と負荷電同士が反発しあいプレート底の中央部分へ集まり点状のパターンを呈する（図 3-IV-4）．一方，検体中に抗体が存在する場合，粒子（あるいは感作血球）は抗体と反応することにより，表面の負荷電は減少し陽荷電が増加する．その結果，プレート表面の負荷電と電気的結合が生じ，全体に広がった凝集像が形成される（図 3-IV-4，5）．

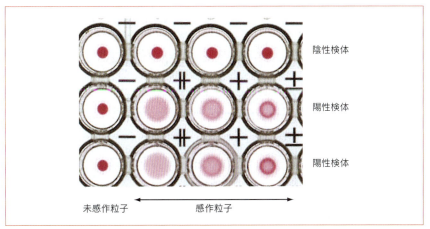

図 3-Ⅳ-5　ゼラチン粒子間接凝集反応（TPPA，→判定基準は p.163）
（富士レビオ社提供）

(2) 人工担体を用いた間接凝集反応

❶ラテックス粒子を用いた間接凝集反応

ポリスチレンラテックス，ポリメタクリレートラテックスなどの疎水性ラテックスが用いられている．最近は，疎水性単量体と親水性単量体を共重合させ，蛋白質の固定化を損なわないように親水基を粒子表面にブロック的に極在化し，分散性の安定したシード粒子（親水基極在化ラテックス）が開発されている．

❷ゼラチン粒子を用いた間接凝集反応

水溶性ゼラチンと水溶性多糖アラビアゴムからつくられている直径 3 μm 程度の人工球状粒子であり，親水性である．生理食塩液中では負に荷電していてゼータ電位を形成している．このため，疎水性の相互作用によって起こる担体粒子の非特異凝集の原因となる蛋白質の粒子表面への吸着がきわめて少ない．しかも，粒子表面には固有の抗原決定基がなく，血清中の異好抗体とも反応しないとされている．成人 T 細胞白血病の抗 HTLV-1 抗体，AIDS の抗 HIV 抗体，梅毒の抗 *Treponema pallidum*（TP，Nichols 株）抗体などの検出に用いられている（図 3-Ⅳ-5）．

(3) 高比重複合粒子（high density composite particle；HDP）を用いた間接凝集反応

赤血球や他の合成粒子に比べて比重の大きい粒子（比重：2.0）である．この粒子は，比重が大きいため判定までの時間が非常に短く（約 30 分），従来の担体では不可能であった脂質抗原の固定化が可能となり，初期感染の検出ができるようになった．マイコプラズマ肺炎の感染初期の診断に利用されている．

ラテックス

ラテックス（latex）は微粒子のゴムが水中に分散した乳濁液である．もともとゴムの樹から採取された白色乳状の樹液である天然ゴム液のことを指していたが，天然ゴムに似た水分散体の工業的な製造法が各種確立された．乳化重合法という方法によって製造された合成ゴムラテックスもある．

ゼラチン

調理やゼリー形成に用いるゲル化剤の一種で，動物の骨や皮，腱などに含まれる蛋白質の一種であるコラーゲンを水とともに加熱して分解し，水溶性にした誘導蛋白質である．ゼラチンは人体に無害で消化吸収される動物性蛋白質からできているため，健康食品や医薬品のハードカプセル，ソフトカプセルの基材としても幅広く使用されている．

赤血球を担体とした間接凝集反応

梅毒トレポネーマ赤血球凝集反応として知られる TPHA は，代表的な間接赤血球凝集反応であったが，赤血球の非特異反応が起こるため，現在では担体にゼラチンを用いた TPPA が主流である．

3) 間接（受身）凝集抑制反応 [indirect (passive) agglutination inhibition test]

最初に遊離している抗原と抗体を反応させ，そのあとに抗原を吸着させた担体を加えた場合には凝集が起こらなくなる．これを**間接（受身）凝集抑制反応**という．この反応を用いた代表的なものに，ウイルス感染の血清診断に用いられる**赤血球凝集抑制（hemagglutination inhibition；HI）試験**がある．ウイルスには赤血球凝集素（hemagglutinin；HA）を表面にもつものが多数あり，ウイルス粒子と赤血球を混和すると，赤血球の凝集が起こる．間接（受身）凝集抑制反応を用いて，この赤血球凝集を特異的に阻止する凝集抑制抗体を測定するのがHI試験である．HI試験の感度は中和反応より劣るが，特異性が高い．

5 凝集反応に用いられる担体の異常反応

❶ラテックス粒子
疎水性の高い抗体を吸着させたラテックスは，自然凝集を起こしやすい．また，吸着した抗体は，溶液のpH，イオン強度によって保存中に脱着し，試薬力価の変化を起こすことがある．

❷ゼラチン粒子
ゼラチン粒子と担体の感作に使用するウシ血清アルブミンや，ゼラチン粒子の青色の色素と患者血清の反応により，未感作粒子が凝集することが知られている．

❸赤血球
目的の抗原あるいは抗体以外の物質の非特異的吸着や，異好抗体による非特異反応が認められる．特に，多糖体物質は吸着されやすい．

Ⅴ 溶解反応

〈到達目標〉
(1) 溶解反応の定義について説明できる．
(2) 溶解反応の種類について説明できる．
(3) 溶解反応に機序について説明できる．

　細菌の菌体表面や赤血球の膜表面などに存在する抗原に対して抗体と補体が結合することで細胞が傷害される現象を，**溶解反応**（lytic reaction）という．

1　溶解反応に関与する抗原と抗体

　溶解反応に関与する抗原としては細菌や赤血球，細胞などがあり，それぞれの抗原を破壊対象とする溶解反応のことを順に**溶菌反応**（bacteriolysis），**溶血反応**（hemolysis），**細胞溶解反応**（cytolysis）という．これに対して溶解反応に関与する抗体のことを**溶解素**（lysin）といい，主としてIgMクラス，IgG（IgG1，IgG3）クラスの抗体が関与している．なお，溶菌反応に関与する溶解素のことを**溶菌素**（bacteriolysin），溶血反応に関与する溶解素のことを**溶血素**（hemolysin）という．

2　溶解反応の機序

　溶解反応は，抗原抗体反応により抗原に結合した抗体のFc部を介した，補体の古典経路活性化により生じる．したがって，溶解反応を起こすためには古典経路が活性化する条件と同様にCa^{2+}やMg^{2+}が不可欠であり，反応温度も37℃にする必要がある．

3　溶解反応の種類

1）溶菌反応（bacteriolysis）

　溶菌反応とは，細菌の菌体表面に結合した抗体（溶菌素）に補体が作用することで生じる溶解反応である．溶菌反応を起こしやすいものとしては，コレラ菌やチフス菌，パラチフス菌，赤痢菌，大腸菌などが代表的であるが，スピロヘータやトリパノソーマなどでも観察される．

2）溶血反応（hemolysis）

　溶血反応とは，赤血球膜表面に結合した抗体（溶血素）に補体が作用することで生じる溶解反応であり，溶血素としては，自己溶血素，同種溶血素，異種溶血素などが知られている．

Pfeiffer（パイフェル）反応
溶菌反応の一種であり，あらかじめコレラ菌で免疫しておいたモルモットの腹腔内にコレラ菌を注射すると，産生されている溶菌素と補体の結合によりコレラ菌の溶菌を生じる．免疫していないモルモットではこの現象が認められない．これはR. Pfeifferによって開発された方法で，コレラ菌の補助的同定法として診断に用いられたが，現在は用いられなくなった．

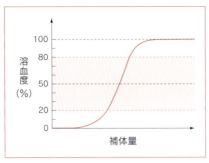

図 3-Ⅴ-1　von Krogh の曲線

(1) 自己溶血素による溶血反応

自己溶血素とは，自己血球を破壊対象とする溶血素のことで，**発作性寒冷ヘモグロビン尿症**（PCH）の患者血清中にみられる **Donath-Landsteiner（ドナート・ランドシュタイナー：D-L）抗体**が知られている．D-L 抗体は低温条件（16℃以下）で被検赤血球と結合するが，これを加温（37℃付近）すると補体の作用を受けて溶血を引き起こす性質をもち，**二相性溶血素**ともよばれている（→ p.345）．

(2) 同種溶血素による溶血反応

同種溶血素とは，同種動物の個体間でみられる抗体であり，ヒトの場合は A 型赤血球や B 型赤血球と反応し，補体の作用を受けて溶血を引き起こす**正常同種溶血素**（規則抗体）などが知られている（→ p.309）．

(3) 異種溶血素による溶血反応

異種溶血素とは，種々の動物血清において，自身の種族とは異なる種族の赤血球に補体存在下で作用して溶血を引き起こす抗体であり，**正常異種溶血素**とよばれる．また，ある種の動物の赤血球を他種族動物に注射することによってつくられる異種溶血素を**免疫異種溶血素**という．

4　溶解反応の臨床応用

1）血清補体価（CH₅₀）の測定

血清補体量の測定はヒツジ感作赤血球（EA）に対する溶血反応を指標に行われ，以前は一定数の EA を溶血させる補体の最高希釈倍数で表されていた．しかし，**図 3-Ⅴ-1 の von Krogh（フォン・クロー）の曲線**に示したように，一定量の感作赤血球に対して補体量を段階的に増加させた際の溶血度は，20〜80％の範囲でなければ直線的な関係が認められないため，補体の単位を決定する際には，完全溶血（100％）を終価とせず，50％溶血を終価とすることとした．このことから一定数（5×10^8 個/7.5 mL）の EA を 50％溶血させるのに必要な補体量を**補体価（CH₅₀）**として表し，血清の補体量の指標に用いることとした．ただし，現在では反応量のすべてを 1/2.5 にした **Mayer 変法**が用いられている．

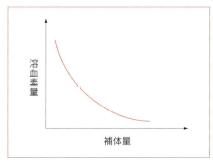

図 3-V-2　溶血素量と補体量の相補性

2）Ham（ハム）試験

　酸性化（pH 6.5）した新鮮正常ヒト血清中に**発作性夜間ヘモグロビン尿症**（PNH）の患者赤血球を加えて 37℃に加温すると，補体の別経路活性化により溶血が起こる．この現象を確認する試験は **Ham 試験**とよばれ，古くから PNH の診断に利用されていた．

　PNH 患者の赤血球は，**CD55** や **CD59** などの補体制御蛋白（➡ p.57）が欠損しており，酸性条件下で補体を吸着しやすい性質をもつ．本疾患の診断には，現在はフローサイトメトリによる血球表面マーカー（CD55，CD59）の検出が行われている（➡ p.145）．

3）リンパ球細胞傷害試験（lymphocyte cytotoxicity test；LCT）

　リンパ球細胞膜抗原に対応した抗体が存在する場合，補体を介する細胞溶解反応により細胞膜に傷害が起こる．このとき，トリパンブルーやエオジンなどの色素が共存すると，細胞膜の傷害部から色素が細胞内に取り込まれる．一方，細胞溶解反応が生じていない場合は，色素が取り込まれない．この現象を利用して顕微鏡下で観察すると，リンパ球細胞膜抗原に対応した抗体の存在を確認できる．本試験は主に組織適合抗原（HLA）型のタイピングやリンパ球交差適合試験などに利用される（➡ p.369）．

>
> **リンパ球交差適合試験**
> 臓器移植時の術前検査として，ドナーのリンパ球（特にTリンパ球）に対する抗体がレシピエント側の血液中に存在しないことを確認する試験．

5　溶血素と補体の相補性

　溶血素を連続希釈し，これに一定量の赤血球と補体を加えて 37℃に加温した際，完全溶血を示した溶血素の最高希釈倍数を**溶血素価**という．ただし，図 3-V-2 に示したように，溶血反応において，加える赤血球量を一定にした場合，その赤血球を溶血させるためには補体量が多いほど溶血素量は少量ですみ，逆に溶血素量が多いほど補体量が少量ですむ**相補性**があることに留意しなければならない．すなわち，溶血素量を測定する場合は，加える赤血球量と補体量を一定に保つ必要があり，補体量を測定する場合は，加える赤血球量と溶血素量を一定に保つ必要がある．

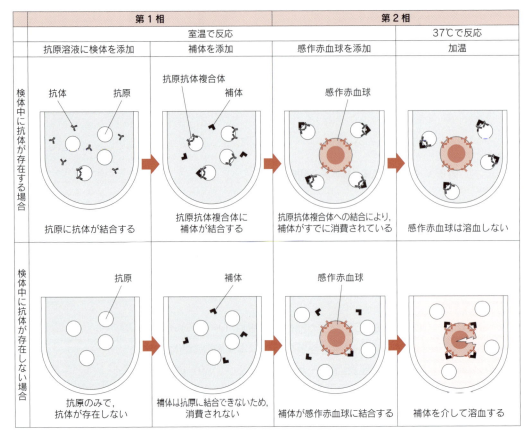

図 3-V-3 補体結合反応の機序

6 補体結合反応（complement fixation reaction；CF reaction）（補体結合試験，CF試験）

1) 補体結合反応の機序

　抗原と抗体が反応して抗原抗体複合体が形成されるとき，抗体 Fc 部の構造が変化し，そこに補体が結合することで古典経路を経て補体が活性化消費される．しかし，補体の消費をそのまま肉眼で確認することができないため，通常はここに溶血素を感作した血球を添加して，溶血反応が生じるか否かをもって補体の活性化の有無を判定する．

　補体結合反応にあずかる因子としては，抗原，抗体，補体，溶血素，赤血球の5種があり，<u>抗原抗体複合体により補体を活性化消費させる反応相を第1相とよぶ．第1相反応のあとに残余補体量を感作赤血球により確認する反応相を第2相とよぶ</u>．

　補体結合反応は，検体中の抗原量および抗体量のいずれも測定可能であり，たとえば抗体を検出する場合は**図 3-V-3** に示したような原理となる．すなわち，事前に用意した抗原溶液に非働化（→ p.54）した被検血清を加えると，抗原に対応する抗体が存在する場合は免疫複合体が形成される．ここに補体溶液

として新鮮モルモット血清を加えると，免疫複合体に補体が結合して活性化され消費される．この状態で感作赤血球を添加して37℃に加温しても，すでに補体が消費されているため溶血は起きない．一方，被検血清中に抗体が存在しない場合は補体が消費されないため，感作赤血球を添加して37℃に加温すると補体による溶血反応が起きる．したがって，残存する補体の活性で生じる溶血を指標として，被検血清中の抗体量が定量可能となる．なお，感作赤血球には従来は抗ヒツジ抗体を結合させたヒツジ赤血球が用いられていたが，現在は赤血球の代わりにリポソーム（➡ p.219）などの人工的な粒子が使用されることもある．

2）補体結合反応にあずかる抗原
補体は通常，抗原抗体複合体によって活性化されるため，抗原が蛋白質や多糖体，脂質，ウイルスなどのいずれであっても，抗原抗体複合体を形成するものであれば，水に溶けた状態もしくは微粒子浮遊液状態で補体結合反応を実施することが可能である．

3）補体結合反応にあずかる抗体
本反応にはIgMおよびIgGクラス（IgG1，IgG2，IgG3）の抗体が関与するが，IgMが関与するのは主にロタウイルスやヘルペスウイルスなど一部の大型ウイルスに限られており，補体結合反応の検出対象の大部分はIgGクラスである．したがって，補体結合反応を実施する場合，既往感染も考慮してペア血清による測定を行う．

4）補体結合反応に影響を与える要因
（1）反応溶液
補体結合反応は血球を使用するため，等張の生理食塩液や緩衝液を用いて非特異的溶血を起こさないようにする．また，補体の活性に不可欠なMg^{2+}やCa^{2+}を添加する必要がある．

（2）補体量と溶血素量
前述したように，補体量と溶血素量の間で相補性を考慮する必要があるため，補体結合反応において補体量を測定する場合は，加える赤血球量と溶血素量を一定に保つ必要がある．

（3）抗補体作用
補体は，以下の条件の場合に補体作用能力を失ってしまうことがあるので注意する．
- 血清の凍結融解を繰り返した場合
- 血清が細菌に汚染されている場合
- 血清中に免疫複合体や高γ-グロブリンの重合がある場合
- 血清中にクリオグロブリンが存在する場合

> **IgGサブクラスの補体活性**
> IgGの4つのサブクラスのうち，IgG4は補体の古典的経路を活性化できないため，補体結合反応には関与しない．

> **ペア血清**
> 感染症を発症した患者から採取した感染初期の血清（急性期血清）と回復後の血清（回復期血清）の組み合わせのことをペア血清といい，その抗体価の上昇を指標として血清学的診断を行う．

VI 中和反応

〈到達目標〉
(1) 中和反応の定義について説明できる．
(2) 中和反応の種類について説明できる．
(3) トキソイドについて説明できる．

　細菌や毒素などの抗原に抗体が結合することにより，抗原のもつ作用が中和（無力化や無毒化）される反応を**中和反応**といい，中和作用を有する抗体のことを**中和抗体**という．

1　中和反応に関与する抗体

　中和反応に関与する抗体はIgG抗体である．特にウイルスに対するIgG抗体のサブクラスはIgG1とIgG3であり，量的にはIgG1が多い．

2　中和反応の種類

中和反応は，中和する対象によって次のように分類される．
- 毒素中和反応（toxin-antitoxin neutralization test）
- 細菌中和反応（bacterium-neutralization test）
- ウイルス中和反応（virus-neutralization test）
- リケッチア中和反応（rickettsia-neutralization test）
- バクテリオファージ中和反応（bacteriophage-neutralization test）
- 酵素，ホルモン中和反応（enzyme, hormone-neutralization test）

1) 毒素中和反応

　毒素を中和する抗体を**抗毒素**（antitoxin）という．抗毒素による毒素の中和は沈降反応によって観察できるものもあるが，非沈降性の抗毒素もあるため，一般には動物接種による死亡率や皮膚反応から毒素もしくは抗毒素の力価を判定する．

　毒素中和反応にかかわる毒素の大部分は有毒性蛋白であり，蛇毒やサソリ毒などの動物性毒素，リチンやロビンなどの植物性毒素のほか，ジフテリア菌毒素やボツリヌス菌毒素などの細菌毒素も知られている．このうち，細菌由来の毒素は内毒素（endotoxin）と外毒素（exotoxin）に大別され，内毒素はグラム陰性菌の死後融解で遊離したリポ多糖体，外毒素は主としてグラム陽性菌の生菌由来の産生蛋白である．臨床で用いられる抗毒素製剤は通常ウマを免疫してつくられることが多いため，**血清病**（→ p.59の側注）や，再投与時のアナフィラキシーショックの原因となる．

> **抗毒素製剤**
> わが国で保険承認され製造されている抗毒素製剤には，ガス壊疽，ジフテリア，ボツリヌス，破傷風，マムシ，ハブなどの毒素に対するものがある．破傷風はヒト血清，その他はウマ血清の凍結乾燥品である．

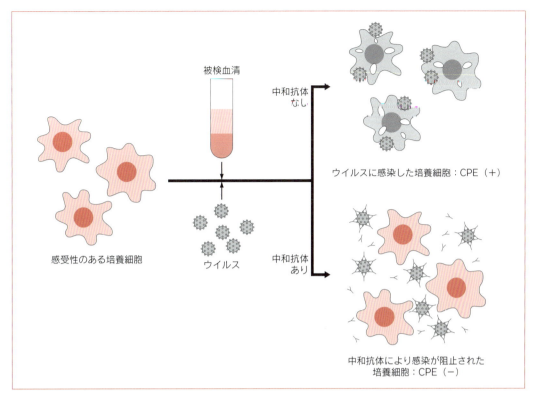

図 3-Ⅵ-1　ウイルス中和反応

2）ウイルスおよびリケッチア中和反応

　中和反応（neutralization test；NT）は，ウイルスやリケッチアを含む検査材料と被検血清を混和し，一定温度で一定時間放置後，感受性のある動物や培養組織に接種して生じる**細胞変性効果**（cytopathogenic effect；CPE）の発現が，中和抗体によって特異的に阻止されるか否かを判定する検査である（図3-Ⅵ-1）．CPE が阻止されれば被検血清中に中和抗体が存在することになり，CPE を阻止できる血清の最大希釈倍数から中和抗体価を求めることができる．なお，ウイルスおよびリケッチアの中和反応については以下のような応用例がある．

（1）病因の同定
　患者から分離されたウイルスやリケッチアが，患者の回復期血清によって特異的に中和されるか否かで病因の判別をする．

（2）ウイルスおよびリケッチアの同定
　未知のウイルスおよびリケッチアと既知のウイルスおよびリケッチアについて，免疫血清を用いて交差中和反応を行い，中和されるか否かで同定する．

（3）ウイルスの不顕性感染の診断
　ある地域の住民の血清について，特定のウイルスと中和反応を行い，中和抗体の保有率から，その居住地区にどの程度不顕性感染が発生しているかを調

細胞変性効果
細胞にウイルスが感染した際に生じる，細胞の形態学的変化や崩壊，封入体形成などの現象のこと．

ウイルス中和反応とアジ化ナトリウム
抗体の保存剤として用いられるアジ化ナトリウムには細胞毒性がある．そのため，生細胞を検査に用いるウイルス中和反応においては，被検血清にアジ化ナトリウムを加えてはならない．

査・推定できる．

3　トキソイド

　毒素をホルマリンや酵素を用いて処理し，抗原性を有した状態で毒性のみを消失させたものを**トキソイド**といい，代表的なものとしてジフテリアワクチンや破傷風ワクチンが該当する．

VII 非標識免疫測定法

〈到達目標〉
(1) 非標識免疫測定法の種類とそれぞれの原理を説明できる．
(2) どのような物質の濃度を求めるために利用しているか説明できる．

　これまで学んできた免疫学的検査は，抗原抗体反応を肉眼や顕微鏡で観察して検査するものであった．ここからは反応容器内で起こる抗原抗体反応を光によって検出して定量する免疫学的検査について学ぶ．
　免疫学的測定法は，イムノアッセイ（immunoassay）ともよばれ，抗原抗体反応によって目的物質の定量測定を行う方法である．さまざまな免疫学的測定法があるが，多くの測定法が免疫学的分析装置や生化学分析装置に試薬をセットして分析する．1つの目的物質でいくつかの測定原理を採用した試薬が発売されているので，目的物質の測定に必要な濃度範囲や測定精度，検査コストによって使い分けられている．
　免疫学的測定法は測定原理のどの部分に焦点を当てているかによってさまざまな分類がある．標識物質の有無で分類する方法，標識物質の種類で分類する方法，抗原抗体反応が競合反応なのか非競合反応なのかで分類する方法，洗浄操作の有無で分類する方法がある．本書では，非標識免疫測定法と標識免疫測定法に分類して説明する（標識免疫測定法については次節を参照）．
　非標識免疫測定法は，抗原抗体反応で生じた免疫複合体に光を照射して，その透過光または散乱光を検出する方法である．**透過光の検出を免疫比濁法，散乱光の検出を免疫比ろう法**という（図3-Ⅶ-1）．近年ではラテックス粒子に抗体（または抗原）を結合させる技術が進み，ラテックス結合抗体と抗原の複合体を免疫比濁法や免疫比ろう法で検出する方法が普及している．これらの方法をそれぞれ**ラテックス凝集免疫比濁法，ラテックス凝集免疫比ろう法**とよぶ．

1 免疫比濁法（turbidimetric immunoassay；TIA）

1）測定原理（図3-Ⅶ-1a）

　溶液内で生成される抗原抗体反応の複合物に光を照射すると，溶液内の濁りは抗原濃度に依存し，散乱光が増大して透過光が減少する．この光の減少量を吸光度変化率として求める．吸光度変化は **Lambert-Beer（ランベルト・ベール）の法則** に従う．したがって，入射光強度と透過光強度の比から濃度が得られ，検量線に基づいて抗原濃度を求めることができる．

Lambert-Beerの法則

光をセルに照射すると，濃度が高くなるほど，セル長が長くなるほど光が吸収されることを表す．透過率が0.1（10％）のとき，吸光度は1になる．

吸光度 $A = -\log T = \varepsilon \cdot c \cdot \ell$
透過率％ T
$= \dfrac{透過光の量(I)}{入射光の量(I_0)} \times 100$

（log：常用対数，ε：吸光係数，c：溶液の濃度，ℓ：セルの長さ）

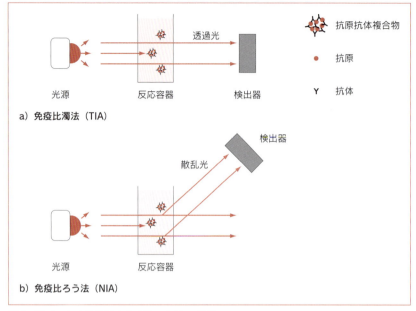

図 3-Ⅶ-1　免疫比濁法と免疫比ろう法の原理

2）特徴

　免疫比濁法は，IgG，IgA，IgM や血漿蛋白質など生体内の濃度が mg/dL 単位で表現される物質の測定に利用される．血清には濁りを生じる物質が含まれており，個体間で違いがみられるので，測定時にはブランク補正が必要である．免疫比濁法では，ある2点の透過光の強度から透過光の変化速度を求める2点レートアッセイ法を利用することが多い．免疫比濁法の測定試薬は，緩衝液の入った第1試薬と抗体の入った第2試薬を使う．第1試薬と検体を混和して一定時間後の吸光度をブランクの吸光度とし，第2試薬を加えて一定時間後の吸光度を測定して，ブランクの吸光度を減じたものを検体の濁度とする．

2　免疫比ろう法（nephelometric immunoassay；NIA）

1）測定原理（図 3-Ⅶ-1b）

　溶液内で生成される抗原抗体反応の複合物に，レーザー光や発光ダイオードを光源とした光を照射する．抗原抗体反応の格子形成の過程では，免疫複合体の粒子径の増大と前方散乱光の強度の増加が並行となる範囲がある．この条件下で，ある角度の前方散乱光の強度を測定する方法を免疫比ろう法という．

2）特徴

　透過光に紛れず前方散乱光のみを検出するためには，専用装置（レーザーネフェロメーター）が必要である．専用装置で測定されるため，免疫比濁法より

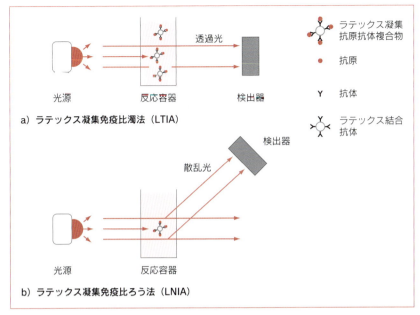

図 3-VII-2　ラテックス凝集免疫比濁法とラテックス凝集免疫比ろう法の原理

も高感度かつ高精度である．抗原抗体反応の格子形成が必要条件になるため，乳び血清や免疫複合物の存在で非特異的な散乱光が発生しやすい．また，抗原過剰域では抗原抗体反応の格子形成が減弱するため異常低値を示すことがある．そのため専用装置では，1回目の分析で抗原過剰を検出すると，自動的に検体を希釈して再検査を行う自動希釈機能が搭載されている．

3　ラテックス凝集免疫比濁法 (latex turbidimetric immunoassay；LTIA)

1) 測定原理 (図 3-VII-2a)

ラテックス粒子に抗体（または抗原）を結合させたラテックス結合抗体と検体を反応させると，抗原抗体反応によって複合物が生じる．複合物はやがて凝集体となる．

溶液内で生成された凝集体に光を照射すると，溶液内の濁りは抗原濃度に依存し散乱光が増大して透過光が減少する．この光の減少量を吸光度変化率として求める．吸光度変化は Lambert-Beer の法則に従う．したがって，入射光強度と透過光強度の比から濃度が得られ，検量線に基づいて抗原濃度を求めることができる．

2) 特徴

免疫比濁法よりも高感度に測定することが可能であること，汎用の生化学自動分析装置で測定可能であることが利点である．多くの生体内の物質で，免疫

ラテックス

ゴムの木を傷つけて得られた乳白色の液のこと．免疫測定法で使うラテックスは人工ラテックス（合成ゴム）のことを指し，スチレンなどのモノマーを重合させて $0.1〜0.3\,\mu m$ 程度の大きさに揃えた粒子である．これをラテックス粒子とよんでいる．ラテックス粒子の表面に抗体をコーティングする方法は，物理的吸着を利用した方法と化学的に結合させる方法がある．化学結合型は，ラテックス粒子の表面のカルボキシル基と抗体分子のアミノ基を反応させてラテックス結合抗体を作製する．

比濁法からラテックス凝集免疫比濁法に改良された測定試薬が発売されており，1.00 mg/dL（10 ng/mL）以下の濃度を精確に測定することが可能である．また，最近ではこれまで標識免疫測定法でしか測定できなかった生体内の微量物質がラテックス凝集免疫比濁法で測定可能になるなど，技術革新が進んでいる測定法である．

4　ラテックス凝集免疫比ろう法（latex nephelometric immunoassay；LNIA）

1）測定原理（図 3-VII-2b）

ラテックス粒子を使用することによって免疫比ろう法をより高感度化した方法である．

2）特徴

免疫比ろう法よりも高感度に測定することが可能であり，免疫グロブリン遊離 L 鎖，κ/λ 比（➡ p.218）や，高感度 CRP の測定に利用されている．

VIII 標識免疫測定法

〈到達目標〉
(1) 標識免疫測定法の種類について説明できる．
(2) 標識免疫測定法の基本原理について説明できる．
(3) 標識免疫測定法を応用した検査法について説明できる．

　標識免疫測定法は，顕微鏡や肉眼の観察ではとらえることができない抗原抗体反応のうち，腫瘍マーカーやホルモン，サイトカインなど生体内の微量物質を定量的に測定する方法として開発されてきた．標識免疫測定法の分類は，標識物質の種類による分類と洗浄操作の有無による分類がある．

　標識物質の種類による分類は，酵素の反応を利用した酵素免疫測定法，発光を利用した発光免疫測定法，蛍光を利用した蛍光免疫測定法，ラジオアイソトープを使った放射免疫測定法が知られている．

　標識免疫測定法の分析中に行う洗浄操作はB/F分離とよばれる．不均一測定法と均一測定法がある．不均一と均一という名称は，酵素免疫測定法で使われ始めた用語である．そのため酵素免疫測定法でB/F分離を行うものを不均一測定法とよび，B/F分離を行わないものは均一測定法とよばれている．

　不均一測定法は，2つの相が存在する分析工程で固相の夾雑物や液相を洗い流すために洗浄工程を加えた測定法である．

　均一測定法は，酵素免疫測定法のうち1つの相で測定系が成立している測定法を指す広義と，Ullmanらによって開発された酵素免疫測定法の一手法であるEMIT（enzyme multiplied immunoassay technique）のみを指す狭義がある．広義では，免疫比濁法や免疫比ろう法も均一測定法に含まれる．

1　酵素免疫測定法（enzyme immunoassay；EIA）

　酵素免疫測定法は，抗原抗体反応を利用して抗原または抗体を測定する方法のうち，酵素の助けを借りて抗原抗体複合物を検出する方法の総称である．標識物質による分類は，さまざまな標識免疫測定法が開発された順に命名されてきたため，化学発光酵素免疫測定法は酵素免疫測定法に含まず，発光免疫測定法に分類される．

1）不均一測定法（heterogeneous EIA）

　固相（ポリスチレンなど）の表面に測定対象成分に対する抗体（または抗原）を結合させ，検体と反応させる．固相化抗体（抗原）と検体中の測定対象成分が反応し，抗原抗体複合物を形成する（一次反応）．この後B/F分離を行う．抗原抗体複合体は固相にあり，反応しなかった成分は液相に存在するた

標識免疫測定法の歴史
標識免疫測定法の変遷は，放射性免疫測定法（RIA）に始まる．RIAは高感度で特異性が高いことから，臨床検査においてホルモンや腫瘍マーカーなどの微量物質測定に広く応用されるようになった．しかし，放射線被曝や放射性廃棄物処理の課題があり，より安全で高感度な測定法として，酵素免疫測定法や発光免疫測定法が開発されるに至った．

B/F分離
測定対象成分以外の夾雑物や未反応物質を洗浄する操作のこと．Bはboundのことを表し，固相上の抗原抗体複合物である．Fはfreeのことを表す．

相
不均一とは相を表現する用語であり，反応容器内が固相と液相の2つの相から成り立つことから名付けられた．

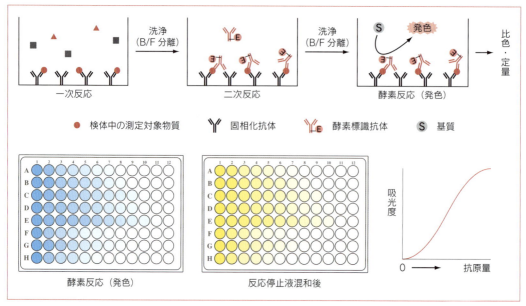

図 3-Ⅷ-1　不均一測定法（heterogeneous EIA）の原理

め，洗浄操作によって容易に不要物を洗い流すことができる．B/F 分離後，酵素を標識した抗体（または抗原）を反応させる（二次反応）．再度，B/F 分離を行い，反応に関係しなかった標識抗体を除去する．標識に使用した酵素と反応する基質および発色物質を添加すると酵素反応が起こり，抗原抗体複合体の生成量に応じて発色する．この発色を比色定量する（図 3-Ⅷ-1）．

また，蛍光基質を用いる EIA（蛍光酵素免疫測定法，fluorescence enzyme immunoassay；FEIA）もあり，酵素にアルカリホスファターゼ（ALP），基質に 4-メチルウンベリフェリルリン酸を使って蛍光強度を測定する測定法の分析装置が発売されている．

2）均一測定法（homogeneous EIA）

本法の原理を図 3-Ⅷ-2 に示した．本法は薬剤などの低分子を測定対象物質とした測定法であり，EMIT とよばれる．主に血中薬物濃度の測定や血中薬物モニタリング（therapeutic drug monitoring；TDM）で使われている．

酵素の活性中心の近くにハプテン（測定対象物質の低分子抗原）を結合させ，そこにハプテンに対する抗体（抗ハプテン抗体）を反応させると，抗体・ハプテン・酵素の複合体が形成される．この状態で基質を加えても酵素の活性中心に基質が結合できないため，酵素活性を示さない（図 3-Ⅷ-2 上）．このような液相反応を利用して，検体中の測定対象物質である遊離ハプテンを定量する．

検体中に遊離ハプテンが存在する場合，抗ハプテン抗体，ハプテン・酵素の結合物を共存させると，遊離ハプテンはハプテン・酵素の結合物と競合して抗

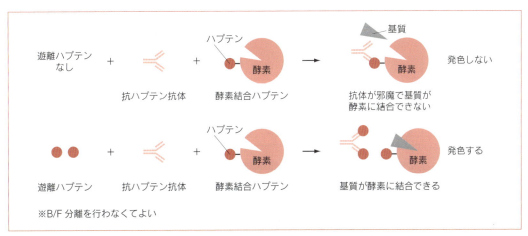

図 3-Ⅷ-2 　均一測定法（homogeneous EIA）の原理

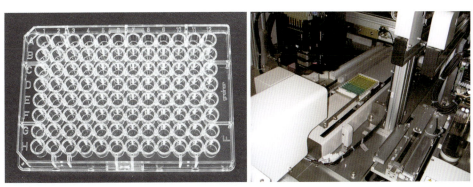

図 3-Ⅷ-3 　96 ウェルプレート（左）と ELISA の自動測定（右）
ELISA では，写真のような約 8 cm×12 cm で 8 行×12 列，計 96 個のウェル（穴）の空いたプラスチックプレートの各ウェル内で反応を行う．さまざまな材質の製品が市販されており，目的に応じて抗体（または抗原）が吸着しやすく，非特異反応が出にくいものを選択する．検査センターでは室温が一定に保たれた部屋で一定の条件で，機械による自動的な反応が進められている．

ハプテン抗体と結合する．遊離ハプテンの量が多いほど，抗体と結合できないハプテン・酵素の結合物が増加する．この状態の酵素は酵素活性を有するため，酵素活性を測定することによって抗体と結合できないハプテン・酵素の結合物の量を定量すると，間接的に遊離ハプテンの量が定量できる（図 3-Ⅷ-2 下）．

3）ELISA（enzyme-linked immuno sorbent assay）

　ELISA は，Perlmann らによって 1971 年に発表された際に命名された用語である．不均一測定法に分類されるが，ポリスチレン粒子やガラスビーズを使わずに 96 ウェル（穴）のマイクロプレートを使う方法である（図 3-Ⅷ-3）．96 ウェルのマイクロプレート内に十分量の抗体を不溶化し，これと測定すべき検体中の抗原を反応させる．次に酵素標識抗体を反応させる．測定すべき抗原量に応じて酵素標識抗体が反応するので，検体中の抗原量を測定することができる．この方法は抗原のみならず抗体の測定にも利用することができる．抗

> **ELISA に用いられる酵素と基質**
> アルカリホスファターゼ（ALP）や西洋わさびペルオキシダーゼ（horseradish peroxidase；HRP）が利用される．基質は ALP の場合は，パラニトロフェニールリン酸ジナトリウム塩（PNPP），HRP の場合は 3,3′,5,5′-テトラメチルベンジジン（TMB）が利用される．

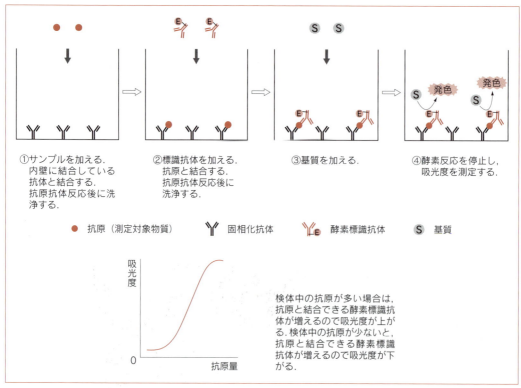

図 3-Ⅷ-4　サンドイッチ ELISA の原理

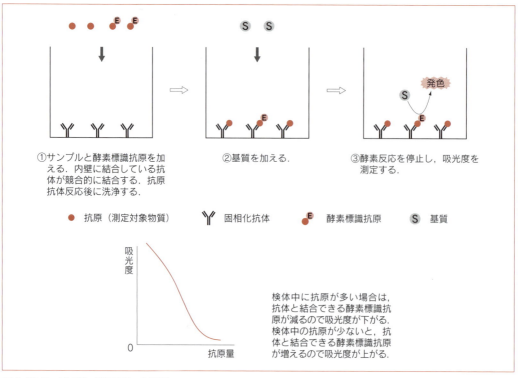

図 3-Ⅷ-5　ELISA（競合法）の原理

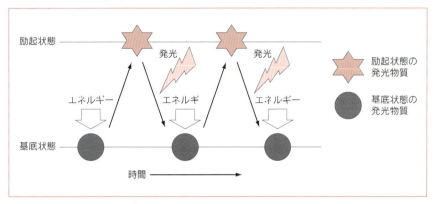

図 3-Ⅷ-6　発光のメカニズム

原を抗体で挟む場合は，サンドイッチ ELISA とよばれる（**図 3-Ⅷ-4**）．酵素標識抗原を使って目的物質を競合法で検出する方法もある（**図 3-Ⅷ-5**）．競合法は 2 つの抗体で挟むことができない抗原の場合や適切な特異抗体がみつからないときに有用である．

　免疫学的測定法は，近年ではマイクロプレートを用いない免疫分析装置の利用が普及しているが，ELISA は現在もウイルス抗体価などの測定で広く利用されている．

2　発光免疫測定法

　発光物質はエネルギーを吸収し，基底状態（ground state）から励起状態（exited state）になる．その後，エネルギーを放出しながら励起状態から安定な基底状態に戻ろうとする．この時に放出されるエネルギーを光として放出する現象を，発光という（**図 3-Ⅷ-6**）．

　発光免疫測定法は，標識物質にさまざまな発光物質を用い，抗原抗体反応ののちに発光物質からの発光量を測定し，対象物質を定量する方法である．

> **基底状態と励起状態**
> 基底状態は原子中の電子が安定している状態で，励起状態は最もエネルギーの低い基底状態よりもエネルギーが高い状態を指す．

1）化学発光免疫測定法（chemiluminescence immunoassay；CLIA）

　発光物質（アクリジニウムエステル；AE）標識抗体，測定対象物質（非標識抗体または抗原），抗体結合磁性粒子で免疫複合体を形成する（一次反応）．B/F 分離を行い，AE を過酸化水素（酸化剤）により酸性状態においたのち（二次反応），NaOH などのアルカリ剤を添加しアルカリ性にする（三次反応）ことで AE が発光する．発光物質の化学反応により生じた光の発光量を測定する（**図 3-Ⅷ-7**）．

> **磁性粒子の役割**
> CLIA や CLEIA で，固相として磁性粒子が用いられるのは B/F 分離のためである．磁石に磁性粒子を吸着させ，未反応物質を含む溶液を B/F 分離で除去することができる（→ p.179 の図 4-Ⅰ-11）．

2）化学発光酵素免疫測定法（chemiluminescence enzyme immunoassay；CLEIA）

　測定対象物質を抗原抗体複合体としたのち（一次反応），B/F 分離後，酵素

Ⅷ　標識免疫測定法

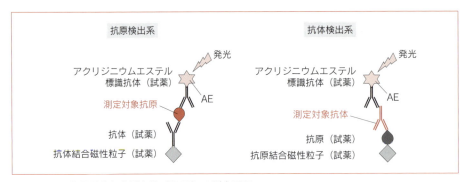

図 3-Ⅷ-7　化学発光免疫測定法（CLIA）の測定原理

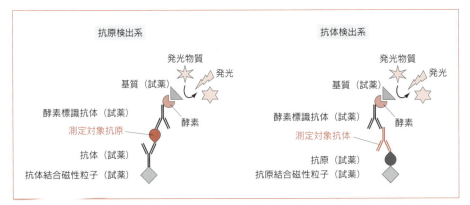

図 3-Ⅷ-8　化学発光酵素免疫測定法（CLEIA）の測定原理

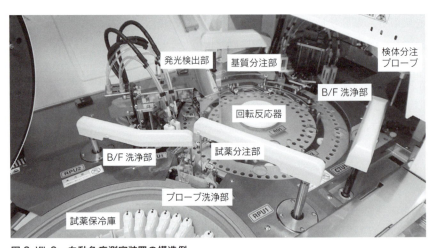

図 3-Ⅷ-9　自動免疫測定装置の構造例

標識抗体（または抗原）を反応させる（二次反応），再度 B/F 分離し，酵素に反応する基質と発光物質を添加すると（三次反応），酵素と基質によって生じた酵素反応のエネルギーが発光物質を励起させ，光が発生する．この発光量を測定する（図 3-Ⅷ-8）．CLEIA を用いた分析装置の構造の一例を示す（図 3-Ⅷ-9）．

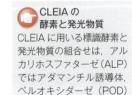

CLEIA の酵素と発光物質
CLEIA に用いる標識酵素と発光物質の組合せは，アルカリホスファターゼ（ALP）ではアダマンチル誘導体，ペルオキシダーゼ（POD）ではルミノールを用いるものが多い．

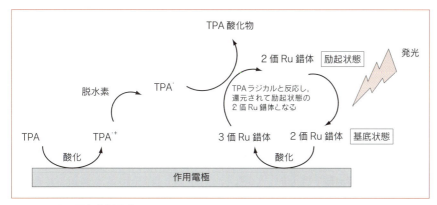

図 3-Ⅷ-10　電気化学発光の原理

3）電気化学発光免疫測定法（electrochemiluminescence immunoassay；ECLIA）

　測定原理は CLIA に基づき，標識体（発光物質）にルテニウム（Ru）錯体を用いる．発光に Ru 錯体化合物の酸化とトリプロピルアミン（tripropylamine；TPA）の還元作用を利用した電気化学発光による測定法である．

　Ru 錯体と TPA は，電圧をかけると＋電位の作用電極で Ru 錯体と TPA がいずれも酸化され，2 価の Ru 錯体は 3 価の Ru 錯体に，TPA は TPA ラジカルカチオン（TPA$^{\cdot+}$）となる．TPA$^{\cdot+}$ は短時間にプロトンを放出し強力な還元作用をもつ TPA ラジカル（TPA$^{\cdot}$）となり，共存する 3 価の Ru 錯体を 2 価の Ru 錯体へと還元させる．この 2 価の Ru 錯体が励起状態から基底状態へ戻る際に Ru 錯体は発光する．基底状態へ戻った 2 価の Ru 錯体は再度電極で酸化され，TPA の供給がある間は断続的に還元・励起されるため，酸化・還元・励起・発光という発光周期が繰り返される（**図 3-Ⅷ-10**）．

4）生物発光免疫測定法（biochemiluminescence immunoassay；BCLIA）

　生物発光は，ルシフェリン-ルシフェラーゼ反応として知られる，ホタルに代表される一部の生物種でみられる発光を原理とする．基質であるルシフェリンが ATP 存在下でルシフェラーゼにより酸化され，蛍光性をもつ励起状態の酸化物オキシルシフェリン（発光体）となる．発光体が基底状態に戻る際に光が発生する．ホタルルシフェラーゼは，生物発光のなかでも発光の量子収率が高いため，高感度な測定を可能とすることが期待され開発された．

3　蛍光免疫測定法

1）蛍光偏光免疫測定法（fluorescence polarization immunoassay；FPIA）

　蛍光偏光強度が，蛍光物質の分子量に依存することを利用した測定法であ

全自動免疫測定装置の発展

自動免疫測定装置は，国内外さまざまな企業で製造販売されている．採用される測定法（CLIA，CLEIA，ECLIA など）や機器構造は多様であり，より高感度で特異性が高く，幅広い濃度域に対しより短時間に少量の検体で多様な検査項目が測定できるよう，各企業で研究開発が行われている．

量子収率

励起状態から基底状態に戻る際に光に変換できる効率のこと．
量子収率＝放出されたフォトン（光子）数/反応分子数

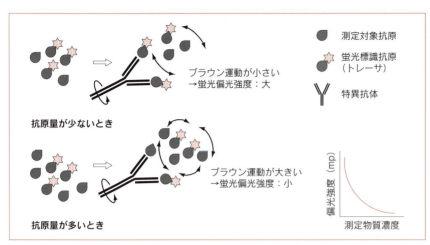

図 3-Ⅷ-11　蛍光偏光免疫測定法（FPIA）の原理

る．測定対象となる抗原と，一定量の蛍光標識抗原，抗原に対する特異抗体を反応させたのち，反応液に偏光を当てて蛍光偏光を測定する．非蛍光標識抗原である測定物質が少ないほど分子量は大きくなり，ブラウン運動が小さいために蛍光偏光強度が大きくなる．一方，測定物質が多いほど分子量は小さくなり，ブラウン運動が大きいため蛍光偏光強度が小さくなる．この特性から，抗原抗体結合物と非結合物との分子運動の相違により起こる蛍光偏光強度の違いから濃度を求めることができる（**図 3-Ⅷ-11**）．B/F 分離を必要としない，均一測定法の一種である．

2）蛍光抗体法

抗原抗体反応を用いて，目的成分の局在を蛍光により可視的に検出する方法である．抗体を標識するための蛍光物質として，フルオレセインイソチオシアネート（fluorescein isothiocyanate；FITC）が広く利用される．蛍光顕微鏡を用いて FITC を励起させ，その蛍光を検索する．

蛍光抗体法は，直接法と間接法がある．直接法では，検出対象となる抗原と酵素を標識させた FITC 標識抗体を反応させ判定する．間接法は，抗原と非標識の一次抗体の反応後，二次抗体として FITC 標識抗免疫グロブリン抗体を反応させ，蛍光を観察する．

4　イムノクロマトグラフィ（immunochromatography；IC）

イムノクロマトグラフィ（IC）は，被検検体中の抗原または抗体が毛細管現象によりメンブレン上を移動することを応用した簡易検査法である．IC の検出感度はそれほど高くないが，特別な機器を必要とせずに迅速に検査することができるため，**point of care testing（POCT）**として臨床現場で広く活用されている．

偏光

偏光とは，光波の振動が規則的であることを指す．振動方向が一直線上に限られる直線偏光，円や楕円を描く円偏光・楕円偏光がある．対して，不規則に振動している光は自然光とよぶ．光学フィルタなどを介して，自然光から偏光を得ることができる．

蛍光偏光強度とブラウン運動

ブラウン運動とは液体中に浮遊する微粒子が不規則に運動する物理現象を指す．溶液中の蛍光体に偏光した励起光をあてると，蛍光体から偏光した蛍光を得ることができる．このとき，蛍光体分子の回転ブラウン運動が活発である（大きい）ほど，さまざまな方向に蛍光が放射され，偏光が解消されて偏光強度は弱まり，回転ブラウン運動が活発でない（小さい）ほど，偏光を保つため偏光強度が維持される．

FPIA と臨床検査

FPIA は，血中薬物濃度測定（TDM）（臓器移植後のシクロスポリン，MRSA 抗菌薬のテイコプラニンなど）に応用されてきた．一方で，2000 年以降の化学発光法の台頭により，自動免疫測定装置での採用は少なくなっている．

蛍光抗体法の臨床検査応用例

直接蛍光抗体法は，皮膚生検や腎生検の病理組織を材料とし，ウイルス感染抗原の検出や，補体・免疫グロブリン沈着の観察に利用される（**図 3-Ⅷ-12**）．間接蛍光抗体法は，血清を材料とし，抗核抗体（自己抗体）の検出に利用される．そのほか，フローサイトメトリ（→ p.145）においても一つ一つの細胞を標識する目的で蛍光抗体法が利用される．

図 3-Ⅷ-12　直接蛍光抗体法の検査キット
直接蛍光抗体法による単純ヘルペス特異抗原検出キットを示す．綿棒で水疱や潰瘍を拭い，直接スライドに塗抹する．この検査キットでは単純ヘルペスウイルス-1 と -2 の検出が可能である．

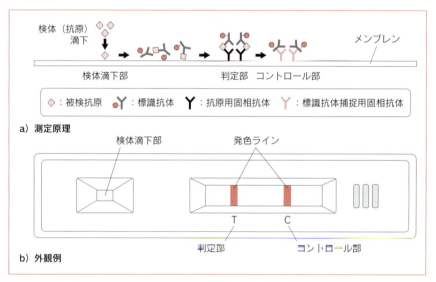

図 3-Ⅷ-13　イムノクロマトグラフィの測定原理（a）とキットの外観例（b）

　図 3-Ⅷ-13 に示すように，抗原検出法の場合は検体滴下部から検体を滴下すると，まずメンブレンの一端で抗原と標識抗体が反応し，抗原-標識抗体複合体を形成しながら毛細管現象で判定部まで移動していく．判定部には抗原に対する特異抗体が固相化してあり，抗原-標識抗体複合体を捕捉する．このとき，抗原と反応しなかった標識抗体は，判定部で捕捉されることなく流れていき，コントロール部に固相化した抗体により捕捉される．標識抗体にはモノクローナル抗体が用いられ，固相化抗体にはポリクローナル抗体，標識物には酵素や着色金コロイドを用いる場合が多い．酵素標識の場合は，判定部で基質と反応させることにより発色ラインが形成されるが，着色金コロイド標識の場合は，判定部に着色金コロイドが密集することにより発色ラインが形成される．
　判定方法としては，<u>判定部とコントロール部の両方に発色ラインが出現した</u>

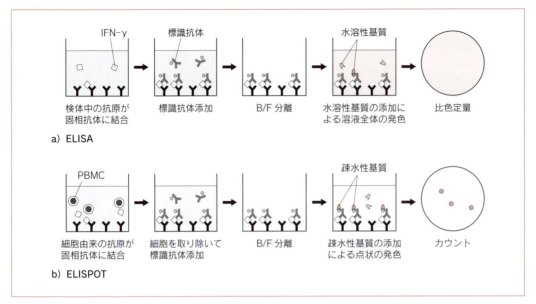

図 3-Ⅷ-14　ELISA（a）と ELISPOT（b）の原理の違い

場合を陽性とし，コントロール部のみに発色ラインが出現した場合を陰性とする．また，コントロール部に発色ラインが確認できない場合は，メンブレン内で検体が十分に浸透していない可能性が考えられ，判定保留とする．

5　インターフェロンγ遊離試験（interferon gamma release assay；IGRA）

　ヒトに *Mycobacterium tuberculosis*（結核菌）が感染した場合，体内のT細胞がその情報を記憶してメモリーT細胞になる．メモリーT細胞は，体内に結核菌が再侵入した際，特異的に反応してインターフェロンγ（IFN-γ）を放出する．この現象を検査に応用したのがインターフェロンγ遊離試験（IGRA）であり，BCG接種や非結核性抗酸菌の影響を受けないため，ツベルクリン反応と比較して特異度が高い．

　IGRAには，ELISAを利用する方法とELISPOT（enzyme-linked immunospot assay）を利用する方法があり，いずれも被検血液を結核菌の特異抗原により刺激することで産生されるIFN-γを検出する点においては共通している．ただし，ELISAが特異抗原刺激後の血漿を利用するのに対し，ELISPOTでは被検血液から分離した末梢血単核球（peripheral blood mononuclear cells；PBMC）を利用する点において異なっている．また，ELISAの場合は，酵素標識抗体の反応生成物が親水性のため，拡散してウェル内の溶液全体が発色したものを比色定量で評価する．これに対し，ELISPOTでは標識抗体の反応生成物が疎水性であり，IFN-γ産生細胞が存在していた部分のみがSPOT状に発色するため，これを専用のリーダーでカウントし評価する（図3-Ⅷ-14）．

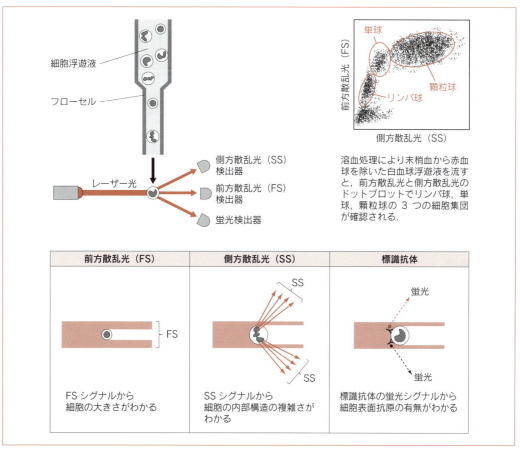

図 3-Ⅷ-15　フローサイトメトリの測定原理

6　フローサイトメトリ（flow cytometry；FCM）

　フローサイトメトリ（FCM）は，フローセル中を一列に流れる細胞サンプルに対してレーザー光を照射し，そこから得られる光学的シグナル情報を図 3-Ⅷ-15 に示す検出器により数値データ化する手法である．<u>前方散乱光（forward scatter；FS）検出器からは細胞の大きさを，側方散乱光（side scatter；SS）検出器からは細胞の内部構造などが分析できる</u>．また，細胞表面の抗原に特異的な蛍光標識抗体を用いて細胞を染色し，<u>その蛍光強度を測定することで細胞の同定や細胞群の存在比を計測することができる</u>．

> **蛍光色素の種類**
> FCMに用いられる蛍光色素にはFITCをはじめ，PE（phycoerythrin：フィコエリスリン），PerCP（peridinin chlorophyll protein：ペリジニンクロロフィル蛋白質），APC（Allophycocyanin：アロフィコシアニン），Cy5（Cyanine5：シアニン5）などがある．

Ⅸ 電気泳動法

〈到達目標〉
(1) 免疫電気泳動法および免疫固定電気泳動法の原理と特徴について説明できる．
(2) 免疫電気泳動法で形成された沈降線から M 蛋白の型判定ができる．
(3) ウエスタンブロッティング法の原理と特徴について説明できる．

1 免疫電気泳動法（immunoelectrophoresis；IEP）

1）原理および特徴

　免疫電気泳動法は，抗原抗体反応にあずかる反応因子（抗原，抗体，または両方）が電気泳動法によって分離される過程（支持体電気泳動法）と，ゲル内沈降反応（Ouchterlony 法）を組み合わせた分析方法である．一般的には免疫電気泳動法という場合，Grabar-Williams の方法を指す（図 3-Ⅸ-1）．市

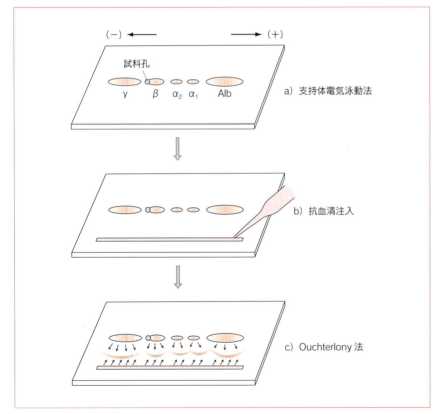

図 3-Ⅸ-1　免疫電気泳動法（Grabar-Williams の方法）の原理

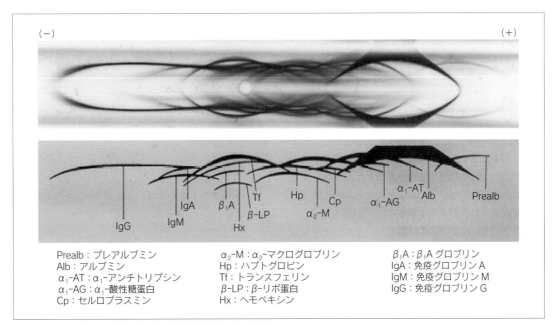

図 3-IX-2　正常ヒト血清の免疫電気泳動像とその沈降線

販の抗血清を用いた場合，正常血清では通常 20〜30 本の沈降線が観察される（**図 3-IX-2**）．形成された沈降線の太さや濃さ，および長さなどにより，半定量的に蛋白の増減が判定される．

2）検査の意義

免疫電気泳動法が診断上最も有用となるのは，質的異常を示す M 蛋白血症や蛋白欠乏症であるが，泳動条件や操作法を一定にすることにより，量的異常を示す異蛋白血症の分析にも適応できる（**表 3-IX-1**）．また，未知の蛋白の同定やその電気的易動度などを知るうえでも有力な手段として用いることができる．M 蛋白は，免疫電気泳動法で正常の免疫グロブリンの沈降線とは異なる形態（M-bow）を呈するか，全く新しい沈降線として観察される．

(1) 急性炎症型

アルブミン，トランスフェリンの減少，α_1-アンチトリプシン，ハプトグロビンなどの急性期蛋白の増加，IgM の増加が特徴であり，急性感染症，外傷，術後などにみられる．急性期蛋白は，肝臓でインターロイキン 6（IL-6）などのサイトカインによりその合成が誘導される．

(2) 慢性炎症型

急性炎症型の変化に免疫グロブリン（特に IgG）の増加を伴った型で，慢性感染症，自己免疫性疾患，悪性腫瘍などにみられる．免疫グロブリンの広範囲（**多クローン性**）の増加は，免疫グロブリンを産生する形質細胞（B 細胞系の分化細胞）の複数のクローンの増殖を意味している．

表3-IX-1　免疫電気泳動法の臨床的適応

M蛋白血症	多発性骨髄腫 原発性マクログロブリン血症 MGUS（monoclonal gammopathy of undetermined significance） H鎖病（γ鎖・α鎖・μ鎖） 半分子型（IgG・IgA・IgM） 7S IgM型
蛋白欠乏症	免疫グロブリン欠乏症（免疫不全症候群） 無アルブミン血症 α_1-アンチトリプシン欠乏症 無ハプトグロビン血症 セルロプラスミン欠乏症 無トランスフェリン血症 リポ蛋白欠乏症 補体欠乏症 無フィブリノゲン血症
異蛋白血症 （dysproteinemia）	急性炎症型 慢性炎症型 慢性肝障害型 ネフローゼ型 その他

(3) ネフローゼ型

　選択性蛋白漏出型ともよばれ，アルブミン，トランスフェリン，IgGの減少とα_2-マクログロブリン，β-リポ蛋白，IgMの増加が特徴的である．これは腎糸球体の分子ふるい効果により，比較的分子量が小さい血清蛋白成分は体外へ排出され，分子量の大きい蛋白は血中に残るためである．ネフローゼ症候群で観察される．

(4) 慢性肝障害型

　IgG，IgAおよびIgMの多クローン性の増加が認められるが，それ以外の大部分の血清蛋白は減少傾向を示す．特にハプトグロビンは著減，ないしは欠如として観察される．これは，免疫グロブリン以外の血清蛋白の大部分を合成している肝臓がその合成能低下をきたすことによる変化と，肝病変によって免疫グロブリン合成量が増加するためである．慢性肝炎，肝硬変などにみられる．

(5) M蛋白血症型

　血清蛋白分画でM蛋白帯（Mバンド）が観察され，免疫グロブリンクラスに特異的な抗血清を用いた免疫電気泳動により，そのクラスおよびタイプが同定される（図3-IX-3）．多発性骨髄腫，原発性マクログロブリン血症，H鎖病，MGUS（monoclonal gammopathy of undetermined significance）などにみられる（→p.98）．M蛋白における免疫グロブリンの増加（**単クローン性**）は，形質細胞の1つのクローンだけの増殖を意味している．

(6) 蛋白欠乏型

　正常血清において検出される特定の蛋白成分が，まれに，全く欠如する場合がある．多くは先天性疾患である．

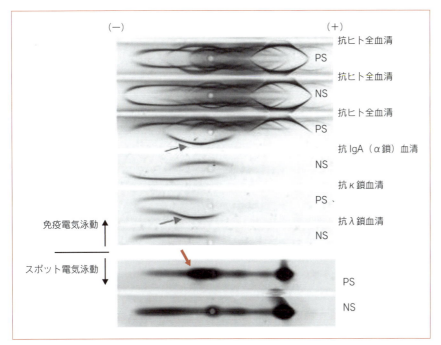

図 3-IX-3　IgA 型 M 蛋白血症例の免疫泳動パターン
PS：患者血清，NS：正常血清
スポット電気泳動で M バンド（➡）を認め，免疫電気泳動で抗 α 鎖と抗 λ による M-bow（→）を認めるため，IgA-λ 型 M 蛋白と判定される．

> **スポット電気泳動**
> 寒天ゲルを使用した蛋白電気泳動のことである．蛋白分画ではバンド状に泳動されるが，スポット電気泳動では寒天ゲル平板の丸い孔に血清などの試料を塗布し泳動するためスポット状に分離される．異常スポット（M スポット）の移動度と免疫電気泳動の異常沈降線の位置から M 蛋白のクラス（H 鎖），タイプ（L 鎖）を同定する．

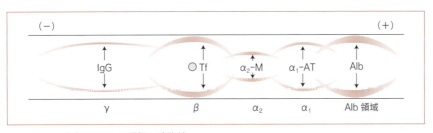

図 3-IX-4　指標となる 5 種類の沈降線

3）検査のポイント

(1) 指標となる 5 種類の沈降線

　正常ヒト血清の泳動パターンで容易に判別できる特徴的な沈降線は 5 つある．それらは血中に比較的多量に含まれ，各蛋白分画の領域における主成分で沈降線を判読する際に役立つ．すなわち，<u>陽極側より，Alb 領域では**アルブミン**（Alb），$α_1$ 領域では $α_1$-**アンチトリプシン**（$α_1$-AT），$α_2$ 領域では $α_2$-**マクログロブリン**（$α_2$-M），β 領域では**トランスフェリン**（Tf），そして γ 領域では IgG</u> である（**図 3-IX-4**）．

(2) 沈降線の同定および増減の判定法

　一般的な同定法は，抗ヒト全血清と特異抗血清を用いる．後者では 1 つの沈降線が出現するので，正常者の沈降線と対比し目的とする沈降線を同定する

図 3-IX-5　特異抗血清による沈降線の同定

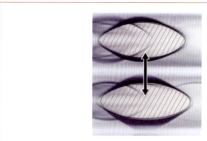

図 3-IX-6　沈降線（アルブミン）の囲む面積の比較

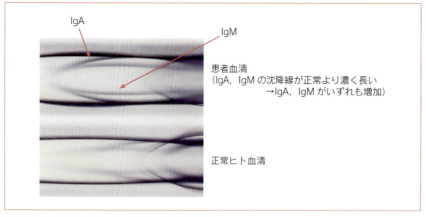

図 3-IX-7　沈降線（IgA，IgM）の長短の比較

> **沈降定（係）数**
> 高分子溶液を遠心分離する際の，単位加速度あたりの分子の沈降速度を表し，単位のSは超遠心機を開発したSvedbergの名に由来する．多くの蛋白質の沈降係数は1～30Sで，IgGは7S，IgMは19Sである．

> **2-メルカプトエタノール（2-ME）**
> S-S結合を還元して切断する作用をもつ．2-MEの代わりにジチオスレイトール（DTT）を使う方法もある．DTTのほうが還元力が強いという報告もあり，質量分析や二次元電気泳動分析のときにも用いられる．
>
>

（図 3-IX-5）．

沈降線の増減は，①沈降線の囲む面積，②沈降線の太さおよび濃さ，③沈降線の長短，など総合的に観察し判定する（図 3-IX-6，7）．

(3) IgM 型 M 蛋白の L 鎖の同定法

IgM 型 M 蛋白の L 鎖の同定はしばしば困難であり，このようなときには，血清を **2-メルカプトエタノール処理**（2-ME 処理）して用いる．2-ME 処理の簡単な方法は，0.1 mol/L 2-ME 50 μL を血清 0.3 mL に加え，37℃で 2 時間加温する．これにより，IgM は 5 量体を形成する S-S 結合が切断され単量体となり，抗 L 鎖抗血清と容易に反応できるようになる（**図 3-IX-8**）．

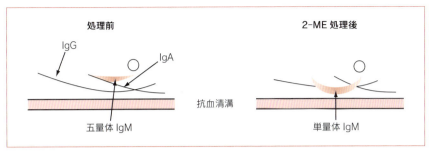

図 3-IX-8　2-ME 処理による IgM 分子の構造変化および沈降線の出現位置

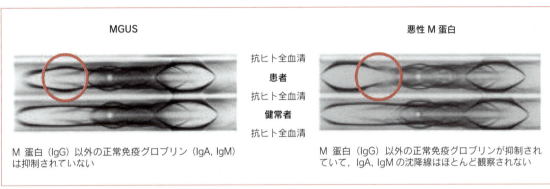

図 3-IX-9　免疫電気泳動における MGUS と悪性 M 蛋白の比較

(4) 悪性 M 蛋白と MGUS との鑑別法

　M 蛋白が検出された場合，その M 蛋白が免疫グロブリン産生細胞の腫瘍性増殖による多発性骨髄腫や原発性マクログロブリン血症などの悪性 M 蛋白なのか，反応性増殖で出現する MGUS かを鑑別しなければならない．MGUS は M 蛋白血症の約 3/4 を占める．しかしながら，両者を明確に鑑別できる手段は現時点でみつかっていない．一般に，<u>検査上悪性と診断できる基準としては，① M 蛋白量の著増，② M 蛋白以外の他の免疫グロブリン量の著減，③ Bence Jones 蛋白（BJP）の存在，④比較的短期間の M 蛋白の急激な増加</u>などがあげられている．<u>免疫電気泳動法でのチェックポイントは，M 蛋白以外の他の正常免疫グロブリンが抑制されているかどうか</u>，正常対照の沈降線と比較することである（**図 3-IX-9**）．

> **S-S 結合**
> J 鎖は分子質量 15 kDa のポリペプチドで，Fc 尾部とジスルフィド結合でつながり多量体を安定化している．0.1 mol/L の 2-ME 50 μL を血清 0.3 mL に加える程度の濃度では，J 鎖と Fc 尾部の S-S 結合を切断するのみである．H 鎖と L 鎖間の S-S 結合を切断するには，高濃度の 2-ME（終濃度で 0.7 mol/L）が必要となる．

2　免疫固定電気泳動法（immunofixation electrophoresis；IFE）

1）原理および特徴

　Alper らによって報告された方法で，支持体電気泳動法により血清蛋白（あるいは尿蛋白）を分離したのち，支持体上に特異抗血清を染み込ませたセルロースアセテート膜（セ・ア膜），あるいは濾紙を重ね抗原抗体反応させ，形成された沈降物を蛋白染色して異常（あるいは目的）バンドを同定するものである（**図 3-IX-10**）．

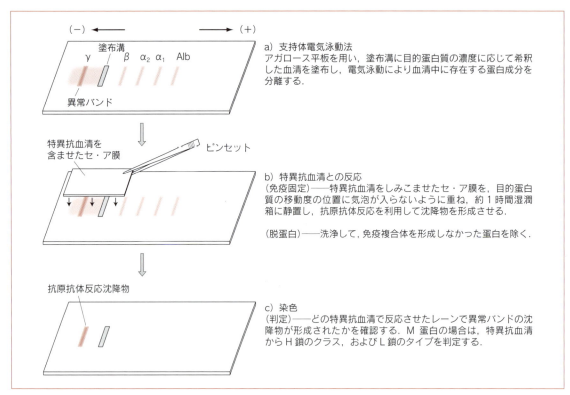

図 3-IX-10　免疫固定電気泳動法の原理

　現在では，支持体上にテンプレートを重ね，直接，特異抗血清を滴下し反応させる市販品が多用されている．本法は抗体過剰を原理としているため，血清などの試料は，ある程度希釈して最適比になるよう調整する必要がある．

2) 検査の意義

　特異抗血清を用いることにより単一の蛋白の電気泳動上での性状がそのまま検出されるため，M 蛋白の同定や，遺伝型を有する蛋白の同定・検出にはきわめて有効な手段となりうる．特に，微量な M 蛋白の同定や複数の M 蛋白が存在する例などで威力を発揮する（図 3-IX-11）．

3) 検査のポイント

(1) 試料の希釈
　通常，血清の場合，10 倍希釈したものを試料とするが，M 蛋白が多量の場合は希釈率を上げる必要がある．

(2) 抗原抗体反応
　特異抗血清を染み込ませたセ・ア膜あるいは濾紙をゲル面に重ねる際には，ピンセットを用い気泡が入らないように注意する．用いるピンセットはその都度十分洗浄し使用する．

中抜け現象

免疫固定では，抗体過剰で抗原抗体反応沈降物がバンド上に形成されるが（a），抗原過剰では沈降物の量が少ないためバンドの周りのみ形成されることがあり（b），その現象を「中抜け現象」ともいう．

a：抗体過剰　　b：抗原過剰

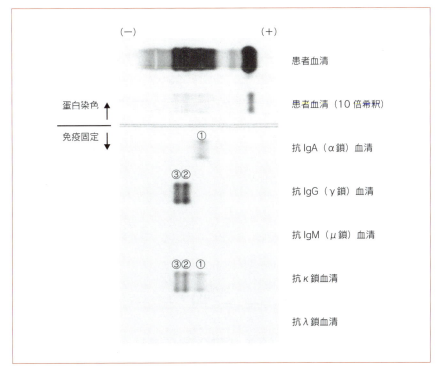

図 3-IX-11　複合型 M 蛋白血症例の免疫固定泳動パターン
①：IgA-κ 型 M 蛋白，②③：IgG-κ 型 M 蛋白

(3) すべての特異抗血清で異常バンドが形成された場合

M 蛋白の同定で，免疫グロブリンの各クラスおよびタイプの特異抗血清すべてで異常バンドが形成された場合は，脱蛋白不足，もしくは M 蛋白が支持体と反応している可能性が考えられる．脱蛋白操作を慎重に行うとともに，抗血清と反応させないレーンで異常バンドが観察されないことを確認する．

3　ウエスタンブロッティング（western blotting；WB）法
1）原理および特徴

ポリアクリルアミドゲルを用いた電気泳動法は，蛋白質を分離・精製するための標準法となっているが，特定の蛋白質の活性をこのゲル上でみるのは非常に困難を伴う．そこで，ゲルからある不活性の膜に蛋白質を転写し，蛋白質の電気泳動パターンのレプリカを作製し，その膜上で種々の反応を起こさせる方法が考えだされた．この方法は**ウエスタンブロッティング法**（イムノブロット法とも称される）とよばれ，蛋白質のきわめて有用な分析法の 1 つとして広範に利用されている．

ウエスタンブロッティング法の原理を**図 3-IX-12** に示す．まず，SDS-ポリアクリルアミドゲル電気泳動（SDS-PAGE）により試料中の蛋白質をゲル中で分離する．次いで，ゲル中の各蛋白質は膜にすみやかに転写されることによ

> **ポリアクリルアミド**
> アクリルアミドとビスアクリルアミドが一定の割合で共重合して，分子ふるい効果をもつ網目構造を形成している．そのため，ゲルの分子ふるい効果は，アクリルアミドの終濃度とそこに含まれているビスアクリルアミドの割合によって変化する．

> **ブロッティング法**
> ブロッティング法は，転写対象物の違いによって，①DNA を対象とするサザンブロッティング（Southern blotting）法，②RNA を対象とするノーザンブロッティング（northern blotting）法，③蛋白質を対象とするウエスタンブロッティング法の 3 つに分類されている．

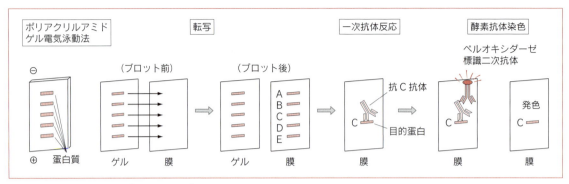

図3-IX-12　ウエスタンブロッティング法の原理

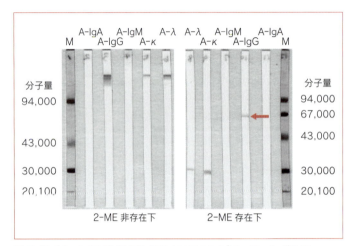

図3-IX-13　IgG3型M蛋白例のウエスタンブロッティング分析
正常IgG分子を構成するγ鎖の分子量は約52,000であるが，患者M蛋白を構成するγ鎖は約63,000と明らかに高分子であることがわかる（赤矢印）．IgG3のγ鎖は，IgG1，IgG2，IgG4のγ鎖と比較してhinge regionが長く，分子量が約8,000〜10,000大きいためである．

り，拡散することなく膜に吸着する．膜上の蛋白質は拡散することができないので，その後の処理は時間をかけて行うことができる．次に，標識抗体を反応させて目的とする蛋白質の検出を行う．

2）検査の意義

　本法は，M蛋白の分子量決定や，免疫グロブリンを構成するH鎖およびL鎖の分子構造異常の確認などに活用されている．検出感度としては，50 pg〜200 ngの蛋白を認識できるので，骨髄腫細胞中の微量免疫グロブリンの性状を分析することも可能である（図3-IX-13）．また，抗HTLV-1抗体の検出や抗HIV抗体の検出などにも用いられている．

3）検査のポイント

（1）一次抗体としてモノクローナル抗体を使用する場合

一般にブロット法における一次抗体は、モノクローナル抗体の方が非特異バンドの出現が少ない．しかし，SDS 処理された蛋白質のなかには，モノクローナル抗体を用いると反応性が低下したり，消失したりする場合がある．この原因の1つとして，SDS-PAG 電気泳動法で分離した蛋白質では高次構造が変化し，抗原性が損なわれることがあげられる．このような場合，抗原蛋白質を変性させないような条件で電気泳動する必要がある．

（2）一次抗体および二次抗体の希釈率の問題

より高い検出感度を要求する場合には，一次抗体，二次抗体の希釈率を低下させるといった方法がとられる．しかし，一般的に検出反応に用いる抗体は，その濃度が高すぎると非特異反応が起こりやすい．したがって，抗体の至適濃度条件を前もって検討し，確認しておく必要がある．使用する抗血清の力価にもよるが，通常，一次抗体および二次抗体はブロッキング溶液で 500〜2,000 倍に希釈して用いた方がよい．

（3）ブロッキング剤の注意点

蛋白質プローブを用いた検出法は，膜面への非特異的な吸着が生じやすいため，ブロッキング操作を確実に行う必要がある．現在，膜表面を被覆するために各種ブロッキング剤が用いられているが，検出方法や結合している蛋白分子の性質により，これらブロッキング剤の選択も重要となる．たとえば，ウシ血清アルブミン（bovine serum albumin；BSA）はレクチンと反応するとともに，IgG の混入が指摘されており，ゼラチンは安価で使いやすいが，低温で処理する場合には不適当である．

4　ラインイムノアッセイ（line immunoassay；LIA）

1）原理および特徴

検体中に HTLV の特異的抗体がある場合，点着したメンブラン上の HTLV 抗原と反応する．次にアルカリホスファターゼ標識抗ヒト IgG ポリクローナル抗体を作用させると，HTLV 抗原抗体複合体を形成する．この複合体に，5-ブロモ-4-クロロ-3-インドリルリン酸-p-トルイジンを反応させることでラインが出現する．このラインの有無と強度を目視にて判定を行う（図 3-IX-14，➡ p.178 の表 4-I-9）．

2）検査の意義

HTLV-1 感染の診断では，抗 HTLV-1 抗体の一次検査陽性例に確認検査として WB 法を実施しているが，確認検査における「判定保留」が 10〜20％を占めることが課題となっていた．近年，WB 法の代替法として LIA の性能を評価したところ，WB 法で判定保留例の大半を判定できることがわかり，2017 年に保険適用された．日本産婦人科医会診断指針では，WB 法または LIA の

SDS（sodium dodecyl sulfate）
陰イオン性の界面活性剤で，蛋白質を強力に変性させると同時に，その疎水性の部分で蛋白質の主鎖（backbone）と結合するため，蛋白質は負電荷を帯びた状態となる．結合する割合は，蛋白質1gに対しSDSおよそ1.4gであるが，結合は不均一であり，蛋白質の極性部分に結合しやすいが，疎水性部分や高次構造をとっている部分には結合しにくいなどの特徴をもっている．

転写用膜
蛋白質を膜に固定化するには，両者間の静電気的，疎水的な相互作用により結合させる方法と，共有結合により結合させる方法がある．市販されている蛋白質の転写用膜としては，一般に，ニトロセルロース膜および蛋白の結合容量が大きく強度に優れている PVDF（poly vinylidene difluoride）膜が用いられている（蛋白結合能力：ニトロセルロース膜 80〜100 μg/cm², PVDF 膜 200〜300 μg/cm²）．

転写用膜の注意点
ニトロセルロース膜は，安価で検出感度も高いことから，核酸や蛋白質のブロットに多用されている．しかし，蛋白質の結合容量が比較的小さいため，転写時間が長すぎると，いったんブロットされた蛋白質が通り抜けすることがある．したがって，対象となる蛋白質の分子量や分離ゲルの濃度を考慮して転写時間を設定する必要がある．

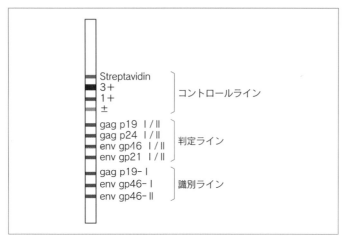

図 3-IX-14　HTLV-1 のラインイムノアッセイ
（提供：富士レビオ社）

いずれかで陽性が確認できれば，HTLV-Ⅰ感染症と診断される．

第4章 試験管内抗原抗体反応の応用

I 感染症の免疫学的検査

〈到達目標〉
(1) 各感染症における代表的な検査法について説明できる．
(2) 各感染症検査における抗原検査と抗体検査の意義を説明できる．
(3) 各感染症検査の臨床的意義を説明できる．

　感染症の免疫学的検査には，病原体そのものを検出対象とする**抗原検査**と，感染に伴って産生される特異抗体を検出する**抗体検査**がある．抗原検査の場合は病原体を直接証明できるのに対し，抗体検査は間接的な証明であるため，結果の解釈に留意する必要がある．

1　化膿レンサ球菌（A群β溶血性連鎖球菌，溶連菌）感染症（→ p.63）
1）溶連菌関連検査【抗原検査】
(1) イムノクロマトグラフィ（IC）

　溶連菌（*Streptococcus pyogenes*）の抗原検査法としては，咽頭拭い液検体中の抗原を対象としたイムノクロマトグラフィ（IC）が一般的である．本法は迅速診断キット検査として短時間で溶連菌抗原を定性的に検出できる（→ p.142）ため，臨床の現場で広く用いられている．

　図4-I-1に，ICを原理とする溶連菌迅速診断キットの例を示す．メーカーにより使用する標識物質などが異なる場合もあるが，おおむね類似した原理となっている．図4-I-1に示した例の場合，ICキット内の試薬部には白金-金コロイド標識抗溶連菌特異抗体（白金-金コロイド標識抗A群β溶連菌ウサギポリクローナル抗体）が含まれており，判定部［T］には抗溶連菌特異抗体（抗A群β溶連菌ウサギポリクローナル抗体），判定部［C］には抗ウサギ免疫グロブリン抗体が固相化されている．試料滴下部に検体を滴下すると，毛細管現象により試料が流れていくが，この際，試料中に溶連菌特異抗原が含まれている場合は，白金-金コロイド標識抗溶連菌特異抗体と免疫複合体を形成して移動する．この免疫複合体は，判定部［T］に固相された抗溶連菌特異抗体に捕捉され，標識された白金-金コロイドによるラインが出現する（図中の「T」）．

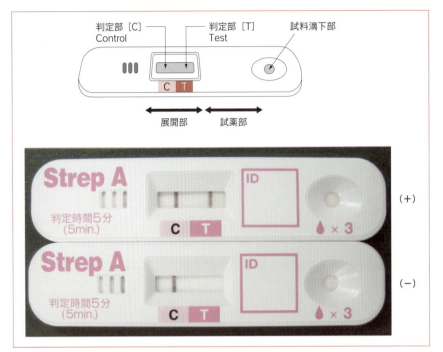

図 4-Ⅰ-1　イムノクロマトグラフィ（IC）による A 群 β 溶連菌抗原の検出
イムノエース Strep A（株式会社タウンズ）
（西宮達也：最新臨床検査学講座　免疫検査学. p.149, 医歯薬出版, 2017.）

一方，白金-金コロイド標識ウサギ免疫グロブリンも同様に流れていくが，判定部［T］には捕捉されず，判定部［C］に固相した抗ウサギ免疫グロブリン抗体によって捕捉される．この際，やはり白金-金コロイドによるラインを生じるが，このラインは溶連菌抗原の有無にかかわらず形成されることから，コントロールライン（図中の「C」）として評価できる．

❶留意事項

IC による溶連菌抗原検査は，迅速かつ簡便な検査法であるため，溶連菌感染症の診断に有用であるが，本検査は A 群溶連菌の多糖体抗原をとらえるものであり，S. pyogenes そのものを特異的に検出するわけではない．したがって，<u>S. anginosus などの S. pyogenes 以外の A 群多糖体抗原を保有する菌が存在することを念頭において検査を行う必要がある</u>．

2）溶連菌関連検査【抗体検査】

（1）抗ストレプトリジン O（ASO）価測定

S. pyogenes は，種々の菌体外毒素や酵素を産生するため，これらの代謝産物に対する抗体の検出は，本感染症の診断に有用である．

ストレプトリジン O（streptolysin O；SLO）は，溶連菌のうち A 群，C 群，G 群により産生される毒素であり，赤血球膜内のコレステロールに結合するこ

SLO の名前の由来
SLO は酸素に不安定で，空気中に放置すると SH 基が酸化されて溶血活性が失われてしまうが，システインなどのチオール化合物により再活性化することが知られている．SLO の名は，酸素に対して不安定であるという意味で，oxygen-labile の O に由来している．

ストレプトリジン S（SLS）
溶連菌は SLO だけでなくストレプトリジン S（streptolysin S；SLS）という溶血毒も菌体外に産生する．この SLS は菌体結合性の溶血毒であり，抗原性は弱いといわれている．

とで溶血を引き起こす．SLO は強い抗原性を有するため，溶連菌感染者の血清中には中和抗体である**抗ストレプトリジン O 抗体（anti-streptolysin O；ASO）**が産生される．この ASO 価は，溶連菌感染後比較的早期（2～3 週間）に血中に出現するため，溶連菌感染症の診断に有用である．ただし，ASO 価は溶連菌感染後に必ず上昇するものではないため，診断時には溶連菌関連抗体の一種である**抗ストレプトキナーゼ抗体（anti-streptokinase；ASK）**の同時測定が一般的である．

ASO 価の代表的な測定法としては，SLO 感作ゼラチン粒子を用いた**間接凝集反応**による ASO 価の測定が広く利用され，その後，担体にラテックス粒子を用いた**ラテックス凝集免疫測定法（LAIA）**の登場により，高感度な測定が可能になった．さらに，ラテックスの凝集を濁度でとらえる**ラテックス凝集免疫比濁法（LTIA）**や散乱光でとらえる**ラテックス凝集免疫比ろう法（LNIA）**を利用することで自動分析装置による ASO 価の定量が可能となった．

❶ 評価基準

ASO 価の参考基準範囲は，成人で 160 IU/mL 以下，小児で 250 IU/mL 以下である．過去には ASO 価の単位として毒素中和反応を基準とした Todd 単位が用いられていた．しかし，現在はラテックス凝集反応を原理とする測定法が主流となっているため，ASO の国際標準品を用いた国際単位（IU/mL）が用いられている．

❷ 留意事項

ASO 価は溶連菌感染に起因する扁桃腺炎，上気道炎，丹毒，猩紅熱，産褥熱などに加え，その続発症であるリウマチ熱や急性糸球体腎炎などでも有意な上昇を認める．ただし，溶連菌感染以外にも以下に示すような検体で ASO 価を測定した際に非特異的上昇を認めることがある．

- ある種の細菌（*Bacillus subtilis*, *Pseudomonas fluorescens*, *P. aeruginosa*）に汚染された血清
- 酸やアルカリで処理し，次いで中和した血清
- コレステロールやリポ蛋白が増加している血清
- 単クローン性 γ-グロブリン血症で ASO 活性をもつ免疫グロブリンが増加している血清

また以下の場合は，溶連菌感染が明白にもかかわらず ASO 価の著増を認めないことがある．

- 溶連菌感染症が SLO 弱産生株や非産生株に起因する場合
- 病初期より強力な抗菌薬療法を行った場合
- ステロイド療法により抗体産生能が低下している場合
- 低もしくは無 γ-グロブリン血症を発症している場合

(2) 抗ストレプトキナーゼ（ASK）価測定

ストレプトキナーゼ（streptokinase；SK）は，溶連菌のうち A 群，C 群，G 群により産生される線維素融解酵素の一種である．SK には抗原性があるた

その他の溶連菌関連抗体

溶連菌関連抗体には，ASO や ASK 以外にも抗デオキシリボヌクレアーゼ B 抗体（anti-deoxyribonuclease B；ADNaseB），抗ヒアルロニダーゼ抗体（anti-hyaluronidase；AHD），抗溶連菌多糖体抗体（anti-streptococcal polysaccharide；ASP）なども知られているが，通常は溶連菌感染の診断に用いられない．

LAIA：latex agglutination immunoassay

Todd 単位

既定の条件下で 5％ウサギ赤血球溶液 0.5 mL を溶血させる SLO 最小量を 1 MHD（最小溶血量）としたとき，2.5 MHD の SLO を中和させる抗体量を 1 Todd とし，完全溶血阻止を示す血清の最終希釈倍数を ASO 価（Todd 単位）と定義している．

表 4-1-1 マイクロプレートを用いた ASK 価測定（PA）における希釈系列作成例

ウェル No.	1	2	3	4	5	6	……	11	12
血清希釈溶液（μL）	100	25	25	25	25	25		25	25
被検検体（μL）	25	25	25	25	25	25		25	25（捨てる）
血清希釈倍数	1：5	1：10	1：20	1：40	1：80	1：160		1：5,120	対照
未感作粒子（μL）		25					……		
感作粒子（μL）			25	25	25	25		25	25
最終希釈倍数		1：20	1：40	1：80	1：160	1：320	……	1：10,240	

プレートミキサーで混和し，プレートに蓋をして3時間静置後判定

め，溶連菌感染者には**抗ストレプトキナーゼ抗体（ASK）**が産生される．この ASK 価は ASO 価と同様の診断的価値があるが，特に ASO 価測定と併用することで SLO 非産生株溶連菌感染者の診断にも有用である．

ASK 価の測定は SK を感作させたゼラチン粒子が被検検体中の ASK と反応し，凝集することを応用した粒子凝集反応（PA）（➡ p.119）により判定する．表 4-1-1 にマイクロプレートを用いた ASK 価測定時の希釈系列作成例を示す．この例では，No.3～11 の範囲で凝集をみせたウェルのうち，最も高い血清希釈倍数を ASK の抗体価としている．ただし，ウェル No.2 を未感作粒子対照，ウェル No.12 を血清希釈液対照として，いずれかが凝集をみせた場合は判定保留となる．

❶評価基準

ASK 価の基準範囲は，成人で 1,280 倍以下，小児で 2,560 倍以下とするが，ASO 価と同様に健常者において高値を示す場合があるため，急性期と回復期のペア血清を測定し，測定値の変動（一般には4倍以上）から判定すべきである．

❷留意事項

ASK 価は ASO 価と同様の病態で高値を示すが，ASO 価に比べ非特異的上昇を示す例はまれである．ただし，SK は血栓溶解薬として血栓症の治療に用いられることがあり，SK の投与を行っている患者血清においては，ASK 価の上昇が認められる．

2　梅毒（➡ p.66）

梅毒の病原体である梅毒トレポネーマ（*Treponema pallidum*；TP）に感染した場合，抗カルジオリピン抗体（抗 CL 抗体）と抗梅毒トレポネーマ抗体（抗 TP 抗体）が産生される．この2種類の抗体は，梅毒の診断に有用であるが，それぞれ臨床的意義が異なっている点に留意する必要がある．

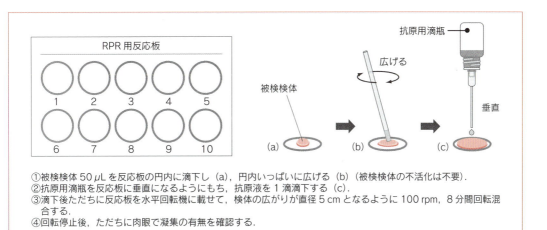

①被検検体 50 μL を反応板の円内に滴下し (a), 円内いっぱいに広げる (b)(被検検体の不活化は不要).
②抗原用滴瓶を反応板に垂直になるようにもち, 抗原液を 1 滴滴下する (c).
③滴下後ただちに反応板を水平回転機に載せて, 検体の広がりが直径 5 cm となるように 100 rpm, 8 分間回転混合する.
④回転停止後, ただちに肉眼で凝集の有無を確認する.

図 4-I-2　RPR カードテストの方法

1) 抗カルジオリピン抗体（抗 CL 抗体）関連検査

　カルジオリピン (cardiolipin；CL) は, ミトコンドリア内膜に局在するリン脂質の一種である. 梅毒感染時の組織破壊に伴い CL が抗原認識されると, 一種の自己抗体として抗 CL 抗体が産生される. したがって, 梅毒感染の証明法として, CL を用いて抗 CL 抗体を検出する **STS (serologic tests for syphilis) 法**が広く利用されている. ただし, CL 単独では抗原性が弱く, レシチン (lecithin) とコレステロール (cholesterol) 共存下で抗 CL 抗体と強く反応する性質があるため, STS 法では CL にレシチンとコレステロールを添加した状態で検査を実施する.

　STS 法には, **RPR (rapid plasma reagin) カードテスト**, **RPR-LA (RPR latex agglutination)** による自動分析法などが知られている. RPR カードテストは間接凝集法の一種であるが, 炭素粒子に CL, レシチン, コレステロールを吸着させた抗原を用いることで, 迅速かつ簡便に検査を行えるため, 現在広く行われている. また, RPR カードテストにおいて被検検体を生理食塩水で 2^n 段階希釈し反応陽性の最高希釈倍数を抗体価とする定量試験は, 治療効果の判定に有用である. RPR-LA による自動分析法は, CL, レシチンを吸着させたラテックス粒子と被検検体中の抗 CL 抗体との抗原抗体反応によって生じる凝集を濁度でとらえる**ラテックス凝集免疫比濁法 (LTIA)** や, 散乱光でとらえる**ラテックス凝集免疫比ろう法 (LNIA)** を原理としている (→ p.133).

(1) RPR カードテスト

　RPR カードテストの代表的な実施法を図 4-I-2 に示す.

❶評価基準

　RPR カードテストでは図 4-I-3 の基準に従って判定を行う. ただし, 陽性判定となった場合でも, 梅毒感染が確定するわけではなく, TP 抗原を用いた検査手法で確認後, 総合的に判断する. また, 自動分析法については, WHO

凝集像

陽　性			陰　性	
3＋	2＋	1＋	±	−

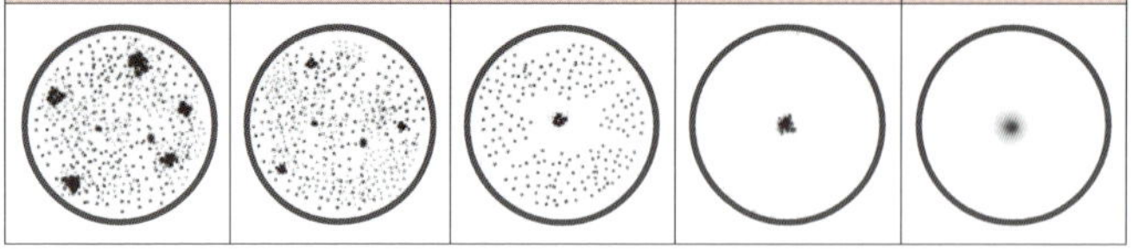

判定基準

凝集像の特徴	判定結果	
大きな凝集塊が認められるもの	陽性	3＋
中等度の凝集塊が認められるもの		2＋
小さな凝集塊が認められるもの		1＋
−に比べてわずかにざらつきが認められるもの	陰性	±
凝集が全く認められないもの		−

図 4-Ⅰ-3　RPR カードテストの評価基準

の標準品を基準に値付けされたものが各メーカーにより作成されており，単位は「R.U.」である．1.0 R.U. は RPR カードテストの 1 倍に相当し，1.0 R.U. 以上を陽性とする．

❷留意事項

RPR カードテストでは，検体の溶血や高度の乳び，フィブリン析出などの影響を受ける可能性がある．また，検体中に抗 CL 抗体が過剰に存在する場合，**地帯現象**（➡ p.107）による負誤差に留意すべきである．検査の際の温度も重要であり，室温が高い場合は血清が蒸発・濃縮し，非特異反応を呈する場合がある．一方，室温が低い場合は反応が鈍くなるため，回転時間を延長する必要がある．

2）抗梅毒トレポネーマ抗体（抗 TP 抗体）関連検査

抗 TP 抗体価測定法としては，**TPPA**（**TP particle agglutination**），**イムノクロマトグラフィ（IC）**のほか，自動分析法として **TP ラテックス凝集反応（TP latex agglutination；TPLA）**や**化学発光免疫測定法（CLIA）**などが用いられている．また，間接蛍光抗体法（**fluorescent treponemal antibody-absorption test：FTA-ABS テスト**）は，TP 感染の確認試験として有用である．

(1) TPPA

TPPA は，*Treponema pallidum*（Nichols 株）の菌体成分を吸着させたゼラチン粒子と被検検体中の抗 TP 抗体が反応することで生じる間接凝集反応を利用した手法である（➡ p.120 の**図 3-Ⅳ-4**）．**表 4-Ⅰ-2** の例に示すように希釈系列を作成して定性検査もしくは定量検査を実施する．2 時間静置後の反応像の判定については，**表 4-Ⅰ-3** の TPPA 反応像の評価基準に従うが，最終

表 4-1-2 マイクロプレートを用いた TPPA における希釈系列作成例

ウェル No.	1	2	3	4	5	6	……	11	12
				定量法					
		定性法							
血清希釈溶液 (μL)	100	25	25	25	25	25	……	25	25	
被検検体 (μL)	25	25	25	25	25	25		25	25	25 (捨てる)
血清希釈倍数	1:5	1:10	1:20	1:40	1:80	1:160	……	1:5,120	1:10,240
未感作粒子 (μL)			25				……		
感作粒子 (μL)				25	25	25		25	25
最終希釈倍数				1:40	1:80	1:160	1:320	……	1:10,240	1:20,480

プレートミキサーで混和し,プレートに蓋をして 2 時間静置後に判定する

表 4-1-3 TPPA 反応像の評価基準

反応像	反応像の特徴	読み
●	粒子がボタン状に集合し,外周縁が均等で滑らかな円形を呈するもの	−
◎	粒子が小さなリングを形成し,外周縁が均等で滑らかな円形を呈するもの	±
●	粒子のリングが明らかに大きく,外周縁が不均等かつ不明瞭であるもの	+
●	均一な凝集像であり,凝集粒子が底部全体に広がっているもの	++

表 4-1-4 TPPA 判定基準

未感作粒子	感作粒子	判定
−	+以上	陽性
−	±	判定保留
−	−	陰性
±以上	−	陰性
±以上	±以上	吸収操作後に再検

吸収操作
未感作粒子の凝集(非特異凝集)を起こした被検検体を大量の未感作粒子と混合し,室温で反応させて非特異凝集の原因となる成分を未感作粒子に吸着させることを吸収操作という.吸収操作後の被検検体を遠心した上清を再検検体として用いる.

的な定性評価については,**表 4-1-4** の判定基準に基づいて判定する.
　また,定量検査の判定については,未感作粒子(最終希釈倍数が 40 倍)の反応像の読みが(−)で,感作粒子(最終希釈倍数が 80 倍以上)の反応像の読みが(+)を示すものを陽性と判定する.このとき,反応像の読みが(+)

を示した最小希釈倍数をもって抗体価とする．

(2) イムノクロマトグラフィ（IC）

イムノクロマトグラフィの測定試薬には，抗原にTP由来の菌体成分を利用するものとリコンビナント蛋白（細胞膜蛋白抗原：TpN47，細胞膜蛋白融合抗原：Tp15-17）を抗原として利用するものがある．基本的な原理は図4-Ⅰ-1に示したものと同様であるが，本法の場合は，キットの判定ラインに抗原が固相化されており，検体滴下部で標識抗原と反応した被検検体中の抗TP抗体が毛細管現象により移動し固相抗原に捕捉される．標識物としては，一般にアルカリホスファターゼ（ALP）が用いられるが，その場合はALPの基質（5-ブロモ-4-クロロ-3-インドリル-リン酸二ナトリウム塩：BCIP）を反応させて判定する．

(3) TPラテックス凝集反応法

Treponema pallidum（Nichols株）の菌体成分を吸着させたラテックス粒子と被検検体中の抗TP抗体との抗原抗体反応によって生じる凝集反応を原理とする．自動分析法においては，ラテックスの凝集を濁度でとらえる**ラテックス凝集免疫比濁法（LTIA）**や散乱光でとらえる**ラテックス凝集免疫比ろう法（LNIA）**を採用するものが多いが，ラテックス近赤外比濁法（latex photometric immunoassay；LPIA）や粒子計数法（counting immunoassay；CIA）を用いているものもある．

(4) 化学発光免疫測定法（CLIA）

リコンビナントTP抗原と被検検体中の抗TP抗体により形成される免疫複合体の検出を基本原理としており，抗原を磁性化粒子に固相化することでB/F分離を行う手法が一般的である．

(5) 間接蛍光抗体法（FTA-ABSテスト）

スライドガラス上に固定した*Treponema pallidum*（Nichols株）に被検検体を作用させて洗浄後，**蛍光色素（FITC）**で標識した抗ヒト免疫グロブリン抗体を反応させて蛍光顕微鏡で観察すると，黄緑色の蛍光を発する菌体が観察される（図4-Ⅰ-4）．このようにして被検検体中の抗TP抗体を検出する検査を**FTA-ABSテスト**といい，標識二次抗体に抗ヒトIgM抗体と抗ヒトIgG抗体をそれぞれ用いることで，感染時期の推察が可能である．ただし，被検検体中には非病原性の*Treponema*に対する抗体が存在することがあり，それらはFTA-ABSテストにおける非特異反応の原因となるため，TP Reiter株培養液の加熱上清で被検検体中の非特異抗体を吸収した血清を試験に用いる必要がある．

❶操作

①被検検体を吸収液（TP Reiter株培養液の加熱上清）で希釈する．
②TP Nichols株塗抹固定スライドガラスを湿潤箱に並べ，①で準備した希釈血清を滴下する．
③湿潤箱を37℃の恒温槽に配置し，45～60分間反応させる．

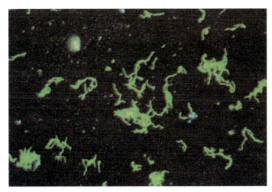

図 4-I-4 FTA-ABS テスト陽性例
(「臨床検査学講座 臨床免疫学」より)

表 4-I-5 FTA-ABS テストにおける蛍光強度の評価基準

蛍光（UV 励起法）の強度	読み
きわめて強い蛍光像が認められるもの	4+
強い蛍光が認められるもの	3+
明らかに特異蛍光が認められるもの	2+
弱いが特異蛍光が認められるもの	1+
特異蛍光は認められないが，トレポネーマの存在がわかるもの	±
特異蛍光もトレポネーマの存在もわからないが，通常の暗視野法でトレポネーマが確認できるもの	−

④洗浄瓶などを用いてリン酸緩衝生理食塩液（phosphate-buffer saline；PBS）でスライドガラス上の被検検体を洗い流す．
⑤スライドガラスを染色バットに移し，PBS を交換しながら振盪機にかけて洗浄する．
⑥精製水で軽くゆすぎ，冷風で乾燥させる．
⑦再び湿潤箱にスライドガラスを並べて，FITC 標識抗ヒト免疫グロブリン抗体を滴下する．
⑧湿潤箱を 37℃の恒温槽に配置し，45〜60 分間反応させる．
⑨④〜⑥と同様にしてスライドガラスの洗浄および乾燥を行う．
⑩封入後，蛍光顕微鏡で観察し，**表 4-I-5** の評価基準に従って判定する．

3）臨床的意義

STS 法では，梅毒感染後およそ 4 週目で陽性となることから，比較的早期に梅毒感染を診断することができる．また，抗 CL 抗体の抗体価は臨床経過をよく反映するため，治療効果の判定にも適している．ただし STS 法の場合は，梅毒の病原体とは直接関係のないリン脂質を抗原としているため，梅毒以外の疾患においても陽性となる**生物学的偽陽性**（biological false positive；BFP）

表 4-Ⅰ-6　抗 CL 抗体検査と抗 TP 抗体検査の結果の解釈

抗 CL 抗体 （STS 法：RPR カードテストなど）	抗 TP 抗体 （TPPA, IC など）	結果の解釈
（−）	（−）	非梅毒 梅毒感染ごく初期 初期梅毒治療後
（＋）	（−）	生物学的偽陽性（BFP） 梅毒感染初期
（＋）	（＋）	梅毒感染 梅毒治療後
（−）	（＋）	陳旧性梅毒 梅毒治療後

を呈することがある．BFP は，全身性エリテマトーデスや関節リウマチなどの自己免疫疾患をはじめ，伝染性単核球症，Weil（ワイル）病，麻疹，水痘などの感染症においてもみられることがあり，梅毒との鑑別を要する．

　一方，抗 TP 抗体は TP に特異性が高く，陽性の場合は梅毒の可能性がきわめて高い．しかし，抗 TP 抗体は，感染から陽性化までの時間が長いことや感染既往の場合においても陽性となる可能性が高いことなどの問題点があるため，検査結果は表 4-Ⅰ-6 に示すように抗 CL 抗体の結果と組み合わせて総合的に解釈する必要がある．

　また，IgG 型抗体は胎盤を通じて母から児へ移行するため，IgG 型 TP 抗体で新生児の梅毒感染を証明することはできない．よって，先天梅毒の診断には IgM 型 TP 抗体を検出できる FTA-ABS テストの実施が必要である．

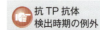

抗 TP 抗体検出時期の例外
梅毒感染後の抗 TP 抗体が検出されるには，通常かなりの時間を要するが，FTA-ABS テストにおける IgM-TP 抗体の場合は，梅毒感染後およそ 2 週間程度で陽性となる．

3　クラミジア感染症（→ p.67）

　クラミジアは偏性細胞内寄生菌であり，ヒトに病原性を示すクラミジア科には *Chlamydia trachomatis*（CT），*Chlamydia psittaci*，*Chlamydia pneumoniae* の 3 種類がある．クラミジアの検査には抗原検査と抗体検査の 2 種類があるが，一般にクラミジア感染の診断には抗原検査が利用され，抗体検査は補助診断として用いられる．

1）クラミジア関連検査【抗原検査】

　クラミジアの抗原検査には，尿道または子宮頸管より採取した上皮細胞に蛍光物質で標識した抗 CT 抗体を作用させることで抗原を検出する**直接蛍光抗体法（direct immunofluorescence；DIF）**をはじめ，**化学発光酵素免疫測定法（CLEIA）**，**酵素免疫測定法（EIA）**などの血清学的検査（→ 3 章-Ⅷ）のほか，DNA プローブ法や PCR 法など核酸を対象とした検査もある．

DNA プローブ法
子宮頸管擦過検体などより抽出した *Chlamydia trachomatis* の rRNA（リボソーム RNA）に相補的な標識 DNA プローブを反応させる DNA-RNA ハイブリダイゼーションに基づく検出法．

2）クラミジア関連検査【抗体検査】

クラミジアの抗体検査には，ELISA や**マイクロ免疫蛍光抗体法**（micro-immunofluorescence；Micro-IF），**補体結合反応（CF）**などがある．

(1) ELISA

マイクロプレートに固相化した CT 抗原と被検検体中の抗 CT 抗体との反応で形成される免疫複合体に，アルカリホスファターゼ（ALP）などで標識した二次抗体を作用させ，基質添加に伴う酵素発色の吸光度により抗 CT 抗体を定量する．

(2) マイクロ免疫蛍光抗体法（Micro-IF）

C. trachomatis の基本小体（elementary body；EB）を抗原として，被検検体中の抗 CT 抗体と抗原抗体反応を起こさせ，そこに蛍光物質で標識した二次抗体を加えることで生じる蛍光により抗 CT 抗体を定量する間接蛍光抗体法である．本法は特異性が高いため，クラミジアの鑑別も可能である．

3）臨床的意義

CT 感染のスクリーニングとしては，子宮頸管擦過検体による抗原検査が有用であるが，PCR 法を実施する場合は死菌を検出する可能性がある点に留意する必要がある．また，抗体検査を実施する場合は既往感染との鑑別が必要になるため，ペア血清の測定により 4 倍以上の抗体価上昇を確認する．

4 リケッチア感染症 （→ p.67）

リケッチアは人工培地では増殖できない偏性細胞内寄生菌の一種であり，現在わが国で報告されているリケッチア感染症としては，*Rickettsia japonica* による**日本紅斑熱**，*Orientia tsutsugamushi* による**ツツガムシ病**，*Coxiella burnetii* による Q 熱が知られている．世界的には *Rickettsia prowazekii* による発疹チフスも重要であるが，わが国での発症は報告されていない．

> **Q 熱**
> 原因不明の熱（query fever）に由来し，*Coxiella burnetii* による人獣共通感染症の一種．四類感染症．

4-1 日本紅斑熱 （→ p.67）

日本紅斑熱は *R. japonica* を保有するマダニ類に刺咬されることにより引き起こされる感染症であり，抗体検査には間接蛍光抗体法（IIF）や間接免疫ペルオキシダーゼ法（indirect immunoperoxidase；IP）が用いられる．

> **IP**
> 二次抗体としてペルオキシダーゼ標識抗体を用いる免疫組織化学法のこと．

4-2 ツツガムシ病 （→ p.67）

ツツガムシ病は *O. tsutsugamushi* を保有するツツガムシに刺咬されることにより引き起こされる感染症であり，抗体検査には Weil-Felix 反応や補体結合反応（CF），**間接蛍光抗体法**（indirect immunofluorescence；IIF），間接免疫ペルオキシダーゼ法（IP），酵素免疫測定法（EIA）などがあるが，Weil-Felix 反応や CF は現在あまり用いられていない．

1) ツツガムシ関連検査【抗体検査】

(1) Weil-Felix 反応

Weil-Felix 反応はリケッチア感染症の抗体検査の一種であり，リケッチアに感染した患者血清が非特異的にプロテウス菌（腸内細菌の一種）のO変異株で凝集する現象を利用している．本法は偽陰性や偽陽性が多いため，現在あまり用いられていない．

(2) 間接蛍光抗体法（IIF）

スライドガラス上にリケッチアを感染させた L929 細胞を塗抹・固定後，被検検体と反応させると L929 細胞中のリケッチアに対応する抗体が結合する．そこに蛍光標識した二次抗体を作用させて蛍光顕微鏡下で観察する．

2) 臨床的意義

急性期の血清抗体価は低い場合が多いため，急性期と回復期のペア血清を測定して4倍以上の上昇を認めた場合，血清学的にリケッチア感染症と診断される．

5 マイコプラズマ感染症（→ p.68）

マイコプラズマ感染症は *Mycoplasma pneumoniae* を病原体とする感染症の総称であるが，主たる病態としては**マイコプラズマ肺炎**が知られている．*M. pneumoniae* の培養には特殊な培地を要し，分離・同定に1週間以上かかることから，比較的短時間で検査可能な血清学的診断法が実用的な方法とされている．マイコプラズマ抗原の検出法としては，イムノクロマトグラフィ（IC）や LAMP 法による DNA の検出がある．また，マイコプラズマ特異抗体の検出法としては粒子凝集法（PA），赤血球凝集反応法（HA），補体結合反応法（CF）などがあるが，非特異的検出法として**寒冷凝集反応**も用いられている．

 LAMP (loop-mediated isothermal amplification) 法
遺伝子増幅法の一種であり，標的遺伝子の6つの領域に対して4種類のプライマーを設定し，鎖置換反応を利用して一定温度で反応させる．

 リボソーム蛋白 L7/L12
リボソームは菌体内に大量に存在し，菌種によっては菌固有の領域が存在するため，リボソーム蛋白を標的とした検査では高感度と特異性が期待できる．

1) マイコプラズマ関連検査【抗原検査】

(1) イムノクロマトグラフィ（IC）

微生物細胞内のリボソーム蛋白である L7/L12 は各菌種により固有の領域をもつ．そこで，*M. pneumoniae* の L7/L12 に固有の領域を抗原として認識するモノクローナル抗体を用いて，イムノクロマトグラフィ（IC）により検出する．マイコプラズマに対する特異抗体の場合は発症から1週間以上経過しないと検出できないが，抗原検査の場合はそれよりも早い段階で検出できる可能性があるため，早期診断に有用といえる．

2) マイコプラズマ関連検査【抗体検査】

(1) 粒子凝集法（PA）

マイコプラズマに特異的な抗体の検出法としては，マイコプラズマ抗原を固相化した人工担体（ゼラチン粒子やラテックス粒子など）が被検検体中の抗マ

表 4-1-7 寒冷凝集反応

ウェル No.	1	2	3	4	5	6	……	10	11
生理食塩水 (mL)	0.75	0.5	0.5	0.5	0.5	0.5	……	0.5	0.5
被検血清 (mL)	0.25	0.5	0.5	0.5	0.5	0.5	……	0.5	0.5 (捨てる)
血清希釈倍数	1:4	1:8	1:16	1:32	1:64	1:128	……	1:2,048	対照
0.25% O 型赤血球浮遊液 (mL)	0.1	0.1	0.1	0.1	0.1	0.1	……	0.1	0.1
混和後冷蔵庫に 1 晩静置→氷水につけた状態で観察→37℃, 30 分加温し, 凝集の消失を確認									
判定例	3+	3+	2+	2+	1+	0	……	0	0

↑ 本判定例では寒冷凝集素価 64 倍となる

〈実施方法〉
① 採血後の血液を恒温槽などで 37℃ に保つ(非動化は不要だが, 血清分離まで冷蔵庫に入れない).
② 37℃ に加温した生理食塩水でヒト O 型赤血球を 3 回遠心洗浄し(最終洗浄は 2,500 rpm, 10 分), 上清除去後の血球沈渣を用いて生理食塩水で 0.25%血球浮遊液を作製する.
③ 表に従って被検血清を希釈する.
④ 血球浮遊液を加えて冷蔵庫内で 1 晩反応させる.
⑤ 氷水入りバットに試験管を移し, 低温を維持しながらすみやかに試験管を取り出して観察する.
⑥ 試験管を 37℃ 恒温槽で 30 分間加温し, 凝集の消失を確認する.
⑦ 凝集が確認された最高血清希釈倍数を抗体価とする.

イコプラズマ抗体と反応し, 凝集が生じることを応用した粒子凝集反応(PA)がある. 本法では, 主に IgM クラスの抗体が測定されるため, 抗体検査のなかでは比較的早期に感染をとらえることができる.

(2) 補体結合反応(CF)

CF では, 主に IgG クラスの抗体が測定されるため, 本感染症の既往のある患者においては数年間にわたり高値を示すことがある. したがって, 診断に用いる際には急性期と回復期のペア血清を測定し, 測定値の変動(一般には 4 倍以上)から評価する必要がある.

(3) 寒冷凝集反応 (➡ p.118)

ヒトの血清中には, 0〜5℃の低温で ABO 血液型に関係なく自己赤血球のほか, 同型または O 型の赤血球を凝集する寒冷凝集素(cold agglutinin ; CA)が存在する. 健常者における CA 価は低いが, マイコプラズマ肺炎や伝染性単核球症, サイトメガロウイルス感染症などで高値となる.

CA は健常者でもみられるが, 一般に凝集素価は低いのに対し, マイコプラズマ感染者の場合は高い凝集素価(256 倍以上)を認める(表 4-1-7). なお, 寒冷凝集反応の判定については表 4-1-8 に準じて実施する.

6 ヘルペスウイルス群感染症 (➡ p.69)

ヒトを自然宿主とするヒトヘルペスウイルス(human herpesvirus ; HHV)は, 現存 8 種類(HHV-1〜8)が知られている. このうち, **単純ヘルペスウイ**

表 4-1-8 寒冷凝集反応の判定基準

凝集度判定	特　徴
4+	大きな凝集塊が 1 つのみで，背景が透明
3+	大きな凝集塊が 2〜3 個程度で，背景が透明
2+	中等度の凝集塊が数多く見られ，背景が透明
1+	きわめて微細な凝集で背景が混濁
0	凝集塊を認めない

ルス（herpes simplex virus；HSV）やサイトメガロウイルス（cytomegalovirus；CMV），EB ウイルス（Epstein-Barr virus；EBV）は移植後早期における日和見感染症の主要な起因ウイルスであるため，それぞれ代表的な検査方法を示しておく．

6-1　単純ヘルペスウイルス感染症（→ p.69）

単純ヘルペスウイルス（herpes simplex virus；HSV）は，ヘルペスウイルス科のαヘルペス亜科に属する DNA ウイルスであり，口唇ヘルペスや単純ヘルペス角膜炎の原因として知られる 1 型（HSV-1）と，性器ヘルペスの原因として知られる 2 型（HSV-2）に分類される．

HSV 初感染の場合にはペア血清（急性期および回復期）を採取して HSV（HSV-1 または HSV-2）に対する特異的 IgG 抗体価を測定し，有意な上昇（4 倍以上）の有無を確認する．しかし，HSV は初感染後に症状が消失したとしても，通常はそのまま潜伏感染するため，ウイルス再活性化時の抗体検査は臨床的意義に乏しい．したがって，HSV 再活性化時の基本的な診断法は，HSV 抗原を病変部から直接検出する**直接蛍光抗体法**（direct immunofluorescence；DIF）やシェルバイアル法（→ p.172，CMV と同様）などが中心となる．

1）HSV 関連検査【抗原検査】
（1）直接蛍光抗体法（DIF）

病変部を擦過して細胞を採取し，HSV-1 または HSV-2 に特異的な蛍光標識モノクローナル抗体を用いて細胞中のウイルス抗原を検出する．

（2）遺伝子増幅法

HSV に特異的なプライマーを用いた PCR 法や LAMP 法により，HSV 遺伝子を増幅・検出する．遺伝子増幅法は感度が高く，HSV-1 と HSV-2 の鑑別も可能である．特にヘルペス脳炎の診断においては，脳脊髄液による HSV 遺伝子増幅検査が重要となる．

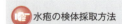

水疱の検体採取方法

単純ヘルペスウイルスや水痘・帯状疱疹ウイルスの抗原検査は，主に水疱部の細胞が検体として用いられる．水疱検体の採取時は，上皮あるいは痂皮を剝がしてから病巣基底細胞を採取する必要がある．

2）HSV 関連検査【抗体検査】
（1）HSV 特異抗体検出法
　HSV-1 および HSV-2 に対する抗体の検出法には，CF，EIA および中和反応（NT）が用いられるが，いずれの検査法においても HSV-1 と HSV-2 の交差反応性が認められ，型特異的な診断はできない．

6-2　水痘・帯状疱疹ウイルス感染症（→ p.69）
　水痘・帯状疱疹ウイルス（varicella zoster virus；VZV）は，ヘルペスウイルス科のαヘルペス亜科に属する DNA ウイルスで，水痘および帯状疱疹を引き起こすことで知られている．VZV の初感染時には水痘を発症するが，症状消失後も潜伏感染し，宿主の免疫力低下などにより再活性化して帯状疱疹を引き起こす．

　VZV の抗原検査には，水疱部由来の検体を用いたシェルバイアル法（→ p.172）や VZV の特異抗原を直接検出する蛍光抗体法（FA），ウイルス DNA の検出（PCR 法）などが利用される．また，VZV の特異抗体検出法としては，EIA や免疫粘着赤血球凝集反応（immune adherence hemagglutination；IAHA）などが用いられる．

> **免疫粘着赤血球凝集反応（IAHA）**
> 被検血清に抗原と補体を添加して一定時間反応させると，抗体が存在する場合は，抗原-抗体-補体複合体（Ag-Ab-C3b）が形成される．そこにヒト O 型赤血球を加えると赤血球膜上の C3b レセプターと C3b が結合（粘着）するため赤血球が凝集する．この反応を免疫粘着反応という．

6-3　EB ウイルス感染症（→ p.70）
　EB ウイルス（EBV）は，ヘルペスウイルス科のγヘルペス亜科に属する DNA ウイルスで，1964年にアフリカの小児に多発する **Burkitt（バーキット）リンパ腫**から分離されたがんウイルスの一種である．EBV はヒトに感染しても多くの場合不顕性であるが，初感染の一部の例では**伝染性単核球症**を発症する．また，まれに**慢性活動性 EBV 感染症**を起こして重症化する例もある．

　EBV の診断は EBV 関連抗原に対する特異的抗体を検出する血清学的診断が中心であり，EBV 関連抗原には，EBV 初期抗原（early antigen；EA）や EBV カプシド抗原（viral capsid antigen；VCA），EBV 核抗原（EBV nuclear antigen；EBNA），EBV 膜抗原（EBV determined cell membrane antigen；EBVMA）がある．ただし，慢性活動性 EBV 感染症や EBV 関連悪性腫瘍の診断およびその治療効果の判定には，末梢血液中定量的 EBV 遺伝子検出法が有用とされている．

1）EBV 関連抗体検出法
　EBV 関連抗体の検出には，酵素免疫測定法（EIA）や蛍光抗体法（FA）が利用されるが，以下に示したように特異的抗体の種類により臨床的意義が異なる．

（1）抗 EA 抗体
　EBV 初期抗原（EA）に対する抗体であり，EIA による IgG 抗体の検出および FA による IgG 抗体，IgA 抗体測定法がある．Burkitt リンパ腫・上咽頭癌

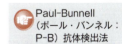

> **Paul-Bunnell（ポール・バンネル：P-B）抗体検出法**
> P-B 抗体検出法は，EBV とヒツジ赤血球との交差反応で産生される異好抗体を検出する古典的手法であるが，現在はあまり実施されていない．

では，IgA-抗EA抗体価が上昇することが知られている．

(2) 抗VCA抗体

EBVカプシド抗原（VCA）に対する抗体であり，IgG，IgM，およびIgA抗体があり，EIAやFAにより検出される．IgM抗VCA抗体は，感染初期の急性期に一過性で出現し，1～2カ月で消失する．これに対し，IgG抗VCA抗体は生涯持続し，EBV感染のスクリーニングに用いられる．また，IgA抗VCA抗体は，上咽頭癌で高率に検出される．

(3) 抗EBNA抗体

EBV核抗原［EBV核内のDNA結合蛋白抗原（6種類）］に対する抗体であり，EBV感染から数週間～数カ月後に出現して生涯持続する．ELISAやFAにより検出される．

(4) 抗EBVMA抗体

EBV膜抗原（EBVMA）に対する特異的抗体であり，伝染性単核球症の急性期に出現する．

6-4 サイトメガロウイルス感染症（→ p.70）

サイトメガロウイルス（CMV）は，ヘルペスウイルス科のβヘルペス亜科に属するDNAウイルスである．CMVがヒトに感染する際，通常は不顕性感染となるが，何らかの理由で宿主が免疫抑制状態にある場合，肺炎や肝炎，脳炎などの重篤な病態を引き起こす．そのような症例においては，CMVの抗原検出法や遺伝子の定量的検査が有用である．一方で，先天性CMV感染症の診断には，患者の尿中CMV（ウイルス分離やPCR法）とIgM抗CMV抗体の検出が有用である．

1）CMV関連検査【抗原検査】

(1) CMVアンチゲネミア（antigenemia）法（間接蛍光抗体法）

被検者の末梢血より分離した白血球（好中球）を検体としてスライドガラスに塗抹し，CMVpp65抗原（早期に発現するCMV抗原）に対するモノクローナル抗体と反応させる．次いで，酵素標識した二次抗体を反応させてCMV抗原陽性細胞を検出する．現在，二次抗体の種類が異なる2種類の測定系（HRP-C7法とC10/11法）があり，HRP-C7法ではペルオキシダーゼで標識した二次抗体を，C10/C11法ではアルカリホスファターゼで標識した二次抗体を用いる．いずれの手法も，感度および特異度はともに高く，CMVの早期診断に有用であるが，末梢血中の白血球数が少ない症例においては検出が困難である（図4-I-5）．

(2) シェルバイアル法

シェルバイアル内の円形ガラス板上に単層培養したヒト胎児線維芽細胞に，被検検体（尿や血液）を接種し遠心吸着させる．次いで，1～3日CO_2培養して円形ガラス板を取り出して固定後，増殖した細胞内CMVを抗CMVモノク

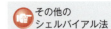

その他のシェルバイアル法

シェルバイアル法は，CMV以外にも実施できるが，ウイルスにより検査材料が異なる．たとえば単純ヘルペスウイルスや水痘・帯状疱疹ウイルスでは水疱病巣基底細胞，インフルエンザウイルスは咽頭拭い液，アデノウイルスは結膜拭い液が検査材料となる．

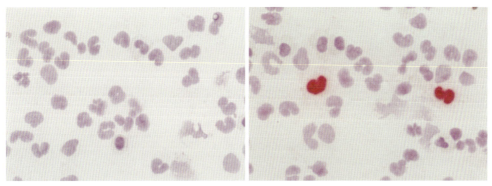

図 4-I-5　CMV アンチゲネミア法の結果
左：陰性例，右：陽性例．（提供：LSI メディエンス社）

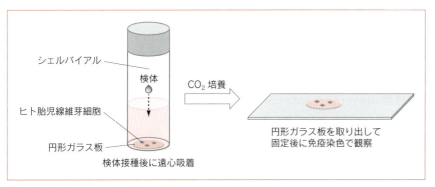

図 4-I-6　シェルバイアル法

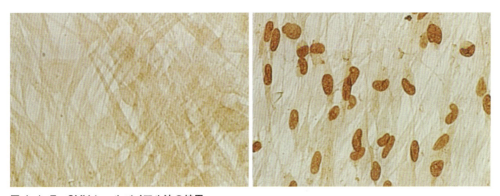

図 4-I-7　CMV シェルバイアル法の結果
左：陰性例，右：陽性例．（提供：LSI メディエンス社）

ローナル抗体と反応させて免疫染色により検出する（図 4-I-6）．CMV が存在すれば，検査用線維芽細胞の核が褐色に染色される（図 4-I-7）．

2）CMV 関連検査【抗体検査】

(1) CMV 特異抗体検出法

　CMV に対する抗体の検出法には，CF および EIA が用いられるが，CF は感

I　感染症の免疫学的検査　173

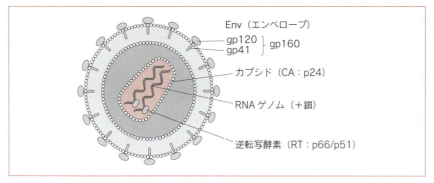

図4-I-8 HIVの構造

度が低いため，陰性を呈した場合の解釈に注意を要し，CMVの診断にはEIAが用いられる．

7 レトロウイルス感染症 (→ p.75)

レトロウイルスは，**逆転写酵素（reverse transcriptase；RT）**をもつ一本鎖RNAウイルスの総称であり，ヒトに感染性を示すレトロウイルスとしては，後天性免疫不全症候群（acquired immunodeficiency syndrome；AIDS）の起因ウイルスである**ヒト免疫不全ウイルス（human immunodeficiency virus；HIV）**と成人T細胞白血病（adult T cell leukemia；ATL）の起因ウイルスである**成人T細胞白血病ウイルス（human T-cell leukemia virus type 1；HTLV-1）**が知られている．

レトロウイルスは直径およそ100 nmの球状形態をしており，図4-I-8に示すようにエンベロープに覆われている．ウイルス粒子のコアには逆転写酵素と2組のRNAゲノムをもつ．レトロウイルス共通の遺伝子としては，ウイルスのカプシド構成成分をコードする *gag* 遺伝子や蛋白分解酵素をコードする *pro* 遺伝子，逆転写酵素などの非構造蛋白をコードする *pol* 遺伝子，エンベロープの蛋白質をコードする *env* 遺伝子などが知られている．

HTLV-1粒子の感染様式
HTLV-1の感染が成立するには，感染CD4$^+$細胞と未感染CD4$^+$細胞の直接的な接触が必要であり，その感染効率は他のウイルスに比べて低いと考えられている．

7-1 ヒト免疫不全ウイルス感染症 (→ p.75)

ヒト免疫不全ウイルス（HIV）は，レトロウイルス科のレンチウイルス属に分類される一本鎖RNAウイルスであり，エンベロープ上のgp120を介してヒトの**CD4$^+$T細胞**や**マクロファージ**に感染する．免疫細胞内に侵入したHIVは，自身のもつ逆転写酵素によりDNAを合成し，プロウイルス（provirus）の状態となって宿主細胞の染色体に組み込まれる．

1）HIV関連検査【スクリーニング検査】

HIVは遺伝子構造および抗原性の差異からHIV-1とHIV-2の2つのタイプに分類され，検査法によっては，この2種類を区別して検出できるものも

ある．HIV-1/2 スクリーニング検査として，抗原検査には CLIA，CLEIA，ELISA などがあり，抗体検査には PA，LA，IC，CLEIA，ELISA などがある．また近年，HIV-1 感染初期に出現する p24 抗原と抗 HIV 抗体を同時に検出するコンボアッセイが行われるようになった．この手法は，通常の抗体検査よりも HIV 感染を早期に検出できるため，ウインドウ期の短縮を図れる．ただし，上記のいずれの検査もスクリーニング検査に分類されるため，陽性の場合にはウエスタンブロッティング（WB）法やリアルタイム PCR 法による確認検査が必要になる．

(1) HIV 抗原・抗体同時検出法

被検検体中に存在する HIV-1 p24 抗原および抗 HIV-1/2 抗体（主として IgG）を同時に検出する手法である．その測定原理は HIV-1 p24 抗原を捕捉する抗体として抗 HIV-1 p24 モノクローナル抗体を，抗 HIV-1/2 抗体を捕捉するリコンビナント抗原として HIV-1Env 抗原，HIV-1gOEnv 抗原，HIV-2Env 抗原をそれぞれ固相した磁性化粒子を用いて CLIA で検出する（→ p.179 の図 4-I-11 の原理と同様）．

(2) HIV 抗体検出法

HIV のリコンビナント抗原（HIV-1：gp41/p24，HIV-2：gp36）を吸着させたゼラチン粒子と被検検体中の抗 HIV-1/2 抗体との凝集反応を応用したゼラチン粒子凝集法（PA）により抗 HIV 抗体を検出する（→ p.162，梅毒検査の TPPA の原理と同様）．

また，簡易法としては**イムノクロマトグラフィ（IC）**が利用されており，抗 HIV-1 抗体および抗 HIV-2 抗体のいずれも検出可能である．

2）HIV 関連検査【確認検査】

(1) ウエスタンブロッティング（WB）法

WB 法は，HIV スクリーニング検査で陽性となった場合の抗 HIV 抗体確認検査として実施される．WB 法により抗 HIV 抗体を検出する場合，まず抽出した HIV 蛋白抗原を SDS ポリアクリルアミドゲル電気泳動（SDS-PAGE）により分子量の差で分画後，ニトロセルロース膜に転写したものを用意する．この膜に被検検体を作用させたとき，抗 HIV 抗体が存在すれば，ニトロセルロース膜上の HIV 特異抗原に結合し，さらにそこに酵素標識抗体が結合することでバンドとなって現れる．臨床の現場では，不活化した HIV 蛋白抗原をあらかじめ分離・転写した市販の膜を用いて WB 法を実施することが多い（図 4-I-9）．

(2) 核酸増幅検査

リアルタイム PCR 法を利用して HIV-1-RNA を検出するもので，感度・特異度ともに優れ，抗体産生が十分ではない感染初期の確認検査としても有用である．

新たな HIV-1/2 抗体確認検査法
これまで HIV 抗体の確認検査には WB 法が用いられてきたが，『診療における HIV-1/2 感染症の診断ガイドライン 2020 版』（日本エイズ学会・日本臨床検査医学会：標準推奨法）では，IC を用いた新たな HIV-1/2 抗体確認検査法（Geenius HIV-1/2 キット®）への移行が推奨されている．

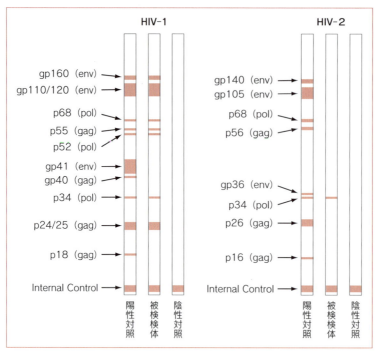

図 4-Ⅰ-9 抗 HIV 抗体の WB 法の例
（バイオラッドラボラトリーズ社製　ラブブロット 1・ラブブロット 2）
HIV の陽性対照にみられる 3 種の膜構成糖蛋白質（エンベロープ）のバンドのうち，2 つ以上のバンドが検出された場合に陽性と判定する．図中の HIV-1 の被検検体では HIV-1 固有のエンベロープバンド（gp160，gp110/120，gp41）のうち gp160 と gp110/120 が検出されているため，陽性と判定される．一方で，HIV-2 の被検検体では，HIV-2 固有のエンベロープバンド（gp140，gp105，gp36）がいずれも検出されていないため，陰性と判定される．

> ☞ **WB 法による HIV-1 検出の判定基準**
> WHO（世界保健機関）基準では 3 本の HIV-1 固有エンベロープバンドのうち 2 本が検出された場合に HIV-1 陽性とするが，CDC（米国疾病対策センター）基準の場合は，エンベロープバンドに加えて p24（gag）バンドの検出をもって陽性とする．

3）臨床的意義

　HIV-1/2 感染症を診断する場合，図 4-Ⅰ-10 に示すように，HIV-1/2 スクリーニング検査後に確認検査を実施する必要がある．また，検査で陰性となったとしても，総合的にみて感染の可能性が高いと考えられる場合は，ウインドウ期の可能性も考慮し，数カ月後に再検査を実施する．

7-2　ヒト T 細胞白血病ウイルス 1 型（HTLV-1）感染症（→ p.76）
1）HTLV-1 関連検査【スクリーニング検査】

　HTLV-1（human T-cell leukemia virus type 1）の検査には，スクリーニング検査として PA，CLIA，CLEIA，EIA などがあり，確認検査としてはラインイムノアッセイ（LIA，→ p.155），PCR 法，サザンブロッティング（→ p.153），間接蛍光抗体法（IIF）などがある．

（1）抗 HTLV-1 抗体検出法

　抗 HTLV-1 抗体の検出法はスクリーニング検査として行われ，HTLV-1 抗原を吸着させたゼラチン粒子と被検検体中の抗 HTLV-1 抗体との凝集反応を

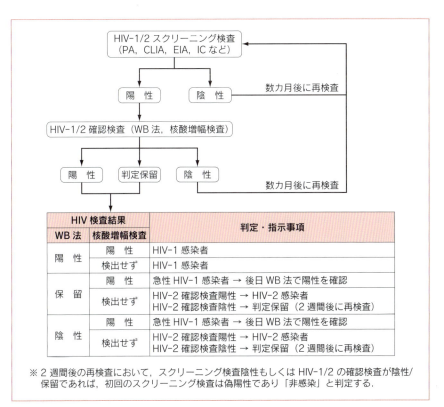

図 4-I-10　HIV-1/2 検査のフローチャート

応用したゼラチン粒子凝集法 (PA) 以外にも，HTLV-1 抗原を固相化させた磁性化粒子と抗 HTLV-1 抗体間で形成される免疫複合体を酵素発色でとらえる EIA，および化学発光でとらえる CLIA などがある．

2）HTLV-1 関連検査【確認検査】

(1) ラインイムノアッセイ (LIA)

スクリーニング検査において抗 HTLV-1 抗体が陽性となった場合，従来は，WB 法による確認試験が行われていたが，判定保留率が 10～20% と高いことが課題となっていた．そこで近年は，判定保留率を低下させる目的で LIA を確認検査に利用するようになった．

LIA は，WB 法と同様にメンブレン上の HTLV-1 特異蛋白 (gag p19, gag p24, env gp46, env gp21) に結合した抗 HTLV-1 抗体に標識抗体を作用させることで検出する (➡ p.156 の図 3-IX-14，表 4-I-9)．ただし，WB 法では電気泳動法により分画した HTLV-1 特異蛋白を電気的に転写したメンブレンを使用するのに対し，LIA では HTLV-1 に特異的な合成ペプチドをライン状に点着したメンブレンを使用する点が異なっている．

I　感染症の免疫学的検査

表 4-Ⅰ-9　抗 HTLV-1 抗体の判定基準および識別基準

a）判定基準（LIA）

ラインを認めない		陰性
ラインを 1 本認める	gag p19 か gag p24 か env gp 46 のいずれかを認める	
	env gp 21 を認める	保留
ラインを 2 本認める	env gp 21 を認めない	
	env gp 21 を認める	陽性
ラインを 3 本以上認める		

（±）以上が陽性判定

b）鑑別基準

（gag p19-Ⅰと env gp46-Ⅰのライン発色強度の合計）＞（env gp46-Ⅱのライン発色強度）	抗 HTLV-1 抗体
（gag p19-Ⅰと env gp46-Ⅰのライン発色強度の合計）≦（env gp46-Ⅱのライン発色強度）	抗 HTLV-2 抗体
上記以外の場合	抗 HTLV 抗体（鑑別不可）

(2) 核酸増幅法

　HTLV-1 キャリアはウイルス産生量が著しく少ないため，血漿中のウイルス RNA はほとんど検出できない．そこで，末梢血中の HTLV-1 プロウイルス DNA 断片をリアルタイム PCR 法により検出する方法が，新生児の感染診断などで利用される．

(3) サザンブロッティング

　被検細胞から抽出した DNA を制限酵素で処理して電気泳動法で分画後，膜に転写して HTLV-1 に相補的な DNA プローブとハイブリダイズさせてプロウイルス DNA を含む DNA 断片を検出する方法である．主に HTLV-1 キャリアの鑑別に利用される．

(4) 間接蛍光抗体法（IIF）

　MT2 細胞のような HTLV-1 感染株化細胞をスライドガラス上に固定して抗原とし，被検体と反応させて結合した抗体を FITC 標識抗ヒト免疫グロブリン抗体で染色後に蛍光顕微鏡下で観察する方法である．

8　ウイルス性肝炎（→ p.76）

　現在，ウイルス性肝炎の起因ウイルスは，A 型肝炎ウイルス（HAV），B 型肝炎ウイルス（HBV），C 型肝炎ウイルス（HCV），D 型肝炎ウイルス（HDV），E 型肝炎ウイルス（HEV）の 5 型に分類されている．

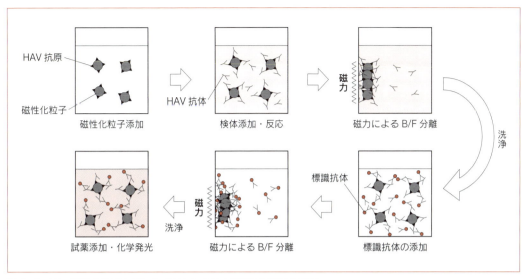

図 4-I-11　磁性化粒子を用いた CLIA による HAV 抗体検出の原理

8-1　A 型肝炎（→ p.77）

1）HAV 関連検査【抗体検査】

A 型肝炎ウイルス（hepatitis A virus；HAV）の血清学的検査には **IgM-HAV 抗体検査**と **IgG-HAV 抗体検査**があり，CLIA や EIA，CLEIA などが用いられる．いずれも基本原理は類似しているため，以下に代表して磁性化粒子を用いた CLIA の原理を示す．

図 4-I-11 に示すように，被検検体中の HAV 特異抗体（IgM-HAV 抗体，IgG-HAV 抗体）に HAV 抗原固相化磁性化粒子を反応させて磁力による B/F 分離後，標識抗体を反応させる．再び磁力による B/F 分離をしたあと，化学発光試薬を添加して得られる発光強度を測定することで抗体量を評価する．

2）臨床的意義

A 型肝炎発症後すぐに HAV に特異的な IgM 抗体（IgM-HAV 抗体）が血液中に検出されるようになり，2〜6 カ月で陰性化するため，<u>IgM-HAV 抗体陽性の場合は HAV 感染の初期を意味する</u>．

一方，IgG 抗体（IgG-HAV 抗体）は IgM-HAV 抗体より遅れて血清中に出現し，肝炎発症後およそ 3 カ月でピークに達する．<u>IgG-HAV 抗体は中和抗体として作用し，肝炎治癒後も長期間持続するため</u>，HAV 感染の疫学的検討においては有用である．しかし，IgG-HAV 抗体価を診断に利用する場合は，発症初期と回復期の血清（**ペア血清**，→ p.127 の側注）で評価する必要がある．

8-2　B 型肝炎（→ p.77）

B 型肝炎ウイルス（hepatitis B virus；HBV）の Dane 粒子は，**図 4-I-12**

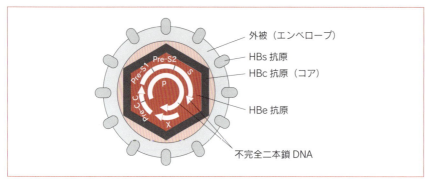

図 4-Ⅰ-12　HBV (Dane 粒子) の構造図

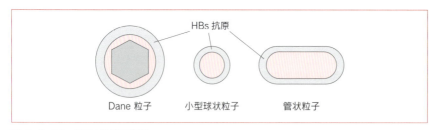

図 4-Ⅰ-13　HBV 粒子の種類

に示すように，コアの部分に環状 DNA をもち，外被（エンベロープ）には HBs 抗原が発現している．HBV の DNA は一部が一本鎖の不完全な二本鎖であり，HBc・HBe 蛋白コード領域（pre-C/C），HBs 抗原蛋白コード領域（pre-S1/pre-S2/S），DNA ポリメラーゼ・逆転写酵素コード領域（P），X 蛋白コード領域（X）の 4 つの open reading frame（ORF）がある．HBV 感染時には，ORF にコードされた蛋白が発現するため，それらの蛋白を抗原とした抗体が産生される．

1）HBV 関連検査【抗原検査】

(1) HBs 抗原（hepatitis B surface antigen；HBsAg）検査

　HBs 抗原は，pre-S1/pre-S2/S 遺伝子領域由来のエンベロープ成分に共通して検出される抗原であり，血液中にはウイルス本体（**Dane 粒子**）だけでなく，エンベロープ蛋白を主成分とする**管状粒子**や**小型球状粒子**として存在する（図 4-Ⅰ-13）．HBV の管状粒子や小型球状粒子は過剰に産生され（Dane 粒子よりもはるかに多い），結果として HBs 抗原は 4 種の ORF 由来産物中最も高濃度に産生される蛋白質となるため，HBV の感染の有無や活動状態を把握するうえで重要な指標である．また，HBs 抗原が一定期間（6 カ月）以上にわたって持続的に陽性を示す例を **HBV キャリア**といい，そのような場合，HBV 感染の感染源になる．

　HBs 抗原の検出法としては CLIA，EIA，CLEIA，IC などがあるが，特に

CLIAおよびICが臨床の現場でよく用いられる．CLIAについては，HAV抗体検査（→p.179の図4-Ⅰ-11）と基本原理は同じであるが，被検検体中のHBs抗原にHBs抗体固相磁性化粒子を反応させてB/F分離後，標識抗体を反応させる．そして再びB/F分離したあと，化学発光試薬を添加して得られる発光強度を測定することで抗原量を評価する．また，ICについてはp.142の基本原理に準じており，判定ラインに固相したHBs抗体でHBs抗原を捕捉し検出する．

(2) HBe抗原（hepatitis B e antigen；HBeAg）検査

HBe抗原は，pre-C/C遺伝子領域由来の翻訳産物のN末端とC末端が切断された抗原であり，HBs抗原と同様にHBVの増殖を反映する．一般に，HBe抗原が高力価になるほど感染性が増すといわれている．

HBe抗原の検出法としては，CLIA，CLEIAなどが広く実施されている．

(3) HBc関連抗原（hepatitis B core-related antigen；HBcrAg）検査

HBc関連抗原は，pre-C/C遺伝子領域由来のHBc抗原，HBe抗原，HBVプレコア蛋白抗原（p22cr抗原）の総称であり，肝組織中のウイルス量を反映する．そのため，B型肝炎患者の経過観察や抗ウイルス薬治療時の効果判定など病態の把握に有用である．

被検検体中のHBc抗原やp22cr抗原はHBV粒子に内包されているため，そのままの状態では検出できない．また，被検検体中にHBe抗体やHBc抗体が存在する場合には，それぞれ抗原抗体複合体を形成してしまうため，測定試薬に用いているモノクローナル抗体で3種類の抗原蛋白を正確に測定できない可能性がある．そこでまず，被検検体を検体処理液（界面活性剤が主成分）で前処理してHBc関連抗原をHBV粒子から遊離させるとともに，共存するHBe抗体やHBc抗体を失活させる．そして，前処理済み検体をHBc関連抗原抗体で捕捉し，CLEIAなどでHBc関連抗原を検出する．

(4) HBV-DNA

HBVのDNAはHBV感染の有無や増殖状態を直接反映するため，HBe抗原と同様にHBVの増殖の指標として，診療の経過観察や抗ウイルス薬治療時の効果判定などに有用である．

HBV-DNAは，リアルタイムPCR法やTMA（transcription mediated amplification）法で測定される．

2）HBV関連検査【抗体検査】

(1) HBs抗体（hepatitis B surface antibody；HBsAb）検査

HBs抗体は，HBs抗原に対する**中和抗体**として産生される．HBs抗体価の測定は，B型肝炎の既往歴やHBVワクチン接種の効果判定に有用である．

HBs抗体検査としては，現在はCLIA，CLEIA，ECLIA，ICなどが主流となっている．このうちCLIAについては，HBs抗原の検出と同様に被検検体中のHBs抗体にHBs抗原固相磁性化粒子を反応させてB/F分離後，標識抗

体を反応させる．そして再び B/F 分離したあと，化学発光試薬を添加して得られる発光強度を測定することで HBs 抗体を定量する．また，IC についても同様であり，判定ラインに固相した HBs 抗原で HBs 抗体を捕捉して検出する．

(2) HBe 抗体（hepatitis B e antibody；HBeAb）検査

HBe 抗体は，HBe 抗原に対して産生される抗体で，HBV に感染後一定期間が経過して HBV ゲノムの pre-C 領域やコアプロモーター領域に変異が生じて HBe 抗原合成の減少がみられると検出されるようになる．したがって，HBe 抗体陽性例では，血中 HBV 量が比較的少ないため感染性も弱く，肝炎も沈静化しやすいと考えられている．

HBe 抗体検査としては，CLIA，CLEIA，ECLIA などが広く実施されているが，測定原理において異なる点がある．すなわち，HBe 抗体検査の場合，反応系に一定量の HBe 抗原を添加して被検検体中の HBe 抗体を中和し，残存する HBe 抗原を定量することで間接的に HBe 抗体を測定する（間接法）を利用している．

(3) HBc 抗体（hepatitis B core antibody；HBcAb）検査

HBc 抗体は，HBc 抗原に対して産生される抗体で，HBV 感染後比較的早期に出現し，長期間維持される．HBV 既往例では HBc 抗体の抗体価が低い傾向にあるのに対し，HBV キャリアの例では高抗体価を示すことが多いとされている．

HBc 抗体の検査法には CLIA，CLEIA，ECLIA，ラテックス凝集反応（LA）などがある．

(4) IgM-HBc 抗体（IgM-HBcAb）検査

IgM-HBc 抗体は，HBc 抗原に対して産生される IgM クラスの抗体である．急性 B 型肝炎においては，HBs 抗原が早期に陰性化する場合があるのに対し，IgM-HBc 抗体は感染成立後比較的早期に出現し，一過性に高力価が維持されるため，感染初期の診断に有用である．ただし，まれではあるが，HBV キャリアの急性増悪でも IgM-HBc 抗体が低力価で陽性になることがあるため注意が必要である．

IgM-HBc 抗体の検査法には CLIA，CLEIA，EIA，RIA などがある．

3）臨床的意義

(1) HBV の急性感染（図 4-I-14）

HBV に感染した場合，1～6 カ月の潜伏期を経て急性肝炎を発症する．HBs 抗原は肝炎発症の 2～4 週前より血中に出現しはじめ，ALT 値と連動して 1～3 カ月間検出される．このとき，HBe 抗原も肝炎発症前後から血中に出現するが，短期間で消失し，代わって HBe 抗体が出現する．また，IgM-HBc 抗体は，肝炎発症直後より陽性となり，数カ月で減少・消失するが，遅れて IgG-HBc 抗体が検出されるようになる．したがって，HBs 抗原や HBe 抗原，IgM-HBc 抗体の検出は，B 型肝炎の急性期を証明する指標となる．

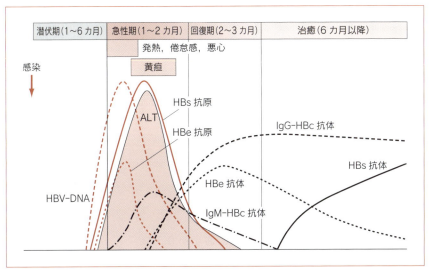
図4-I-14 急性B型肝炎の指標

　一方でHBs抗体は，肝機能が正常化した後，数カ月後に出現する．<u>HBs抗体はHBVに対する唯一の**中和抗体**であり，本抗体の出現は治癒を意味する</u>．ただし，中和抗体出現後もHBVが完全に排除されたわけではなく，肝細胞内に微量のHBVの核酸がcccDNAの形で残存しているといわれている．健常者においては，残存したHBVの核酸が問題になることはないが，何らかの理由で免疫力が低下した場合には，HBVの再活性化が起こり，新たにB型肝炎を発症することがある．この肝炎は*de novo* B型肝炎とよばれ，劇症化に移行するリスクが高く，死亡率が高いことが知られている．

(2) HBVの持続感染（HBVキャリア）（➡ p.79の図2-I-13）

　HBVが肝臓に持続感染した状態を**HBVキャリア**といい，その多くは出生時または乳幼児期の母子感染によって成立する．HBVキャリアの大部分はHBVを体内に保持しつつも肝機能の異常を呈さないHBe抗原陽性の無症候性HBVキャリアとなるが，免疫機構の発達に伴い，顕性または不顕性の肝炎を発症する．その後，数カ月～数年かけてHBe抗原が陰性化し，それに合わせてHBe抗体が陽性（**セロコンバージョン**，➡ p.79）となり沈静化する．ただし，約10～15％の例では慢性肝疾患（慢性肝炎，肝硬変，肝癌）へ移行する．
　なお，<u>急性感染との鑑別はHBVキャリアの場合，HBs抗原が長期間にわたり陽性であることと，IgM-HBc抗体が陰性もしくは低力価であることにより判定可能である</u>．

(3) HBVの慢性感染（慢性活動性肝炎）（➡ p.79の図2-I-14）

　HBV感染例においてセロコンバージョンが起こらない場合，HBe抗原が陽性の慢性活動性肝炎となる．慢性活動性肝炎を発症した場合，肝硬変へ移行するリスクが高くなり，その一部は肝癌に進展する．

---

cccDNA
HBVの持続感染では，cccDNA（covalently closed circular DNA）とよばれる環状ウイルスDNAが，宿主細胞の核内に維持されウイルス複製の鋳型となる．現在のところcccDNAを除去する有効な治療法はなく，B型肝炎の根治がむずかしい理由となっている．

例外的な肝炎
IgM-HBc抗体は陽性であるにもかかわらず，HBs抗原が消失している急性肝炎例や，S領域の遺伝子変異によりHBs抗原が検出できない慢性B型肝炎例（HBe抗原とHBV-DNAは陽性）も報告されている．

HBVジェノタイプA
HBVジェノタイプAは主に性行為で感染し，急性肝炎後に慢性化しやすい．一方，ジェノタイプB，Cは日本人感染者の大部分にみられるが，成人期感染において一過性感染で終わることが多い．

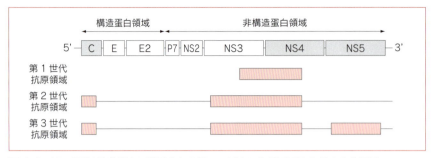

図4-I-15　HCV抗体測定に利用されるリコンビナント抗原蛋白とその由来領域

8-3　C型肝炎（→ p.79）

　C型肝炎ウイルス（hepatitis C virus；HCV）のゲノムは，およそ9,500塩基の一本鎖RNAからなり，**図4-I-15**に示すように，5'側の構造蛋白領域にはコア蛋白（C）やエンベロープ蛋白（E1，E2）といったウイルス粒子の形成に関与する蛋白がコードされている．また，そこから3'方向に続く非構造蛋白領域には，HCVゲノムの複製に必要な一連の蛋白質（NS2～5）がコードされており，HCV感染者においてはHCVのコア蛋白やNS3～5領域由来の蛋白に対する抗体が検出される．

1）HCV関連検査【抗原検査】

（1）HCVコア抗原（hepatitis C virus core antigen）検査

　HCVのコア抗原は，HCV粒子に内包されているため，そのままの状態では検出できない．また，被検検体中にHCVコア抗原に対する抗体が存在する場合には，抗原抗体複合体を形成してしまうため，正しい結果が得られない可能性がある．そこでまず，被検検体を検体処理液（界面活性剤が主成分）で前処理してHCVコア抗原をHCV粒子から遊離させるとともに，共存するHCVコア抗原に対する抗体を失活させる．そして，前処理済み検体をHCVコア抗原抗体で捕捉し，CLEIAなどでHCVコア抗原を検出する．

　本測定法は，リアルタイムPCR法を用いたHCV RNA定量法と比べた場合，感度は劣るものの定量性に優れており，短時間で結果が出せることもあり，急性肝炎の迅速診断や抗ウイルス療法の治療効果のモニタリングなどに有用である．

（2）HCV RNA核酸検査

　HCV RNAの核酸検査は，リアルタイムPCR法を用いてHCV RNAを定量評価する手法であり，感度・特異度ともに非常に優れている．本法は血清学的検査には該当しないが，HCV RNA量は，ウイルス量を直接反映するため，HCV治療中の病態把握においてきわめて重要な検査といえる．

2) HCV 関連検査【抗体検査】

(1) HCV 抗体 (Hepatitis C virus antibody) 検査

HCV 抗体の検査は，リコンビナント HCV 抗原（rHCV Ab）を固相化した磁性化粒子を用いて CLIA などで検出する方法が一般的であるが，ここでいう HCV 抗体とは，HCV のコア蛋白やエンベロープ，非構造蛋白に対して産生される抗体の総称であり，検査に使用する抗原の種類により第 1～3 世代の測定系が存在する（図 4-I-15）．最初に開発された第 1 世代の HCV 抗体測定系は，C100 蛋白（NS3～4 領域）のリコンビナント蛋白を抗原として用いており，C 型肝炎患者の検出率は 6 割程度であった．その後，第 1 世代の測定系に C 領域の抗原を加えた第 2 世代の測定系，さらに，NS5 領域の抗原を加えた第 3 世代の測定系が開発されたことで HCV の検出率は劇的に向上した．ただし，HCV 抗体は既往感染ですでに治癒していても検出されるため，現在進行中の HCV 感染を確認するためには，血中の HCV コア抗原検査もしくは HCV RNA 核酸検査で精査する必要がある．

(2) HCV 群別抗体検査

HCV は，遺伝子型（ジェノタイプ）の違いにより現在少なくとも 6 つのグループに分類されているが，それぞれ抗原性が異なっている．HCV 群別抗体検査は，この抗原性の違いを利用して特異抗体を測定することで間接的にジェノタイプを判定する検査である．

HCV は，ジェノタイプによりインターフェロン（IFN）療法に対する感受性が異なると報告されていることから，本検査は C 型慢性肝炎の IFN 治療において，治療効果の予測や治療方針の決定に有用と考えられる．

3) 臨床的意義

(1) 急性肝炎

C 型急性肝炎の場合，HCV 抗体は遅れて血中に出現するため，急性期には検出されないことが多い．第 2 世代以降の測定系を使用したとしても，発症後 1 カ月以内に HCV 抗体が陽性になるのは全体のおよそ 50％程度であり，全例が陽性となるのは発症後 6 カ月を経過したころである．

これに対し HCV コア抗原検査や HCV RNA 核酸検査では，発症早期の検出率がほぼ 100％ということから，HCV 急性肝炎の早期診断に有用といえる．

(2) 慢性肝炎

C 型慢性肝炎の診断では，急性肝炎の場合とは異なり，まず HCV 抗体の測定から実施する．そして，HCV 抗体検査が陽性の場合は，血中 HCV RNA 核酸検査または HCV コア抗原検査によって精査する．ただし，慢性肝炎を発症しており，HCV 抗体価が高力価陽性の場合は，C 型慢性肝炎と診断してほぼ間違いないとされている．

8-4 D型肝炎 (➡ p.80)

D型肝炎ウイルス（hepatitis delta virus；HDV）は，外殻がHBs抗原で覆われており，コア部分にHDV RNAゲノムおよびδ（デルタ）抗原を内包する．HDVの感染経路は血液や体液を介する様式だが，HBVをヘルパーウイルスとして増殖するため，<u>HBVと同時感染，もしくはHBV感染者への重複感染したときのみに感染が成立する特殊なウイルスである</u>．

1) HDV関連検査

HDVのδ抗原に対する抗体であるHDV抗体検査がHDV感染のスクリーニングに有用である．IgM-HDV抗体は感染初期のみ陽性となるので，急性感染の診断に有用である．また，前述したようにHDV感染時にはHBVの同時感染を認めるため，HBVのマーカーがそれぞれの病態に合わせて陽性となることも特徴的である．

2) 臨床経過

HBVとの同時感染では一過性感染で経過し，HBVとHDVの2種のウイルス感染に由来する二峰性のトランスアミナーゼ（ALT）の上昇がみられる．急性D型肝炎では，HBV単独感染に比べて重症化する傾向が強く，キャリアから慢性活動性肝炎に移行して最終的に肝硬変に進展するリスクが高い．

8-5 E型肝炎 (➡ p.80)

E型肝炎ウイルス（hepatitis E virus；HEV）は，一本鎖のRNAウイルスであり，4種類の遺伝子型（ジェノタイプ）が存在する．熱帯・亜熱帯地域ではジェノタイプの1型や2型が検出されるのに対し，わが国では3型と4型が検出される．

HEVの感染経路は，加熱不十分なイノシシやブタなどの肉からの経口感染が多いが，ウイルス粒子はHEV感染者の血中にも存在するため，採血時や輸血用血液の検査に注意する必要がある．

1) HEV関連検査

HEV感染の血清学的診断には，リコンビナントのHEV抗原（rHEV Ag）を用いてEIAやELISAでIgM，IgA，IgG抗体を検出する．IgM抗体（IgM-HEV抗体）やIgA抗体（IgA-HEV抗体）は早期に出現し，短期間で陰性化するため，HEV感染の判定に利用される．一方，IgG抗体（IgG-HEV抗体）は長期間検出されるため，HEV既往感染の判定に使用される．

なお，確定診断には，リアルタイムPCR法によりHEV RNAを検出する必要がある．

表 4-I-10　本節で解説したもの以外の主な抗体検出法

ウイルス名	科	核酸	検査法 CF	HI	NT	その他
ヒトヘルペス 6 型	ヘルペスウイルス					FA
アデノウイルス	アデノウイルス	DNA	●		●	IC
ヒトパルボウイルス B19	パルボウイルス					EIA
インフルエンザウイルス	オルソミクソウイルス		●	●		IC
パラインフルエンザウイルス				●		
ムンプスウイルス	パラミクソウイルス		●	●	●	EIA
麻疹ウイルス				●	●	EIA
RS ウイルス			●		●	IC
風疹ウイルス	トガウイルス	RNA		●		EIA
日本脳炎ウイルス	フラビウイルス		●	●		
ポリオウイルス	ピコルナウイルス		●		●	
コクサッキーウイルス			●		●	
エコーウイルス				●	●	
エンテロウイルス（68〜71）					●	
ロタウイルス	レオウイルス		●			EIA, IC
ノロウイルス	カリシウイルス					EIA, IC
新型コロナウイルス（SARS-CoV-2）	コロナウイルス					EIA, IC

CF：補体結合反応，HI：赤血球凝集抑制反応，NT：中和反応，FA：蛍光抗体法，IC：イムノクロマトグラフィ，EIA：酵素免疫反応

2）臨床経過

HEV は慢性化することはないが，まれに劇症化することがあり，4 型の感染では重症化しやすいことが報告されている．中和活性を示す IgG-HEV 抗体は，比較的長期にわたって維持される．

II アレルギー検査

〈到達目標〉
(1) Ⅰ型アレルギーの検査を列挙し，それぞれの原理と役割について説明できる．

本節では，Ⅰ型アレルギー検査について解説する．
Ⅰ型アレルギーの検査には，生体検査（プリックテスト，皮内テスト）と血清IgE抗体検査がある．
血清IgE抗体はアレルギーに関連して増加し，Ⅰ型アレルギーに関与している．**総IgE（非特異的IgE）**検査の対象は，特異的IgE抗体とアレルゲンに特異性を有さない非特異的IgE抗体を合わせたもので，**特異的IgE抗体検査**の対象は，アレルギーを引き起こす原因物質であるアレルゲンにより特異的に産生されたIgE抗体である．

1 総IgE（非特異的IgE）の定量

1）検査の目的と特徴
血清中の総IgE量を測定してⅠ型アレルギーの関与を推測するもので，アレルゲンの特定はできない．血清中の総IgE量は年齢とともに上昇する傾向がある（表4-Ⅱ-1）．

2）測定法
(1) 蛍光酵素免疫測定法（fluorescence EIA；FEIA）
酵素免疫測定法（EIA，➡ p.135）の一種であるが，低濃度のIgEを検出するために，酵素の基質として発色基質より感度の高い蛍光基質を用いる．抗IgE抗体を結合させたスポンジ上で検体中のIgEを反応させ，洗浄後，酵素標識抗IgE抗体を反応させる．洗浄後，基質液を加え，複合体中の酵素量と相関する蛍光強度を測定する（例：ImmunoCAP，サーモフィッシャーサイエンティフィック社）．

2 特異的IgE抗体の検査

1）検査の目的と特徴
Ⅰ型アレルギーを引き起こしているアレルゲン（表4-Ⅱ-2）を推定する．検査に用いられるアレルゲンは200種類以上あるが，従来はアレルギーの原因にならない種々の蛋白質も含む粗抗原が使われていた．抗体の有無と臨床症状の有無とは必ずしも相関しないが，最近では，粗抗原中のアレルゲンコンポーネントをリコンビナント蛋白として作製して用いる検査が普及しつつあ

プリックテスト，皮内テスト
Ⅰ型アレルギー検査の生体検査であり，臨床検査技師は実施できない．
プリックテストは，前腕屈側にアレルゲンを滴下し，27Gの針でその上を刺し，15分後に膨疹があるものを陽性とする．
皮内テストは，アレルゲン液を前腕屈側の皮内に注射し，15分後に膨疹と紅斑の長径と短径を測定し，膨疹9mm以下かつ紅斑19mm以下を陰性とする．

SCCA2
セルピンスーパーファミリーに属するセリンプロテアーゼインヒビターであり，上皮細胞から産生される．アレルギー炎症にかかわるIL-4，IL-13の刺激により発現が上昇する．小児のアトピー性皮膚炎の重症度を反映する有用なマーカーである．

アレルゲンコンポーネント
アレルゲンには多数の蛋白質が含まれるが，特異的IgE抗体と結合してアレルギー症状を引き起こす個々の蛋白質をアレルゲンコンポーネントという．卵アレルギーではオボムコイド，牛乳アレルギーではカゼイン，小麦アレルギーではω-5グリアジンなどがある．

表 4-II-1　総 IgE（非特異的 IgE）の参考値

	1 歳未満	1～3 歳	4～6 歳	7 歳以上
IgE (IU/mL)	20 以下	30 以下	110 以下	170 以下

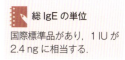

総 IgE の単位
国際標準品があり、1 IU が 2.4 ng に相当する。

表 4-II-2　主なアレルゲン

樹木	スギ，ヒノキ，ハンノキ，シラカンバ
草木類	ブタクサ，ヨモギ，カモガヤ，オオアワガエリ
室内塵	ハウスダスト，コナヒョウヒダニ，ヤケヒョウヒダニ
真菌	アスペルギルス，ペニシリウム，カンジダ，トリコスポロン
動物表皮	ネコ皮屑，イヌ皮屑，マウス
昆虫	ゴキブリ，ガ，スズメバチ
食物	卵白，牛乳，小麦，ピーナッツ，大豆，米，トウモロコシ，ソバ，エビ，カニ

り，より精度の高い結果が得られるようになってきた．

2）測定法

(1) FEIA

アレルゲンを固相化したスポンジ上で，検体中の特異的 IgE 抗体を反応させる．洗浄後，酵素標識抗 IgE 抗体を加え，複合体を形成させる．洗浄後，蛍光基質液を加え，複合体中の酵素量と相関する蛍光強度を測定する．単項目測定法（例：ImmunoCAP，サーモフィッシャーサイエンティフィック社）や，多種類のアレルゲンについて一度に検査する方法（例：View アレルギー39，サーモフィッシャーサイエンティフィック社）がある．

(2) 化学発光酵素免疫測定法（CLEIA）（→ p.139）

アレルゲンと検体中の特異的 IgE 抗体を反応させる．洗浄後，酵素標識抗 IgE 抗体を加え，複合体を形成させる．洗浄後，発光基質を添加し，発光量を測定する．単項目測定法は，ビオチン化アレルゲンをアビジン固相ビーズに結合させることで約200種類のアレルゲンを測定する（例：アラスタット IgE II，シーメンスヘルスケア社）．多項目同時測定キットは36種類のアレルゲンを測定する（マストイムノシステムズIV，ミナリスメディカル社）．

(3) イムノクロマトグラフィ（IC）（→ p.142）

アレルゲン特異的 IgE 抗体を POCT として迅速に検出するキットが各社から販売されている（例：イムノファストチェック J1，LSI メディエンス社，図 4-II-1）．検体として，血清のほか，涙液や鼻汁を用いるものもある．

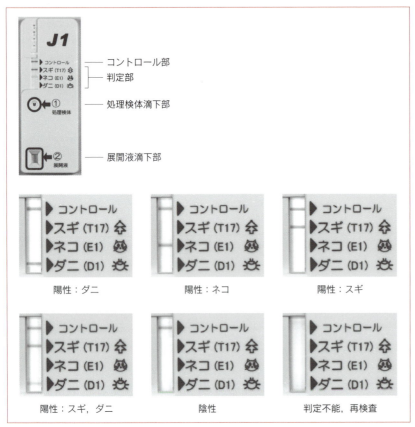

図 4-Ⅱ-1 イムノクロマトグラフィ（IC）による特異的 IgE 抗体検査の結果判定
イムノファストチェック J1
（提供：株式会社 LSI メディエンス）

3 アレルギー関連物質の検査

1）ヒスタミン遊離試験（histamine release test；HRT）

　食物アレルギー，アレルギー性鼻炎，アトピー性気管支喘息などのアレルゲンの診断を補助する検査である．末梢血から分離した好塩基球を用いて，好塩基球上の抗原特異 IgE 抗体にアレルゲンを反応させて遊離するヒスタミンを測定する．特異的 IgE 抗体測定に比して感度はやや劣るが，特異的 IgE 抗体によるアレルギーの臨床症状との一致率が高い．

　ヒスタミン遊離率（％）は，

$$\frac{抗原刺激による遊離ヒスタミン量 - 自然遊離ヒスタミン量}{細胞内総ヒスタミン量 - 自然遊離ヒスタミン量} \times 100$$

で求められる．

　遊離率 20％以上を有意なヒスタミン遊離と判断する．

2）好酸球塩基性蛋白（ECP）測定

　アレルギー性疾患では好酸球が炎症部位に集積し，浸潤した好酸球は細胞内顆粒に存在する**好酸球塩基性蛋白**（eosinophil cationic protein；ECP）などの塩基性蛋白質を放出する．顆粒から放出された ECP は強い細胞傷害性を示し，気道粘膜などが傷害され，アレルギー疾患の病態が形成される．

　ECP 測定は，実際に起こっているアレルギー性炎症の程度を反映する．血清を FEIA にて測定する．

III 自己免疫疾患関連検査

〈到達目標〉
(1) 関節リウマチにおけるRFおよび抗CCP抗体の関連性および臨床的意義について説明できる．
(2) 臨床的意義の大きい抗核抗体検査の染色パターン（AC-1，AC-3，AC-4，AC-5，AC-8 など）を判別できる．
(3) 抗ミトコンドリア抗体と原発性胆汁性胆管炎の関連性について説明できる．
(4) 甲状腺自己抗体検査の臨床的意義について説明できる．

1 関節リウマチ関連抗体

リウマトイド因子（rheumatoid factor；RF）はIgGのFc部分の抗原決定基に対する自己抗体であり（図4-III-1），**関節リウマチ**（rheumatoid arthritis；RA）患者血清および関節液で高い陽性率を示す（→p.94）．当初，RFはRAの原因であるとされたが，RA以外の膠原病，慢性感染症，肝疾患などでも高率に検出されるうえに，健常者においても2〜5%の頻度で検出され，その産生機序は不明である．RFは，一般的にIgMクラスのRF（IgM-RF）が最も多く検出されるが，その他にIgG-RF，IgA-RF，IgE-RFの存在も確認されている．

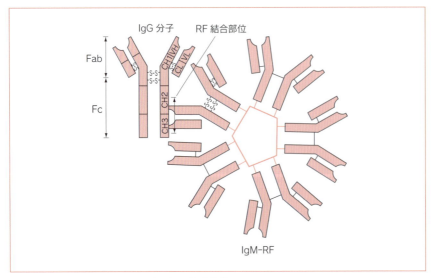

図4-III-1 リウマトイド因子（RF）の結合部位

また，RA 患者の関節滑膜には各種のシトルリン化蛋白（→ p.94）が発現しており，シトルリン化抗原に対する自己抗体が産生されることも明らかとなり，この自己抗体を検出する**抗環状シトルリン化ペプチド（cyclic citrullinated peptide；CCP）抗体**が RA の早期診断に有用である．

1）RF の測定法

定量法としては，一般に IgM-RF を検出する免疫比濁法，ラテックス凝集免疫比濁法，ラテックス凝集免疫比ろう法による測定法が多い．クラス別 RF を定量する場合は固相酵素免疫測定法（ELISA）が用いられ，特に IgG-RF の測定には有用である．

(1) 免疫比濁法（TIA）

変性ヒト IgG と患者血清中の RF が反応すると，生成した抗原抗体複合体の濁りが RF 濃度に依存し，散乱光が増大して透過光が減少する．入射光強度と透過光強度の比から濃度が得られ，標準曲線から RF 値を求めることができる．

(2) ラテックス凝集免疫比濁法（LTIA）およびラテックス凝集免疫比ろう法（LNIA）

ラテックス粒子に変性ヒト IgG を吸着させた試薬と検体を反応させ，生じた抗原抗体複合体の粒子の凝集の濁度の変化を透過光（比濁法）あるいは散乱光（比ろう法）で検出し，標準曲線から RF 値を求める方法である（→ p.133）．

> **変性 IgG**
> RF は加熱や尿素処理した IgG とより反応することから，測定に用いる IgG 抗原は，加熱処理，あるいは尿素処理し変性させたものが一般的に用いられている．加熱の条件としては，61℃，30 分間が最適とされている．

2）抗 CCP 抗体の測定法

化学発光免疫測定法（CLIA）により測定される．本法は環状シトルリン化ペプチド固相化磁気粒子と検体を反応させ，洗浄後，アクリジニウム標識マウス抗ヒト IgG モノクローナル抗体を加え，洗浄後，過酸化水素を加え発光強度を測定し，検量線から抗 CCP 抗体濃度を測定する．

抗 CCP 抗体は，フィラグリンのシトルリン化部分を含むペプチドの環状構造抗原を用いて検出される自己抗体で，抗 CCP 抗体の特異度は 90％ 以上ときわめて高く，発症早期から陽性となるため RA の早期診断に有用である．

> **フィラグリン**
> フィラグリンは上皮細胞に多く発現し，サイトケラチン線維の凝集に関係するため，表皮細胞のアポトーシス（角質化）での重要性が注目されている．

3）基準範囲

基準範囲は測定方法により異なる．また，測定原理・測定試薬などによりデータの乖離が認められることがあるので注意が必要である．

RF：15 IU/mL 以下
IgG-RF：2.0 未満
抗 CCP 抗体：4.5 U/mL 未満

4）検査の注意点

①冷蔵庫保存で RF そのものは安定であるが，**クリオグロブリン**の性質をも

つ場合には、冷却によりRFが凝集，沈殿してRF値が低下する（→p.214）．長期保存や凍結，融解を繰り返すとIgGの凝集をきたし，RFが消費されて低値となる場合がある．

②RF測定系は抗原，抗体ともに免疫グロブリンであるため，種々の免疫血清検査に影響する．凝集反応を原理とした測定法では，RFが存在する場合，抗原に結合したIgG型抗体にIgM-RFが結合して凝集値が高くなる可能性がある．また，二次抗体を用いるELISAでは，IgM-RFが一次抗体と二次抗体の橋渡しをすることにより異常値を示すことがある．

5）RFの臨床的意義

RAの70〜80%はIgM-RFが陽性を示すことから，RA分類基準の1項目に取り入れられている．しかし，RFはRA以外にも多くの疾患で陽性を示し，肝硬変などの肝疾患では20〜50%，全身性エリテマトーデス（SLE）などの膠原病でも約20%程度の頻度で陽性を示す．健常者でも数%の頻度で認められ，高齢になるほど陽性率は高い．

IgG-RFは，活動性の高いRAや，血管炎を伴うRA患者血清中に検出されることが多い．

RAの診断が確立した症例では，RFは疾患活動性の一つの指標ともなるので，定期的に検査を繰り返すことが治療の参考になる．

6）抗CCP抗体とRAの発症

本来は刺激を受けることのない気道の中にある蛋白質が抗原となり，抗CCP抗体の産生が促されることから始まる．しかし，抗CCP抗体が存在するだけではRAは発症しない．遺伝的要因（*HLA-DRB1SE*遺伝子）に加え，細菌やウイルス感染，機械的ストレスが影響して，シトルリン化した蛋白質と抗CCP抗体の間で免疫反応が起こることによりRAが発症するといわれている．

2　抗核抗体関連検査

1）間接蛍光抗体法による抗核抗体検査

抗核抗体（antinuclear antibodies；ANA）検査は，細胞の核の成分と反応する自己抗体を検出するもので，基質としてヒト喉頭癌上皮細胞由来のHEp-2細胞，二次抗体としてFITC標識抗ヒト免疫グロブリン抗体を用いた間接蛍光抗体法が広く用いられている（図4-Ⅲ-2）．

抗体の種類によって染色パターンもさまざまであり，新しくみつけられた抗体が加わったり顕微鏡の性能が向上したこともあり，従来の5種類（辺縁型，均質型，斑紋型，核小体型，セントロメア型）に分類する方法は時代遅れになってしまった．そこで，国際会議により新しい分類（International Consensus on ANA Patterns；ICAP）が推奨されている．この分類では，細胞質の抗原に対する抗体にも臨床的に重要なものがあるので，抗細胞抗

> **抗核抗体検査の従来の分類とICAP分類の対応関係**
> 従来の辺縁型と均質型はAC-1に統合された．斑紋型はAC-2，AC-4，AC-5，AC-29に，核小体型はAC-8，AC-9，AC-10に細分化された．セントロメア型はAC-3である．

〈従来の分類〉

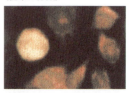

陰性

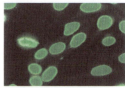

辺縁型（peripheral型）

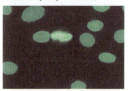

均質型（homogeneous型）

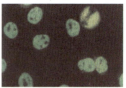

斑紋型（speckled型）

核小体型（nucleolar型）

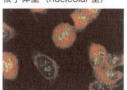

セントロメア型（centromere型）

（写真：MBL社提供）

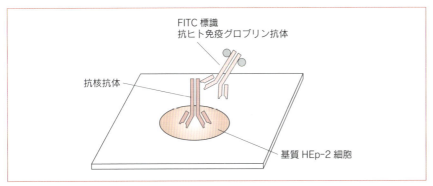

図 4-Ⅲ-2　間接蛍光抗体法による抗核抗体検査の原理

(anti-cell antibodies) とよぶことが望ましいとして，染色パターンに AC-0（陰性）から AC-29 までのコード番号を付している．ここでは検出頻度が高く，臨床的意義も高いものを選んで概説するが，詳細は ICAP のホームページを参照していただきたい．

(1) ICAP 分類の主な染色パターン（図 4-Ⅲ-3）

❶ **AC-1　核均質型（従来の辺縁型と均質型）**

核質が均質に染まる．核小体は染色されない場合もある．分裂期細胞の染色体も強く染まる．dsDNA，ヌクレオソーム，ヒストンなどと反応する抗体がこのようなパターンを呈し，SLE や自己免疫性肝炎で認められることが多い．

❷ **AC-3　セントロメア型（従来のセントロメア型）**

1 細胞あたり 40～80 個の粗い斑紋が核質に散在する．分裂期細胞ではクロマチン部分に斑点が並んでみえる．抗 CENP-B 抗体などがこのようなパターンを呈し，限局皮膚硬化型の全身性強皮症で高率に認められる．

❸ **AC-8　均質核小体型（従来の核小体型）**

核小体全体がびまん性に染色される．間質性肺炎や肺高血圧症を合併する限局皮膚硬化型の全身性強皮症に認められることが報告されている抗 Th/To 抗体（保険未収載）などがこのような染色を示す．

❹ **AC-9　塊状核小体型（従来の核小体型）**

核小体およびカハール体（Cajal bodies）の不規則な染色と，分裂中期の細胞の染色体周囲の染色を認める．全身性強皮症にみられる抗 U3-snoRNP（フィブリラリン）抗体（保険未収載）がこのような染色を示す．

❺ **AC-10　点状核小体型（従来の核小体型）**

核小体に境界明瞭な斑点を認める．全身性強皮症で認められる抗 RNA ポリメラーゼ I 抗体（保険未収載）などがこのような染色を示す．

❻ **AC-4　核微細斑紋型（従来の斑紋型）**

核質全体に細かい小斑紋を認める．核小体は染色される場合と染色されない場合がある．分裂期の染色体は染まらない．抗 SS-A 抗体，抗 SS-B 抗体などがこのようなパターンを呈する．

CENP-B

染色体中央のくびれているセントロメアとよばれる部分に結合する DNA 結合蛋白質．細胞分裂の際に，複製されたゲノムを分離するために，紡錘糸が染色体と結合する必要がある．CENP-B はこれを仲介するキネトコアとよばれる蛋白質複合体の形成にかかわっている．抗セントロメア抗体が認識する主要抗原の一つ．

Th/To

ミトコンドリア RNA のプロセシングにかかわる RNA 結合蛋白質．

カハール体（Cajal bodies）

核小体に結合している 0.1～2 μm の構造物．コイリンとよばれる蛋白質，RNA ポリメラーゼ，small nuclear RNP (snRNP)，small nucleolar RNP (snoRNP) などが含まれている．

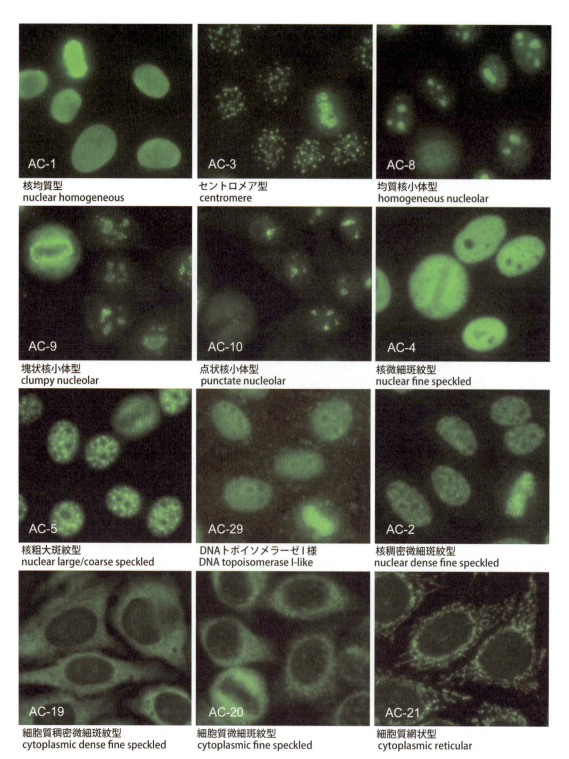

図4-Ⅲ-3　抗核抗体検査の主な染色パターン
(ICAPホームページ anapatterns.org より引用．2023年9月16日閲覧)

❼ **AC-5　核粗大斑紋型（従来の斑紋型）**

　核質全体に粗い斑紋を認める．核小体は染色される場合と染色されない場合がある．分裂期の染色体は染まらない．SLEにみられる抗Sm抗体，SLEや混合性結合組織病（MCTD）にみられる抗RNP抗体，全身性強皮症にみられる抗RNAポリメラーゼⅢ抗体などがこのようなパターンを呈する．

❽ **AC-29　DNAトポイソメラーゼⅠ様（従来の斑紋型）**

　以下の5つの染色からなる．①間期細胞の核微細斑紋型の染色，②分裂期細胞のクロマチンの微細斑紋型染色，③分裂期細胞の凝集染色体の核小体形成領域の強い染色，④核周辺から細胞膜に放散する繊細な網状の細胞質の弱い染色，⑤核小体周囲の染色（常にみられるわけではない）．このような染色パターンは，びまん皮膚硬化型の全身性強皮症に認められる抗DNAトポイソメラーゼⅠ（Scl-70）抗体に特徴的である．

❾ **AC-2　核稠密微細斑紋型（従来の斑紋型）**

　核質全体に大きさ，明るさ，分布に多様性を有する細かい斑点が分布する．斑点が稠密な箇所とそうでない箇所が混在する．分裂期の染色体にも粗い斑点が目立つ染色を認める．抗DFS70抗体による染色パターンで，膠原病との関連性はなく，このような染色を認める例の多くは健常者である．

❿ **AC-19　細胞質稠密微細斑紋型**

　細胞質全体が曇ったように，ほぼ均一に染まってみえる．抗リボソームP抗体，抗PL-7（スレオニルtRNA合成酵素）抗体，抗PL-12（アラニルtRNA合成酵素）抗体などがこのようなパターンを示す．

⓫ **AC-20　細胞質微細斑紋型**

　細胞質稠密微細斑紋型の背景の上に小さい斑紋が散在している．抗Jo-1（ヒスチジルtRNA合成酵素）抗体がこのようなパターンを示す．

⓬ **AC-21　細胞質網状型**

　細胞質全体に広がる粗い顆粒状，線維状の染色．抗ミトコンドリア抗体などがこのようなパターンを示す．

(2) 結果の報告

　被検血清を40倍希釈程度から反応させ，陽性ならさらに希釈して半定量的に抗体価を求め，染色パターンとともに報告する．カットオフ値についての明確な規定はないが，40倍以上を陽性とする場合が多い．しかし，低力価の陽性は健常者でもかなり認められるので，病的意義については他の臨床所見とあわせて判断する必要がある．

　複数の抗体が類似の染色パターンを呈するため，間接蛍光抗体法のみでは抗体を特定できない．陽性の場合は，他の臨床所見とあわせたうえで，可能性の高い抗体を特異的な抗原を用いた検査法で確認する必要があり，どのような抗体が考えられるかというコメントもあわせて報告するとよい．

　また，染色結果の写真も添えることが推奨されている．

DFS70

RNAの転写を促進する転写補助因子．細胞のさまざまな機能や病態にかかわっていると思われるが詳細はいまだ明らかにされていない．抗DFS70抗体は健常者や，アトピー性皮膚炎，その他の疾患で報告されている．

リボソームP

蛋白合成が行われるリボソームを構成する多数の蛋白質のうちの一部．抗リボソームP抗体はSLEなどで検出される．

図 4-Ⅲ-4　二重免疫拡散法（Ouchterlony 法）による抗 SS-A/Ro 抗体の同定
被検血清 3 は陰性．2, 5, 6 は SS-A/Ro 抗原と融合しているので抗 SS-A/Ro 抗体陽性．2, 6 はさらに，その他の抗体を含んでいる

2）特異的抗原を用いた抗核抗体検査

(1) 抗 DNA 抗体

❶ RIA（Farr 法）

^{125}I 標識 dsDNA を抗原として被検血清と反応させ，50％飽和硫酸アンモニウム溶液中で抗原抗体複合体を塩析し，沈殿中の放射能活性を測定する．比較的親和性の高い抗体が測定される．

❷ ELISA，化学発光酵素免疫測定法（CLEIA）

固相化抗原として λ ファージ dsDNA，λ ファージ ssDNA を使用し，二次抗体として抗ヒト IgG を使用することにより，IgG 抗 dsDNA 抗体と IgG 抗 ssDNA 抗体を測定する．SLE に疾患特異性が高いのは抗 dsDNA 抗体であり，疾患活動性とも相関して変動することが多い．しかし，外来でフォローしている寛解状態の患者などでは，抗 dsDNA 抗体の上昇に先行して抗 ssDNA 抗体が上昇してくるので，抗 ssDNA 抗体を測定していると再燃を早期に予知することができる．

(2) その他の核抗原または細胞質抗原に対する抗体

抗 RNP 抗体，抗 Sm 抗体，抗 SS-A 抗体，抗 SS-B 抗体，抗 Scl-70 抗体，抗 Jo-1 抗体などの測定に，二重免疫拡散法（Ouchterlony 法）による半定量的検査と，CLEIA などによる定量的検査が行われている．

古くから用いられている二重免疫拡散法は定量性では劣り，時間もかかるが，非特異反応の少ない方法として信頼度が高く，膠原病の診断時などに用いられている（図 4-Ⅲ-4）．一方，CLEIA は結果が数字で出るため，疾患活動性や治療効果の経時的な評価を行いたい場合に広く用いられている．

3　抗ミトコンドリア抗体（anti-mitochondrial antibodies；AMA）

AMA は**原発性胆汁性胆管炎**（primary biliary cholangitis；PBC）に 90％以上の高頻度で出現する自己抗体である（➡ p.90）．AMA の対応抗原としては M1 から M9 までの亜型が知られており，M2, M4, M8, M9 が PBC に特

> **RIA の抗 DNA 抗体と ELISA の IgG 抗 dsDNA 抗体**
> 抗 DNA 抗体をこの 2 つの方法で測定すると，結果がかなり乖離する例がみられる．その要因として，①RIA は高濃度の塩で沈殿させるので，低親和性の抗体は解離してしまう，②RIA は IgG 以外のクラスの抗 DNA 抗体も検出する，③RIA は液相での反応，ELISA は固相での反応なので，抗原の立体構造が異なる，などの可能性が考えられる．

λ ファージ
大腸菌に感染して複製するウイルスの一種．

 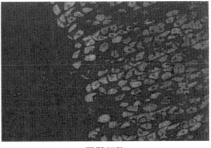

| 腎尿細管 | 胃壁細胞 |

図 4-Ⅲ-5　間接蛍光抗体法によるラット腎・胃切片の AMA 染色パターン
細胞質が顆粒状に染色されている．(MBL 社提供)

異的であることが明らかにされた．M4 は，M2 とともに自己免疫性肝炎と PBC の重複例に認められ，M9 は経過の良好な例に認められるという報告もあるが，特に診断的価値が高いのは M2 である．M2 抗原の代表とされるのはミトコンドリア内膜に分布するピルビン酸脱水素酵素複合体（pyruvate dehydrogenase complex；PDC）であり，その主要な抗原決定基は dihydrolipoyl transacetylase（E2）に存在する．

1）AMA の測定法

AMA のスクリーニング検査としては，ラットのミトコンドリアが豊富に存在する組織（腎，胃）の凍結切片を基質とした，**間接蛍光抗体法**による検出法が汎用されている．その他，ウシ心筋ミトコンドリア由来 M2 蛋白を抗原とした **ELISA** および **CLEIA** による抗 M2 抗体の測定や，**ウエスタンブロッティング法**による検出法も利用されている．

(1) 間接蛍光抗体法（indirect immunofluorescence；IIF）

ミトコンドリアの豊富な組織を抗原として用いる．種特異性，臓器特異性がないので，ラット，マウスの腎あるいは胃の組織切片が基質として利用されている．被検血清を基質に滴下し反応させたのち，結合した AMA を検出するため，FITC 標識抗ヒト免疫グロブリン抗体をさらに反応させ，蛍光顕微鏡で観察する（図 4-Ⅲ-5）．胃なら壁細胞，腎なら近位および遠位尿細管に顆粒状に染まるものを陽性とする．陽性を示す最終希釈倍数を抗体価とする．

本法は抗カルジオリピン抗体，抗リボソーム P 抗体などと鑑別する必要があり，脂質異常症，高γグロブリン血症，他の自己抗体による類似蛍光反応にも注意が必要である．また，20 倍程度の低抗体価の陽性は薬剤性肝障害，心筋症，一部の膠原病などで一過性に陽性となることも知られている．

(2) ELISA

リコンビナント M2 抗原をマイクロプレートに固相化し，被検血清と反応させたのち，標識抗体を反応させ AMA を検出するものである．標識二次抗体としてペルオキシダーゼ標識抗ヒト免疫グロブリン抗体を用いているため，すべ

てのクラスの抗体を検出できる．PBC では，抗 M2 抗体は IgG クラスだけでなく，IgA, IgM クラスも存在しており，約 12% は IgM クラスだったという報告もある．

(3) ウエスタンブロッティング法（イムノブロット法）

ウエスタンブロッティング法は，ウシ心筋由来ミトコンドリア分画を抗原として電気泳動したのち，ニトロセルロース膜に転写させ，被検血清と反応させて AMA と結合した抗原バンドを酵素反応で発色させる方法である．検出感度，特異性とも高く，PBC の 91〜100％に陽性とされる．

2）基準範囲

間接蛍光抗体法：20 倍未満
ELISA：陰性＜Index 7，20 U/mL 以下
CLEIA：7.0 未満

3）検査のポイント

間接蛍光抗体法や ELISA で陰性でも，臨床所見および肝組織検査で PBC が疑われる場合は，感度の高いウエスタンブロッティング法を行う．この場合，陽性となる例が多い．

4）AMA の臨床的意義

PBC は，中年女性に好発する慢性進行性の胆汁うっ滞をきたす自己免疫性肝疾患である．病理学的には慢性非化膿性破壊性胆管炎（chronic non-suppurative destructive cholangitis；CNSDC）が初期の特徴的病変として認められ，AMA が高率に検出される．しかし，あらゆる細胞内に存在するミトコンドリア内の関連酵素に対する抗体が，なぜ肝の臓器特異的自己免疫疾患である PBC で高率に，しかも特異的に検出されるのかは不明である．

抗核抗体が陽性で PBC 様の病像と病理所見を呈し AMA が陰性を示す病態があり，これを自己免疫性胆管炎とすることが提唱されているが，PBC の一亜型とする考え方もある．また，PBC を伴わない AMA 陽性患者が Sjögren 症候群（SS）で 22％，全身性強皮症（SSc）で 17％，関節リウマチ（RA）で 10％認められたという報告がある．厚生労働省難治性の肝・胆道疾患に関する調査研究班による PBC 診療ガイドライン（2017 年）では，肝生検による組織学的な裏づけがなくとも，臨床的に PBC が疑われ，AMA または抗 M2 抗体が陽性であれば PBC と診断してよいとしている．

4　甲状腺自己抗体検査

甲状腺の抗原に対する自己抗体としては，抗サイログロブリン抗体，抗マイクロゾーム抗体，抗 TSH レセプター抗体などがある．

1）抗サイログロブリン抗体（anti-thyroglobulin antibody）

抗サイログロブリン抗体は，甲状腺濾胞細胞に含まれるサイログロブリンに対する自己抗体であり，Basedow病や橋本病などの自己免疫性甲状腺疾患の診断に有用とされている．

(1) 粒子凝集反応（PA）

サイログロブリンを結合させたゼラチン粒子に被検検体中の抗サイログロブリン抗体をマイクロプレート内で反応させるPAで，古くから**サイロイドテスト**とよばれてきた．

(2) 電気化学発光免疫測定法（ECLIA）

ビオチン標識サイログロブリンに，被検検体中の抗サイログロブリン抗体とルテニウム（Ru）錯体標識ヒツジ抗サイログロブリン抗体を競合させる．次いで，ストレプトアビジン結合磁性粒子を加えてB/F分離し，電極上でRuの発光を測定する．

2）抗マイクロソーム抗体（anti-thyroid microsomal antibody）

抗マイクロソーム抗体は甲状腺マイクロソーム分画中に存在する**甲状腺ペルオキシダーゼ**に対する自己抗体で，抗サイログロブリン抗体と同様に自己免疫性甲状腺疾患患者の血清中に高率に検出される．

(1) PA

甲状腺マイクロソーム分画の可溶性蛋白を結合させたゼラチン粒子を用いた受身凝集反応であり，古くからマイクロソームテストとよばれてきた．橋本病の約80％，Basedow病の約70％で検出されるが，健常者においても加齢とともに陽性率が上昇し，60歳以上で5〜20％に検出される．

(2) ECLIA

ビオチン標識甲状腺ペルオキシダーゼに，被検検体中の抗甲状腺ペルオキシダーゼ抗体とルテニウム（Ru）錯体標識抗甲状腺ペルオキシダーゼモノクローナル抗体を競合させる．次いで，ストレプトアビジン結合磁性粒子を加えてB/F分離し，電極上でRuの発光を測定する．

3）抗TSHレセプター抗体（anti-TSH receptor antibody）

抗TSHレセプター抗体は，甲状腺濾胞上皮細胞の細胞膜に存在する甲状腺刺激ホルモン（TSH）のレセプターと反応する抗体である．未治療のBasedow病のほとんどの例で，抗TSHレセプター抗体が陽性である．

(1) ECLIA

可溶化ブタTSHレセプターに，被検検体中の抗ヒトTSHレセプター抗体とルテニウム（Ru）錯体標識抗TSHレセプターモノクローナル抗体を競合させる．次いで，ストレプトアビジン結合磁性粒子を加えてB/F分離し，電極上でRuの発光を測定する．

Ⅳ 免疫不全症関連検査

〈到達目標〉
（1）免疫不全症関連検査の分類について説明できる．
（2）細胞性免疫不全症の検査の種類について説明できる．
（3）細胞性免疫不全症の検査の臨床的意義についてそれぞれ説明できる．

1 液性免疫系

　液性免疫は獲得免疫の一種であり，B細胞や形質細胞によって産生される抗体を中心とした免疫系を指す．脾臓摘出や造血幹細胞移植，多発性骨髄腫などでは液性免疫不全症を発症するが，無γ-グロブリン血症，IgGサブクラス欠損症などの先天的な液性免疫不全症もある．免疫グロブリンの各クラス，サブクラスの定量には，免疫比濁法（TIA），免疫比ろう法（NIA）などが用いられている．

2 細胞性免疫系

1）リンパ球サブセット解析

　リンパ球サブセット解析は，フローサイトメトリ（flow cytometry）を用いて主に末梢血リンパ球の細胞表面抗原解析から分類を行う．Tリンパ球，Bリンパ球，NK細胞などの単純な比率だけでなく，Tリンパ球のなかでもCD4陽性Tリンパ球とCD8陽性Tリンパ球の比率（CD4/CD8比）なども解析することができる．

2）末梢血単核球の分離

　リンパ球の機能を評価する場合，全血検体から末梢血単核球（peripheral blood mononuclear cells；PBMCs）を分離する必要がある．基本的な分離手法として，フィコール・パック（Ficoll-Paque）液（比重1.077〜1.078）を用いた比重遠心法（図4-Ⅳ-1）が広く利用されている．

3）マイトジェン刺激（幼若化）試験

　リンパ球は，コンカナバリンA（Con A）やフィトヘマグルチニン（PHA），ポークウィードマイトジェン（PWM）などのマイトジェン（→p.99）刺激によって幼若化（芽球化）を起こし，DNA合成がさかんになる．マイトジェン刺激試験では in vitro においてマイトジェンとリンパ球を共培養し，DNA合成時に細胞内に取り込まれる ^{3}H-チミジンの量を液体シンチレーションカウンタで測定する．

リンパ球サブセット解析とCD抗原
リンパ球サブセット解析に用いるCD抗原の組合せとしては，T細胞系（CD3，CD4，CD8），B細胞系（CD19またはCD20），NK細胞系（CD16＋CD56），造血幹細胞系（CD34）などが知られている．

薬剤によるリンパ球刺激試験（DLST）
薬剤によるリンパ球刺激試験（drug-induced lymphocyte stimulation test；DLST）は，薬剤アレルギー症状のうち特にⅣ型アレルギーによる肝障害や造血障害に，ある特定の薬剤が関与しているか否かを調べるための検査である．

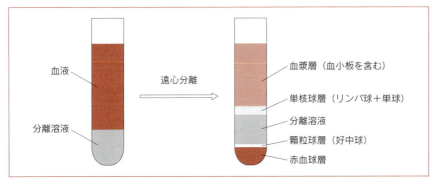

図 4-IV-1　比重遠心法による末梢血単核球の分離

4) NK 細胞活性（NK cell activity）

末梢血単核球（PBMC）と放射性クロム酸ナトリウム（$Na_2{}^{51}CrO_4$）を取り込ませた白血病細胞株（K562）を混合培養する．NK 細胞により ^{51}Cr 標識 K562 細胞が傷害されると，^{51}Cr が培養上清中に遊離する．遊離した ^{51}Cr の放射活性をガンマカウンタで測定することにより，NK 細胞の細胞傷害活性を確認することができる．

5) サイトカイン定量

サイトカインは，免疫応答におけるエフェクタ分子であるため，サイトカインを指標とした免疫機能評価試験は一定の意義がある．リンパ球のサイトカイン産生能を評価する方法としては，末梢血単核球をマイトジェンや抗 CD3 抗体で刺激して，産生される培養上清中のサイトカインを ELISA で定量する手法が一般的である．また，ELISPOT（→ p.144）により，播種した細胞中のサイトカイン産生細胞数の割合を求める方法もある．

6) 好中球（食細胞）機能検査

好中球機能検査には，好中球貪食能検査や好中球殺菌能検査などがあり，いずれも免疫機能評価に重要な検査である．好中球貪食能検査は，蛍光標識されたビーズを実際に好中球に貪食させて，好中球が取り込んだ蛍光ビーズをフローサイトメトリにて検出する．また，好中球殺菌能検査は，殺菌過程で重要な役割をもつ活性酸素の産生能を，活性酸素の蛍光基質への作用を利用してフローサイトメトリで測定する．

3　補体系

1) 補体価および補体成分蛋白の検査

補体成分の欠損症においては，補体価（CH_{50}）および C3，C4 蛋白の定量が有用であるが，詳細は 4 章-VI（→ p.219〜）で説明する．

2）補体制御蛋白の検査

　発作性夜間ヘモグロビン尿症（PNH）が疑われる場合には，Ham 試験（→p.125）や，フローサイトメトリによる CD55，CD59 の検出が行われる．

V 腫瘍マーカー検査

〈到達目標〉
(1) それぞれの腫瘍マーカーが産生される主な腫瘍を説明できる.
(2) 腫瘍マーカーの分類を説明できる.

腫瘍マーカーは，腫瘍細胞から産生され血中で検出される物質の総称である．保険診療で認められている腫瘍マーカーは約40種類ある．主な18種類の腫瘍マーカーを**表4-V-1**に示した．

それぞれの腫瘍マーカーでカットオフ値が設定されている．多くの生化学検査や血液検査は基準範囲をもとに判断することが多いが，腫瘍マーカーはカットオフ値で判断することが多く，カットオフ値未満であれば陰性，カットオフ値以上であれば陽性と判断する．腫瘍マーカーは，カットオフ値よりも高い値を示す由来臓器が多いものと少ないものがあり，それぞれ臓器非特異的マーカー，臓器特異的マーカーとよばれる．また，由来臓器は少なくても炎症を

> **カットオフ値**
> 健常者の群と疾患をもつ者の群を比較して決めた値のこと．腫瘍マーカーの感度は，腫瘍がある人が陽性になる比率のことをいい，特異度は腫瘍がない人が陰性になる比率のことを表す．理想は感度100%，特異度100%であるが，明確に区別がつくカットオフ値の設定はない．カットオフ値は，感度と特異度が最も高くなるように設定されていることが多い.
> 『最新臨床検査学講座 病態学／臨床検査医学総論 第3版』第19章 検査診断学総論を参照のこと.

表4-V-1 腫瘍マーカー

腫瘍マーカー	産生される主な腫瘍	分類
CEA	大腸癌，肺腺癌，甲状腺髄様癌，胃癌	胎児性抗原
AFP	肝細胞癌，精巣腫瘍（非セミノーマ）	
CA19-9	膵癌，胆道癌，大腸癌	Ⅰ型基幹糖鎖
DUPAN-2	肝癌，膵癌，胆道系癌	
SPan-1	膵癌，肝癌	
SLX	肺癌，肺腺癌，卵巣癌，膵癌	Ⅱ型基幹糖鎖
NCC-ST-439	乳癌，膵癌，胆道癌	
CA125	卵巣癌，子宮体癌	コア蛋白
CA15-3	乳癌	
CYFRA	肺扁平上皮癌，肺腺癌	蛋白抗原
PSA	前立腺癌	
SCC抗原	肺扁平上皮癌，子宮頸癌，食道扁平上皮癌，頭頸部癌	
PIVKA-Ⅱ	肝細胞癌	
proGRP	肺小細胞癌	
NSE	肺小細胞癌，神経芽細胞腫	
hCG	絨毛癌	
sIL-2R	悪性リンパ腫，成人T細胞白血病	
尿中NMP22	膀胱癌	

伴う良性疾患や生理的要因でカットオフ値よりも高い値を示すことがある．このような腫瘍マーカーは疾患特異性が低いと表現する．たとえば，AFPは臓器特異的マーカーであるが，良性疾患でもカットオフ値より上昇することがある．

　腫瘍マーカーは，血液検査だけで癌の存在を知ることができるものではなく，癌の存在が診察，病理所見，画像検査の結果から強く疑われる場合にのみ使用する．

　腫瘍マーカー検査は，診断後に悪性腫瘍の治療の過程で化学療法や放射線治療の有効性を評価する場合，診断前に診察で腫瘍の存在が強く疑われたり，画像検査で診断されている場合に，陽性であれば病変の質的診断の補助になる．多くの腫瘍マーカー検査は，それのみで悪性腫瘍を早期発見することはできない．唯一，前立腺癌の腫瘍マーカーであるPSAのみが臓器特異性が高く，検診の有用性が認められている．

　腫瘍マーカー検査は，腫瘍細胞から産生される腫瘍関連抗原を特異的に認識するモノクローナル抗体の技術と，EIA，CLIA，ECLIA，CLEIAなどの検出技術の発展によって多くの臨床現場で利用され，信頼できる検査として確立されてきた．腫瘍マーカーは，腫瘍関連抗原の抗原性によって**胎児性抗原，糖鎖抗原，蛋白抗原**の3種類に分類される．

1　胎児性抗原

　胎児性抗原は，通常では胎児の細胞に限定されるが，腫瘍細胞で異常に発現する蛋白質である．胎児性抗原をコードする遺伝子は，正常な成人細胞では不活性だが，腫瘍細胞では再活性化される．代表的な胎児性抗原は癌胎児性抗原（CEA）とα-フェトプロテイン（AFP）である．

1）CEA

　CEAはヒト胎児では肝臓，腸，膵臓でのみ発現するが，成人では大腸癌，肺癌，甲状腺髄様癌，胃癌，膵癌，胆道癌，乳癌，卵巣癌で発現する．

2）AFP

　AFPは胎児の肝臓と卵黄嚢の細胞で発現するが，成人では肝臓癌と精巣癌の細胞で強く発現する．AFPは血中濃度の変化という量的変化だけでなく，AFPの質的変化も腫瘍マーカー検査に利用されている．232番目のアスパラギンに結合する糖鎖にフコースが結合したAFP-L3が，肝細胞癌の早期診断や重症度の判定に有用である．

2　糖鎖抗原

　糖鎖抗原は，構造的分類としてI型基幹糖鎖，II型基幹糖鎖，コア蛋白に分類される（図4-V-1，2）．分類内の腫瘍マーカーの測定値は相関し，診断的

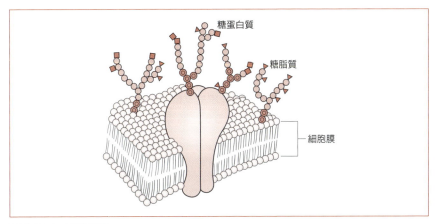

図 4-V-1 糖鎖抗原
癌関連抗原の多くは細胞膜上の糖蛋白質や糖脂質の糖鎖の一部である．◎は母核，○は基幹，▲■は修飾構造
(神奈木玲児：癌関連性糖鎖抗原の分類とその構造．日本臨牀，54：1551, 1996)

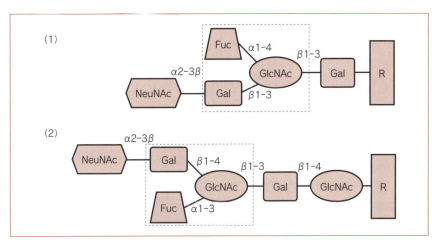

図 4-V-2 I 型基幹糖鎖と II 型基幹糖鎖
(1) I 型基幹糖鎖の例の CA19-9．Le^a 抗原（点線で囲んだ部分）にシアル酸の一種の N-アセチルノイラミン酸が結合している．
(2) II 型基幹糖鎖の例の SLX．Le^x 抗原（点線で囲んだ部分）に N-アセチルノイラミン酸が結合している．
NeuNAc：N-アセチルノイラミン酸，Gal：ガラクトース，Fuc：フコース，GlcNAc：N-アセチルグルコサミン，R：細胞膜表面の糖・蛋白・脂質．

意義が類似することから同時に測定する利益は少ないことが知られている．

1) I 型基幹糖鎖

I 型基幹糖鎖は，構造内に Galβ1→3GlcNAc の基幹をもつ．CA19-9, DUPAN-2, SPan-1 などが分類される．CA19-9 は Le^a 抗原にシアル酸が結合している構造をもつ（**図 4-V-2**）．したがって，Le（a−b−）の人は CA19-9 が陽性にならない（→ p.301）これらの糖鎖は消化器系の癌で強く発

現する.

2) Ⅱ型基幹糖鎖

Ⅱ型基幹糖鎖は,構造内にGalβ1→4GlcNAcの基幹をもつ.SLX,NCC-ST-439などが分類される.SLXはLe^{x}抗原にシアル酸が結合している構造をもつ(図4-V-2).Ⅱ型基幹糖鎖は消化器系の癌で強く発現するが,肺腺癌,乳癌,卵巣癌などの腫瘍マーカーとしても用いられる.

3) コア蛋白

コア蛋白は,モノクローナル抗体の認識が糖鎖よりも糖鎖が結合しているコア蛋白に重点が置かれていることから分類されている.CA125やCA15-3が分類される.

3 蛋白抗原

蛋白抗原は,モノクローナル抗体の認識が蛋白質であることから分類される腫瘍マーカーである.代表的な蛋白抗原はCYFRA(サイトケラチン19フラグメント),PSA(前立腺特異抗原),SCC(squamous cell carcinoma)抗原,PIVKA-Ⅱ(protein induced by vitamin K absence or antagonist-Ⅱ),proGRP(ガストリン放出ペプチド前駆体),NSE(神経特異エノラーゼ)である.

1) CYFRA

サイトケラチンは,上皮細胞の骨格を形成する相対分子質量40,000の蛋白である.単層上皮と非角化型の扁平上皮に存在する.CYFRAは,サイトケラチンの亜分画の一つであり,肺癌細胞中の蛋白分解酵素によって細胞外に流出する.特に肺扁平上皮癌で高値を示すが,SCCとの相関はほとんどない.

2) PSA

PSAは,前立腺に存在する相対分子質量34,000の糖蛋白で,蛋白分解酵素として働く.PSAは細胞から遊離すると,大部分がα_1-アンチキモトリプシンやα_2-マクログロブリンなどの血漿蛋白と結合して複合体を形成する.一部は遊離型として存在する.前立腺癌では蛋白結合型の産生量が増加するため,遊離型PSAとトータルPSAの比を求めて前立腺癌と前立腺肥大症を鑑別する.

3) SCC抗原

SCC抗原は,子宮頸部の扁平上皮癌の組織から発見された相対分子質量45,000の糖蛋白で,蛋白分解酵素の阻害作用や接着因子の発現の調節に関与していることが知られている.SCCを構成する蛋白はSCCA-1抗原とSCCA-2抗原をもち,SCCA-2抗原は扁平上皮癌で高発現している.測定法によって

それぞれの抗原に対する反応性が異なることに注意が必要である．

4) PIVKA-II

PIVKA-IIは，凝固因子としての働きをもたない異常な凝固第II因子である．凝固因子のうち，第II因子，第VII因子，第IX因子，第X因子は肝臓で合成されるが，凝固因子としての働きをもつためには，ビタミンKによってそれぞれの蛋白のN末端がカルボキシル化される必要がある．肝細胞癌ではビタミンKが欠乏するために，PIVKA-IIが血中に出現する．ワルファリンNa投与時やビタミンK欠乏時，ビタミンK産生腸内細菌に対する抗菌薬の投与時に高値を示す．

5) proGRP

proGRPは，肺小細胞癌でガストリン放出ペプチド（GRP）とともに血中に放出されるペプチドである．GRPも肺小細胞癌の優れた腫瘍マーカーであるが，proGRPはGRPよりも血中の安定性が高く，GRPの400倍の血中濃度であることから測定系がつくられた．proGRPは，相対分子質量が約13,000のproGRPと，GRPから切断された相対分子質量約11,000のC末端フラグメントを測定対象としている．これらの物質は糸球体を容易に通過するため，腎機能低下の影響を受ける．

6) NSE

NSEは，解糖系酵素であるエノラーゼの一種で，神経細胞に存在することから神経特異エノラーゼと命名された．エノラーゼは相対分子質量100,000の酵素であり，3つのサブユニット（α，β，γ）の二量体として5種類のアイソザイム（$\alpha\alpha$，$\beta\beta$，$\gamma\gamma$，$\alpha\beta$，$\alpha\gamma$）が存在する．αは多くの細胞に存在し，βは筋細胞，γは神経細胞に存在する．NSEは$\gamma\gamma$型，$\alpha\gamma$型である．免疫組織化学染色によって神経組織のみならず，神経内分泌細胞，膵ラ島細胞，赤血球，白血球，血小板，リンパ球などにも含まれることが判明している．悪性腫瘍では神経芽細胞腫，肺小細胞癌の破壊によって血中濃度が上昇する．

Ⅵ 血清蛋白異常症関連検査

〈到達目標〉
(1) 免疫グロブリンの量的あるいは質的異常と疾患の関連性について説明できる.
(2) 温度依存性蛋白の種類と性質について説明できる.
(3) 補体成分の増減と疾患の関連性について説明できる.
(4) CRP 測定の意義と急性期蛋白の種類について説明できる.

1 免疫グロブリン

1) IgG, IgA, IgM の測定

(1) 測定法

IgG, IgA, IgM の定量には溶液内沈降反応を原理とした免疫比濁法 (TIA, ➡ p.131), 免疫比ろう法 (NIA, ➡ p.132) が一般化している. 汎用測定機には生化学用自動分析機が利用され, 専用機には試薬が独自に開発されている.

(2) 基準範囲

国際標準物質 (CRM470) を用い, 国内で設定された健常成人の基準範囲は下記のとおりである.

IgG : 870～1,700 mg/dL
IgA : 110～410 mg/dL
IgM : 35～220（男性 33～190, 女性 46～260）mg/dL

2) IgD の測定

(1) 測定法

従来, IgD は単純放射免疫拡散法 (single radial immunodiffusion; SRID) で測定されていたが, 1 mg/dL 以下の検体が測定できないなどにより, 正確な基準範囲を求めることができなかった. 近年, ラテックス凝集免疫測定法 (latex agglutination immunoassay; LAIA) を用いることにより低値の測定が可能となった. 専用機では 0.1 mg/dL までの低値測定が可能である.

(2) 基準範囲

IgD : 9.0 mg/dL 以下

 高 IgD 症候群

コレステロール合成にかかわるメバロン酸キナーゼの変異のために, 発熱, リンパ節腫脹, 嘔吐, 下痢などの炎症発作をくり返す, 一種の自己炎症性疾患. この疾患に特異的ではないが, IgD が高値を呈することが多い.

3) IgE の測定

➡「4 章-Ⅱ アレルギー検査」を参照.

図4-Ⅵ-1　自己免疫性膵炎（硬化性膵炎）患者の血清蛋白分画像

4) IgG サブクラスの測定

近年，IgG サブクラスの低下・欠乏が各種の免疫不全状態に合併して起こることが明らかにされ，気道を中心とした反復感染症を惹起する病態として重要視されている．また，感染症・アレルギー・自己免疫疾患などにおいても各 IgG サブクラスの免疫応答の特異性やその意義などについて幅広い検討が行われている．

IgG1 は最大の成分（総 IgG の 60～70％）で，蛋白・ペプチド抗原に対して最も優位な応答を行う．

IgG2 は総 IgG の 20～25％で，多糖体抗原（インフルエンザ桿菌，肺炎球菌など）に対して優位に応答し，欠損症ではこれらの細菌による反復気道感染が特徴的である．

IgG3 は総 IgG の 7～9％で，蛋白・ペプチド抗原によく応答し，時に IgG1 より親和性の高い抗体となり，欠損症では反復感染症がみられる．

IgG4 は総 IgG の 3～6％で，寄生虫・食物・吸入抗原に対して IgE とともに産生が誘導されるが，アレルギー反応における役割は明らかでない．

IgG サブクラス欠損症は抗体欠乏を主とする原発性免疫不全症候群の一つで（→ p.101），毛細血管拡張性運動失調症（ataxia telangiectasia；AT）などでの IgG2・4 の欠損，選択的 IgG1～4 サブクラス欠損症が注目される．特に選択的 IgG1～4 サブクラス欠損症では総 IgG レベルに異常のないことが多く，サブクラスの測定によって診断が可能となる．

近年，自己免疫性膵炎の患者で血清 IgG4 濃度が高値を示すことが証明され，IgG4 の測定は他の膵臓または胆道系の疾患との鑑別に有用な方法であり，ステロイド治療により低下すると報告されている．この場合の IgG4 の増加は多クローン性であるが，β～fast-γ 位に易動度をもっているため，β-γ bridging が形成される（図 4-Ⅵ-1）．

(1) 測定法

現在では免疫比ろう法（NIA），免疫比濁法（TIA），ラテックス凝集免疫比濁法（LTIA）を原理とした測定法が主流である．

IgG4 関連疾患

近年，自己免疫性膵炎のほか，大動脈炎，後腹膜線維症，近位胆管狭窄，尿細管間質性腎炎，涙腺・唾液腺の腫脹などさまざまな組織に炎症を起こし，生検で多数の IgG4 産生形質細胞の浸潤を認める疾患として，IgG4 関連疾患といつ概念が提唱され，患者数が増加している．

表 4-Ⅵ-1　IgG サブクラスの基準範囲

IgG1	IgG2	IgG3	IgG4
351〜962 mg/dL	239〜838 mg/dL	8.5〜140 mg/dL	4.5〜117 mg/dL

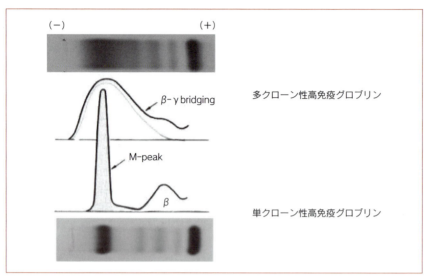

図 4-Ⅵ-2　電気泳動上における γ 分画の多クローン性（polyclonal）と単クローン性（monoclonal）の比較

(2) 基準範囲

免疫比濁法（TIA），ラテックス凝集免疫比濁法（LTIA）による基準範囲は表 4-Ⅵ-1 のとおりである．

5）免疫グロブリン測定の臨床的意義

免疫グロブリンの量的あるいは質的な異常をとらえることは，免疫機構の全体的な機能異常を知る手がかりとなる．原発性免疫不全症ではすべてのクラス，あるいは特定のクラスの免疫グロブリンが欠如ないし著減することが多く，慢性肝疾患，悪性腫瘍，自己免疫疾患などでは多クローン性の免疫グロブリンの増加（polyclonal hyperimmunoglobulinemia）が認められ，これらの病態診断の参考となる．さらに，単クローン性の免疫グロブリンの増加（monoclonal hyperimmunoglobulinemia：M 蛋白血症）は，多発性骨髄腫（IgG 型，IgA 型，IgD 型，IgE 型，Bence Jones 蛋白型）や原発性マクログロブリン血症（IgM），MGUS（monoclonal gammopathy of undetermined significance），H 鎖病，アミロイドーシスなどで証明され，その診断的価値は非常に高い（図 4-Ⅵ-2）．また，M 蛋白が臨床検査値に直接，あるいは間接的に影響を及ぼす場合が少なくない（表 4-Ⅵ-2）．

表 4-Ⅵ-2　臨床検査に影響を及ぼす M 蛋白

1. 免疫電気泳動および免疫固定電気泳動検査に影響を与えた例
    ① ウサギ・ウマ α_2-マクログロブリンと結合する M 蛋白――IgG 型
       (IgG 画分に精製されていない特異抗血清を用いた場合，すべての抗血清と M 蛋白が反応する)
    ② 寒天成分（アガロペクチン）と反応する M 蛋白――IgG 型，IgA 型，IgM 型
    ③ アガロースゲルと反応する M 蛋白――IgM 型
       (塗布位置に M 蛋白が残るため，セルロースアセテート膜電気泳動と異なった泳動像となる)
2. セルロースアセテート膜電気泳動検査に影響を与えた例
    ① セパラックス膜（アセチル基）と反応する M 蛋白――IgG 型，IgA 型，IgM 型
    ② セパラックス-SP 膜と反応する M 蛋白――IgA 型
       (幅狭い明瞭な M 蛋白帯は観察されず，幅広いあるいは尾を引くような奇妙な泳動像として観察される)
3. 臨床化学検査に影響を与えた例
    ① 酸性緩衝液（クエン酸・酢酸・塩酸）と反応する M 蛋白――IgG 型
       (酸性緩衝液を使用する測定系で異常反応がみられる…アルブミン，血清鉄，直接ビリルビン)
    ② アルブミンと結合する M 蛋白――IgG 型，IgA 型
       (IgA 型 M 蛋白の場合，アルブミンと結合することにより糖化されフルクトサミンやグリコアルブミンが高値を示す)
    ③ LD と結合する M 蛋白――IgG 型，Bence Jones 蛋白型
       (原因不明の高 LD 血症として観察される)
4. 血液一般検査（自動血球計数装置）に影響を与えた例
    ① EDTA と反応する M 蛋白――IgG 型
       (EDTA と反応することにより白濁沈殿物が生じ，偽白血球増多として観察される)
5. 免疫血清検査に影響を与えた例
    ① ポリエチレングリコールと反応する M 蛋白――IgG 型，IgA 型，IgM 型
       [免疫反応促進剤（ポリエチレングリコール）を含む試薬を用いた場合に異常値を示す．
       すなわち，測定が 1 試薬系の場合は異常高値，2 試薬系の場合はマイナス値となる]
    ② 動物血清成分（抗血清）と反応する M 蛋白――IgG 型，IgA 型，IgM 型
       (動物種の異なる抗血清を用いた場合に乖離した測定値を示す)
    ③ サブクラスの相違による定量値の乖離を示す M 蛋白――IgG 型，IgA 型
       (総蛋白濃度と分画値の換算値と免疫グロブリン濃度が乖離する)
    ④ 寒冷凝集素活性（IgM 型），RF 活性（IgM 型，IgG 型，IgA 型），ASO 活性（IgG 型），Donath-Landsteiner 抗体活性（IgG 型）
       を示す M 蛋白

6) 異常免疫グロブリンの検査

　異常免疫グロブリンの代表的なものは M 蛋白であり，M 蛋白のスクリーニング検査としては，血清蛋白分画の測定がある．従来，セルロースアセテート膜による電気泳動法が用いられていたが，現在では**キャピラリー電気泳動法**や**アガロース電気泳動法**による測定が主流である．これらの電気泳動検査では，主に $\alpha_2 \sim \gamma$ 分画にかけて M 蛋白帯の発見に努めるが，アルブミン分画より狭い蛋白帯が正常の分画と明らかに異なる位置にみられた場合は M 蛋白を疑ってよい．ただし，M 蛋白の特徴は，①電気泳動像で幅狭い蛋白帯を形成する，②免疫学的に単一な種類の H 鎖あるいは L 鎖からなっていることから，電気泳動像だけで M 蛋白と判断することはむずかしく，必ず免疫学的な方法により M 蛋白を同定する必要がある．免疫グロブリンの質的異常の免疫学的な同定・検索には，ゲル内沈降反応を原理とした免疫電気泳動法（IEP，➡ p.146），免疫固定電気泳動法（IFE，➡ p.151）が利用されている．さらに分子量の測定や構造異常の有無を推定するために，ウエスタンブロッティング法（WB，➡ p.153）が活用されている．

2　温度依存性蛋白

　温度の変化によってゲル化や白濁沈殿を生ずる蛋白を温度依存性蛋白（thermoprotein）と総称しているが，これらも免疫グロブリンであり，代表的なもの

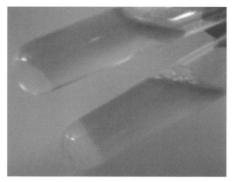

図 4-Ⅵ-3 クリオグロブリン陽性血清
両試験管とも，4℃に一夜放置後，白濁ゲル化を認めた血清を示す．この白濁物質は37℃加温で消失した．

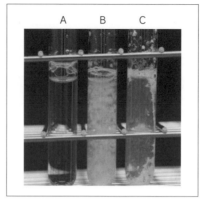

図 4-Ⅵ-4 BJPの熱凝固性
A：原尿，B：56℃加温，C：100℃加温

としてクリオグロブリン，パイログロブリンおよび Bence Jones（ベンス・ジョーンズ）蛋白がある．

1）クリオグロブリン（cryoglobulin）

クリオグロブリンは，血清を低温（4℃）に保存すると白色沈殿またはゲル化し，37℃に温めると再溶解するという可逆的変化を示す（図 4-Ⅵ-3）．その主な構成成分は病的免疫グロブリンであり，寒冷沈降性の特性をもつM蛋白，または寒冷沈降性の免疫複合体（immune complex）からなっている．M蛋白の場合，低温でM蛋白の立体構造が変化し，溶解性が減少して白濁ないしゲル化するものと考えられる．

(1) クリオグロブリンの検査法

①37℃に加温した注射器で採血し，37℃で十分に凝固させたのち，血清を分離する．

②透明な小試験管に入れた血清を冷蔵庫（4℃）に24時間放置後，白濁沈殿またはゲル化の有無を観察する．沈殿またはゲル化が認められないときは，さらに数日（2〜7日）間放置する．

③沈殿またはゲル化が認められたときは，血清を37℃に加温して，この沈殿物が再溶解するかどうかを確認する．再溶解すればクリオグロブリン陽性とする．

④クリオグロブリンの構成成分の同定には，免疫電気泳動法，免疫固定電気泳動法が用いられる．このとき，原血清，上清もあわせて検査する．

(2) 検査のポイント

①クリオグロブリンの形成は室温以上でも起こるので，血清の採血から分離までの間は保存温度に注意する．

②症例により沈殿物形成の時間，温度，量などが異なるので，数日間観察する必要がある．

表 4-Ⅵ-3 クリオグロブリンのタイプと主な疾患

疾患名	タイプⅠ型 単クローン性型 (M蛋白型)	タイプⅡ型 単クローン性と 多クローン性の混合型	タイプⅢ型 多クローン性 混合型
多発性骨髄腫	○		
原発性マクログロブリン血症	○	○	
本態性クリオグロブリン血症	○	○	◎
悪性リンパ腫		○	○
慢性リンパ性白血病		○	○
関節リウマチ (RA)		○	○
Sjögren 症候群		○	○
全身性エリテマトーデス (SLE)			○
亜急性細菌性心内膜炎		○	◎
C型肝炎		◎	○

◎：高頻度，○：低頻度

③長期保存では微生物の繁殖による沈殿があるので，血清は無菌的に扱う．

④フィブリンなどがあると沈殿物が認められるが，これらは 37℃に加温しても再溶解しないので判別可能である．

(3) クリオグロブリンの臨床的意義

クリオグロブリンは，主に3つのタイプに分類される（**表 4-Ⅵ-3**）．タイプⅠ（単クローン性型），タイプⅡ（単クローン性と多クローン性の混合型），タイプⅢ（多クローン性混合型）である．タイプⅡは主に IgM 型M蛋白と多クローン性の混合型で，IgM は IgG に対する抗体である．タイプⅢの頻度が最も高く，クリオグロブリン量は微量のことが多い．一般に IgM-IgG の複合体で IgM に抗体活性がある．

2) パイログロブリン (pyroglobulin)

パイログロブリンは，血清を 56℃ 30 分間加温したとき不可逆性の白濁またはゲル化を示す蛋白をいう．100℃に加熱しても再溶解しない．検査前処理として，血清を 56℃で非働化したときに偶発的に見出される例が多い．

(1) パイログロブリンの検査法

①静脈血を 37℃の恒温槽で十分凝固させたあと，血清を分離する．

②透明な小試験管に入れた血清を 56℃ 30 分間加熱した後，白濁を伴ったゲル化の有無を観察する．

③ゲル化が認められた場合，パイログロブリン陽性とする．血清がまだ流動性を失っていない場合は，さらに 60℃で 30 分間加熱して，再び血清の状態を観察する．60℃でゲル化が認められなければ陰性と判定する．

④パイログロブリンの構成成分の同定は，原血清，ゲル化上清を用い，免疫

クリオグロブリン
タイプⅠ：通常クリオグロブリンは大量である．
タイプⅡ：クリオグロブリンの沈殿物にC型肝炎ウイルス (HCV) が検出されることがあり，C型肝炎では陽性率が非常に高い．
タイプⅢ：タイプⅡおよびⅢは免疫複合体であって，しばしば血管炎や糸球体腎炎を伴う．約半数以上に腎障害が惹起されるといわれる．

クリオグロブリン血症
小血管に免疫複合体型血管炎を発生し，下腿，耳介などの紫斑，皮膚潰瘍，関節痛，多発単神経炎，糸球体腎炎などを起こす．

電気泳動法，免疫固定電気泳動法により行う．
(2) 検査のポイント
フィブリノゲンが残っていると，56℃ 30分間加熱でフィブリノゲンが沈殿してくるので，血清分離には十分な注意が必要である．
(3) パイログロブリンの臨床的意義
パイログロブリンが陽性の場合，ほとんどがM蛋白であることから，多発性骨髄腫，原発性マクログロブリン血症などのB細胞系腫瘍性疾患が背景にある．パイログロブリンの存在そのものが臨床症状や多発性骨髄腫などの予後と関連しているという明確な証拠はないが，M蛋白の量が多い場合にみられやすい現象でもあるので，**過粘稠度症候群**の症状を呈する場合が多い．

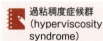

過粘稠度症候群（hyperviscosity syndrome）
血液の粘度が上昇し，微小血管の血流が悪くなって種々の症状が出現する．原因として最も多いのはマクログロブリン血症で，IgM が凝固因子や血小板と結合することもあって出血傾向が現れる．皮膚・粘膜の出血，頭痛，めまい，視力障害，聴力障害などの末梢神経障害の症状が出現し，眼底出血，網膜静脈の怒張と狭小化（ソーセージ様）が認められる．循環血漿量の増加によって心不全をきたす場合もある．

3) Bence Jones 蛋白（Bence Jones protein；BJP）

BJP は免疫グロブリンの遊離のL鎖が単クローン性に出現したものであり，56〜60℃の熱処理で混濁し，100℃付近で再溶解する特異な熱凝固性を示す（図4-Ⅵ-4）．BJP は抗体産生細胞が過剰にL鎖を産生する病態で出現し，血清学的にκ型とλ型の2型に区別される．L鎖は分子量が約22,000〜24,000であるが，BJPのほとんどは二量体として合成・分泌され，まれに単量体や四量体のものも存在する．四量体のものは腎糸球体膜を通過しにくいが，それ以外は分子量が小さいので尿中に排出されやすい．したがって，日常の電気泳動検査では血清中にBJPが証明されるときもあるが，一般的にBJPが疑われる場合，尿を検体として用いる．

(1) BJP の検査法
スクリーニング検査としては，スルホサリチル酸法による尿蛋白定性試験が有効である．スルホサリチル酸法は蛋白定性試験として最も鋭敏な方法であるが，日常検査では試験紙法が多用されている．しかし，指示薬の蛋白誤差を利用した試験紙法はアルブミンに特異的なため，BJPの検出は困難である．したがって，スルホサリチル酸法と試験紙法との結果に乖離が認められたとき，たとえばスルホサリチル酸法（3+），試験紙法（+）のように乖離した場合は，BJP が陽性であることが多く，BJP 検出の糸口となる．

❶ BJP の定性法──熱凝固試験（Putnam 法）
BJPの可逆的な二相性の熱凝固性を生かした方法である．すなわち，BJPの等電点は酸性側が多いことから，尿を酸性（pH 4.9）下で熱試験を行う．BJPは56〜60℃の加温でいったん白濁沈殿し，100℃の加熱で再溶解する．

①濾過あるいは遠心後の透明尿4 mL を試験管2本（a, b）にとる．
②それぞれに2 mol/L 酢酸緩衝液（pH 4.9±0.1）1 mL を加える．
③試験管 a を 56℃ 15分間加温する．試験管 b を対照として試験管 a の混濁の有無を調べる．
④混濁あるいは沈殿が認められたら，試験管 a を沸騰水浴中で3分間加熱する．混濁の消失または沈殿量の減少があれば BJP 陽性である．

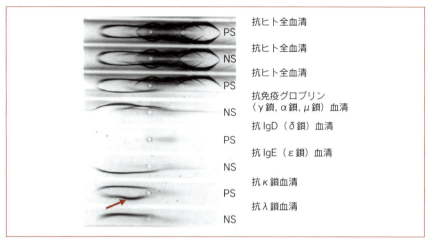

図 4-Ⅵ-5　BJP 型多発性骨髄腫例の免疫電気泳動パターン
PS：患者血清，NS：正常血清，→：λ 型 BJP

⑤多くの場合，他の蛋白と混在するので完全には透明とならない．このような場合は，試験管を沸騰水浴中から取り出し，すみやかに濾過する．濾液を徐々に冷却すると，BJP 陽性の場合は 60～45℃の間で再び混濁する．

❷ BJP の同定法

　BJP の同定法としては，免疫固定電気泳動法および免疫電気泳動法が一般的である．BJP の場合，IgG，IgA，IgM，IgD，IgE の各 H 鎖特異抗血清とは全く反応せず，L 鎖の抗 κ または抗 λ 鎖血清のどちらか一方とのみ反応する M 蛋白として観察される（**図 4-Ⅵ-5**）．

(2) 検査のポイント

①Putnam 法では，尿を酸性下で熱試験を行うことになっているが，BJP の等電点には多様性があり，等電点がアルカリ性側の場合は酸性尿で陽性を示さないことがある．このような場合，バルビタール緩衝液（pH 8.6，0.06 mol/L）などで尿をアルカリ性にしてから熱試験を行うとよい．

②市販抗血清のなかには，BJP の検出を目的とした抗遊離 L 鎖血清がある．通常抗 L 鎖血清は免疫グロブリンの L 鎖に存在するいくつかの抗原決定基に対する抗体を含んでいるが，抗遊離 L 鎖血清では遊離な状態でしか存在しない抗原決定基に対する抗体のみであるため，通常の IgG，IgA あるいは IgM に存在する L 鎖とは反応せず，BJP のみが反応する．しかし，BJP ばかりでなく，多クローン性に出現する遊離の L 鎖とも反応するため，特に尿中 BJP の判定には注意する必要がある．血中および尿中 BJP の同定には，通常の抗 L 鎖血清で十分である．

(3) BJP の臨床的意義

　MGUS で尿中に BJP が検出される例はきわめてまれであり，BJP の存在は多発性骨髄腫などの悪性疾患，またはアミロイドーシスが強く示唆される．し

かし，多発性骨髄腫でBJP尿を伴うものは60％程度であり，尿中BJPが検出されないからといって多発性骨髄腫を否定することはできない．

BJP排出例は腎機能障害を伴うことが多く，腎機能が障害されるに従って血中にBJPがみられるようになる．血中にBJPが検出された場合は，①腎不全による糸球体濾過能の低下，②腎異化能を上回るBJPの多量産生，③両者の合併，④高分子BJPの存在などの病態が考慮されるが，いずれも予後不良の徴候といわれている．特に<u>IgD-λ型多発性骨髄腫では多量のBJPを伴いやすい</u>ことが知られている．多発性骨髄腫でBJP尿を伴う場合，原則的にBJP量と病勢との相関性はないが，治療効果を反映してBJP量の減少する症例も認められる．

原発性アミロイドーシスはBJP尿を伴うことが多いとされるが，多発性骨髄腫に伴うアミロイドーシスとの区別は困難である．

3 遊離L鎖，κ/λ比

免疫グロブリンを構成するL鎖は形質細胞内でH鎖よりも過剰に産生されるため，H鎖と結合できないL鎖は**遊離L鎖**（free light chain；FLC）として細胞外へ放出されることから，血清および（あるいは）尿中のFLC，κ/λ比を測定し，多発性骨髄腫などの疾患の早期診断や経過観察に活用されるようになった．

1）遊離L鎖，κ/λ比の測定法

遊離L鎖（FLC），κ/λ比の測定は，ラテックス凝集免疫比ろう法（LNIA）を原理とした方法が用いられている．ラテックス粒子に結合させた抗体（抗FLC抗体）に検体の抗原（FLC）を反応させ，抗FLC抗体-FLC複合物を形成させる．その複合物を散乱光の強度で測定することで，検体中に含まれるFLCを定量する．

（1）検査のポイント
①抗原抗体反応を原理としているため，抗原過剰の検体に注意する．
②H鎖とL鎖の産生バランスが1：1である多発性骨髄腫患者においては，FLC値に異常が認められない可能性がある．

2）FLC，κ/λ比の基準範囲

健常成人における基準範囲（血清）は下記が報告されている．

κ型FLC：3.3〜19.4 mg/L
λ型FLC：5.7〜26.3 mg/L
κ/λ比：0.26〜1.65

3）FLC，κ/λ比測定の臨床的意義

多発性骨髄腫などのM蛋白血症では，単クローン性の形質細胞が増殖し，

κ型あるいはλ型のどちらかのL鎖の増加がみられ，κ/λ比は異常を示す．

FLC量の増加要因には，単クローン性のものだけでなく，多クローン性の増加も含まれるためκ/λ比も考慮する必要がある．それらは免疫固定電気泳動法や免疫電気泳動法により判別は比較的容易であるが，温度依存性蛋白質としての特性に差を認めない．すなわち，FLC は 56～60℃の熱処理で混濁し，100℃付近で再溶解するという特異な熱凝固性を示す．単クローン性のFLC は Bence Jones 蛋白（BJP）として知られ，多発性骨髄腫や原発性マクログロブリン血症などの悪性 M 蛋白で検出される頻度が高い．一方，多クローン性のFLC は，少しずつ構造が変化した多数の FLC が存在しκ型とλ型がほぼ同程度に混在している．また，血清 FLC，κ/λ比の測定は，M 蛋白量の少ない初期の多発性骨髄腫や非分泌型または低分泌型多発性骨髄腫などの類縁疾患の診断だけでなく，治療効果の判定やモニタリングにもその有用性が報告されている．

4 補体
1）補体の測定法
補体系の測定には，活性を指標とする**補体価**と，**蛋白量**として補体成分を測定する方法がある．

(1) 補体価の測定法
補体価の測定は，一般にヒツジ感作赤血球（EA）に対する古典経路の活性を指標に行われるが，溶解反応（→ p.124）で説明したように von Krogh の曲線から，<u>一定量の感作赤血球に対して補体量を段階的に増加させた際の溶血度は，20～80％の範囲でなければ直線的な関係が認められないという性質があるため</u>，一定数（$5×10^8$ 個/7.5 mL）のヒツジ感作赤血球を 50％溶血させるのに必要な補体量を**補体価 CH_{50}** と定義している（Mayer 法）．

実際の補体価測定は Mayer 法の反応量のすべてを 1/2.5 にした **Mayer 変法**が用いられているが，操作がやや煩雑なため，近年は自動分析装置による測定が行われるようになった．自動分析法には，感作赤血球を用いる方法と人工脂質二重膜（リポソーム）を用いる方法がある．このうち感作赤血球を用いる方法は，用手法の Mayer 法の原理に準じており，感作赤血球の溶血度を濁度変化として 660 nm でとらえる免疫比濁法（TIA）を原理とする．一方，リポソームを用いる自動化法は，**図 4-VI-6** に示したように，グルコース-6-リン酸脱水素酵素（G-6-PD）を内包し，表面にハプテン（dinitrophenol；DNP）を結合したリポソームに抗 DNP 抗体と被検検体（補体）を加えることにより生じる損傷反応を利用する．リポソームの損傷により内部から溶出する G-6-PD に対して，グルコース-6-リン酸（G-6-P）と NAD^+ を作用させることで生成される NADH の増加量を，吸光度変化としてとらえて血清補体価を求める．

(2) 補体成分蛋白量の測定法
各補体成分に対する特異抗血清を用いて，免疫化学的分析法により蛋白量の測定が行われる．C3 および C4 の測定には免疫比ろう法（NIA），免疫比濁法

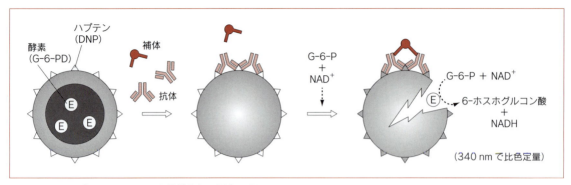

図 4-Ⅵ-6　リポソームを用いる血清補体価の測定原理

表 4-Ⅵ-4　補体測定の臨床的意義

CH_{50}	C3	C4	主な原因
↓	↓	↓	全身性エリテマトーデス（SLE），急性糸球体腎炎（AGN），慢性肝炎，肝硬変など
↓	↓	→	膜性増殖性糸球体腎炎（MPGN），C3 欠損症など
↓	→	↓	遺伝性血管性浮腫（HAE），C4 欠損症など
↓	→	→	コールドアクチベーション

→：正常値，↓：低値

(TIA)，ラテックス凝集免疫比濁法（LTIA）などが用いられている．

2）基準範囲

測定方法により異なるが，主な補体成分の基準範囲は下記のとおりである．
血清補体価（CH_{50}）：32〜58 U/mL（リポソーム免疫測定法）
C3：86〜160 mg/dL（免疫比濁法）
C4：17〜45 mg/dL（免疫比濁法）
C1q：8.8〜15.3 mg/dL（免疫比ろう法）

3）検査のポイント

①CH_{50} は C1〜C9 の各補体の総活性として測定されるが，C1〜C9 のどの成分の異常でも低下する．
②一般的に C3 活性および C4 活性は各々の蛋白量とよく相関するので，C3 および C4 の測定には蛋白量の測定法が利用されている．
③CH_{50} 用の血清は，すぐに測定できない場合にはただちに凍結する．

4）補体測定の臨床的意義（表 4-Ⅵ-4）

補体成分の総活性を示す CH_{50}，ならびに C3，C4 の蛋白量の測定結果から疾患や病態の把握がある程度可能である．特に，補体成分が減少する場合には臨床的意義が大きく，診断ならびに病勢，予後の判定に役立つ．

(1) CH_{50}，C3，C4 のすべてが低値である場合

原因として以下の2つが考えられる．

❶ 補体の消費

1つは，免疫複合体による補体活性化に伴う補体消費である．**急性糸球体腎炎**（acute glomerulonephritis；AGN）（→ p.64），**全身性エリテマトーデス**（SLE → p.90）ではほとんどの例で CH_{50}，C3 および C4 は著明に低下する．SLE の活動期，特にループス腎炎を伴う場合では CH_{50}，C3 および C4 は著明に減少し，本症の活動性の評価に用いられている．

❷ 補体合成量の低下

もう1つの原因は，肝臓での補体蛋白合成量の低下である．**慢性肝炎**などの肝疾患，特に**肝硬変**末期などのびまん性肝障害にみられる．

(2) CH_{50} と C3 が低値で C4 が正常である場合

主に，別経路の活性化をきたす病態で認められる．**膜性増殖性糸球体腎炎**（membranoproliferative glomerulonephritis；MPGN），脂肪萎縮症（partial lipodystrophy；PLD）などでみられる．この場合 C5 を蛋白定量し，異常がなければ C3 nephritic facter（C3 NeF）を調べる．C3 NeF は，MPGN，PLD では高率に検出される．

また，CH_{50} および C3 が検出不能の場合は，**C3 欠損症**が考えられるので C3 活性を測定する．

C3 NeF
C3 NeF は，補体活性の別経路における C3bBb に対する自己抗体の一種で，C3bBb の安定化に伴う持続的な補体活性化を引き起こす．

(3) CH_{50} と C4 が低値で C3 が正常である場合

遺伝性あるいは後天性の血管性浮腫，**C4 欠損症**などが最も考えられる．C1 インヒビター（C1-INH）が欠損する遺伝性血管性浮腫（HAE）（→ p.102）では，C1-INH 蛋白の欠損症（type1）や C1-INH 蛋白が不活性のもの（type2）がある．C1-INH 欠損症が疑われた場合には C1，C4，C2 などの補体成分の活性および C1-INH の蛋白量や活性値を測定する必要がある．HAE では C1q が正常であるが，後天性血管性浮腫では C1q は低値を示すため，C1q の蛋白定量は両者の鑑別に用いられる．ただし，HAE の場合でも C1q が低値を示すことがあるため，C1q の定量結果だけで診断を確定することはできない．また，CH_{50} が著減し，C4 の蛋白量が測定不能の場合は C4 欠損症が考えられるため，C4 活性を調べる必要がある．

(4) CH_{50} が低値で C3 と C4 が正常である場合

コールドアクチベーション（cold activation）が考えられる．C 型肝炎による慢性肝障害の患者血清を低温（4℃）で1～2時間放置するとクリオグロブリンが生じ，これに補体が結合する．この**補体活性化物質（クリオグロブリン）が C1 と反応して CH_{50} が低下する現象がコールドアクチベーション**であり，古典経路活性化により C4，C2 活性の低下がみられる．しかし，この反応は試験管内なので C3，C4 とも蛋白量を測定すると正常値を示す．すなわち，全血あるいは血清を低温に（室温でも）置くだけで，試験管内で補体活性化が起こる現象で，血清補体価（CH_{50}）は必ずしも生体内の補体活性を反映

コールドアクチベーションという名称
この現象は，わが国で低温による活性化ということで cold activation と名付けられ定着しているが，これは Japanese English で，このままでは欧米で通じないといわれている．cold-induced（あるいは cold-dependent）activation（of serum complement）と表現すべきとされている．

しない．また，この現象は EDTA を添加した血漿ではみられない．これは EDTA が低温で補体の活性化を抑制するためである．したがって，血清と血漿で CH_{50} の乖離を認めた場合は，コールドアクチベーションによる可能性が高い．一方，血清および血漿で CH_{50} が低値を示した場合は，コールドアクチベーションが否定され，C3，C4 および C9 以外の補体成分の欠損症が考えられるので，各補体成分の蛋白定量および活性の測定が必要である．

(5) CH_{50} が高値である場合

補体は炎症マーカーの一種であり，感染症，炎症性疾患，悪性腫瘍など多くの病態で増加する．したがって，血清補体価が増加する場合は，ほとんど補体系の精査を必要としない．

5 CRP

C 反応性蛋白（C-reactive protein；CRP）は急性期蛋白の代表的な成分である．CRP はカルシウムイオン存在下で，肺炎双球菌の細胞壁中の C 多糖体と沈降反応を起こすことから命名されたが，炎症および組織破壊などの病態で血中に出現することから日常検査に汎用されている．CRP は肺炎球菌などの菌体に結合し拡散を防ぎ，補体を活性化し，オプソニン効果によって非特異的生体防御機構の一つとして働くが，本来の役割は各種炎症反応などで生じた多糖類の運搬であると考えられている．

> **急性期蛋白**
> 炎症時に増減する蛋白成分であり，多くは増加するが，アルブミンのように減少するものもある．CRP 以外の増加する急性期蛋白のほとんどは α_1，α_2 分画に属する糖蛋白成分である．代表的な増加する急性期蛋白としては，α_1-アンチトリプシン，α_1-酸性糖蛋白，ハプトグロビン，セルロプラスミン，血清アミロイド A 蛋白などがあげられる．

1）CRP の測定法

血中 CRP 測定法は，従来，汎用自動分析装置による免疫比濁法（TIA）やラテックス凝集免疫比濁法（LTIA）が主に用いられていたが，最低検出感度は 0.2 mg/dL 程度である．健常成人の多くは 0.02 mg/dL 前後を示し，90％は 0.07 mg/dL 以下に含まれることから，近年は，検出感度 0.02 mg/dL で精度よく測定することができる高感度 CRP 測定（high sensitive CRP；hs-CRP）の必要性が高まり，ラテックス凝集免疫比ろう法（LNIA）などが多く用いられている．また，ドライケミストリを利用した簡易法（測定感度が劣る）や，蛍光免疫測定法を利用し短時間で測定が可能な測定装置なども市販されている．

2）基準範囲

定性法では陰性である．定量法では測定法や測定機器の違いにより施設間差があるが，最近の hs-CRP の測定値の分布から，成人の基準範囲上限は 0.1〜0.2 mg/dL が妥当であると報告されている．

3）検査のポイント

① M 蛋白陽性血清やリウマトイド因子（RF）陽性血清では，測定試薬に含まれるポリエチレングリコールと非特異反応を起こし，異常値（マイナス値など）を示すことがある．

表 4-Ⅵ-5　CRP が異常値を示す主な疾患群

CRP	疾患
軽度増加 (0.2〜0.9 mg/dL)	炎症性疾患（初期，回復期） ウイルス感染症 真菌感染症 自己免疫性疾患など
中等度増加 (1.0〜9.9 mg/dL)	細菌感染症 関節リウマチ 血管炎 悪性腫瘍 外傷など
高度増加 (10 mg/dL 以上)	重症細菌感染症など

②M 蛋白が抗血清中の動物 IgG や他の蛋白と反応し，異常高値を示すことがある．

4）CRP 測定の臨床的意義

　CRP は急性の炎症や組織破壊に鋭敏に反応する．細菌感染時にはマクロファージから産生される IL-6 により，肝臓での CRP 合成が促進される．肝臓での CRP 合成にはある程度の時間を要するために，血中の CRP 濃度が上昇するのは約 12 時間後となる．病変の消退とともに比較的すみやかに低下するが，活動性の病態が持続している場合には上昇傾向がそのまま持続する．疾患の経過観察，活動性，重症度，予後，治療効果などの判定に役立つ．**表 4-Ⅵ-5** に CRP が異常値を示す主な疾患を示す．

　従来法では測定感度以下とされていた超微量 CRP の測定が可能となり，臍帯血を用いた子宮内感染症の診断，新生児血清を用いた新生児期感染症の診断や経過観察，および免疫不全症の患者における細菌感染症の早期発見にも利用されている．さらに，髄液，尿などの各種体液を用いた研究も行われ，その臨床的意義も次第に明らかになってきた．

　近年では，動脈硬化のリスクファクターとして血圧，BMI，喫煙，血清脂質などとの相関が報告されており，CRP は独立した強力な冠動脈疾患の危険因子であることが提唱されている．

第5章 輸血・移植のための検査学

輸血療法とは

〈到達目標〉
(1) 輸血の目的と種類について説明できる.
(2) 輸血に関連する法律と指針について説明できる.

　輸血療法は，手術時の出血や白血病などの血液疾患治療中の造血障害などに対する，不足した血液成分の補充療法である．基本的には，あくまでも補助療法，支持療法であり，根本的な治療ではない．ただし，電解質液などの補液療法とは異なり，他人の細胞を輸注することから，臓器移植や骨髄移植に匹敵する行為であり，生じる可能性のある免疫学的な，あるいは感染性の副反応（有害事象）に注意する必要がある．

1　輸血の歴史[1)]

　19世紀，James Blundell（1790～1878，生理学者・産婦人科医）によって，近代的なヒトからヒトへの輸血がはじめて成功したとされている．Blundellが1829年に *Lancet* 誌に発表した「輸血成功例について」には，産後出血症例10例に対して輸血したところ，半数で有効であったとしている．しかし，当時は血液型が発見されておらず，当然消毒の概念もなく，さらに血液の凝固を防ぐ抗凝固剤も発見されていないなど，多くの問題があったことは理解できる．その後，1900年にオーストリアのKarl LandsteinerによってABO血液型が発見される．Landsteinerは，血液型は3型に区別されるとしており（現在のO型，A型，B型），その翌々年（1902年）に，DeCastelloとSturliがもう1つの血液型（AB型）の存在を報告している．1930年，Landsteinerは以上の功績からノーベル賞を受賞した．その後，Landsteinerは弟子であるPhilip LevineとともにMNおよびP血液型（1939年）を，またAlexander WienerとLevineとともにRh血液型（1940年）を発見し，報告している．
　そのほか，白血球型（MHC，ヒトではHLA，➡ 1章-Ⅲ）は免疫応答に関与する組織適合性抗原，移植抗原として知られ，その適合が造血幹細胞移植の成否の重要な鍵となる．また，血小板特異抗原（human platelet antigen；HPA）

 血液型の発見者

そのほかの主な血液型の発見者と発見年度は下記のとおりである．
Lutheran 血液型：
　Callender ら（1946年）
Lewis 血液型：
　Mourant（1946年）
Kell 血液型：
　Coombs ら（1946年）
MNSs 血液型：
　Walsh ら（1947年）
Duffy 血液型：
　Cutbush ら（1950年）
Kidd 血液型：
　Allen ら（1951年）
Diego 血液型：
　Layrisse ら（1955年）

血小板特異抗原

血小板上にも赤血球の血液型に相当する固有の血液型が存在しており，血小板特異抗原（HPA）または血小板型ともいう．

も血小板輸血不応（platelet transfusion refractoriness；PTR）や新生児血小板減少性紫斑病（neonatal alloimmune thrombocytopenia；NAIT）に関与する．

輸血の分野の進歩に大きく貢献したもう1つの出来事は，クエン酸ナトリウムの抗凝固剤としての有効性の発見である．ベルギーのHustin（1914年），アルゼンチンのAgote（1915年），アメリカのLewisohn（1915年）とWeil（1915年）によって，ほぼ同時に報告されている．抗凝固剤の発見によって，供血者と患者（受血者）を直接つなぐ必要はなくなり，血液が保存できるようになった．その2年後に保存血の製造が始まっている（1916年，RousとTurner）．

わが国では，LandsteinerによるABO血液型が発見されてから約20年後の1919（大正8）年に，塩田広重（東京大学外科教授）および後藤七郎（九州大学外科教授）によって輸血が行われた．塩田教授は，1930（昭和5）年の浜口雄幸首相狙撃事件の際，手術と輸血によって救命に成功している．また，1948（昭和23）年には東京大学医学部附属病院分院産婦人科において，売血からの新鮮血の輸血による梅毒発症事件が発生し，損害賠償請求に発展したことを機に，わが国における輸血用血液の確保についての対策が求められた．しかし，献血制度の確立はかなり遅れて，1964年から献血の受け入れ体制の整備が進み，各地で日本赤十字社血液センターが開設された．1969（昭和44）年には，わが国すべての輸血用血液が献血由来となり，今日に至っている．

1975（昭和50）年ごろ，わが国でも成分輸血の時代に突入した．1986（昭和61）年4月の「新採血基準」作成によって，400 mL採血・成分採血が許可され，献血の主力は200 mL献血から400 mL献血，成分献血に移行した．その後，全血輸血は大量出血症例などに限られるようになった．また，1983（昭和58）年に設立された日本赤十字社血漿分画センター（北海道千歳市）その他で，国内献血由来の原料血漿から凝固因子製剤を国産化するようになり，2000（平成12）年には100％の国内自給を達成している．しかし，アルブミン製剤および免疫グロブリン製剤の自給率はおよそ58％，96％であり，完全国内自給に至っていない．

輸血用血液製剤の感染症検査に関しては，日本赤十字社血液センターのすべての製剤に対して，1972（昭和47）年よりHBs抗原，1986（昭和61）年よりHIV抗体およびHTLV-1抗体，1989（平成元）年よりHCV抗体およびHBc抗体のルーチン検査が導入された．その後，HBV，HCV，HIVの高感度検査としてNAT（nucleic acid amplification test：核酸増幅検査）が導入され，1999（平成11）年7月〜2000（平成12）年1月までは500検体の血漿を一まとめ（500本プール）として検査を実施していたが，2000年2月からはプールサイズが50本，2004（平成16）年9月には20本，2014（平成26）年8月からは個別NATとなっている．

> **新生児血小板減少性紫斑病**
> 母児間の血小板型不適合により，母親がもたない胎児の血小板抗原に対して産生されたIgG抗体が胎児へ移行し，胎児の血小板と反応して引き起こされる病態．

> **日本赤十字社血液センターの設立**
> 1952（昭和27）年に日本赤十字社東京血液銀行が開設され，次いで数年の間に全国で血液銀行が約20カ所認可された．その後も，供血の大部分は売血に依存しており，1964（昭和39）年のライシャワー駐日米国大使狙撃事件の売血血液の輸血による肝炎発症の問題を契機として，「日本赤十字社血液センターに一本化すること」が閣議決定された．同年11月11日に，厚生省（当時）薬務局長より各都道府県知事および日本赤十字社社長あてに「献血推進対策要綱について」という通達が出され，各県に日本赤十字社血液センターが設立された．

> **個別NAT**
> 個別NATが導入されて3年後の時点では，推定年間輸血後感染数は，HBV（B型肝炎ウイルス）が3.1件，HCV（C型肝炎ウイルス）およびHIV（ヒト免疫不全ウイルス）については理論的残存リスクが小さく推定困難となっている[2]．2020年からはHEV（E型肝炎ウイルス）もNAT対象となった．

また，さまざまな輸血の免疫学的副反応の原因と考えられている白血球を保存前に除去する保存前白血球除去（prestorage leukocyte filtration）が2004（平成16）年に濃厚血小板に対して，また，2007（平成19）年1月より赤血球製剤（全血，濃厚赤血球），同年9月よりすべての新鮮凍結血漿に対しても導入された．

2　輸血の目的と特性

輸血の目的は，必要な血液成分を補充することである．すなわち，貧血（ヘモグロビン値が低下している）の場合は赤血球製剤を輸血し，血小板が低下している場合は血小板製剤を輸血する．検査データの異常のみならず，臨床的な異常を判断材料として十分に検討し，必要最小限のおのおのの成分を補う必要がある（成分輸血）．それぞれの適応については，「血液製剤の使用指針」を参照されたい（➡5章-Ⅲ）．輸血，特に同種血輸血の特性は，上述のごとく補助療法であるにもかかわらず，重大な副反応を引き起こす可能性があることである．

3　輸血の種類

1）同種血輸血と自己血輸血

(1) 同種血輸血

同種血輸血とは，他人由来の血液を輸血することである．わが国では，1969（昭和44）年以来，すべての輸血用血液は日本赤十字社血液センターを主体とした献血制度に基づいて供給されており，年間600万人程度の献血者の善意によって成り立っている．しかし，近年，献血者となりうる若年層の減少と献血離れに加え，輸血使用者である高齢者層の増加によって，同種血は近い将来不足する可能性があると懸念されている．主な同種血の種類は，①**赤血球液**，②**新鮮凍結血漿**，③**濃厚血小板**である．

(2) 自己血輸血

自己血輸血とは，患者自身の血液を輸血することであり，適切に採取された場合，同種血輸血より安全性の高い輸血といえる．自己血輸血には次の3つの方法がある．

❶**貯血式自己血輸血**（pre-deposit autologous transfusion；PAT）

最も一般的に実施されている自己血輸血である．同種血輸血の場合と異なり，患者自身から事前に血液を採血し，貯血しておく必要がある．したがって，貯血するための時間的余裕が必要で，また準備できる量（単位数）には限りがあるため，緊急時の輸血や大量輸血には対応できない．主な適応は，全身状態が良好で，待機的手術予定の患者である．1回の採血貯血量は400 mLまでで，適宜繰り返し，貧血に至らないよう造血のサポートを行いながら必要十分量を確保する．条件をクリアすれば，週1回の採血が可能である．

❷**希釈式自己血輸血**（hemodilutional autologous transfusion；HAT）

　希釈式自己血輸血は，手術直前，麻酔導入後に自己血を採取し，代替輸液を行い，患者の血液を希釈した状態で手術を開始する．そして，多くの場合は手術終了時（手術中も可能）に採血しておいた自己血を返血する方法である．緊急手術においても実施可能である．術中の出血は希釈された血液であるため，実際の赤血球の喪失量は少なくなるという利点がある．また，宗教上の理由で輸血を拒否する患者（エホバの証人）の一部は，血液回路が常時患者の身体から離れないという条件下で行われる希釈式自己血輸血は受け入れることもあるので，具体的に説明することが重要である．

❸**回収式自己血輸血**（intraoperative/postoperative salvage autologous transfusion）

　回収式自己血輸血は，術野に出血した血液を回収し，遠心分離した赤血球成分を患者に返血する方法である．特殊な装置を要すること，無菌性をどのように確保するかなどの問題点がある．主に心臓・大血管外科領域や整形外科領域の手術が適応となる．

2）全血輸血と成分輸血

　現在では**全血輸血**はほとんど行われておらず，不足する成分を補充する**成分輸血**が一般的である．日本赤十字社血液センターより供給される主な輸血用血液製剤は，①赤血球液，②新鮮凍結血漿，③濃厚血小板である．1986（昭和61）年に成分献血が許可され，日本赤十字社血液センターが供給する濃厚血小板製剤はすべて成分献血由来である．

4　輸血に関する通達・法律（血液法）

　近年，輸血に関する社会一般の関心は高く，1995（平成7）年の「製造物責任法」（PL法）の施行以降，輸血に関する通達や指針が相次いで出されている．1996（平成8）年には心臓手術後の輸血後移植片対宿主病（PT-GVHD）発症例に関する訴訟が起こり，厚生省（当時）から防止策の徹底を求める緊急通達が出された．1997（平成9）年には<u>輸血に関する説明と同意の取得（インフォームドコンセント）を義務づける通達，さらに使用したすべての血液製剤について，製造番号・使用日，使用した患者のID番号・氏名・住所を記録し，10年間保管するよう求める通達が厚生省（当時）より示された</u>．その後，<u>後述の「血液法」が施行され，輸血実施に関する記録の20年間保管が義務づけられた</u>．血液法の施行は，1956（昭和31）年の「採血及び供血あつせん業取締法」以来，輸血医療についての法的な原則が不明確であった状態を一変させたものといえる．

　1999（平成11）年には「輸血に関する適正化ガイドライン」などが改訂され，「血液製剤の使用指針」および「輸血療法の実施に関する指針」として公表された．「血液製剤の使用指針」は，新鮮凍結血漿の適応を複合的な凝固因

子の補充にほぼ限定し，アルブミンには蛋白質源の補充効果がないことを示し，合理的かつ適正な輸血の実施を求めている．「輸血療法の実施に関する指針」は，日常的に輸血を使用する医療機関に，輸血療法委員会の設置，責任医師の任命のほか，輸血部門による業務一元化と輸血管理24時間体制の確立など輸血実施体制の整備を求めている．そして，2003（平成15）年7月「採血及び供血あつせん業取締法」が一部改正され，輸血に関する関係者の責務が明記された「安全な血液製剤の安定供給の確保等に関する法律」（血液法）が施行された．前述の通知・指針が法的な根拠をもつことになり，今までは努力目標としても意識されにくかった「安全で適正な輸血」の実践が，医療関係者の責務として同法のなかで明記された意義は大きい．さらに，2005（平成17）年秋には，血小板の適応基準を含む前述の両指針が6年ぶりに改訂公表された．さらに，2006（平成18）年には「輸血管理料」が新規保険収載され，一定の条件を満たした場合に保険請求が可能となった．

しかし，アルブミン製剤や免疫グロブリン製剤などの血漿分画製剤を含む「血液の完全国内自給」のために，適正輸血・自己血輸血の推進が肝要であるが，十分な進展は認められていない．

■ 輸血用血液不足問題

わが国の少子高齢化の進行に伴う輸血用血液不足問題に拍車をかけるように，初のvCJD症例（以下参照）の確認を契機に，2005（平成17）年4月以降は，1980（昭和55）年から1996（平成8）年にイギリス（またはフランス）に1日以上*滞在した人を献血者から除外するという決定が社会的に注目され，今後の献血にどのような影響を与えるか注目していく必要がある．
※2010年1月27日に「1日以上」から「通算1カ月（31日）以上」に緩和された．

5　輸血についてのインフォームドコンセント

1997（平成9）年4月，厚生省（当時）の通達によって，輸血に関する説明と同意の取得（インフォームドコンセント）が義務づけられた．現在「輸血療法の実施に関する指針」に定められている主な説明内容は，①輸血療法の必要性，②使用する血液製剤の種類と使用予定量，③輸血に伴うリスク，④副反応・感染症救済制度と給付の条件，⑤自己血輸血の選択肢，⑥感染症検査と検体保管，⑦投与記録の保管と遡及調査時の使用，その他輸血療法の注意点，である．

ウインドウ期の供血者によるウイルス伝播の危険性を減らすため，日本赤十字社血液センターより供給される輸血用血液のNATが実施されるようになり，わが国の輸血用血液の安全性は世界一といえるほど高いものとなっているが，同種血輸血が完璧に安全になることはありえない．また，未知の感染症ウイルス伝播の危険性もありうること，変異型Creutzfeldt-Jakob（クロイツフェルト・ヤコブ）病（variant Creutzfeldt-Jakob disease；vCJD）の伝播の可能性も否定できないことなども説明する必要がある．さらには，蕁麻疹や熱発のような免疫学的な副反応も起こりうることを説明しておく必要がある．

また，現在最も安全とされる自己血輸血についても，同種血と比較して，どのような利点と問題点があるかを説明し，自己血輸血が実施可能な施設であれば，その可能性も提示する必要がある．患者が自己血を希望した場合，自己血貯血に伴う副反応や問題点についても説明する必要がある．

■ 変異型Creutzfeldt-Jakob病（vCJD）

ヒツジ，ウシなどの伝達性海綿状脳症の病原物質である異常プリオンが，食物を介してヒトに伝播した際に生じる病態．近年，輸血を介して伝播する可能性が危惧されている．

II 輸血用血液製剤の種類と特性

〈到達目標〉
(1) 全血採血と成分採血について説明できる．
(2) 輸血用血液製剤（赤血球・血小板・血漿）の保存と管理について説明できる．
(3) 献血者血液の検査について説明できる．

1 血液製剤

献血により得られる血液を原料とする血液製剤は，「安全な血液製剤の安定供給の確保等に関する法律」（血液法）に基づき，安全性の向上に常に配慮して製造され，国内自給が確保されるよう適正に使用されなければならない．

血液製剤は輸血用血液製剤と血漿分画製剤があり，それぞれ特定生物由来製品であることから，当該血液製剤の使用により将来患者へのウイルス感染などのおそれが生じた場合に対処するため，診療録とは別に当該血液製剤に関する記録を作成して保管しなければならない．

輸血用血液製剤には，献血血液から赤血球・血小板・血漿にそれぞれ分離・調製された製剤があり，血漿分画製剤には，血漿から分画・精製された血液凝固因子・アルブミン・免疫グロブリンなどの製剤がある．

> **安全な血液製剤の安定供給の確保等に関する法律**
> （目的）第1条
> この法律は，血液製剤の安全性の向上，安定供給の確保及び適正な使用の推進のために必要な措置を講ずるとともに，人の血液の利用の適正及び献血者等の保護を図るために必要な規制を行うことにより，国民の保健衛生の向上に資することを目的とする．

2 供血者（献血者）の基準

献血者として適正か否かは多くの基準に基づいて判断される．まず受付で献血者へのお願い文や献血の同意説明書により，献血の趣旨や注意点を理解してもらったうえで献血申込書に記入してもらう．本人確認については，氏名・生年月日・顔写真の3項目が確認できる証明書の提示が必要である．献血2回目以降は，献血カードの提示と4桁のパスワードで本人確認が行われる．献血者には，「安全で責任ある献血である」という意識をもって協力していただく．献血を希望する際は，全員問診事項に正しく回答する必要がある．問診は，感染直後から抗原または抗体が検出できるまで，感染の事実を検知できない期間［ウインドウ期（ウインドウピリオド）］などにおいて，実施可能な検査の限界を補う唯一の方法である．献血者は，献血の方法や危険性などを理解することはもちろん，問診の意義や目的を正しく理解することが必要である．

2012（平成24）年10月からシャーガス（Chagas）病に対する安全対策として，中南米滞在歴等確認票に該当する献血者血液は，血漿分画製剤の原料血漿のみに使用することになった．また，2013（平成25）年1月からシャーガス病に係る疫学調査も開始された．さらに，2016（平成28）年8月22日か

> **献血者への「お願い文」「同意説明書」**
> 「HIV検査が目的の方」をはじめ，具体的に献血を断る場合について記載された「お願い文」を渡し，その内容をよく読み了解してもらったうえで献血申込書を記入してもらう．検査目的の献血は，特にウインドウ期の血液によるウイルス感染を引き起こす危険性がある．
> 〈献血の同意説明書〉
> ①献血に伴う副作用について
> ②個人情報の取り扱いについて
> ③血液の検査等について
> ④血液の有効利用について

問診票

以下の質問は、献血される方と輸血を受けられる方の安全を守るためにうかがうものです。質問の内容を理解し、正しくお答えいただくようお願いします。
事実と異なる回答をされますと、ご自身の健康や、輸血を受けられる患者さんの健康に深刻な状況をもたらす場合があります。
なにとぞ「責任ある献血」にご理解いただき、ご協力をお願いします。なお、エイズウイルス（HIV）の検査結果は通知しておりません。

エイズ検査目的の献血は、血液を必要とする患者さんの安全のためにお断りします。　　　（注意）法令の規定により、記入された問診票及び献血申込書（診療録）の返却・廃棄はできません。

	質問事項			質問事項	
1	今日の体調は良好ですか。	はい・いいえ	14	海外から帰国（入国）して4週間以内ですか。	はい・いいえ
2	3日以内に出血を伴う歯科治療（抜歯、歯石除去等）を受けましたか。	はい・いいえ	15	1年以内に外国（ヨーロッパ・米国・カナダ以外）に滞在しましたか。（国名　　　）	はい・いいえ
3	3日以内に薬を飲んだり、注射を受けましたか。（　　　）	はい・いいえ	16	4年以内に外国（ヨーロッパ・米国・カナダ以外）に1年以上滞在しましたか。（国名　　　）	はい・いいえ
4	次の育毛薬／前立腺肥大症治療薬を使用したことがありますか。プロペシア・プロスカー等（1カ月以内）、アボダート・アボルブ等（6カ月以内）	はい・いいえ	17	英国に1980（昭和55）年～1996（平成8）年の間に通算1カ月以上滞在しましたか。	はい・いいえ
5	次の薬を使用したことがありますか。乾せん治療薬（チガソン）、ヒト由来プラセンタ注射薬（ラエンネック・メルスモン）	はい・いいえ	18	ヨーロッパ（英国も含む）・サウジアラビアに1980年以降通算6カ月以上滞在しましたか。（国名　　　）	はい・いいえ
6	24時間以内にインフルエンザの予防接種を受けましたか。	はい・いいえ	19	エイズ感染が不安で、エイズ検査を受けるための献血ですか。	はい・いいえ
7	1年以内にインフルエンザ以外の予防接種を受けましたか。（　　　）	はい・いいえ	20	6カ月以内に次のいずれかに該当することがありましたか。①不特定の異性または新たな異性との性的接触があった。②男性どうしの性的接触があった。③麻薬、覚せい剤を使用した。④エイズ検査（HIV検査）の結果が陽性だった（6カ月以前も含む）。⑤上記①～④に該当する人と性的接触をもった。	はい・いいえ
8	次の病気や症状がありましたか。3週間以内 - はしか、風疹、おたふくかぜ、帯状ほうしん、水ぼうそう　1カ月以内 - 発熱を伴う病　6カ月以内 - 伝染性単核球症、リンゴ病（伝染性紅斑）	はい・いいえ			
9	1カ月以内に肝炎やリンゴ病（伝染性紅斑）になった人が家族や職場・学校等にいますか。	はい・いいえ	21	今までに輸血（自己血を除く）や臓器の移植を受けたことがありますか。	はい・いいえ
10	6カ月以内に次のいずれかに該当することがありましたか。①ピアス、またはいれずみ（刺青）をした。②使用後の注射針を誤って自分に刺した。③肝炎ウイルスの持続感染者（キャリア）と性的接触等親密な接触があった。	はい・いいえ	22	今までに次のいずれかに該当することがありますか。①クロイツフェルト・ヤコブ病（CJD）または類縁疾患と診断された。②血縁者にCJDまたは類縁疾患と診断された人がいる。③ヒト由来成長ホルモンの注射を受けた。④角膜移植を受けた。⑤硬膜移植を伴う脳神経外科手術を受けた。	はい・いいえ
11	1年以内に次の病気等にかかったか、あるいは現在治療中ですか。外傷、手術、肝臓病、腎臓病、糖尿病、結核、性感染症、ぜんそく、アレルギー疾患、その他（　　　）	はい・いいえ	23	現在妊娠中または授乳中ですか。（男性の方は「いいえ」と回答してください）この6カ月以内に出産、流産しましたか。	はい・いいえ
12	今までに次の病気にかかった、あるいは現在治療中ですか。B型肝炎、がん（悪性腫瘍）、血液疾患、心臓病、脳卒中、てんかん	はい・いいえ		私は以上の質問を理解し、正しく答えました。「献血の同意説明書」の以下の内容について理解し、献血に同意しますか。	
13	今までに次の病気にかかったことがありますか。C型肝炎、梅毒、マラリア、バベシア症、シャーガス病、リーシュマニア症、アフリカトリパノソーマ症	はい・いいえ		1.献血に伴う副作用について　2.個人情報の取り扱いについて　3.血液の検査等について	はい・いいえ
	はい・いいえの該当する方を○で囲んでください。			4.血液の有効利用について	はい・いいえ
				署名	

図5-Ⅱ-1 問診票

ら献血時の問診で中南米滞在歴などがあると申告された献血者の血液に対して *Trypanosoma cruzi*（クルーズトリパノソーマ）抗体検査が導入された。

次に，問診票（図5-Ⅱ-1）に記載された23項目について問診が行われる。成分採血についてはさらに心臓・腎臓・出血傾向に関する質問事項についても問診が行われる。

献血者に対する問診の第一の目的は，スクリーニング検査で検出できない，あるいは検査していない病原体による感染リスクを，献血者本人から提供してもらう情報によって判断することにある。特に献血者がウイルスの感染初期にある場合は，あらゆる検査を実施しても検出されない時期（ウインドウ期）があるため，問診以外によい対策はない。

第二の目的は，献血者の安全確保で，善意の献血者が供血することによって，健康に悪影響を与えることは可能なかぎり避けなければならない。

第三の目的は，献血者の自発的自由意志に基づく献血の同意と，献血の目的・意義を十分に理解した責任のある献血であることを確認することである。検査目的の献血が患者に与える危険性を説明して十分な理解を求めることが重

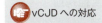

vCJDへの対応

2005（平成17）年2月に国内で変異型クロイツフェルト・ヤコブ病（vCJD）の発生が確認されたことを受け，採血時の問診がさらに厳しくなった。
2010（平成22）年1月27日より，1980（昭和55）年～1996（平成8）年の英国滞在歴の献血制限を「通算1カ月（31日）以上」とした。

要である．

　血圧・脈拍測定，血色素量（ヘモグロビン濃度）測定，ABO血液型事前判定，血小板成分採血の場合はさらに血小板数の測定などを実施する．成分採血が初回で40歳以上の場合は心電図検査を実施する．献血方法には200 mLと400 mLの**全血採血**と，血漿と血小板の**成分採血**があり，献血方法によって1回採血量が異なる．全血採血の年間採血回数は，年間総採血量が男性1,200 mL以内，女性800 mL以内であることから，200 mL採血は男性6回以内，女性4回以内，400 mL採血は男性3回以内，女性2回以内である．また，採血間隔についても基準がある（表5-Ⅱ-1）．

3　全血採血と成分採血（図5-Ⅱ-2）

　全血採血には200 mL採血と400 mL採血があり，血液中のすべての成分を採血する方法である．成分採血は，成分採血装置を使用して血小板や血漿といった特定の成分だけを採血し，体内での産生に時間がかかる赤血球は再び体内に戻すという方法である．成分採血は身体への負担も軽く，全血採血よりも年間採血回数や採血間隔が緩和されている．

　一方，成分ごとの血液製剤を輸血することで，輸血される患者側にとっても，血液の全成分をそのまま輸血（全血輸血）されるより，必要とする成分だけを輸血（成分輸血）されることで，目的以外の成分による副反応や合併症を回避することができ，さらに循環器系への負担も最小限になる．また，1人の献血者から採血した全血を，赤血球と血漿の各成分ごとに製造することで，複数の患者に輸血できることから，限られた資源である血液を有効に用いることができる．

1）全血採血

　全血液は赤血球成分と血漿成分に分けられ使用される．200 mL採血由来の赤血球製剤の略号末尾を「1」とする．400 mL採血由来は「2」とする．この「1」および「2」は由来する採血量を識別するものである．200 mL採血由来の製剤を2本輸血するより400 mL採血由来の製剤を1本輸血するほうが，輸血に伴うウイルス肝炎やその他の輸血副反応のリスクを半分にすることができる．また，赤血球・白血球・血漿蛋白などに対する同種免疫の機会も半分に減少する．

2）血小板成分採血

　主に血小板を採血する方法である．1回採血量は循環血液量の12％以内，600 mL以下である．1人の献血者からより高単位の血小板が採取できるので，患者にとっては，少人数からの献血で輸血の必要量をまかなえるため輸血副反応の発生頻度を少なくすることができ，より安全性の高い輸血を受けることができる．また，献血者にはほとんどの赤血球を返血することができるので，貧

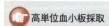

高単位血小板採取
成分採血装置による高単位血小板採取は，献血者から全血を採血し，遠心法により血液成分の比重差で分離された血小板と血漿を採取し，残りの赤血球などの成分を献血者に返す．

表 5-II-1　献血方法別の献血基準

採血の種類		全血採血		成分採血	
		200 mL	400 mL	血漿	血小板
1回採血量		200 mL	400 mL	600 mL 以下（循環血液量の12%以内）	
年齢		16～69歳	男性：17～69歳 女性：18～69歳	18～69歳	男性：18～69歳 女性：18～54歳
		ただし，65～69歳の方については，60歳に達した日から65歳に達した日の前日までの間に採血が行われた方に限る．			
体重		男性 45 kg 以上 女性 40 kg 以上	男女 50 kg 以上		男性 45 kg 以上 女性 40 kg 以上
最高血圧		90 mmHg 以上 180 mmHg 未満			
最低血圧		50 mmHg 以上 110 mmHg 未満			
脈拍		40回/分以上 100回/分未満			
体温		37.5℃ 未満			
血色素量		男性：12.5 g/dL 以上 女性：12.0 g/dL 以上	男性：13.0 g/dL 以上 女性：12.5 g/dL 以上	12.0 g/dL 以上（赤血球指数が標準域*にある女性は11.5 g/dL 以上） *標準域 　MCV：81～100（fL） 　MCH：26～35（pg） 　MCHC：31～36（%）	12.0 g/dL 以上
血小板数		—	—	—	15万/μL 以上 60万/μL 以下
採血間隔	〔前回採血〕 200 mL 全血	男女とも4週間後の同じ曜日から			
	400 mL 全血	男性は12週間後， 女性は16週間後の同じ曜日から		男女とも8週間後の同じ曜日から	
	血漿成分 血小板成分	男女とも2週間後の同じ曜日から なお，血小板成分採血では，血漿を含まない場合1週間後に血小板成分採血が可能． ただし，4週間後に4回実施した場合には次回までに4週間あける．			
年間※総採血量 （1年は52週として換算）		200 mL・400 mL 全血を合わせて 男性：1,200 mL 以内 女性：800 mL 以内		—	—
年間※総採血回数 （1年は52週として換算）		男性：6回以内 女性：4回以内	男性：3回以内 女性：2回以内	血小板成分献血1回を2回分に換算して血漿成分献血と合計で24回以内	
共通事項		次の方からは採血しない． ①妊娠していると認められる方，又は過去6カ月以内に妊娠していたと認められる方． ②採血により悪化するおそれのある循環系疾患，血液疾患その他の疾患に罹っていると認められる方． ③有熱者その他健康状態が不良であると認められる方．			

※期間の計算は直近の採血を行った日から起算します．
（日本赤十字社ホームページ：献血基準．https://www.jrc.or.jp/donation/about/terms/　2023年12月5日閲覧）

血になる危険が少なく，複数回献血が可能である．以前あった全血由来の血小板をプールした血小板製剤と比較して，赤血球や白血球の混入が少ない製剤を得ることができる．頻回輸血患者は血液中に白血球に対する抗体がつくられ，血小板の輸血効果が認められないことがあるが，そのような患者には，HLA型の合った献血者から血小板成分採血によって得られたHLA適合血小板輸血

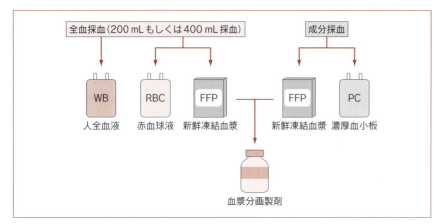

図 5-Ⅱ-2　全血採血と成分採血からできる血液製剤
(認定輸血検査技師制度協議会カリキュラム委員会 (編)：スタンダード輸血検査テキスト　第3版．p.167, 医歯薬出版，2017 一部改変)

が有効である．献血者にはHLA適合血小板ドナーとして登録してもらい，必要時に献血してもらう．

3）血漿成分採血

血漿だけを採血する方法である．1回採血量は循環血液量の12%以内，600 mL以下である．血漿交換に必要な新鮮凍結血漿や，血友病患者に欠かすことができない血液凝固第Ⅷ因子製剤，その他，アルブミン製剤やグロブリン製剤など，血漿分画製剤の原料を確保するためにも必要な献血である．

4　血液製剤の種類と製造方法

輸血用血液製剤には**表 5-Ⅱ-2** のように多くの種類があるが，新鮮凍結血漿以外の製剤には，移植片対宿主病（graft versus host disease；GVHD，➡ p.358）予防のために15 Gy以上で50 Gyを超えない範囲の放射線が照射された照射製剤が製品化されている．1998（平成10）年6月19日から「放射線照射輸血用血液」の製造販売承認が得られ，日本赤十字社血液センターから照射製剤が供給されるようになり，2000（平成12）年からは照射製剤による輸血後GVHDは確認されていない．

なお，新鮮凍結血漿にはリンパ球がほとんど含まれていないが，わずかにリンパ球が含まれていても，−20℃以下の保存温度でリンパ球が死滅することから，放射線照射は行わなくてもよい．

また，安全対策の一つとして，製剤の保存前白血球除去が実施されている．主な目的は発熱などの副反応低減，抗白血球抗体産生の低減，サイトメガロウイルス（CMV）感染などの低減，保存に伴う凝集塊（マクロアグリゲートなど）発生の低減などである．販売名や略号の後ろに「白血球を減少させた」という意味で「-LR (-leukocytes reduced)」という表記がされている．その

 血漿交換

血漿交換療法は多くの適応疾患がある．劇症肝炎，術後肝不全，急性肝不全，血栓性血小板減少性紫斑病（TTP）をはじめ，重症筋無力症，Guillan-Barré（ギラン・バレー）症候群などの神経疾患も適応になる．

血漿分画製剤

血漿分画製剤は，血漿から分画・精製された各種蛋白質製剤（医薬品）である．わが国では，献血により得られた血漿を原料としていることから，感染症に関する検査が実施されていることに加え，貯留保管が完了した血漿を原料とするため，患者の輸血後感染症事例や献血者の陽転化事例に該当するウイルス混入の血漿を除外することができる．さらに，製造工程では微量なウイルスなどが混入した場合でも，不活化または除去できるような工程（エタノール処理，加熱処理，有機溶剤および界面活性剤による処理，ウイルス除去膜処理など）が2つ以上組み込まれている．
血漿分画製剤には，アルブミン製剤，免疫グロブリン製剤，血液凝固因子製剤，アンチトロンビン製剤，組織接着剤などがある．

 製剤中のカリウム値

体内のカリウムは，主に腎臓での排泄と再吸収，および細胞内外の調節によって維持されている．放射線照射による赤血球細胞膜の傷害は，照射が細胞膜表面で酸素ラジカルを増加させ，これが膜に小孔をあけることによるとされている．赤血球細胞内のカリウムがこの小孔を通して漏出するために，血漿カリウム値が増加すると考えられる．
放射線を照射した血液の輸血により高カリウム血症をきたす危険性が高い患者は，急速大量輸血を必要とする患者，腎障害患者，胎児，低出生体重児，新生児，交換輸血あるいは体外循環を受ける小児患者，高カリウム血症の患者である．

他，採血時の細菌混入を低減する目的で，初流血除去が実施されている．輸血用血液製剤一覧（表5-Ⅱ-2）に貯法や有効期間などをまとめた．また，以下に代表的な製剤を紹介する（図5-Ⅱ-3, 4）．

(1) 照射人全血液-LR「日赤」（Ir-WB-LR：Irradiated Whole Blood, Leukocytes Reduced）

血液保存液（CPD液）28 mL または 56 mL が入ったバッグにヒト血液 200 mL または 400 mL を採血し，白血球除去用血液フィルタを用いて濾過落差（約140 cm）により白血球を除去する．血液保存液が添加された白血球除去後の全血液である．添付文書には一般の輸血適応症に用いるとされているが，全血が輸血されていた症例について，赤血球液が単独で輸血されるようになり，優れた臨床効果が得られている．また，全血輸血を継続することは，血液の有効利用を妨げると「血液製剤の使用指針」に記載されている．

(2) 照射赤血球液-LR「日赤」（Ir-RBC-LR：Irradiated Red Blood Cells, Leukocytes Reduced）

血液保存液（CPD液）28 mL または 56 mL が入った1バッグ目にヒト血液 200 mL または 400 mL を採血して，白血球除去用血液フィルタを用いて白血球を除去した2バッグ目の血液を遠心分離する．3バッグ目には血漿を分離し，4バッグ目に入っていた赤血球保存用添加液（MAP液）約 46 mL または 92 mL を2バッグ目の赤血球に混和して連結管を無菌的に熱封する．2バッグ目は赤血球液-LR「日赤」となり，3バッグ目は採血後8時間以内に分離後，凍結され後述する新鮮凍結血漿-LR「日赤」になる（図5-Ⅱ-5）．最も基本的な製剤で，赤血球製剤の輸血はほとんどが照射赤血球液-LR「日赤」である．血中赤血球不足またはその機能廃絶に適する．

(3) 照射洗浄赤血球液-LR「日赤」（Ir-WRC-LR：Irradiated Washed Red Cells, Leukocytes Reduced）

採血後10日以内の照射赤血球液-LR「日赤」を生理食塩液で洗浄してMAP液や血漿を除去したあと，生理食塩液約 45 mL または約 90 mL を赤血球に混和する．血漿成分による非溶血性輸血反応を避ける場合に使用する．患者が血漿蛋白質の欠損で抗体を保有する場合は，輸血される血漿成分により重篤なアナフィラキシーショックを起こす可能性が高いので適応となる．わが国ではハプトグロビン欠損（約1/4,000〜1/10,000人）で抗ハプトグロビン抗体を保有する症例が多く，輸血副反応も重篤である．

(4) 照射解凍赤血球液-LR「日赤」（Ir-FTRC-LR：Irradiated Frozen Thawed Red Cells, Leukocytes Reduced）

採血後5日以内の照射赤血球液-LR「日赤」にグリセリンを主成分とする凍害保護液を1〜1.5倍量よく混和させながら加える．これを遠心分離して上清を廃棄し，−65℃以下で凍結保存する．凍結後の有効期間は10年間である．医療機関へ供給する前に，血液センターで凍結保存された赤血球を 36〜40℃ で解凍したあと，8%塩化ナトリウム液，1.6%塩化ナトリウム液，および

マクロアグリゲート
顆粒球・血小板・フィブリン・赤血球などからなる混合物で，保存中に細胞成分が崩壊した結果，少量残存する血漿中の凝固系が活性化され，フィブリン形成が進むものと考えられている．

初流血除去
採血時に最も細菌の混入する可能性が高い最初の血液約 25 mL を別のバッグに採血し検査用血液として使用する．血小板製剤の保存が 20〜24℃ であるため，細菌が混入した場合，他の製剤より速い速度で細菌が増殖し，敗血症を引き起こす菌量に達しやすいため，最初に血小板製剤から初流血除去を開始することになった．初流血除去導入前後で，それぞれ2万本を超す期限切れ血小板製剤について細菌検査を実施した結果，陽性と判定されたのは，初流血除去導入前は 0.17%，初流血除去導入後は 0.05% であった．

血液製剤の放射線照射
各販売名（略号）の先頭に「照射（Ir-: irradiated）」という文字が付加されている．

照射赤血球液の有効期間
日本赤十字社では，赤血球 M・A・P「日赤」の製造承認取得時には有効期間を 42 日間としていたが，低温増殖性のエルシニア菌混入の可能性は否定できないため，現在は有効期間を 28 日間としている．

赤血球製剤の加温
赤血球製剤は 2〜6℃ で保存されているが，通常の輸血では加温の必要はない．加温が必要な場合は，成人患者における急速輸血（100 mL/分以上），新生児交換輸血，小児患者で 15 mL/kg/時を超える輸血，重症寒冷自己免疫性溶血性貧血患者への輸血である．

表 5-II-2 輸血用血液製剤一覧
1. 全血採血由来保存前白血球除去製剤

	販売名	略号	効能または効果	貯法	有効期間	包装	算定用容量 (mL)
全血製剤	人全血液-LR「日赤」	WB-LR-1	一般の輸血適応症に用いる	2〜6℃	採血後 21日間	血液 200 mL に由来する血液量 1袋	200
		WB-LR-2				血液 400 mL に由来する血液量 1袋	400
	照射人全血液-LR「日赤」	Ir-WB-LR-1				血液 200 mL に由来する血液量 1袋	200
		Ir-WB-LR-2				血液 400 mL に由来する血液量 1袋	400
血液成分製剤	赤血球液-LR「日赤」[*1]	RBC-LR-1	血中赤血球不足またはその機能廃絶に適する	2〜6℃	採血後 28日間	血液 200 mL に由来する赤血球 1袋	140
		RBC-LR-2				血液 400 mL に由来する赤血球 1袋	280
	照射赤血球液-LR「日赤」[*1]	Ir-RBC-LR-1				血液 200 mL に由来する赤血球 1袋	140
		Ir-RBC-LR-2				血液 400 mL に由来する赤血球 1袋	280
	洗浄赤血球液-LR「日赤」[*2]	WRC-LR-1	貧血症または血漿成分などによる副反応を避ける場合の輸血に用いる	2〜6℃	製造後 48時間	血液 200 mL に由来する赤血球 1袋	140
		WRC-LR-2				血液 400 mL に由来する赤血球 1袋	280
	照射洗浄赤血球液-LR「日赤」[*2]	Ir-WRC-LR-1				血液 200 mL に由来する赤血球 1袋	140
		Ir-WRC-LR-2				血液 400 mL に由来する赤血球 1袋	280
	解凍赤血球液-LR「日赤」[*2]	FTRC-LR-1	貧血または赤血球の機能低下に用いる	2〜6℃	製造後 4日間	血液 200 mL に由来する赤血球 1袋	実際の容量で算定
		FTRC-LR-2				血液 400 mL に由来する赤血球 1袋	実際の容量で算定
	照射解凍赤血球液-LR「日赤」[*2]	Ir-FTRC-LR-1				血液 200 mL に由来する赤血球 1袋	実際の容量で算定
		Ir-FTRC-LR-2				血液 400 mL に由来する赤血球 1袋	実際の容量で算定
	合成血液-LR「日赤」[*2]	BET-LR-1	ABO 血液型不適合による胎児・新生児溶血性疾患に用いる	2〜6℃	製造後 48時間 (FFP 貯留期間後に製造開始)	血液 200 mL に由来する赤血球に血漿約 60 mL を混和した血液 1袋	150
		BET-LR-2				血液 400 mL に由来する赤血球に血漿約 120 mL を混和した血液 1袋	300
	照射合成血液-LR「日赤」[*2]	Ir-BET-LR-1				血液 200 mL に由来する赤血球に血漿約 60 mL を混和した血液 1袋	150
		Ir-BET-LR-2				血液 400 mL に由来する赤血球に血漿約 120 mL を混和した血液 1袋	300
	新鮮凍結血漿-LR「日赤」120[*3]	FFP-LR120	血液凝固因子の補充 1) 複合性凝固障害で、出血、出血傾向のある患者または手術を行う患者 2) 血液凝固因子の減少症または欠乏症における出血時で、特定の血液凝固因子製剤がないかまたは血液凝固因子が特定できない場合	−20℃以下	採血後 1年間 (貯留期間 180日)	血液 200 mL 相当に由来する血漿 1袋	120
	新鮮凍結血漿-LR「日赤」240[*3]	FFP-LR240				血液 400 mL 相当に由来する血漿 1袋	240

2. 成分採血由来保存前白血球除去製剤

	販売名	略号	効能または効果	貯法	有効期間	包装	算定用容量(mL)
血液成分製剤	新鮮凍結血漿-LR「日赤」480*3	FFP-LR 480	血液凝固因子の補充 1) 複合性凝固障害で,出血,出血傾向のある患者または手術を行う患者 2) 血液凝固因子の減少症または欠乏症における出血時で,特定の血液凝固因子製剤がないかまたは血液凝固因子が特定できない場合	−20℃以下	採血後1年間(貯留時間180日)	480 mL 1袋	480
	濃厚血小板-LR「日赤」	PC-LR-1	血小板減少症を伴う疾患に適応する	20〜24℃要・振盪	採血後4日間	1単位 約20 mL 1袋	20
		PC-LR-2				2単位 約40 mL 1袋	40
		PC-LR-5				5単位 約100 mL 1袋	100
		PC-LR-10				10単位 約200 mL 1袋	200
		PC-LR-15				15単位 約250 mL 1袋	250
		PC-LR-20				20単位 約250 mL 1袋	250
	照射濃厚血小板-LR「日赤」	Ir-PC-LR-1		20〜24℃要・振盪	採血後4日間	1単位 約20 mL 1袋	20
		Ir-PC-LR-2				2単位 約40 mL 1袋	40
		Ir-PC-LR-5				5単位 約100 mL 1袋	100
		Ir-PC-LR-10				10単位 約200 mL 1袋	200
		Ir-PC-LR-15				15単位 約250 mL 1袋	250
		Ir-PC-LR-20				20単位 約250 mL 1袋	250
	照射洗浄血小板-LR「日赤」*4	Ir-WPC-LR		20〜24℃要・振盪	製造後48時間(ただし,採血後4日間を超えない)	10単位 約200 mL 1袋	200
	濃厚血小板HLA-LR「日赤」	PC-HLA-LR-10	血小板減少症を伴う疾患で,抗HLA抗体を有するため通常の血小板製剤では効果がみられない場合に適応する	20〜24℃要・振盪	採血後4日間	10単位 約200 mL 1袋	200
		PC-HLA-LR-15				15単位 約250 mL 1袋	250
		PC-HLA-LR-20				20単位 約250 mL 1袋	250
	照射濃厚血小板HLA-LR「日赤」	Ir-PC-HLA-LR-10		20〜24℃要・振盪	採血後4日間	10単位 約200 mL 1袋	200
		Ir-PC-HLA-LR-15				15単位 約250 mL 1袋	250
		Ir-PC-HLA-LR-20				20単位 約250 mL 1袋	250
	照射洗浄血小板HLA-LR「日赤」*4	Ir-WPC-HLA-LR		20〜24℃要・振盪	製造後48時間(ただし,採血後4日間を超えない)	10単位 約200 mL 1袋	200

*1:2014年8月1日から供給開始 *2:2013年3月6日から製造開始 *3:2013年9月3日から供給開始 *4:2016年9月13日から供給開始

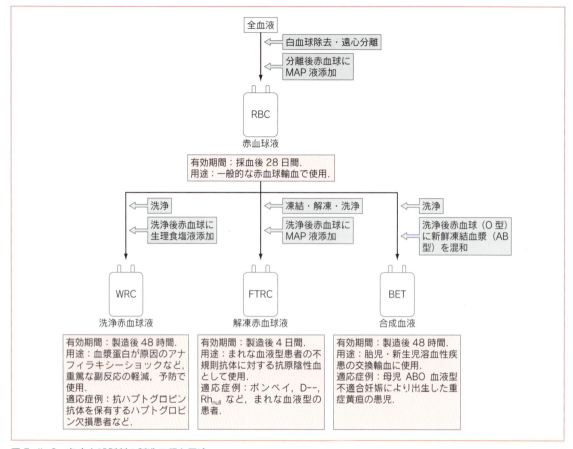

図 5-Ⅱ-3　各赤血球製剤の製造工程と用途
（認定輸血検査技師制度協議会カリキュラム委員会（編）：スタンダード輸血検査テキスト　第3版．p.172，医歯薬出版，2017 一部改変）

0.8％塩化ナトリウム・0.2％ブドウ糖溶液を順次加えて遠心分離により洗浄する．廃液のヘモグロビン量が50 mg/dL以下になるまで洗浄して凍害保護液を除去したあとMAP液約46 mLまたは約92 mLを赤血球に混和する．ABO血液型のまれなタイプであるBombay（ボンベイ）型やRh血液型のまれなタイプであるD--やRh$_{null}$など，まれな血液は凍害保護液を加えて凍結することにより10年間保存することが可能である．患者がまれな血液型のときに適応となる．他の赤血球製剤と比べて溶血しやすいので，すみやかに使用する．

(5) 照射合成血液-LR「日赤」（Ir-BET-LR：Irradiated Blood for Exchange Transfusion, Leukocytes Reduced）

採血後5日以内のO型照射赤血球液-LR「日赤」を生理食塩液で洗浄してMAP液や血漿を除去したあと，これに6カ月間の貯留保管が完了したAB型の新鮮凍結血漿-LR「日赤」を融解後，約60 mLまたは約120 mLを赤血球に混和する．A抗原やB抗原をもたないO型赤血球と，抗Aや抗Bをもたな

貯留保管

日本赤十字社では，より安全性の高い輸血用血液製剤を供給するため，採血時の問診や献血血液の核酸増幅検査（NAT）を含めた感染症関連検査などを行っている．しかし，これらの対策によっても感染リスクを完全に排除することはできない．有効期間が採血後1年間の新鮮凍結血漿を一定期間保管したあと医療機関に供給することで，貯留保管中に得られる献血後情報や遡及調査などで判明した感染リスクの高い血液を除外することが可能になった．

照射人全血液-LR「日赤」

照射赤血球液-LR「日赤」

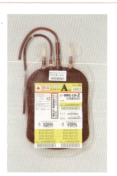
照射洗浄赤血球液-LR「日赤」

照射解凍赤血球液-LR「日赤」

照射合成血液-LR「日赤」

新鮮凍結血漿-LR「日赤」120

新鮮凍結血漿-LR「日赤」240

新鮮凍結血漿-LR「日赤」480

照射濃厚血小板-LR「日赤」

照射濃厚血小板 HLA-LR「日赤」

照射洗浄血小板-LR「日赤」

照射洗浄血小板 HLA-LR「日赤」

図 5-Ⅱ-4 輸血用血液製剤の種類
(日本赤十字社ホームページ:輸血用血液製剤資料集の製剤写真を引用. https://www.jrc.or.jp/mr/product/list/ 2023年12月5日閲覧)

い AB 型血漿で調製されているので,ABO 血液型不適合による胎児・新生児溶血性疾患に用いられる.

(6) **新鮮凍結血漿-LR「日赤」**(FFP-LR:Fresh Frozen Plasma, Leukocytes Reduced)

　全血採血由来(FFP-LR 120・FFP-LR 240):赤血球液-LR「日赤」の製造工程のなかで,3バッグ目の血漿が新鮮凍結血漿-LR「日赤」になる.全血液採血後8時間以内に遠心分離後−20℃以下で凍結する.

> **新鮮凍結血漿の貯留保管**
> 日本赤十字社では,輸血用血液製剤の安全対策として,6カ月(180日)以上貯留保管した新鮮凍結血漿を供給している.

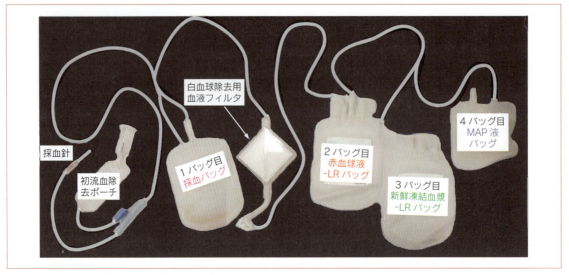

図5-Ⅱ-5　白血球除去フィルタ付採血バッグ

　成分採血由来（FFP-LR 480）：血液保存液（ACD-A液）を血液処理量（体外循環血液量）に対して1：8〜13の割合で混合し，成分採血装置を用いて血漿を採血する．採血後6時間以内に−20℃以下で凍結する．含有成分は血液保存液により希釈されて，単位容積あたりの濃度は正常血漿と比較して約10〜15％低下している．血漿中の凝固因子活性の個人差は大きいが，新鮮凍結血漿中でもほぼ同様な凝固因子活性が含まれている．ただし，不安定な因子である凝固第Ⅴ，Ⅷ因子活性はわずかながら低下する．一方，ナトリウム濃度は血液保存液中のクエン酸ナトリウムの添加により増加している．複数の凝固因子を補充することにより，止血の促進効果をもたらすことが目的である．複合型凝固障害や安全な凝固因子の濃縮製剤がないか，または凝固因子が特定できない凝固因子欠乏症が適応になる．また，凝固制御因子や線溶因子の補充，および血栓性血小板減少性紫斑病（TTP）も適応になる．

　使用時は，ビニール袋に入った血液バッグを30〜37℃の恒温槽などで融解する．完全に融解したことを確認後，血液バッグを取り出してただちに使用する．ただちに使用できない場合は，2〜6℃で保存し，融解後24時間以内に使用する．凍った状態のバッグは非常にもろく破損しやすいので，取り扱いには細心の注意が必要である（図5-Ⅱ-6）．また，融解温度については，37℃を超えた温度で融解すると凝固因子活性の低下を認め，さらに50℃以上では蛋白の変性による固まりを生じる．逆に融解温度が低すぎるとクリオプレシピテートを生じる（図5-Ⅱ-7）．クリオプレシピテートが析出しても30〜37℃の加温で消失した場合は使用できる．

> **クリオプレシピテート**
> 新鮮凍結血漿の融解温度が低すぎると，白色の沈殿物を析出することがある．この沈殿物は第Ⅷ因子やフィブリノゲンなどを含んでいるクリオプレシピテートで，そのまま使用してもすべての凝固因子の補充効果は期待できず，輸血セットの目詰まりの原因になる．

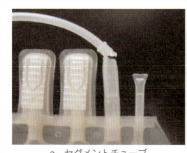
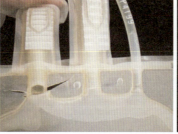

a. セグメントチューブ　　b. 輸血口　　c. 底部

図 5-Ⅱ-6　新鮮凍結血漿の主な破損部位
（日本赤十字社：輸血用血液製剤取り扱いマニュアル（2023 年 5 月改訂版）．p.14 の写真を引用．https://www.jrc.or.jp/mr/news/pdf/handlingmanual2304.pdf 2023 年 9 月 5 日閲覧）

a. 低温融解時　　b. 融解温度 56℃　　c. 融解温度 85℃

図 5-Ⅱ-7　新鮮凍結血漿の融解温度による影響
a：低温融解時は，凝固因子の析出物であるクリオプレシピテートが認められる．目詰まりの原因になるのでそのままでは使用できないが，再度 30〜37℃の加温で消失した場合は使用できる．
b, c：融解温度が高すぎると，蛋白質の熱変性によりフィブリンやフィブリノゲンの変性したものが生じ，目詰まりの原因になるばかりでなく，凝固因子活性の低下などを招き，本来の輸血効果が得られない．低温融解時とは異なり，高い温度での融解を行った製剤は使用できない．
（日本赤十字社：輸血用血液製剤取り扱いマニュアル（2023 年 5 月改訂版）．p.14 の写真を引用．https://www.jrc.or.jp/mr/news/pdf/handlingmanual2304.pdf 2023 年 9 月 5 日閲覧）

(7) 照射濃厚血小板-LR「日赤」(Ir-PC-LR：Irradiated Platelet Concentrate, Leukocytes Reduced)

血液保存液（ACD-A 液）を血液処理量（体外循環血液量）に対して 1：8〜13 の割合で混合し，成分採血装置を用いて濃厚血小板血漿を採血する．遠心分離または膜分離により，ほとんどの白血球や赤血球は除去されている．含有血小板数は，1 単位が 0.2×10^{11} 個以上，2 単位が 0.4×10^{11} 個以上，5 単位が 1.0×10^{11} 個以上，10 単位が 2.0×10^{11} 個以上，15 単位が 3.0×10^{11} 個以上，20 単位が 4.0×10^{11} 個以上である（**表 5-Ⅱ-3**）．血小板数の減少または機能の異常により重篤な出血ないし出血の予測される病態に対して，血小板成分を輸血することにより止血を図り，または出血を防止することを目的とする．

表5-Ⅱ-3　血小板製剤中の含有血小板数

1 単位（約 20 mL）	0.2×10^{11} 個以上
2 単位（約 40 mL）	0.4×10^{11} 個以上
5 単位（約 100 mL）	1.0×10^{11} 個以上
10 単位（約 200 mL）	2.0×10^{11} 個以上
15 単位（約 250 mL）	3.0×10^{11} 個以上
20 単位（約 250 mL）	4.0×10^{11} 個以上

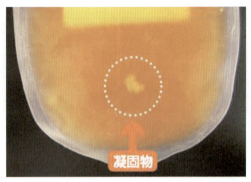

図5-Ⅱ-8　細菌接種後の輸血用血液製剤の外観変化
血小板製剤に黄色ブドウ球菌を接種後，凝固物が析出した写真．
（日本赤十字社ホームページ：輸血の副作用–感染症–細菌．https://www.jrc.or.jp/mr/reaction/infection/bacterium/　2023年9月5日閲覧）

(8) **照射洗浄血小板-LR「日赤」**（Ir-WPC-LR：Irradiated Washed Platelet Concentrate, Leukocytes Reduced）

　照射濃厚血小板-LR「日赤」を血小板保存液で洗浄して血漿の大部分を除去したあと同液を加える．

(9) **照射濃厚血小板 HLA-LR「日赤」**（Ir-PC-HLA-LR：Irradiated Platelet Concentrate HLA, Leukocytes Reduced）

　高単位の血小板製剤から分割製造された1・2・5単位の血小板製剤はない．照射濃厚血小板-LR「日赤」との違いは，HLA型が検査されている献血者から採血されたもので，通常の照射濃厚血小板-LR「日赤」では輸血効果が認められない抗HLA抗体を保有した患者に対して，患者のHLA型に適合する（患者の血清と供血者のリンパ球との交差試験が適合する）献血者から，成分採血装置を用いて濃厚血小板血漿を採血する．

(10) **照射洗浄血小板 HLA-LR「日赤」**（Ir-WPC-HLA-LR：Irradiated Washed Platelet Concentrate HLA, Leukocytes Reduced）

　照射濃厚血小板 HLA-LR「日赤」を血小板保存液で洗浄して，血漿の大部分を除去したあと同液を加える．

5　血液製剤に対する安全対策

1）血小板製剤の外観検査

　日本赤十字社では血小板製剤の品質検査の手段の一つとして，製剤の調製時および医療機関への出庫時にスワーリング検査を実施している．混入した細菌の増殖により，凝集や凝固物の発生（**図5-Ⅱ-8**），色調の変化（**図5-Ⅱ-9**）などが観察されることから，外観検査は重要な安全対策の一つである．

> **血小板の振盪保存**
> 血小板製剤のバッグにはガス透過性があり，振盪保存することで血小板周囲の乳酸が拡散されるとともにガス交換が促進され，バッグ内は適切なpHが維持され血小板機能が良好に保たれる．乳酸が蓄積すると血漿中のpHが低下し，血小板形態が円盤状から球状へ変化し，ATP含量も減少して血小板機能が低下する．

図 5-Ⅱ-9　色調の変化
(日本赤十字社：輸血用血液製剤取り扱いマニュアル（2023年5月改訂版）．p.24の写真を引用．
https://www.jrc.or.jp/mr/news/pdf/handlingmanual2304.pdf 2023年9月5日閲覧)

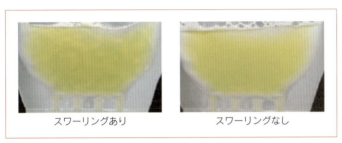

図 5-Ⅱ-10　スワーリング
(日本赤十字社：輸血用血液製剤取り扱いマニュアル（2023年5月改訂版）．p.24の写真を引用．https://www.jrc.or.jp/mr/news/pdf/handlingmanual2304.pdf 2023年9月5日閲覧)

　医療機関においても，日本赤十字社から血小板製剤が納品されたときや輸血前には，必ず外観検査を行うことが求められる．

2）血小板製剤のスワーリング
　スワーリングとは，血小板製剤を蛍光灯にかざしてゆっくりと攪拌したときにみられる渦巻き状のパターンである（**図 5-Ⅱ-10**）．通常の血小板形態が円盤状であるときにみられるが，混入した細菌の増殖によりpHが低下して，血小板形態が円盤状から偽足突出や球形化を呈するとスワーリングは消失する．スワーリングが消失する原因として，血小板製剤の細菌汚染，静置保存，低温保存，長期保存などが考えられる．

3）血液バッグのセグメントチューブ
　輸血用の赤血球製剤，血漿製剤，血小板製剤のバッグ上部輸血口の横からは，コレクションチューブがつき出ており，複数回の交差適合試験が実施できるようシーラーで分節（セグメント）にしている．照射人全血液-LR「日赤」と照射赤血球液-LR「日赤」のセグメントチューブはおおむね7分節，その他の製剤はおおむね2分節に区切っている．照射赤血球液-LR「日赤」のセグメントチューブ内は全血で血漿成分を含んでいるが，バッグ内は血漿のほとんど

が除去され，MAP液が添加されている．照射赤血球液-LR「日赤」以外のセグメントチューブ内の血液はバッグ内の成分と同じである．

照射赤血球液-LR「日赤」の製剤本体とセグメントチューブの色調に明らかな差がみられた場合は，保存中にエルシニア菌（*Yersinia enterocolitica*）が増殖した結果，溶血による黒変を生じている可能性があるため使用してはならない（➡ p.364）．

自己血輸血においては，患者と自己血の同一性確認のために，患者血液と自己血のセグメントチューブ内の血液との交差適合試験（主試験）を実施するか，もしくは患者血液と自己血のセグメントチューブ内の血液についてABO血液型，RhD抗原を確認する必要がある．

4）供血者検体の保存

日本赤十字社では，医療機関から患者の輸血後感染症報告があった場合や，献血後情報を入手した場合に再検査（調査）ができるよう，献血時に検査用検体と一緒に採取した検査用血液の一部を11年間凍結保管している．献血後情報とは，献血者のウイルス検査などの陽転化（前回検査結果が陰性であった献血者が今回献血した際に検査結果が陽性となる場合）や，献血者から肝炎に感染していることが判明した旨の連絡が入った場合などが該当する．

6 細胞保存液

1）赤血球の保存液

(1) ACD-A液

組成は，クエン酸ナトリウム，クエン酸，ブドウ糖である．クエン酸ナトリウムは血漿中のCa^{2+}とキレート結合し，凝固カスケードのCa^{2+}依存性の機序を抑制して凝固を防止する．クエン酸はpHを下げることによって赤血球の老化を抑制する．ブドウ糖は解糖系を通してのATP（アデノシン5'-三リン酸）産生を維持する．

(2) CPD液

組成は，クエン酸ナトリウム，クエン酸，ブドウ糖，リン酸二水素ナトリウムである．ACD-A液に含まれていないリン酸二水素ナトリウムは，2,3-DPGの材料になりATPの産生に利用されて生物活性が良好になる．日本赤十字社から供給される保存前白血球除去を実施した全血採血由来製剤は，赤血球機能向上のためすべてCPD液を使用している．

(3) MAP液

組成は，D-マンニトール，アデニン，リン酸二水素ナトリウム，クエン酸ナトリウム，クエン酸，ブドウ糖，塩化ナトリウムである．D-マンニトールは赤血球膜の浸透圧抵抗性を亢進して赤血球の溶血を防止する．アデニンはATP合成の基質となる．ACD-A液とCPD液は凝固防止と保存液の役割をもつが，MAP液は赤血球を良好な状態で保存することを目的としている．赤血

> **セグメントチューブによる分析**
> 輸血による細菌感染が疑われる症例の解析においては，原因究明のために製剤本体に加えてセグメントチューブによる細菌培養試験が有効な場合がある．また，遅発性溶血性輸血反応（DHTR）は，輸血後3～14日経過してから溶血が起こるとされていることから，輸血前後の患者血清と一緒にセグメントチューブを保管して，交差適合試験を行うことは原因の究明につながる．

球成分の輸血で最も多く使用される照射赤血球液-LR「日赤」は，CPD液を使用して採血された全血製剤から赤血球と血漿に遠心分離後，赤血球にMAP液を添加してさらに保存状態をよくしている．よって，有効期間は採血後42日間として承認されているが，1994年にYersinia enterocoliticaによる細菌汚染の報告が2例あったことから，より安全な輸血を目指して，1995年4月1日から有効期間を採血後42日間から21日間に変更した．また，2023年3月13日採血分より28日間に変更された．ただし，医療機関で採血された自己血は，有効期間を採血後35日間として使用することが可能である．有効期間が採血後28日間の照射赤血球液-LR「日赤」とは異なり，有効期間が採血後35日間の自己血は，血漿成分が含まれた全血製剤なので，血漿中の補体成分により細菌の増殖が抑制されると考えられている．

(4) CPDA液

CPD液にアデニンを添加してブドウ糖を増量することにより，採血後35日間の有効期間を可能にした保存液である．日本赤十字社から供給される血液製剤には使用されていないが，自己血採血用として医療機関では広く使用されている．

(5) アルセバー（alsever）液

輸血用の赤血球ではなく検査用検体である赤血球を凍結せず保存する場合にアルセバー液を使用する．凍結保存と同じような長期間保存はできない．アルセバー液の組成はグルコース，サッカロース，塩化ナトリウム，クエン酸ナトリウム，アデニン，イノシン，クロラムフェニコールである．ATPサイクルを活性化するイノシンや，細菌の増殖を防止するための抗生物質クロラムフェニコールも含有されている．

2）血小板の保存液

日本赤十字社の照射洗浄血小板は，血漿成分を除去する洗浄液かつ保存液として，ACD-A液1容に対して重炭酸リンゲル液20容を混合した血小板保存液を使用している．

3）凍結保護液

赤血球をそのまま凍結すると溶血する．原因は，赤血球内の水分子が氷の結晶を形成する際，赤血球細胞内の電解質が残存する少量の細胞液の中に高度に濃縮され，その結果，浸透圧の上昇を起こし溶血すると考えられている．

凍結による赤血球の溶血を防止するためには，赤血球に凍結保護液を添加しなければならない．凍結保護液にはグリセロール（glycerol），ジメチルスルホキシド（dimethyl sulfoxide）などがあるが，照射解凍赤血球液-LR「日赤」は凍結保護液としてグリセロールを使用している．これらの凍結保護液は，赤血球細胞膜を通過して細胞内の水分子と結合することにより，水分子が氷の結晶形成に取り込まれるのを防ぎ電解質の濃縮を最小限にしている．

7 献血者血液の検査

わが国の輸血用血液は自己血などの一部を除いて，献血で確保された血液を使用している．その献血事業（一般には血液事業とよんでいる）は，日本赤十字社１社が全国にある傘下の血液センターで「安全な血液製剤の安定供給の確保等に関する法律」に基づいて行っている．献血者の血液は採血部門で検査用検体，遡及調査用の保管検体と患者の必要とする血液製剤製造用血液が確保され，検査を行う検査部門と製剤の製造を行う製造部門にそれぞれ引き渡され，必要な作業が行われる．

1）献血受付時の検査
　①比重（もしくは血色素量）
　②血圧，脈拍
　③血球計数検査
　④血液型［ABO血液型のオモテ検査のみ（仮判定）］
　⑤心電図（40歳以上の血小板および血漿の成分献血者は過去１年以内に心電図検査を実施）

2）全献血者血液について行っている検査（品質部門：検査部門）
　①血液型検査：ABO血液型検査，RhD血液型検査（陰性，weak D，partial D を含む）
　②不規則抗体検査
　③梅毒血清学的検査：抗TP抗体
　④B型肝炎ウイルス関連検査：HBs抗原，HBs抗体，HBc抗体
　⑤C型肝炎ウイルス関連検査：HCV抗体
　⑥ヒト免疫不全ウイルス検査：HIV-1抗体，HIV-2抗体
　⑦ヒトT細胞白血病ウイルス検査：HTLV-1抗体
　⑧ヒトパルボウイルスB19検査：ヒトパルボウイルスB19抗原
　⑨生化学検査：ALT，γ-GTP，総蛋白，アルブミン，A/G比，コレステロール，グリコアルブミン
　⑩核酸増幅検査（NAT）：HBV（DNA），HCV（RNA），HEV（RNA），HIV（RNA）
　⑪血球計数検査：赤血球数（RBC），ヘモグロビン濃度（Hb），ヘマトクリット値（Ht），平均赤血球容積（MCV），平均赤血球ヘモグロビン量（MCH），平均赤血球ヘモグロビン濃度（MCHC），白血球数（WBC），血小板数（PLT）

NATは，血清学的検査に比べて，感染していても検査で陽性とならない期間（ウインドウピリオド）の短縮が期待される（表5-Ⅱ-4）．

日本赤十字社が実施している感染症の検査を表5-Ⅱ-5に示す．

表 5-Ⅱ-4　推定ウインドウピリオド

	個別 NAT	血清学的検査
HBV	27.5 日	47 日
HCV	3～5 日	65 日
HIV	5 日	19 日

（日本赤十字社ホームページ：核酸増幅検査の特徴より引用. https://www.jrc.or.jp/mr/blood_product/safety/nat/　2022 年 10 月 12 日閲覧）

表 5-Ⅱ-5　日本赤十字社が実施している輸血用血液製剤の感染症の検査

病原体	疾患	検査方法**
B 型肝炎ウイルス（HBV）	B 型肝炎	HBs 抗原：CLIA HBc 抗体：CLIA HBs 抗体：CLIA HBV-DNA：NAT（TMA 法）
C 型肝炎ウイルス（HCV）	C 型肝炎	HCV 抗体：CLIA HCV-RNA：NAT（TMA 法）
E 型肝炎ウイルス（HEV）	E 型肝炎	HEV-RNA：NAT（TMA 法）
ヒト免疫不全ウイルス-1/2（HIV-1/2）	後天性免疫不全症候群（AIDS）	HIV-1/2 抗体：CLIA, WB HIV-RNA（HIV-1/2）：NAT（TMA 法）
ヒト T リンパ球向性ウイルス-1（HTLV-1）	成人 T 細胞白血病（ATL） HTLV-1 関連脊髄症/熱帯性痙性不全対麻痺症（HAM/TSP） HTLV-1 関連ぶどう膜炎（HAU）	HTLV-1 抗体：CLIA, LIA
ヒトパルボウイルス B19	伝染性紅斑	ヒトパルボウイルス B19 抗原：CLIA
トレポネーマ・パリダム（TP）	梅毒	TP 抗体：CLIA, RPR

**CLIA：Chemiluminescent Immunoassay（化学発光免疫測定法），NAT：Nucleic acid Amplification Test（核酸増幅検査），TMA：Transcription Mediated Amplification（TMA 法），WB：Western blotting（ウエスタンブロット法），LIA：Line immunoassay（ラインイムノアッセイ法），RPR：Rapid Plasma Reagin Test（RPR 法），確認検査（WB, LIA, RPR）
（日本赤十字社北海道赤十字血液センターホームページ：検査適否基準をもとに作成. https://www.bs.jrc.or.jp/hkd/hokkaido/process/m3_01_01_01_00000137.html　2023 年 12 月 5 日閲覧）

3）一部の献血者血液への検査（品質部門：検査部門）

①HLA 関連検査：HLA 適合血小板登録者，骨髄バンクドナー登録者
②サイトメガロウイルス抗体検査：サイトメガロウイルス抗体陰性血液確保対象者
③抗原陰性血液検査：臨床的意義をもつ不規則抗体保有患者への適合血液の選択（医療機関の要望）（→ p.316 の表 5-Ⅶ-2）
④まれな血液型（まれ血）検査：まれな血液型とは，誰もが保有する抗原（高頻度抗原）を欠く表現型で，およそ 1％以下の出現頻度を示すものをいう（→ p.307 の表 5-Ⅵ-24）．平素から血液センターでは献血者血液についてモノクローナル抗体などを用いて，自動血液型判定装置で抗原スクリーニングを行い，まれな血液型の検出に努めている．まれな血液型の献

血者がみつかれば，その血液に凍害防止剤（グリセリンを主成分とする）を加えて-80℃以下で冷凍血にして保管（有効期間：10年間）する．本人にはインフォームドコンセント（説明と同意）を行い，まれな血液型の登録者として協力を依頼する．また，同一家族内で同じまれな血液型が高率にみつかるので，家系調査も行うことがある．このようにして，まれな血液型保有者が互いに協力・助け合うことで安心して輸血を受けることができる体制を血液センターでは構築している．

⑤ *Trypanosoma cruzi* 抗体検査：シャーガス病の検査で，中南米滞在歴のある献血希望者に試行的に行っている．

III 輸血の適応と製剤の選択

〈到達目標〉
(1) 赤血球液・新鮮凍結血漿・血小板濃厚液・アルブミン液の使用目的について説明できる.

1 血液製剤の使用指針

現在では,同種血輸血の場合,病態に合わせて不足している成分を補充する成分輸血が行われている.厚生労働省は「**血液製剤の使用指針**」において,主な輸血用血液製剤とアルブミン製剤の適正な使用について示している.指針は定期的に見直され,最新版は2019(平成31)年改定版である.製剤ごとの適正使用の要約を**表 5-III-1**に示す.

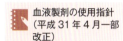

血液製剤の使用指針
(平成31年4月一部改正)
https://www.mhlw.go.jp/content/11127000/000493546.pdf

表 5-III-1 血液製剤の使用指針(概要)

血液製剤療法の原則:
①血液製剤を使用する目的は,血液成分の欠乏あるいは機能不全により,臨床上問題となる症状を認めるときに,その成分を補充して症状の軽減を図ることにある(補充療法).
②毎回の投与時に,各成分の到達すべき目標値を臨床症状と検査値からあらかじめ設定し,補充すべき血液成分量を計算する.
③毎回の投与後には,目的・目標がどの程度達成されたかについての有効性の評価,副作用と合併症の発生の有無を観察し,診療録に記録する.

I. 赤血球液の適正使用
1) 目的:末梢循環系への十分な酸素供給と循環血液量の維持.急性あるいは慢性の出血に対する治療および貧血の急速な補正.
2) 使用指針:
 (1) 慢性貧血に対する適応(主として内科的適応)
  [血液疾患に伴う貧血]
   ①高度貧血の場合,一般に1日1〜2単位の輸血量とする.
   ②慢性貧血の場合はHb 7 g/dLが輸血を行う一つの目安.再生不良性貧血や骨髄異形成症候群ではHb 6〜7 g/dL,造血器腫瘍の化学療法や造血幹細胞移植に伴う貧血の場合はHb 7〜8 g/dLをトリガー値とする.
   ③輸血以外の方法で治療可能である疾患には原則として輸血は行わない.
  [慢性出血性貧血]
   消化管や泌尿生殖器からの少量長期的な出血による貧血には,原則として輸血は行わない.動悸・息切れ・浮腫などの症状がある場合には,1回2単位を目安に輸血を行う.Hb 6 g/dLが目安となる.
 (2) 急性出血に対する対応(主として外科的適応)
  Hb 10 g/dLを超える場合は輸血は不要,6 g/dL以下では輸血はほぼ必須.
 (3) 周術期の輸血
  ①術前投与:慣習的な術前の10/30ルール(Hb 10 g/dL以上,Ht 30%以上)には根拠がない.全身状態・心肺機能・原疾患・年齢などを考慮して必要の有無を決定する.
  ②術中投与:
   周術期のトリガー値をHb 7〜8 g/dLとする.ただし,冠動脈疾患や脳循環障害のある患者では,Hb 10 g/dL以上に保つ.大量輸血(24時間以内に循環血液量相当の輸血を行う)では,血液の希釈による凝固因子欠乏や血小板低下が起こるため,検査値を参考として新鮮凍結血漿や血小板濃厚液の投与も考慮する.
  ③術後投与:バイタルサインが安定していれば,原則として細胞外液補充液のみを投与.貧血が急激に進行する場合,輸血は外科的処置とともに早急に行う.
3) 投与量
  赤血球液2単位(400 mL由来)の投与により改善されるHb値:
   予測上昇Hb値(g/dL)=投与Hb量(g)/循環血液量(dL)
   2単位の赤血球液は56〜60 gのHbを含む.
   ★体重50 kgの成人に2単位の赤血球液の輸血でHbは1.6〜1.7 g/dL上昇する.
4) 不適切な使用
  終末期患者への投与

(次頁へつづく)

表 5-Ⅲ-1 つづき

Ⅱ．血小板濃厚液の適正使用
1) 目的：血小板成分を補充することにより止血を図り，または出血を防止する
2) 使用指針：
　　　［血小板数と症状による目安］
　　　　①血小板数が 2〜5 万/μL では，ときに出血傾向を認める．止血困難な場合は血小板輸血が必要になる．
　　　　②血小板数が 1〜2 万/μL では，ときに重篤な出血をみることがあり，血小板輸血が必要となる場合がある．
　　　　③血小板が 1 万/μL 未満ではしばしば重篤な出血をみることがあり，血小板輸血を必要とする．
　　　　＊ただし慢性に経過している血小板減少症（再生不良性貧血など）では血小板が 5,000〜1 万/μL であっても，ほかに出血傾向をきたす合併症がなければ，血小板輸血は行わない．
　(1) 活動性出血…眼底・中枢神経系・肺・消化管から出血している場合，血小板≧5 万/μL に保つ
　(2) 外科手術の術前状態…待機的手術あるいは腰椎穿刺・硬膜外麻酔・経気管支鏡的肺生検・肝生検などの場合，術前に血小板≧5 万/μL に．頭蓋内手術の場合，血小板≧7〜10 万/μL に．
　　　人工心肺使用手術の周術期管理…血小板≧5〜10 万/μL に．
　(3) 大量輸血時…24 時間以内に循環血液量相当量以上の大量輸血が行われ，出血症状とともに血小板減少が認められる場合，血小板輸血の適応となる．
　(4) 播種性血管内凝固（DIC）…血小板≦5 万/μL で出血症状を認める場合は血小板輸血の適応．
　(5) 血液疾患
　　　①造血器腫瘍…血小板 1 万/μL 未満に低下した場合に血小板輸血を行う．
　　　②再生不良性貧血，骨髄異形成症候群…血小板≦0.5 万/μL で出血症状のあるとき．
　　　③免疫性血小板減少症…特発性血小板減少性紫斑病（ITP）は通常は血小板輸血の対象とはならない．外科的処置を行う場合には，ステロイドなどの事前投与を行い，これらの効果が不十分で大量出血の予測される場合は，血小板輸血の適応となることがある．
　　　④血栓性血小板減少性紫斑病（TTP），溶血性尿毒症症候群（HUS）…原則として血小板輸血の適応とはならない．
　(6) 固形腫瘍…強力な化学療法を行い，血小板が 1 万/μL 未満に減少し，出血傾向を認める場合は，血小板数を 1 万/μL 以上に維持するよう，血小板輸血を行う．
　(7) 造血幹細胞移植時（骨髄移植など）…血小板数が 1 万/μL 未満に低下した場合に血小板輸血を行う．
3) 投与量：

$$\text{予測血小板増加数 }(/\mu L) = \frac{\text{輸血血小板総数}}{\text{循環血液量 (mL)} \times 10^3} \times \frac{2}{3}$$

　　　　　循環血液量＝体重（kg）×70 mL
　　　　　＊2/3 は，輸血された血小板が脾臓に捕捉されるための補正係数
　　　具体例）血小板濃厚液 10 単位（2.0×10^{11} 個以上の血小板を含む）を循環血液量 4,000 mL の患者に輸血すると，直後には 33,300/μL の血小板増加が得られる．
　※ 血小板輸血不応（PTR, platelet transfusion refractoriness）について
　　　定義：血小板を輸血しても血小板数が増加しない場合．
　　　原因：①免疫的原因…抗 HLA 抗体，抗 HPA 抗体，自己抗体
　　　　　　②非免疫的原因…出血・発熱・脾腫・感染症・DIC など
　　　原因の 80％ が抗 HLA 抗体．血液製剤中に含まれる白血球が感作原となり，抗体が産生される．
　　　予防：輸血用血液製剤からの白血球除去．
　　　PTR 例への対応：抗 HLA 抗体による場合，HLA 適合血小板を使用．

Ⅲ．新鮮凍結血漿の適正使用
1) 目的：凝固因子の補充による治療的投与を主目的とする．
　　　　観血的処置時を除き予防的投与の意味はない．
2) 使用指針：ほかに安全で効果的な血漿分画製剤やリコンビナント製剤がない場合にのみ適応となる．PT・APTT・フィブリノゲン値の投与前測定が原則．
　(1) 凝固因子の補充
　　　① PT・APTT の延長（PT は INR 2.0 以上または 30％以下，APTT は基準値の 2 倍以上の延長または 25％以下）
　　　　・肝障害
　　　　・L-アスパラギナーゼ投与関連
　　　　・播種性血管内凝固（DIC）
　　　　・大量輸血時
　　　　・濃縮製剤のない凝固因子欠乏症（第Ⅴ因子，第Ⅺ因子）
　　　　・クマリン系薬剤（ワルファリンなど）による出血傾向の緊急是正
　　　② 低フィブリノゲン血症（150 mg/dL 以下）の場合
　　　　・播種性血管内凝固（DIC）
　　　　・L-アスパラギナーゼ投与後
　(2) 凝固阻害因子や線溶因子の補充
　　　　・プロテイン C やプロテイン S の欠乏症における血栓症の発症時
　(3) 血漿因子の補充（PT・APTT が正常な場合）
　　　　・血栓性血小板減少性紫斑病（TTP）
　　　　　新鮮凍結血漿（FFP）を置換液とする血漿交換療法（通常 40〜60 mL/kg/回）・FFP 単独投与
3) 投与量
　　生理的止血効果を期待するための凝固因子の最小活性値は正常値の 20〜30％
　　　したがって投与量は，
　　　　循環血漿量（＝40 mL/kg）×0.2〜0.3＝8〜12 mL/kg　となる．実際は，投与凝固因子の血中回収率・半減期・消費性凝固障害の有無を考慮．

（次頁へつづく）

表 5-Ⅲ-1 つづき

4) 不適切な使用
   (1) 循環血漿量減少の改善と補充
   (2) 蛋白質源としての栄養補給
   (3) 創傷治癒の促進
   (4) 終末期患者への投与
   (5) 予防投与
   (6) 重症感染症の治療，人工心肺使用時の出血予防

Ⅳ．アルブミン製剤の適正使用
1) 目的：血漿膠質浸透圧を維持し，循環血漿量を確保する．
2) 使用指針
   (1) 出血性ショック
      ①循環血液量の30%以上の喪失時：細胞外液補充液が第一選択．膠質浸透圧の維持には，人工膠質液の補充も推奨されるが，原則としてアルブミン製剤の投与は必要としない．
      ②循環血液量の50%以上の多量の出血，血清アルブミン 3.0 g/dL 未満の場合に等張アルブミン製剤の使用を考慮．
   (2) 敗血症や敗血症性ショックの場合には細胞外液補充を第一選択とする．
   (3) 人工心肺を使用する心臓手術
      人工心肺の充填には原則として細胞外液補充液を使用．術前より血清アルブミン濃度の高度な低下があるか，体重 10 kg 未満の小児には適応を検討．人工心肺使用に伴い術後に起こった低アルブミン血症の補正は不要．
   (4) 難治性腹水を伴う肝硬変あるいは大量の腹水穿刺時
   (5) 難治性の浮腫，肺水腫を伴うネフローゼ症候群
   (6) 循環動態が不安定な血液透析などの体外循環施行時
   (7) 凝固因子の補充を必要としない治療的血漿交換法
   (8) 重症熱傷：体表面積の50%以上の熱傷
   (9) 低蛋白血症に起因する肺水腫あるいは著明な浮腫が認められる場合
   (10) 循環血漿量の著明な減少を伴う急性膵炎など
3) 投与量
   下記の計算式から得られたアルブミン量を患者の病状に応じて 2〜3 日で分割投与
   　　必要量＝血清アルブミンの期待上昇濃度 (g/dL)×循環血漿量 (dL)×2.5
   　　循環血漿量：0.4 dL/kg，投与アルブミンの血管内回収率：40%
4) 不適切な使用
   (1) 蛋白質源としての栄養補給
   (2) 頭部外傷，急性期脳梗塞
   (3) 炎症性腸疾患
   (4) 周術期の循環動態の安定した低アルブミン血症
   (5) 単なる血清アルブミン濃度の維持
   (6) 終末期患者への投与

2　輸血療法の原則

血液製剤を使った治療には，共通する 3 つの原則がある．

①血液製剤を使用する目的は，血液成分の欠乏あるいは機能不全により，臨床上問題となる症状を認めるときに，その成分を補充して症状の軽減を図ることにある（補充療法）．

②毎回の投与時に，輸血の適応となる基準値（トリガー値）を満たしていることを確認したうえで，各成分の到達すべき目標値を臨床症状と検査値からあらかじめ設定し，補充すべき血液成分量を計算する．

③毎回の投与後には，目的・目標がどの程度達成されたかについての有効性の評価，副反応と合併症の発生の有無を観察し，診療録に記録する．

3　赤血球液の投与

赤血球液を使用する目的は，貧血を改善して，末梢循環系へ十分な酸素を供給することにある．貧血には造血障害などの内科的な病態と，外傷や手術など外科的な病態があるので，それぞれの状況に応じた輸血を行う．

血液疾患に伴う貧血の場合にはヘモグロビン（Hb）7〜8 g/dL を目安とし，

輸血以外の方法で治療できる疾患（鉄欠乏性貧血など）には原則として輸血は行わない．

手術時の出血の場合もトリガー値を Hb 7～8 g/dL とする．

4　血小板濃厚液の投与

血小板濃厚液は，血小板が不足しているための止血困難や，出血を起こしやすい状態を改善することを目的として投与する．実際には，血液疾患や抗腫瘍薬投与による血小板造血障害の症例に投与することが多い．このような場合，血小板数を 1 万/μL 以上に維持するよう，計画的に血小板輸血を行う．

手術を行う場合には血小板数を 5～10 万/μL 以上にする．

5　新鮮凍結血漿の投与

新鮮凍結血漿の投与の目的は，複数の凝固因子の不足による出血傾向を改善することである．具体的には，肝障害による凝固因子の合成不足や，播種性血管内凝固（DIC）による消費性凝固障害などの場合に投与が行われる．投与前には必ず凝固系（プロトロンビン時間，活性化部分トロンボプラスチン時間）の評価を行い，正常の 25～30% 以下の活性の場合，フィブリノゲンは 150 mg/dL 以下の場合に，新鮮凍結血漿の投与を考慮する．血栓性血小板減少性紫斑病（thrombotic thrombocytopenic purpura；TTP）と溶血性尿毒症症候群（hemolytic uremic syndrome；HUS）では通常，凝固系の異常は認められないが，過凝固を起こしにくくする血漿蛋白の補充が治療的効果をもつため，新鮮凍結血漿の投与は適切である．

かつてしばしば行われていた循環血液量の補充や栄養補給目的での使用は適切でない．

6　アルブミン製剤の投与

アルブミン製剤は，血漿膠質浸透圧の維持，循環血漿量の確保，重症浮腫や難治性腹水の治療の目的で投与する．また，凝固因子補充の必要のない血漿交換療法に使用される．アルブミン製剤は，精製の過程でウイルスの不活化が行われるため，安全性が高い．また，さまざまな濃度の製剤があり，病態に合わせた使い分けが可能である．

栄養補給目的での使用は不適切である．

 輸血量と効果

（1）赤血球液の場合
供血者の Hb 濃度がそれぞれ異なるため，同じ規格の製剤でも含まれている成分に差がある．400 mL 由来の赤血球液 1 バッグには，Hb 56～60 g が含まれている．これを体重 50 kg，循環血液量 3.5 L（＝35 dL）（循環血液量＝体重［kg］×70 mL）のヒトに輸血すると，予測上昇 Hb 値は投与 Hb 量［g］/循環血液量［dL］＝1.6～1.7 g/dL 増加することになる．

（2）血小板の場合
輸血した血小板の 1/3 は脾臓で捕捉されてしまうので，若干効率が悪くなる．最もよく用いられる 10 単位の製剤の場合，1 バッグに 2×10^{11} 個の血小板を含んでいる．これを循環血液量 4 L（＝4×10^3 mL）のヒトに輸血すると，予測血小板増加数＝［輸血血小板総数/（循環血液量［mL］× 10^3）］× 2/3 ＝ $(2\times10^{11}) \div (4\times10^3 \times 10^3) \times 2/3$ ＝ 3.3×10^4 ［/μL］となり，血小板は 3.3 万/μL 増加する．

Ⅳ 自己血輸血

〈到達目標〉
(1) 自己血輸血の種類を列挙し，それぞれの利点と問題点を説明できる．
(2) 自己血輸血の種類を列挙し，それぞれの適応と禁忌を説明できる．
(3) 貯血式自己血採血から輸血までを説明できる．

　自分由来の血液を利用して，周術期時出血に対して輸血する医療行為を自己血輸血と称する．主に，全血（貯血式，希釈式），洗浄赤血球液（回収式）の製剤形態で輸血されるが，最近では，自己血の成分化が行われて手術の特異性に応じて種々の製剤が作製される．たとえば，貯血式自己血から赤血球液，新鮮凍結血漿，自己フィブリン糊が作製される．その赤血球液や血漿は輸血という手段で使用されるが，自己フィブリン糊は創部に塗布するなど，止血効果を期待するものである．
　また，再生医療目的で自己血を利用する医療が進歩している．たとえば，多血小板血漿療法では，自分の採血された血液から血小板を多く含んだ血漿を作製し，それを患部に注射，塗布することで損傷組織を再生させる治療法である．自己血の活用は多様化が進み，それぞれの血液製剤による治療方法が確立している．
　本節では，成分化や再生医療にかかわるものには触れず，いわゆる従来の自己血輸血について解説する．

1　自己血輸血の利点と問題点

　貯血式自己血は保存形態によって，液状保存（全血あるいは製剤化）と凍結保存に分類される．ここでは，主に液状保存された貯血された自己血について解説する．

1）利点
(1) 移植片対宿主病（graft versus host disease；GVHD）の回避
　保存前白血球除去フィルタの効果は，混入リンパ球を 1 バッグあたり 10^6 個以下にすることで，ゼロにするものではない．したがって，生きたリンパ球が混入している可能性のある輸血用血液は，赤血球液，血小板濃厚液である．その生きたリンパ球が患者体内で増殖し，患者自身の臓器（皮膚，肝臓，骨髄など）を攻撃して発症するのが GVHD である．そのリンパ球を死滅させる効果があるのが製剤自体への放射線照射である．新鮮凍結血漿に混入したリンパ球は冷凍状態では死滅するので，放射線照射対象外である．しかし，自己血に混入しているリンパ球は，患者自身の臓器を攻撃しない．また，別の見方をす

れば，自己血を誤って他人へ輸血してしまうことは，不適合輸血，感染症伝播とともに，GVHDのリスクを高めてしまうことになる．自己血は同種血同様，患者認証を適切に行うことが求められる．

(2) ウイルス感染症の回避

血液を介してウイルス感染症を引き起こすことは，肝炎ウイルス（B型，C型，E型肝炎ウイルス）やHIVは周知であり，日本赤十字社では，そのウイルスの核酸増幅検査（NAT）で陰性であった血液を供給している．しかし，NATでは検知できないほどの少量のウイルスによる感染は防ぐことはできない（ウインドウ期での献血）．また，変異型Creutzfeldt-Jakob病（vCJD）のような未知の微生物による血液感染には常にリスクがあるものと認識する必要がある．その点，自己血輸血は血液を介したウイルス感染症の懸念はない．

(3) 同種免疫の回避

同種抗体には，不規則抗体（溶血性副反応），抗HLA抗体（輸血関連急性肺障害，血小板輸血不応），抗顆粒球抗体（輸血関連急性肺障害），抗血小板抗原抗体（血小板輸血不応），抗血漿蛋白抗体（アナフィラキシー）などがあり，輸血副反応の要因の一つになっている．

自己血輸血は，**免疫修飾**が起きないことを利点としてあげる意見がある．同種血輸血は，創部感染症など合併症の発生率が上がることに対して，自己血輸血は理論上その懸念がない．

(4) 献血者不足に対応

献血者に依存する同種血が不足する環境下でその利点を発揮する．2004年ごろイギリスにおいて狂牛病流行時に起きた輸血関連vCJDを懸念して，緊急時，回収式自己血が行われた．また，新型コロナウイルス感染症爆発時における献血者減少の際には，貯血式自己血で対応する医療機関もあった．以上のように，自己血貯血体制を院内に確立することは，有事の血液準備の選択肢の一つを獲得することを意味する．

(5) まれな血液型や蛋白欠損に対応

日本人のRhD陰性の割合は約0.5％であり，待機的手術で，準備することが困難なことがある．特にRhD陰性妊婦では，同種抗体である抗D産生を回避する目的に，手術準備血として自己血を貯血する選択肢がある．ほかのまれな血液型（赤血球要因）やIgA欠損症，無ハプトグロビン血症などの蛋白質欠損症（血漿要因）が理由で血液供給困難（日本赤十字社血液センターの在庫状況など）であることを確認し，自己血貯血を計画する．

2) 問題点

(1) 採血合併症

❶ 神経損傷

穿刺時に指先に放散する，いつもより痛いと訴える疼痛（激痛と表現する患者もいる）は，神経損傷を疑い，すみやかに抜針する．自己血採血針は検査採

免疫修飾
免疫修飾（transfusion related immunomodulation；TRIM）とは，同種血輸血による免疫抑制現象のことである．腎移植やがん手術では，同種血の受血者で拒絶率低下やがん再発率増加などの現象が起こり，TRIMで説明される．

表 5-IV-1　細菌汚染防止における赤血球液と自己血全血との比較

	赤血球液	自己血全血
保存液	MAP 液	CPDA-1 液（あるいは CPD 液）
有効期限	28 日 （当初 21 日）	35 日（21 日）
初流血除去	全例実施	任意 未実施のことが多い
貯血前白血球除去	全例実施	保険未収載 産科自己血に導入している医療機関あり
バッグ内凝集塊形成	ほぼなし	関節リウマチ，妊婦の貯血で認められることがある
外観検査 （日本赤十字社でのチェック）	あり	対象外

MAP：マンニトール，アデニン，リン酸二水素ナトリウム．CPDA-1：citric soda, phosphate, and dextrose solution（CPD），adenine．

血の針より太く，神経損傷時には重症化しやすい（治癒困難）．肘窩内側へ深く穿刺した場合，正中神経損傷の場合は，運動神経麻痺が起こるので，採血手技として深く穿刺しないことを心がける．

❷ **血管迷走神経反応**

気分不良，悪心，嘔吐，顔色不良，冷汗，失禁，失神，けいれんなどの症状に，血圧低下，徐脈を伴う場合は血管迷走反応を疑い，採血を中止する．下肢挙上，補液などの処置が必要となる．遅れて採血場所から離れた場所で血管迷走神経反応が起こることもある（遅延型反応，敷地外血管迷走神経反応など）．採血前の水分補給，食事の有無などの聴取が重要で，水分が不足していると判断した場合，採血前に飲水を促すことは予防に重要な対応である．男性には，採血後，最初の排尿は座位で行うように指示する．立位排尿による迷走神経亢進で血管迷走神経反応を引き起こし，失神による転倒で頭部外傷の原因になる．

(2) 対応できる手術が限られる

医学，特に手術の進歩により，周術期出血量が減少し，血液を準備することが少なくなった．手術準備血量は MSBOS などで，自施設の術式別の出血量から算出されるためである．準備血不要となれば，自己血の貯血はしない．それに伴い，自己血貯血を行わず手術を行うことが多くなってきた．貯血式自己血輸血は保険適応になっているわが国でも，その貯血実績が年々減少している．

(3) 細菌汚染

自己血全血の有効期限は，日本赤十字社の赤血球液の 28 日より長い 35 日であることから，細菌汚染のリスクは高くなる（**表 5-IV-1**）．低温増殖する細菌が貯血後 21 日以降に増殖することから，赤血球液の有効期限は本来の 42 日よりも短く，当初は 21 日に設定された．保存前白血球除去や初流血除去の対策により細菌汚染のリスクが低減されたことから，2023 年 3 月に赤血球液の有効期限が 21 日から 28 日に延長された．自己血の有効期限では，そ

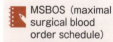

MSBOS (maximal surgical blood order schedule)
輸血をすることが予想される待機手術での血液準備法で，手術別の平均的輸血量（T）を調査する．血液準備量は，（T）の 1.5 倍とする．

の配慮がないため，自己血採血時の問診は細菌汚染防止の観点から重要である（→ p.259）．

また，自己血全血では，日本赤十字社で行われている初流血除去は任意であり行われていないので，細菌汚染のリスクが高い．さらに自己血の外観検査（黒色変化の有無）は，医療機関の担当者（臨床検査技師，看護師など）に委ねられるため，その職員の経験と習熟度に左右される．

（4）取り違い事故

日本赤十字社の血液製剤は，既存のラベルに加え医療機関で作成する適合票が貼付されていることから，取り違い事故防止への配慮がされている．一方，貯血式自己血に対してラベル貼付している医療機関は多いが，手術室で行われる自己血（希釈式，回収式）ではラベル運用している施設は少なく，取り違い事故防止をより厳しくした運用が求められる．

自己血は最も安全な血液であるのは患者本人に適切に使用された場合であり，同種血と同様に，輸血安全上，適切な管理が求められるものである．

（5）その他

❶容量負荷

出血量が少なかった症例に貯血した自己血を返血する際には，容量負荷になり，心不全症状を合併する場合がある．特に，高齢者では心機能低下例で容量負荷を起こしやすいので，注意が必要である．したがって，出血量が少なくなった術式は貯血適応から除外することが求められる．

❷凝集塊の形成

自己血全血を返血する際に，バッグ内凝集塊は輸血セットのつまりの原因となり，輸血実施不能になる．凝集塊の形成防止に，貯血前白血球除去フィルタ使用が有効であるが，保険収載されていないことが問題点である．特に妊婦での貯血では，いろいろなリスクを鑑みて貯血した自己血が，凝集塊でできないことは問題である．その結果，同種血を使用した場合，貯血式自己血の目的を果たさないこととなる．凝集塊対策は側注を参照．

2　自己血輸血の種類とそれぞれの特徴

自己血輸血には，貯血式，希釈式，回収式の3種類がある．それらの利点，欠点を表5-Ⅳ-2に示す．

1）貯血式自己血輸血

術前貯血は，通常の手術準備血（最大手術血液準備量や手術血液準備量計算法）の考え方のなかで，貯血適応を判断していく．手術術式，術者によって出血量は異なるため，自施設での血液準備のルールを決める際には，自己血貯血の適応を含める．その参考資料になるのは，日本自己血輸血・周術期輸血学会の「貯血式自己血輸血実施指針」である．

妊婦の貯血に対する注意事項

①妊婦への配慮：採血は，仰臥位低血圧症候群になりにくい姿勢で行う（完全仰臥位を避ける）．自己血採血のHbトリガー値が10 g/dL（他領域の貯血基準11 g/dL）（妊娠による循環血漿量の増加による希釈を考慮している）．
②胎児への配慮：胎児心拍を監視し，心拍数低下が発生したら，採血は中断する．
③凝集塊対策：保存前白血球除去，採血量減少（400 mLバッグに300 mL採血，相対的クエン酸濃度を上げる）がある．

貯血式自己血輸血実施指針（2020）
https://www.jsat.jp/jsat_web/down_load/pdf/cyoketsushikijikoketsushishin_2020.pdf

表 5-Ⅳ-2 自己血輸血の種類と利点・欠点

	利点	欠点・問題点
貯血式自己血輸血	待機的手術に対応 術前に準備できる 鉄剤・エリスロポエチン保険使用可	緊急症例に対応できない 貧血症例で採血不可 採血合併症 保管合併症 本文「1-2）問題点」を参照
希釈式自己血輸血	待機手術だけでなく，緊急手術に対応可能	採血量に制限がある 貧血症例で採血不可 手術前に採血や補液の時間を要するために，麻酔・手術時間が長くなる 代用血漿剤の使用量と使用法に制限がある 麻酔下で採血合併症がわかりにくい 輸血部門の関与が少なくラベル発行などの安全対策が不十分
回収式自己血輸血	待機手術に対応 (1) 心臓血管外科 (2) 脊椎手術 緊急手術にも対応できる	麻酔科の負担大 臨床工学技士の関与が必要 機器整備が必要 禁忌あり（細菌汚染，がんなど） 輸血部門の関与が少なくラベル発行などの安全対策が不十分

(1) 適応

整形外科手術（人工関節置換術や脊椎手術など），産婦人科手術，心臓血管手術（開心術など），外科手術（大腸切除や肝臓切除など），脳外科手術（未破裂脳動脈瘤や脳腫瘍），泌尿器科，形成外科，歯科口腔外科手術など，輸血を必要とする予定手術全般とする．

日本赤十字社からの供給困難が予想される，まれな血液型（不規則抗体産生や遅発性溶血性副反応防止），血漿蛋白欠損患者（血漿蛋白抗体産生やアナフィラキシー防止）も自己血貯血の対象とする場合もある．

(2) 禁忌

治療が必要な皮膚疾患・感染創・熱傷のある者，1カ月以内の重症の下痢発症者，抜歯後3日以内の者など菌血症の恐れのある細菌感染者（血液バッグ内，細菌汚染防止），不安定狭心症・中等度以上の大動脈弁狭窄症，NYHA Ⅳ度などの心疾患患者，ASA Ⅳ度やⅤ度の患者である（基礎疾患が悪化する，死亡に至る可能性がある）．

有熱者（平熱時より1℃以上高熱，あるいは37.2℃以上）は採血を行わない．有熱状態でなく，解熱している際には，採血の可否の決定にはCRP値と白血球数を参考とする．また，点滴中の患者では，細菌性静脈炎合併のリスクを評価したうえで，貯血適応を判断する．

2) 希釈式自己血輸血

全身麻酔導入後，当該患者から400〜1,200 mL の血液を採血した後，**代用血漿剤**の輸液により循環血液量を保ち血液を希釈状態にして手術を行い，術中あるいは手術終了前後に採血した自己血を返血する方法である．出血した血液

 NYHA（New York Heart Association）心機能分類
NYHA Ⅰ：心疾患があるが症状はなく，通常の日常生活は制限なし．
NYHA Ⅱ：心疾患患者で日常生活が軽度から中等度に制限される．
NYHA Ⅲ：心疾患患者で日常生活が高度に制限される．
NYHA Ⅳ：心疾患患者で非常に軽度の活動でも何らかの症状がある，あるいは安静時に症状あり．

 ASA（American Society of Anesthesiologists）分類
Class Ⅰ：一般に良好．合併症なし．
Class Ⅱ：軽度の全身疾患を有するが，日常生活動作は正常．
Class Ⅲ：高度の全身疾患を有するが，運動不可能ではない．
Class Ⅳ：生命を脅かす全身疾患を有し，日常生活は不可能．
Class Ⅴ：瀕死であり，手術をしても助かる可能性は少ない．
Class Ⅵ：脳死状態の臓器移植ドナー．

 代用血漿剤
ヒドロキシエチルデンプン（hydroxyl-ethyl starch；HES）が主に使用される．デキストランで問題となる腎障害，凝固障害が少ないタイプだが，使用量が多くなると，HESでも使用制限される．アルブミン製剤は，希釈式自己血の希釈目的としては使用されない．

はヘマトクリット値が低い血液であり，それに対して，希釈される前の自己血を返血するものである．希釈式自己血全血の返血時には，輸血セットを使用する．

(1) 適応

高度貧血など禁忌でない手術例が適応となるが，麻酔科医の協力は必須である．希釈効果により手術時の実質的出血量を軽減できる．採血した当日に使用することから，凝固因子，血小板機能を保持した，赤血球液：血漿：血小板が1：1：1の輸血比率の全血を使用することができる．

(2) 禁忌

心筋障害，弁膜症，心内外の動静脈シャントがある場合など心臓予備力がない患者や腎機能障害や出血傾向のある患者（代用血漿剤の副反応），高度の貧血患者，血液の酸素化に異常がある肺疾患者，高度の脳血管狭窄患者には禁忌である．全身麻酔下で貯血するので，血管迷走神経反応など採血合併症の症状がわかりにくい．

3）回収式自己血輸血

回収された血液をヘパリン加生理食塩液で洗浄した赤血球液（血漿成分，血小板は除去される）である．全血輸血ではないので，大量出血例では希釈性凝固障害のリスクがある．回収式自己血の返血時には，輸血セットでなく，微小凝集塊除去セットを使用する．回収式自己血バッグに空気を含んでいることがあるので，空気塞栓を防止するため急速輸血ポンプでの返血は行わない．

(1) 適応

出血量が600 mL以上の開心術・大血管手術，並びにその他の無菌的手術（脊椎手術など）に適応がある．

(2) 禁忌

細菌あるいは悪性腫瘍細胞の混入がある場合は禁忌である（輸血することで，敗血症，全身へのがん細胞播種になってしまう）．産科疾患の場合は，羊水混入を極力避ける（羊水混入により，羊水塞栓症を引き起こし，高度の凝固障害を引き起こす）．

3 貯血式自己血採血の実際

1）貯血計画

貯血バッグの有効期限は，採血日を第1日として，21日（CPD液）と35日（CPDA-1液）の2種類ある．採血間隔（採血と採血，採血と手術）は，原則1週間以上とする．採血による貧血防止のため，鉄剤，エリスロポエチン製剤の投与を計画する．高齢者では腎性貧血の有無を確認し，HIF-PH薬（経口剤）の適応を鑑みる．術前周術期管理の視点で薬剤師との連携は重要である．

輸血セット
輸液セット（濾過膜孔40μm程度）とは異なり，濾過膜の孔が大きく（150〜200μm），血液成分を有効に，必要な輸血速度を保つことができる輸血ルートである．日本赤十字社の輸血用血液，貯血式，希釈式自己血，フィブリノゲン製剤は，輸血セットを用いて輸血を実施する．

日本自己血輸血・周術期学会：希釈式自己血輸血実施基準（2020）
https://www.jsat.jp/jsat_web/down_load/pdf/kisyakushikijikoketsukijun2020.pdf

微小凝集塊除去セット
回収式自己血の返血で使用する輸血ルートは微小凝集塊除去セット（濾過膜孔40μm程度）を用いる．輸血用血液，ほかの自己血とは異なり，一度出血した血液を術野から吸引，回収して，輸血する観点から，血液成分以外のものを通過させることが少ない輸血フィルタである微小凝集塊除去セットを用いる．

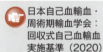
日本自己血輸血・周術期輸血学会：回収式自己血輸血実施基準（2020）
https://www.jsat.jp/jsat_web/down_load/pdf/kaisyushiki_jikoketsukijun2020.pdf

 HIF-PH
低酸素誘導因子-プロリン水酸化酵素（hypoxia inducible factor prolyl hydoxylase）

表 5-Ⅳ-3　診察，問診のポイント

	ポイント
既往歴	狭心症，心不全，大動脈弁狭窄症の有無（貯血禁忌か否かを確認する）． 術前心電図，胸部 X 線を確認する．
食事・飲水状況	当日の食事，飲水の程度を確認する． （空腹時採血と誤解している患者がいる）
菌血症の有無	①治療が必要な皮膚疾患，感染創，熱傷のある患者 ② 1 カ月以内の重症下痢症 ③抜歯後 3 日以内 ④中心静脈栄養中，静脈炎を伴う末梢静脈ルート確保中の患者（主に入院患者での採血依頼）
血圧・体温	①血圧：収縮期圧 180 mmHg 以上，拡張期圧 100 mmHg 以上の高血圧あるいは収縮期圧 80 mmHg 以下の低血圧の場合は慎重に採血する． ②体温：有熱者（平熱時より 1℃以上高熱あるいは 37.2℃以上）は採血を行わない． ※採血の可否の決定には CRP 値と白血球数を参考とする．

2）採血前診察（問診）（表 5-Ⅳ-3）

　バイタルサイン（血圧，脈拍，体温など）が問題ないことを確認する．具体的には，収縮期圧 180 mmHg 以上，拡張期圧 100 mmHg 以上の高血圧あるいは収縮期圧 80 mmHg 以下の低血圧の場合は慎重に採血する．また，有熱者（平熱時より 1℃以上高熱，あるいは 37.2℃以上）は採血を行わない．

　問診のポイントは，歯科治療，下痢の有無などを確認し，菌血症の患者からは採血しないことである．また，中心静脈栄養中，静脈炎を伴う末梢点滴中の患者からも同様な理由で採血しない．

　胸部 X 線や心電図など術前検査結果を確認する．

3）採血時

（1）採血環境

　採血場所は清潔で静かな環境で行い，採血姿勢は臥位～半座位で，患者がリラックスできる姿勢を選択する．採血者は，看護師，医師である．臨床検査技師は現在，自己血採血を行うことはできない．

（2）皮静脈穿刺・皮膚消毒

　皮静脈穿刺は，原則，肘窩で行う．400 mL 上限で採血する際は，前腕の皮静脈では，肘窩の皮静脈と比較して，静脈還流量の少なさから採血量不足のリスクが伴う．肘窩の皮静脈穿刺合併症の観点から，内側前腕皮神経，外側前腕皮神経，肘窩の深部には正中神経，上腕動脈が走行していることを認識して採血する．

　穿刺部位の消毒は，皮膚に常在している細菌の汚染を防止するために行う．70%イソプロパノールまたは消毒用エタノールを使用し，十分に拭き取り操作を行う．原則として，消毒部位確認が可能で芽胞菌に有効な 10%ポビドンヨードを使用する．ヨード過敏症には 1.0%クロルヘキシジングルコン酸エタノール液を使用する．消毒後はポビドンヨードでは 2 分以上，ポビドンヨード・アルコールでは 30 秒以上待ったのち，穿刺部位が乾燥したのを確認して

から穿刺する．

採血中は血液バッグ内の抗凝固剤と血液を常に混和するために，採血振盪器を使用する．採血合併症の症状が出た場合は，採血を中断し，合併症に対する対策をする．

4 貯血式自己血輸血の保管管理と輸血時の注意点

1）保管管理

自己血全血，製剤化した赤血球液は，2〜6℃に温度管理されている血液専用保冷庫で保管する．製剤バッグを立て，血漿部分（上澄部分）の色調変化を観察する．B型肝炎，C型肝炎など血液感染症が陽性の自己血は，非感染者とは別の血液専用保冷庫に保管する．

自己血は同種血と同様にシステム上管理され，患者認証，有効期限など，医療安全上，エラーが起きない体制を構築する．

2）輸血時の注意点

術前には，同種血輸血と同様に交差適合試験を実施する（血液型確認，簡易法である生理食塩液法まで実施）．

輸血ルートは輸血セットを用いる．自己血は同種血と同様に即時型副反応として細菌汚染のリスクがある．したがって，輸血速度は，同種血と同じように最初の15分はゆっくり輸血し，副反応がないことを確認して副反応の有無などを記録したのちに，指示速度で輸血する．

自己血全血の返血時に末梢静脈確保例で血管痛が生じる場合がある．対策として，**血管外漏出**がないことを確認し，穿刺から近位部位の保温，返血速度の減速を試みる．

 血管外漏出

点滴漏れのこと．輸血が血管外漏出した場合，抜針後，再度静脈確保する．急速輸血ポンプでの輸血では，血管外漏出によって区画症候群［その区画の内圧上昇による循環障害（疼痛，腫脹），神経症状（運動障害，感覚障害）など］になるリスクがある．

V 輸血前に必要な検査

〈到達目標〉
(1) 輸血前検査に必要な患者検体と輸血検査について説明できる.
(2) 輸血時の輸血検査に必要な血液型検査から交差適合試験までの流れと検査手順を説明できる.

　輸血実施における不適合輸血や溶血性輸血反応を未然に防ぐため，輸血前検査として患者のABO血液型検査，RhD血液型検査，不規則抗体検査（スクリーニング・同定）および交差適合試験を実施し，その結果により輸血の適合性や安全性を確認することが必要である．わが国では，厚生労働省による「輸血療法の実施に関する指針」に基づき，さらに日本輸血・細胞治療学会による「赤血球型検査（赤血球系検査）ガイドライン」を参考に輸血検査が実施されている．本節では，輸血検査で必要な項目を「輸血療法の実施に関する指針（改訂版：令和2年3月，一部改正）」（厚生労働省医薬・生活衛生局血液対策課）（以下，指針とする）から抜粋してまとめた．さらに項目によっては「赤血球型検査（赤血球系検査）ガイドライン（改訂4版）」（2022年，日本輸血・細胞治療学会）（以下，ガイドラインとする）から抜粋・追加した.

1 検査用検体

1) 患者検体（血液）

　患者検体の採血には，プレーン採血管（凝固血）またはEDTA加採血管など（抗凝固血）を用いる．遠心により，凝固血では血清，抗凝固血では血漿が得られる.

2) 検体の外観（溶血・乳び）

　溶血した検体は不規則抗体による溶血反応を見逃す恐れがあるため，溶血した検体を用いる場合には注意が必要である．また，乳び検体も濃度の程度によっては判定が困難なことがあり，必要に応じて再採血を行う.

3) 検体の取り扱い

(1) 血液検体の採取時期

　新たな輸血や妊娠は不規則抗体の産生を促すことがあるため，過去3カ月以内に輸血歴または妊娠歴がある場合，あるいはこれらが不明な患者については，交差適合試験に用いる血液検体は輸血予定日前3日以内に採血したものであることが望ましい（ガイドラインには，連日にわたって輸血を受けている患者では，少なくとも3日ごとに検査用検体を採血するという内容が追加さ

補体活性
EDTAは，カルシウムをキレートするため補体活性を抑制する．したがって，補体結合性のある不規則抗体検出への影響を考慮する場合には血清（凝固血）を用いる．また，血清を用いる場合には凝固反応を十分にさせ，フィブリンの析出がないようにしなければならない．なお，カラム凝集法（ゲル・ビーズ）を用いた輸血検査では血漿のほうが望ましい.

ヘパリン治療患者の血液
ヘパリン治療を受けている患者血液は凝固しにくく，血清中には微小フィブリン塊が含まれており，それらが赤血球を巻き込み凝集反応と見間違う場合がある．このような場合は，抗ヘパリン作用のある硫酸プロタミン，あるいはトロンビンを添加して，凝集反応を促進させた後，血清を分離する.

れている).

(2) 別検体によるダブルチェック

交差適合試験の際の患者検体は血液型の検査時の検体とは別に，新しく採血した検体を用いて，同時に血液型検査も実施する．

(3) 輸血検査用検体の保管期間

輸血前検査に使用できる検体の保管期間は，4℃で保管した場合，採血から1週間を限度とする．ただし，3カ月以内に輸血歴や妊娠歴のない場合に限る（ガイドライン）．

4) 検体の保管

指針には，輸血による感染事例の遡及調査のため，輸血時の患者血液（血清または血漿として約2mL確保できる量）を−20℃以下で可能なかぎり（2年間を目安に）保管すると記載されている．輸血前の血液検体の保管は，輸血による感染か否かを確認するうえで非常に重要となる．

また，ガイドラインでは，輸血後に発症する可能性のある溶血性輸血反応の原因調査のため，検査に使用した残検体を輸血施行日から少なくとも1週間（一般的には，検体の提出日から2週間）は冷蔵庫内（4℃）に保管する．実際に輸血された赤血球製剤のセグメントの保管についても2週間冷蔵庫内に保管すると記載されている．

2　ABO/RhD 血液型の目的（→ p.284〜285, p.294）

ABO および RhD 血液型は，輸血を実施するうえで最も重要な血液型であり，原則として同型血を輸血する．これは，赤血球膜上に存在する ABO 血液型抗原（A 抗原，B 抗原）と血液中の規則抗体（抗 A，抗 B）との反応によって起こる**血管内溶血**による輸血副反応を防ぐことと，抗 D の産生による輸血副反応（**血管外溶血**），胎児・新生児溶血性疾患（hemolytic disease of fetus and newborn ; HDFN）の回避が大きな目的である．

3　不規則抗体スクリーニング・同定検査および交差適合試験の目的（→ 5章-Ⅶ, Ⅷ）

赤血球膜上には，ABO と RhD 血液型の抗原以外にも多くの血液型抗原が存在しており，輸血時に患者と供血者間ですべての血液型を一致させることは不可能である．そこで，輸血前検査として不規則抗体スクリーニング・同定検査，さらに患者と供血者間の最終の適合性をみる検査である交差適合試験が実施されている．

不規則抗体には，明らかな免疫の機会がない人に検出される自然抗体（主にIgM 型）と，輸血や妊娠などが免疫刺激となって産生される多様な血液型抗原に対する免疫抗体（主に IgG 型）があり，輸血においては，これらの不規則抗体の有無を明らかにすること，さらに不規則抗体を同定することが必要であ

詳細は後述する．
輸血副反応 → 5章-ⅩⅢ
胎児・新生児溶血性疾患（HDFN）→ 5章-Ⅻ

 血管内溶血

ABO 血液型不適合輸血では，患者の規則抗体（抗 A あるいは抗 B）が誤って輸血された異型赤血球の膜抗原（A 抗原あるいは B 抗原）と反応し，その後補体が活性化されて赤血球が血管内で溶血する．

 血管外溶血

不規則抗体（主に IgG 型抗体）で感作された赤血球が肝臓や脾臓などの網内系でマクロファージによって，貪食，破壊されて起こる溶血である．

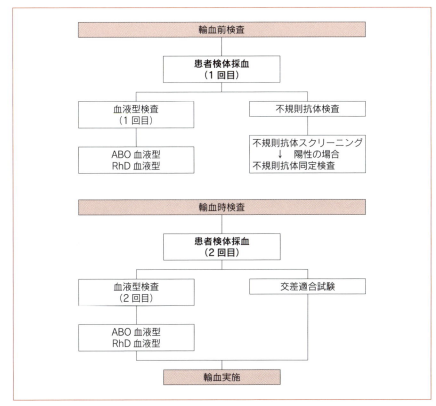

図5-V-1 輸血時の血液型検査から交差適合試験までの流れ

る．特に37℃で反応する免疫抗体は，溶血性輸血反応や胎児・新生児溶血疾患（HDFN）を引き起こす可能性が高く，臨床的に重要である．

4 輸血時の輸血検査

　輸血を実施するときには患者と供血者間でABOとRhD血液型を合わせて適合血の輸血を行わなければならない．わが国では，輸血用血液製剤は一部（自己血など）を除いて，日本赤十字社血液センターの国内献血で確保された血液を使用しており，供血者の血液型を含めた検査によって輸血の安全性が確保されている（➡5章-Ⅱ）．

　一方，患者の輸血前検査では指針によると「患者（受血者）については，不適合輸血を防ぐため，輸血を実施する医療機関で責任を持って以下の検査を行う．これらの検査については，原則として，患者の属する医療機関内で実施するが，まれにしか輸血を行わない医療機関等自施設内で検査が適切に実施できる体制を整えることができない場合には，専門機関に委託して実施する」と記載されている．輸血時の患者の血液型検査と交差適合試験までの流れを図5-V-1に示す．以下に，患者の血液型検査と不規則抗体スクリーニング・同定検査および交差適合試験とその他の留意点について，指針およびガイドライ

輸血検査の重要性

輸血検査では，タイプアンドスクリーンやコンピュータクロスマッチなどの検査が導入可能である．また，不規則抗体検査および交差適合試験においては，37℃で反応する臨床的意義のある不規則抗体を検出できる間接抗グロブリン試験を必ず実施する．特に，輸血歴，妊娠歴，輸血副反応歴をもつ患者の場合には重要である．

ンの内容を抜粋・追加改変して概説する．

1）ABO 血液型の検査（→ p.279〜）

(1) オモテ検査とウラ検査
　赤血球膜上の A, B 抗原の有無を調べるオモテ検査および血漿（血清）中の抗 A, 抗 B の有無を調べるウラ検査を行い，両検査が一致したときに血液型を確定する（→ p.270 の Landsteiner の法則を活用）．一致しないときにはその原因を精査する．

(2) 同一患者の二重チェック
　同一患者から異なる時点での 2 検体で，二重チェックを行う必要がある．

(3) 同一検体の二重チェック
　同一検体について異なる 2 人の検査者がそれぞれ独立に検査し，二重チェックを行い，照合確認に努める．

> **二重チェック**
> 同一患者（異なる時点での 2 検体）および同一検体（2 人の検査者）における二重チェックは，患者検体の取り違いや誤判定を防止するために行う．

2）RhD 抗原の検査（→ p.291〜）

　抗 D 試薬を用い，D 抗原の有無を検査する．この検査の直後判定が陰性の場合は判定保留として D 陰性確認試験（D 陰性と weak D，partial D の区別）を行うが，輸血に際しては D 抗原陰性として取り扱い，D 陰性確認試験を行わなくてもよい．

3）不規則抗体スクリーニング・同定検査（→ 5 章-Ⅶ）

　間接抗グロブリン試験を含む不規則抗体スクリーニングを行う．不規則抗体が検出されたときは，不規則抗体の同定検査を行う．37℃で反応する臨床的意義のある抗体（輸血副反応を起こす可能性）が検出されたときには，患者にその旨を記載したカードを常時携帯させることが望ましい．

4）乳児の検査

　乳児では，母親由来の移行抗体（IgG 型抗 A/抗 B）が存在することや，自然抗体（IgM 型抗 A/抗 B）の産生が不十分であることから，ABO 血液型はオモテ検査のみで暫定的に判定してよい．RhD 抗原と不規則抗体スクリーニングの検査は上記 2), 3) と同様に行うが，不規則抗体の検査には患児の母親由来の血漿（血清）を用いてもよい．

5）交差適合試験（→ 5 章-Ⅷ）

(1) 患者検体の採取
　原則として，ABO 血液型検査での検体とは別の時点で採血した検体を用いて検査を行う．

(2) 輸血用血液の選択
　交差適合試験には，患者と ABO 血液型が同型の血液（ABO 同型血）を用

いる．さらに，患者がRhD陰性の場合には，ABO血液型が同型で，かつRhD陰性の血液を用いる．また，患者が37℃で反応する臨床的意義のある不規則抗体をもっていることが明らかな場合には，対応する抗原をもたない血液を用いる．

（3）主試験と副試験

交差適合試験には，患者血漿（血清）と供血者赤血球の組合せの反応で凝集や溶血の有無を判定する主試験と，患者赤血球と供血者血漿（血清）の組合せの反応を判定する副試験がある．主試験は必ず実施しなければならない．

（4）乳児での適合血の選択

乳児についても，原則としてABO同型血を用いるが，O型以外の赤血球を用いる場合には，抗Aまたは抗Bの有無を間接抗グロブリン試験を含む交差適合試験（主試験）で確認し，適合する赤血球を輸血する．

> **臨床的意義のある不規則抗体をもつ場合**
> 患者が臨床的に意義のある不規則抗体をもつ場合は，事前に血液センターに相談して対応抗原陰性の血液の供給を依頼する．

5　タイプアンドスクリーンとコンピュータクロスマッチ

1）タイプアンドスクリーン（type and screen）

手術の術式によっては，術前に交差適合試験済みの血液を準備しても輸血を行わない場合や，準備量よりも実際の使用量が少ない場合があるため，血液の有効利用，輸血検査業務の合理化・省力化を目的として，近年，**タイプアンドスクリーン**［type and screen；**T&S**（血液型不規則抗体スクリーニング法）］とよばれる輸血用血液の準備方法が多くの医療機関で実施されている．

T&Sは，待機的手術を含めて，ただちに輸血する可能性が少ないと予想される場合，前もって患者のABO血液型とRhD抗原を判定（タイピング：typing）し，同時に赤血球に対する不規則抗体の有無（スクリーニング：screening）を調べ，患者がRhD陽性で不規則抗体が陰性の場合には事前に交差適合試験を行わないという方法である．緊急に輸血が必要となったときには，輸血用血液をオモテ検査でABO血液型が同型であることを確認するか，あるいは交差適合試験（主試験）を生理食塩液法で実施して適合血を輸血する．または，コンピュータクロスマッチを用いて輸血を行う．

一方，術中に確実に輸血が行われると予想される待機手術例では，医療機関ごとに過去に行った手術例から術式別の平均的な輸血量（T）と準備血液量（C）を調べ，両者の比（C/T）が1.5倍以下になるような量の血液を，交差適合試験を行って術前に準備しておく．これを**最大手術血液準備量**（maximum surgical blood order schedule；**MSBOS**）という．さらに血液の有効利用を図るため，患者の貧血レベルなどの固有情報を考慮した手術血液準備量計算法（surgical blood order equation；SBOE）が提唱されている．これは，術式別の平均出血量と患者が許容しうる血液喪失量（出血予備量）の差から患者ごとに血液準備量（単位）を求めるもので，手術での平均出血量から出血予備量を減じ，単位数に換算する．その結果，マイナスあるいは0.5以下であれば，術前には交差適合試験済みの血液を準備せず，T&Sの対象とする．逆に，

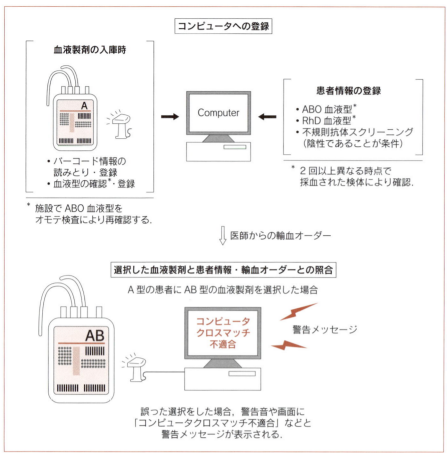

図 5-V-2 コンピュータクロスマッチの流れ

手術での平均出血量が出血予備量以上の場合（0.5 より大きければ），単位数を四捨五入して整数単位の血液を準備するという方法である．

2）コンピュータクロスマッチ

多くの施設で輸血業務にコンピュータシステムが導入され，患者情報を含めた血液製剤の情報管理が可能となり，輸血の安全性確保，検査業務の効率化が図られている．

コンピュータクロスマッチは，コンピュータシステムにあらかじめ患者のABO 血液型，RhD 抗原型および不規則抗体スクリーニングの検査結果を入力しておき，臨床的に問題となる抗体が検出されない場合には，交差適合試験を行わず，バーコードリーダで読み取った血液製剤の ABO，RhD 血液型と患者の ABO，RhD 血液型をコンピュータ内で照会し，適合性を確認したのち輸血する方法である（**図 5-V-2**）．この方法により，人為的な誤りの排除，検査手順の合理化・省力化，および血液製剤の迅速な払い出しが可能となる．ただ

し，実施に際しては下記の条件が必要である（ガイドラインより）．
(1) 検査結果の不一致や血液製剤の選択が誤っている際には警告される．
(2) 患者のABOおよびRhD血液型が2回以上異なる時点で採血された検体により確認されている．
(3) 不規則抗体スクリーニングにおいては，輸血に先立つ3日以内に採血された検体で検査が施行されている．
(4) 使用する赤血球製剤のABO血液型が，オモテ検査により施設で確認されている．

> **生後4カ月未満の児に対するコンピュータクロスマッチの実施**
>
> ガイドラインでは，実施に際しての条件（5）として，生後4カ月未満の児においては，児または母親の血漿（血清）中に臨床的意義のある不規則抗体を保有していないこと，児のABO血液型ウラ検査後に，引き続き間接抗グロブリン試験等を行うことで，母親由来のIgG型抗A/抗Bを保有していないことが確認されている場合には，コンピュータクロスマッチの実施が可能としている．

Ⅵ 血液型とその検査

〈到達目標〉
(1) ABO 血液型の遺伝形式，抗原構造とその検査法について説明できる．
(2) RhD 血液型の遺伝形式，抗原構造とその検査法について説明できる．
(3) 代表的な赤血球膜上の各種血液型抗原について説明できる．

1 血液型総論

ABO 血液型が発見されて約1世紀が経ち，血液型の判定において従来の血清学的な解析に加え，細胞工学や分子生物学を基盤とした新たな解析技術が導入されている．これらの新しい解析法によって血液型抗原や血液型遺伝子の解析が行われ，血液型に関する新たな知見が得られている．

血液型抗原は赤血球膜上の抗原で糖鎖系抗原と蛋白系抗原に大別されており，それぞれ固有の構造を有している．現在（2023年7月），国際輸血学会（International Society of Blood Transfusion；ISBT）の「赤血球表面抗原の用語に関する委員会」によって 45 血液型系列（血液型システム）360 抗原が認証されている（**表 5-Ⅵ-1**）．その他の抗原として，血液型系列の認証に必要な条件を満たしていないコレクション（11 抗原），低頻度抗原（700 シリーズ：16 抗原），および高頻度抗原（901 シリーズ：3 抗原）が分類されている．

図 5-Ⅵ-1 に各種血液型抗原の赤血球膜上の構成を示した．代表的な糖鎖系には，ABO，P1PK，LE（Lewis），H，I などの抗原があり，蛋白系には RH（Rh），MNS，KEL（Kell），JK（Kidd），FY（Duffy），DI（Diego），XG（Xg）などの抗原がある．

このように多くの血液型抗原が発見され，分類されているが，特に重要な血液型抗原は ABO と RhD 血液型抗原である．また，輸血の実施において輸血や妊娠によって産生される可能性があるその他の血液型抗原に対する不規則抗体が問題となる場合があり，不規則抗体の検査は輸血前検査として必ず実施する必要がある．

2 ABO 血液型

1）ABO 血液型の歴史と Landsteiner の法則

1900 年，オーストリア・ウィーン大学の病理解剖学研究所助手 Karl Landsteiner は，自分を含む研究室の6人から血液を採り，血球と血清に分けてそれぞれを混ぜ合わせると血球が凝集する組合せと，凝集しない組合せがあることを発見し，それらが3つのグループ（A，B，C 型）に分けられることを見出した．その後，1902 年に Decastello と Sturli が AB 型を発見し，今

オーストリア・ウィーン生まれ．ABO 血液型の発見により，1930 年，ノーベル生理学・医学賞を受賞．その他，MN，P 血液型などの血液型を発見．

表 5-Ⅵ-1　国際輸血学会（ISBT）で認証されている血液型系列（血液型システム）

ISBT 番号	血液型名	ISBT シンボル	抗原数	遺伝子名*	染色体	CD 番号
001	ABO	ABO	4	ABO	9q34.2	
002	MNS	MNS	50	GYPA, GYPB, (GYPE)	4q31.21	CD235a CD235b
003	P1PK	P1PK	3	A4GALT	22q13.2	CD77
004	Rh	RH	56	RHD, RHCE	1q36.11	CD240
005	Lutheran	LU	28	BCAM	19p13.2	CD239
006	Kell	KEL	38	KEL	7q33	CD238
007	Lewis	LE	6	FUT3	19q13.3	
008	Duffy	FY	5	ACKR1	1q21-q22	CD234
009	Kidd	JK	3	SLC14A1	18q11-q12	
010	Diego	DI	23	SLC4A1	17q21.31	CD233
011	Yt	YT	6	ACHE	7q22	
012	Xg	XG	2	XG, CD99	Xp22.32	CD99**
013	Scianna	SC	9	ERMAP	1p34.2	
014	Dombrock	DO	10	ART4	12p13-p12	CD297
015	Colton	CO	4	AQP1	7p14	
016	Landsteiner-Wiener	LW	4	ICAM4	19p13.2	CD242
017	Chido/Rodgers	CH/RG	9	C4A, C4B	6p21.3	
018	H	H	1	FUT1；FUT2	19q13.33	CD173
019	Kx	XK	1	XK	Xp21.1	
020	Gerbich	GE	13	GYPC	2q14-q21	CD236
021	Cromer	CROM	20	CD55	1q32	CD55
022	Knops	KN	13	CR1	1q32.2	CD35
023	Indian	IN	6	CD44	11p13	CD44
024	Ok	OK	3	BSG	19p13.3	CD147
025	Raph	RAPH	1	CD151	11p15.5	CD151
026	John Milton Hagen	JMH	8	SEMA7A	15q22.3-q23	CD108
027	I	I	1	GCNT2	6p24.2	
028	Globoside	GLOB	3	B3GALNT1	3q25	
029	Gill	GIL	1	AQP3	9p13	
030	Rh-associated glycoprotein	RHAG	6	RHAG	6p12.3	CD241
031	FORS	FORS	1	GBGT1	9q34.13-q34.3	
032	JR	JR	1	ABCG2	4q22.1	CD338
033	LAN	LAN	1	ABCB6	2q36	
034	Vel	VEL	1	SMIM1	1p36.32	
035	CD59	CD59	1	CD59	11p13	CD59
036	Augustine	AUG	4	SLC29A1	6p21.1	
037	Kanno	KANNO	1	PRNP	20p13	
038	SID	SID	1	B4GALNT2	17q21.32	
039	CTL2	CTL2	2	SLC44A2	19p13.2	
040	PEL	PEL	1	ABCC4	13q32.1	
041	MAM	MAM	1	EMP3	19q13.33	
042	EMM	EMM	1	PIGG	4p16.3	
043	ABCC1	ABCC1	1	ABCC1	16p13.11	
044	Er	ER	5	PIEZO1	16q24.3	
045	CD36	CD36	1	CD36	7q21.11	CD36

ISBT：International Society for Blood Transfusion，＊：As defined by the HUGO Gene Nomenclature Committee，＊＊：MIC2 product，（　）：no gene product on normal RBCs．Table of blood group antigens v11.2 31-JUL-2023

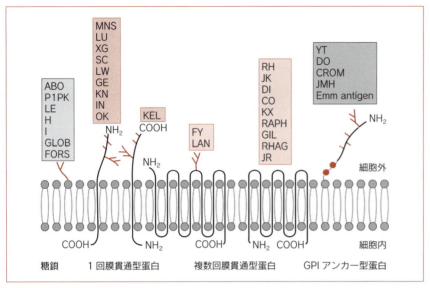

図 5-Ⅵ-1 赤血球膜上の各種血液型抗原の構造
(Reid, M.E., et al.：FactsBook 3rd ed., p.6, 2012, 一部改変)

表 5-Ⅵ-2 Landsteiner の法則

血液型	赤血球膜上の抗原	血清中の抗体
A	A	抗B
B	B	抗A
O	なし	抗A, 抗B
AB	A, B	なし

日の4つの血液型の存在が明らかにされ，ABO血液型として確立された．C型は後にO型と名付けられた．

彼らがみつけたこのときの血清学的な現象を整理したものが **Landsteiner（ランドシュタイナー）の法則** とよばれ，現在もABO血液型の判定に用いられている．つまり，A型のヒトは赤血球膜上にA抗原，血清中に抗Bをもち，B型のヒトはB抗原と抗Aをもつ．O型のヒトはAとBの両抗原をもたないで，血清中に抗Aと抗Bをもつ．一方，AB型のヒトはO型とは逆にAとBの両抗原をもち，抗Aと抗Bをもたない（**表5-Ⅵ-2**）．

2）ABO血液型抗原の生合成と構造

ABO血液型抗原は糖鎖である．その基本構造となる **H抗原** は，前駆体糖鎖（D-ガラクトース，N-アセチルグルコサミン，D-ガラクトースの順に糖が結合したもの）の末端D-ガラクトースに，H遺伝子によって産生されたH糖転移酵素（α1,2-フコシール糖転移酵素）がL-フコースを転移することによりつくられる．**A抗原** は，このH抗原に第9番染色体上のA遺伝子により産生

> **前駆体糖鎖**
> 前駆体糖鎖の末端D-ガラクトースがN-アセチルグルコサミンとβ1,4結合した糖鎖はⅡ型糖鎖とよばれ，赤血球膜上のA, B, O（H）抗原の生合成の基本構造となる．一方，D-ガラクトースとN-アセチルグルコサミンがβ1,3結合した糖鎖はⅠ型糖鎖とよばれ，組織上や唾液などの体液中に分泌される血液型物質（A, B, H型物質）として区別されている．また，Lewis血液型の前駆体糖鎖はⅠ型糖鎖でできている．

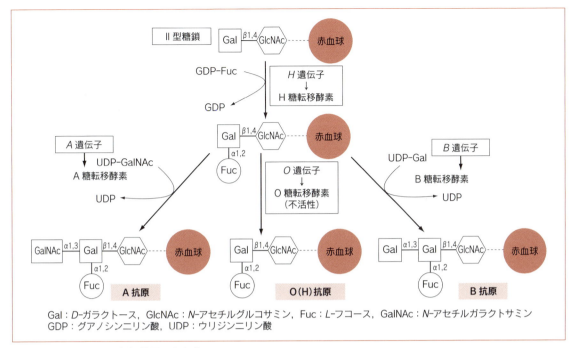

図 5-Ⅵ-2 A, B, O (H) 抗原の生合成
(Eiji Hosoi : Reviews ; Biological and clinical aspects of ABO blood group system. *The Journal of Medical Investigation*, 55 (3,4): 174-182, 2008, 改変)

されたA糖転移酵素（α1, 3-*N*-アセチルガラクトサミン糖転移酵素）が*N*-アセチルガラクトサミンを付加することによってつくられる．また，**B抗原**は，*B*遺伝子により産生されたB糖転移酵素（α1, 3-ガラクトース糖転移酵素）が*D*-ガラクトースを付加することによりつくられる．一方，O型はO糖転移酵素の酵素活性が不活性なため，H抗原がそのままO抗原となる．つまり，H抗原はO抗原であり，ABO血液型抗原の基本構造となっている．

また，*H, A, B, O*の各遺伝子は，ABO抗原そのものをつくるのではなく，抗原の特異性を決定する糖を付加する糖転移酵素をつくる（**図5-Ⅵ-2**）．

赤血球膜上のA，B抗原は，出生時には十分発達していないため新生児期の血液型判定は特に慎重を期す必要がある．また，赤血球膜上のABO抗原は，生後2〜4年までには成人のレベルに発達し，原則的には終生変わることがないとされている．

> **H, A, B, Oの各遺伝子**
> *H*遺伝子は第19番目，*A, B, O*遺伝子は第9番目の染色体上にそれぞれ存在する．

3）出現頻度

ABO血液型の頻度は国々で異なり，その出現頻度は人種や地域によって違いが認められる（**表5-Ⅵ-3**）．日本人の抗原頻度は，A，O，B，ABの順におよそ4：3：2：1の割合である．一方，白人，黒人はともにO型の頻度が高い（**表5-Ⅵ-4**）．

表 5-Ⅵ-3　ABO 血液型の国別頻度（%）

	A	B	O	AB
オーストラリア	38	10	49	3
ニュージーランド	38	11	47	4
バングラデシュ	24	32	33	8
香港	26	25	42	6
インド	20	31	34	15
インドネシア	25	29	38	7
日本	40	20	30	10
韓国	34	27	27	11
中国	22.6	25	45.5	6.1
ラオス	20	35	40	5
ミャンマー	23	32	35	10
パキスタン	21	32	28	7
フィリピン	24	24	46	6
シンガポール	27	25	43	6
スリランカ	21	26	42	5
タイ	22	32	38	8
ベトナム	18	30	45	7

（厚生労働科学研究費補助金医薬品・医療機器等レギュラトリーサイエンス総合研究事業　医療機関内輸血副作用監視体制に関する研究班：安全な輸血療法ガイド Ver.1.0, p.5, 2012 一部改変）

表 5-Ⅵ-4　ABO 血液型の頻度（%）

表現型	遺伝子型	日本人	白人*	黒人*
A	AA, AO	40	43	27
B	BB, BO	20	9	20
O	OO	30	44	49
AB	AB	10	4	4

（日本赤十字社「愛のかたち献血」．H27 年 4 月第 20 版, p.24, *：Reid, M.E., et al.：FactsBook 3rd ed., p.43, 2012 をもとに作成）

4）遺伝形式と ABO 遺伝子
(1) 遺伝形式

　ABO 血液型の抗原決定基は，第 9 番染色体の長腕（9q34.1-q34.2）に位置する ABO 遺伝子座の 3 つの主要な**対立遺伝子**（A，B，O）により決定されている．A 遺伝子と B 遺伝子は**共顕性（共優性）**で，O 遺伝子は A 遺伝子と B 遺伝子に対して**潜性（劣性）**を示す（O 遺伝子は不活性な遺伝子）．これらの 3 つの遺伝子の組合せによって各血液型の遺伝子型が存在する．たとえば A 型のヘテロ接合型（AO）と B 型のヘテロ接合型（BO）の両親からは A，B，

対立遺伝子
相同染色体上の同一遺伝子座にある異なった遺伝情報を有する遺伝子をいう．たとえば，MNS 血液型の M と N や S と s は，それぞれ対立遺伝子の関係にある．

共顕性（共優性）
2 つの対立遺伝子がヘテロ接合になったとき，両遺伝子による形質が表現型として表われることをいう．たとえば，ABO 血液型の A と B の対立遺伝子は共顕性であり，A 抗原と B 抗原を発現する．

潜性（劣性）
2 つの対立遺伝子がヘテロ接合ではその形質を発現せず，ホモ接合でのみ発現する形質をいう．

表 5-Ⅵ-5　ABO 血液型の遺伝

	両親の組合せ	子どもの型
A×A	AA×AA AA×AO AO×AO	AA AA, AO AA, AO, OO
A×O	AA×OO AO×OO	AO AO, OO
A×B	AA×BB AA×BO AO×BB AO×BO	AB AB, AO AB, BO AB, AO, BO, OO
A×AB	AA×AB（AB/O） AO×AB（AB/O）	AA, AB,（AO） AA, AB, AO, BO,（OO）
O×O	OO×OO	OO
O×B	OO×BB OO×BO	BO OO, BO
O×AB	OO×AB（AB/O）	AO, BO,（AB）,（OO）
B×B	BB×BB BB×BO BO×BO	BB BB, BO BB, BO, OO
B×AB	BB×AB（AB/O） BO×AB（AB/O）	AB, BB,（BO） AB, BB, AO, BO,（OO）
AB×AB	AB（AB/O）*×AB（AB/O）*	AA, BB, AB,（AO）,（BO）,（OO）*

（　）は cis AB の関係する場合
＊：cis AB 同士の組合せの場合に考えられる．

古畑種基
（1891～1975）

三重県出身の法医学者．ABO 血液型の遺伝形式，3 複対立遺伝子説を提唱．わが国の血液型研究の祖．

山本文一郎
（1955～）

大阪市立大学理学部生物学科卒業．同大学院で博士号取得後に渡米．ニューヨーク州立大学でのポスドク，バイオメンブレン研究所およびバーナム研究所での主任研究員を経て，2007 年からヨーロッパに移り，現在はホセ・カレーラス白血病研究所（スペイン＝バルセロナ）で上級主任研究員をつとめる．ABO 血液型を規定する遺伝子およびそれらの遺伝子がコードする糖鎖合成酵素の解析をさまざまな観点から行っている．

O，AB の全血液型の子どもが生まれる可能性があるが，AB 型と O 型の両親からは A 型か B 型の子どもしか生まれない（**表 5-Ⅵ-5**）．この学説が**古畑種基**の提唱した 3 複対立遺伝子説であり，一部の例外を除き ABO 血液型の親子関係を矛盾なく説明できる（**図 5-Ⅵ-3 ①，②**）．例外としては AB 型の亜型のひとつである cisAB 型があり，特異的な遺伝形式を示す（→ p.277）．

（2）ABO 遺伝子

1990 年，**山本文一郎**らのグループにより ABO 血液型を決定する *ABO* 遺伝子の DNA 塩基配列が明らかにされた．*ABO* 遺伝子は 7 つのエクソンをもち，その cDNA は 354 アミノ酸残基をコードすることが明らかにされた．また，この *ABO* 遺伝子座の 3 つの主要な対立遺伝子（*A，B，O*）の cDNA の塩基配列には違いが認められ，*A* 対立遺伝子に比べ *B* 対立遺伝子には 7 カ所に塩基置換があり，そのうちの C526G，G703A，C796A および G803C の 4 塩基置換（非同義置換）によってアミノ酸置換が生じ，産生された糖転移酵素の酵素活性と特性に違いが生じることが明らかにされた．一方，*O* 対立遺伝子は *A* 対立遺伝子の 261 番の 1 塩基（261G）が欠失しており，この 1 塩基欠失によりフレームシフトが起こることによって，コドン 118 番目が終止コドンとなるため，それ以降の蛋白への翻訳が行われず，酵素活性が生じないことが示

非同義置換
DNA において点突然変異として塩基置換が生じたとき，対応するアミノ酸が変化する変異．

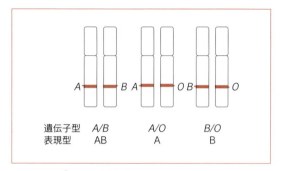

図 5-Ⅵ-3① 3複対立遺伝子説
(永尾暢夫：臨床検査学講座/免疫検査学 第2版. p.283, 医歯薬出版, 2016, 一部改変)

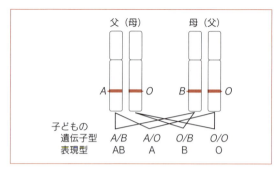

図 5-Ⅵ-3② 3複対立遺伝子説による親子関係[A型(*A/O*)とB型(*B/O*)の両親]
(永尾暢夫：臨床検査学講座/免疫検査学 第2版. p.283, 医歯薬出版, 2016, 一部改変)

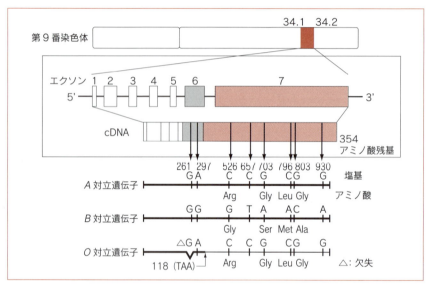

図 5-Ⅵ-4 *ABO*遺伝子の構造と各対立遺伝子の塩基置換とアミノ酸置換
(細井英司：臨床病理, 45 (2)：1997, 一部改変)

された（図 5-Ⅵ-4）．

　*ABO*遺伝子の塩基配列が明らかにされて以来，多くの研究者によって，これまで不明であった*ABO*遺伝子に関する新しい知見，特にABO血液型の亜型に関しては，塩基置換をはじめとして多くの解析データが蓄積されている．

5) 分泌型と非分泌型

　ABO血液型抗原は糖鎖抗原系であり，赤血球膜構成成分である脂質にオリゴ糖が直接結合した糖脂質，あるいは赤血球膜内外蛋白にオリゴ糖が結合した糖蛋白として赤血球膜上に存在するほか，赤血球膜上以外にも体内の組織や体液（唾液，胃液，精液，血清，尿など）中に血液型物質として認められる．体液中にABH型物質を多く分泌しているヒトを分泌型，少ししか分泌していな

表5-Ⅵ-6 赤血球1個当たりのAあるいはB抗原密度

血液型	年齢層別	発現量
A_1	成人	810,000～1,170,000
A_1	新生児	250,000～370,000
A_2	成人	240,000～290,000
A_2	新生児	140,000
A_1B	成人	460,000～850,000
A_1B	新生児	220,000
A_2B	成人	120,000
A_3		7,000～100,000*
Ax		1,400～10,000*
Am		200～1,900*
Ael		100～1,400*
B	成人	610,000～830,000
A_1B	成人	310,000～560,000

(Vox Song, 2 (5): 321-28, 1967, *Immunology, 27 (4): 723～727, 1974をもとに作成)

いヒトを非分泌型という．また，血液型物質の分泌は第19番染色体の長腕に位置する Se 遺伝子と se 遺伝子により制御されており，分泌型の遺伝子型は SeSe または Sese，非分泌型の遺伝子型は sese である．この分泌型と非分泌型は Lewis 血液型と密接に相関している（→ p.300，表5-Ⅵ-19）．

分泌型のヒトは体液，特に唾液を用いて ABO 血液型の判定を行うことができ，亜型・変種の判定には欠かすことができない検査となっている．

6）亜型と変種

ABO 血液型は，赤血球膜上のA，BあるいはH抗原の有無（抗原量）と血清中の抗A，抗Bの判定により決定されるが，赤血球膜上の抗原が通常の抗原量に比べ少ない場合，対応する抗血清との反応が弱くなったり，あるいは反応しない場合がある．このような血液型を総称して**亜型（subgroup）**または**変種（variant）**とよんでいる．たとえば，A型亜型のA抗原量は A_1 に比べ，A_2，A_3，Ax，Am，Ael の順に少なくなり，B型亜型ではB抗原量がBに比べ，B_3，Bx，Bm，Bel の順に少なくなる．表5-Ⅵ-6に各血液型における赤血球1個当たりのAあるいはB抗原密度を示した．また，O型の亜型としてインドの Bombay（ボンベイ）で発見されたH抗原をもたない血液型である Bombay（O_h）型が知られている．O_h 型はボンベイ地方では7,600人に1人くらいで，きわめてまれな血液型であり，H抗原を欠く亜型である．また，抗A，抗B，抗Hと反応せず，血清中に抗A，抗Bのほかに37℃でも反応する強い抗Hをもつため，輸血においては同型の適合血液を用意する必要があ

> **唾液を用いたABO血液型判定**
> 日本人の約81.5％は分泌型である．分泌型のヒトは，唾液中に血液型物質（A，B，H）が分泌されており，その血液型物質を測定することによって ABO 血液型を判定することができる．検査法には，赤血球凝集抑制試験（→ p.122）が用いられる．

表 5-VI-7　抗 H レクチンと反応する ABO 亜型

亜型	各種抗体（レクチン）との反応					血清中抗体	唾液中型物質	血清中糖転移酵素
	抗 A	抗 B	抗 A, B	抗 A$_1$	抗 H			
A$_1$	+	0	+	+	+	抗 B	A, H	A
A$_2$	+	0	+	0	+	（抗 A$_1$）＋抗 B	A, H	A／－
A$_3$	+mf	0	+mf	0	+	（抗 A$_1$）＋抗 B	A, H	ときに A
Ax	－／+w	0	+w	0	+	抗 A$_1$＋抗 B	H	－
Am	0	0	0	0	+	抗 B	A, H	
Ael	0	0	0	0	+	抗 A$_1$＋抗 B	H	
B	0	+	+	0	+	抗 A	B, H	
B$_3$	0	+mf	+mf	0	+	抗 A＋（抗 B）	B, H	ときに B
Bx	0	－／+w	+w	0	+	抗 A＋抗 B	H	－
Bm	0	0	0	0	+	抗 A	B, H	
Bel	0	0	0	0	+	抗 A＋抗 B	H	
cisA$_2$B$_3$	+	+	+	0	+	（抗 A$_1$）＋抗 B*	A,（B）, H	

mf：mixed field agglutination（部分凝集），w：非常に弱い凝集，＋：凝集あり，0：凝集なし，（　）：ときにあり，抗 B*：ある種の抗 B とよばれている
（谷慶彦ほか：新版 日本輸血・細胞治療学会認定医制度指定カリキュラム．p.77，杏林舎，2012，一部改変）

る．さらに，AB 型においても AxB，A$_1$Bx，AmB，A$_1$Bm，AelB，A$_1$Bel および cisAB などの亜型があり，特に cisAB 型は遺伝形式において興味深い AB 型の亜型である．

　ABO 血液型の亜型検査では，赤血球膜上の A，B および H 抗原の抗原量，血漿（血清）中の抗 A，抗 B および不規則抗体の有無，血漿（血清）中の糖転移酵素活性，唾液中の型物質の有無などが血清学的検査で実施される．また，亜型検査では抗原判定における反応試薬は重要であり，特に A 抗原量と H 抗原量の判定では，**抗 A$_1$ レクチン**（*Dolichos biflorus*）と **抗 H レクチン**（*Ulex europaeus*）を用いた解析は必須である．表 5-VI-7 に H 抗原をもつ亜型，表 5-VI-8 には H 抗原を欠損した Bombay（O$_h$）型と H 抗原が微量に存在する para-Bombay 型における特徴を示した．近年，*ABO* 遺伝子解析によって多くの亜型の DNA 解析データが蓄積され，遺伝子解析からの亜型の判定が進められている．

　日本における亜型の出現頻度は，大久保らによる献血者を対象とした調査では 0.021％である．また，白人社会では A 型の亜型が多いが，日本人では B 型の亜型である Bm 型が最も多い（A 型亜型の約 10 倍：大久保ほか）．Bm 型の血清学的性状は，オモテ検査で O 型，ウラ検査で B 型，分泌型のヒトの唾液中には B と H 型物質が分泌され，抗 B を用いた吸着解離試験の解離溶液中に抗 B の活性を認める．

> **抗 A$_1$ レクチン**
> （*Dolichos biflorus*）
> ヒマラヤ原産フジマメの種子から抽出した A$_1$ 抗原に特異的に反応する植物性凝集素．

> **抗 H レクチン**
> （*Ulex europaeus*）
> ハリエニシダの種子から抽出した H 抗原に特異的に反応する植物性凝集素．近年，ヒマラヤ原産フジマメやハリエニシダの種子の入手が困難となり，現在市販の各試薬を購入しなければならない．しかし，抗 H レクチンに関しては，国内のニガウリの種子から抽出した植物性凝集素が特異性があり，代用が可能である．

表5-Ⅵ-8 Bombay型およびpara-Bombay型

タイプ			表記	赤血球膜上の抗原			唾液中の型物質			血清中の抗体
	H	Se		A	B	H	A	B	H	
Bombay型	H不活性	非分泌型	O_h	0	0	0	0	0	0	抗H
para-Bombay型	H活性低下	非分泌型	A_h	w	0	w/0	0	0	0	抗H
			B_h	0	w	w/0	0	0	0	抗H
	H不活性/H活性低下	分泌型	O_m^h	0	0	w/0	0	0	+	抗HI
			A_m^h	+/w	0	w/0	+	0	+	抗HI
			B_m^h	0	+/w	w/0	0	+	+	抗HI

+:凝集あり,w:非常に弱い凝集,0:凝集なし
(内川誠:輸血学 改訂第4版.p.161, 中外医学社, 2018, 一部改変)

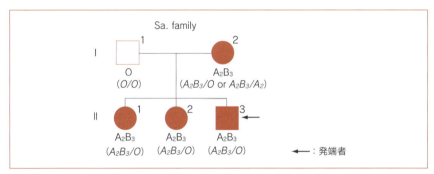

図5-Ⅵ-5 O型とA_2B_3型の両親からA_2B_3型の子どもが3人生まれた家系
(*Proc Jap Acad*, 42(5):517-520, 1966, 一部改変)

> **抗HI**
> HとI抗原をともに有する赤血球と反応する抗体であるが,低温でのみ反応し,臨床的意義はない.

7) cisAB型

cisAB型はAB型とO型の親子関係が成り立つ珍しい血液型であり,$cisA_2B_3$, $cisA_1B_3$, $cisA_2B$の血液型が報告されている.この血液型は,1964年ポーランドのSeyfriedらが,O型とA_2B型の両親からA_2B型の子どもが生まれた家系を報告したのが最初である.日本では,1966年山口らが,O型とA_2B_3型の両親からA_2B_3型の子どもが3人生まれた家系(**図5-Ⅵ-5**)を報告し,*A*遺伝子と*B*遺伝子が同一染色体上に存在して遺伝すると考え,*A*遺伝子と*B*遺伝子の位置関係からcisABと提唱した.cisAB型の遺伝形式は,*cisAB*(A_2B_3)対立遺伝子が*O*, A_1または*B*対立遺伝子のいずれかとヘテロ結合すると,それぞれA_2B_3(A_2B_3/O),A_1B_3(A_2B_3/A_1),A_2B(A_2B_3/B)の3種類の表現型(遺伝子型)として表される.

cisAB型の代表的な表現型はA_2B_3型であり,通常のA_1B型に比べ抗Aとの反応開始時間が少し遅れるが,反応終了後の凝集強度は区別することができない.一方,抗Bとの反応開始時間は抗Aよりもさらに遅い.また,抗A_1レクチンとは反応を示さないが,抗Hレクチンとは強い凝集反応を示すことより,スライド法での凝集の有無,強弱や凝集開始時間の遅延に注意する必要がある.

山口英夫(1922〜)

cisABの名づけ親で,その特異な遺伝形式を明らかにした.また,多くの血液型の発見者.

表 5-Ⅵ-9　cisAB 型の血清学的性状

表現型	遺伝子型	抗体との反応		血清中の抗体		唾液中型物質	血清中糖転移酵素
		抗 A	抗 B	A 血球	B 血球		
A₂B₃	cisAB/O	+	mf	+/0*¹	+	A,（B）,H	検出されず
A₁B₃	cisAB/A₁	+	mf*²	0	+	A,（B）,H	A
A₂B	cisAB/B	+	+	+/0*¹	0	A, B, H	B

+：強い凝集，0：凝集なし，mf：mixed field agglutination（部分凝集），*¹：抗 A₁ をもつ場合がある，*²：cisAB/O に比べてかなり弱い，（B）：ときに B 型物質を分泌，cisAB：A₂B₃
（常山初江：Medical Technology, 39（13）：1387, 2011, 一部改変）

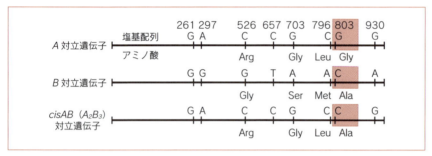

図 5-Ⅵ-6　A, B および cis AB（A2B3）対立遺伝子の塩基置換とアミノ酸置換
（細井英司：臨床病理, 45（2）：148-156, 1997, 一部改変）

血漿（血清）中には低温でよく反応する弱い「ある種の抗 B」を保有している．分泌型のヒト唾液中には，A と H 型物質が分泌されているが，B 型物質の分泌はわずかである．**表 5-Ⅵ-9** に cisAB 型の血清学的性状を示した．また，血清学的検査では A₂B₃ 型は，cisA₂B₃ 型か transA₂B₃ 型を確定することができないため，家系調査が必要であるが，ABO 遺伝子の解析を行うことにより確定が可能である．

cisAB 型は日本国内では徳島県，石川県，香川県に多く，地域集積性があることが明らかとなっている．

1993 年，山本らによって cisAB 型の遺伝形式が ABO 遺伝子解析によって証明された．cisAB 型の cisAB（A₂B₃）対立遺伝子は，基本的には A 対立遺伝子と同じ塩基配列であるが，803 番目の塩基（G）が B 対立遺伝子の塩基（C）に置換することで，268 番目のアミノ酸残基のグリシンがアラニンに置換することによって，A 糖転移酵素と同時に B 糖転移酵素の両酵素活性をもった糖転移酵素が産生されることが明らかにされた（**図 5-Ⅵ-6**）．しかし，その両酵素活性が非常に弱いため，赤血球膜上に発現する A および B 抗原量の少ない AB 型がつくられる．

 transAB 型
transAB 型は通常の AB 型であり，A 遺伝子と B 遺伝子が一対の相同染色体上のそれぞれの ABO 遺伝子座にのっている．

 日本人の cisAB 型出現頻度
日本人の出現頻度は，大久保らは 0.0015％，梶井らによると 0.0012％と報告されており，特に徳島県では 0.017％（大久保ら）と非常に高いことが知られている．

8）キメラ，モザイク

キメラ（chimera）とは，同一個体が 2 つの遺伝子（接合子）に由来する異

なった細胞を共存している状態である．1953 年，Dunsford らによって血液型が異なる 2 卵性双生児の一方が，O 型と A 型血球が混在した血液をもつ血液型キメラとして報告されたのが最初である．キメラには 2 卵性双生児キメラ（twin chimera）と 2 精子性キメラ（dispermic chimera）があり，2 精子性キメラは 1 つの卵に 2 つの精子が受精した場合に起こるが，その確認はむずかしく，報告例も 2 卵性双生児キメラに比べて少ない．

一方，モザイク（mosaic）は単一の接合子に由来する遺伝子的に表現型の異なる 2 つ以上の細胞集団が混在するものであり，単一の受精卵から突然変異などにより生じるとされている．

9）ABO 血液型の後天性変化

ABO 血液型は，原則的には一生変わることはないが，後天的変化を示すものとして，血液疾患，特に急性骨髄性白血病や骨髄異形成症候群など，獲得性 B（後天性 B：acquired B）や造血幹細胞移植による人工的変化が知られている．血液疾患では，A 型の A 抗原減弱例，B 型の B 抗原減弱例，AB 型の A あるいは B 抗原減弱例，AB 型の A，B 両抗原の減弱例などがわが国でも報告されている．血液疾患による A，B 抗原減弱は，治療により抗原が正常に戻ることが報告されている．ABO 亜型が疑われる症例では患者の病名を確認し，血液型を判断することが重要である．

acquired B は，直腸癌や大腸癌などの消化管疾患での細菌感染時に細菌由来のデアセチラーゼ（deacetylase）が，赤血球膜上の A 型抗原決定基である N-アセチルガラクトサミンに作用してアセチル基を切断することでガラクトサミンとなり，B 型の抗原決定基であるガラクトースに類似するためヒト由来あるいは動物由来の抗 B 試薬と反応し，AB 型様を示す現象である［通常，モノクローナル抗体試薬（抗 B）とは交差反応を起こさない］．

血液型不適合造血幹細胞移植において，ABO 血液型が異なるドナーから造血幹細胞移植を受けた場合，移植された造血幹細胞が生着し，最終的にはドナーと同じ ABO 血液型に変わるため，患者の骨髄移植歴を知ることも重要である．

10）ABO 血液型の検査方法

ABO 血液型検査は，抗体試薬（抗 A，抗 B）を用いて赤血球膜上の A，B 抗原の有無を調べる**オモテ検査（赤血球側の検査）**および赤血球試薬（A_1，B，O 赤血球）を用いて血漿（血清）中の抗 A，抗 B の有無を調べる**ウラ検査［血漿（血清）側の検査］**により判定を行い，両検査が一致したときはじめて血液型が確定される．

しかし，オモテ・ウラ検査が一致しないときにはその原因を精査，正しい血液型を判定する必要がある（Landsteiner の法則を活用）．現在，オモテ検査とウラ検査は，試験管法やカラム凝集法，マイクロプレート法が実施されている．また，オモテ検査においては亜型の検出に有効なスライド法の実施も重要

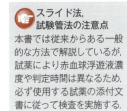

スライド法，試験管法の注意点
本書では従来からある一般的な方法で解説しているが，試薬により赤血球浮遊液濃度や判定時間は異なるため，必ず使用する試薬の添付文書に従って検査を実施する．

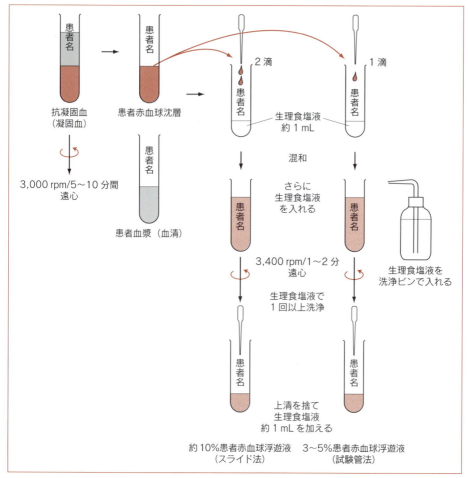

図 5-Ⅵ-7　約 10％および 3～5％患者赤血球浮遊液の調製法

である．スライド法では凝集反応を経時的にとらえることが可能であり，弱い凝集や部分凝集を検出しやすく，さらに凝集開始時間が確認できる．

(1) 患者検体（図 5-Ⅵ-7）

❶採血後の処理

　患者検体は，抗凝固血または凝固血のどちらも使用可能である．血液を採血後，3,000 rpm で 5～10 分間遠心し，血球と血漿（血清）を分離し，患者名を記入した試験管に血漿（血清）を移す（凝固血の場合は，採血後 37℃で約 30 分間加温して十分に凝固させた後，遠心する．また，患者検体はなるべく新鮮な血液を用いる）．

❷約 10％および 3～5％患者赤血球浮遊液の調製

　生理食塩液を約 1 mL 入れた患者名を記入した各試験管に，患者の赤血球沈層を 2 滴（1 滴が約 50 μL）あるいは 1 滴，スポイトで滴下する．それぞれよく混和した後，さらに洗浄ビンで生理食塩液を勢いよく入れ，試験管の 7～8 分目まで満たす（混和にはスポイトを使用してもよい）．その後，3,400 rpm

で1〜2分遠心する（1回以上生理食塩液で洗浄）．上清をデカンテーションにより捨てた後（スポイトで上清を捨ててもよい），生理食塩液を約1 mLそれぞれ加え，スライド法は約10％患者赤血球浮遊液を，試験管法には3〜5％患者赤血球浮遊液を調製する．

(2) 器具

スライド（凝集反応板），1〜2 mL用スポイト（1滴が約50 μL），木棒（竹串など），試験管（12×75 mm），試験管立て，洗浄ビン，恒温槽，血液分離用遠心機，判定用専用遠心機，ビューイングボックス（観察箱）

(3) 試薬

生理食塩液，オモテ検査用試薬［抗A：青色（ブリリアントクレシルブルーなどで着色），抗B：黄色（タートラジンなどで着色）］，ウラ検査用試薬（3％ A_1，B，O赤血球：濃度はメーカーにより若干異なる），亜型検査用試薬（抗A_1レクチン，抗Hレクチン）

(4) オモテ検査（赤血球側の検査）：スライド法，試験管法

❶ スライド法（図5-Ⅵ-8）

① 約10％患者赤血球浮遊液を調製する．

② スライドに患者名を記入した後，各ホールに抗A試薬，抗B試薬をそれぞれ1滴ずつ滴下する．次に，各試薬の横に①で用意した約10％患者赤血球浮遊液を1滴ずつ滴下後，竹串などでよく混合し，全体に広げる．

③ スライドを前後左右に揺り動かし，2分以内に凝集の有無および凝集の強弱を観察記録し，判定する（凝集開始時間の遅延に注意し，亜型の可能性がある場合は5分まで判定を遅らす）．

④ 亜型の可能性がある場合は，再検査をするとともに，必要に応じて亜型検査で用いられる抗A_1レクチンおよび抗Hレクチンとの反応性を確認する（スライド法の他，試験管法でも実施する）．

❷ 試験管法（図5-Ⅵ-9）

① 3〜5％患者赤血球浮遊液を調製する．

② 2本の試験管にそれぞれ患者名と抗A，抗Bなどの必要事項を記入する．

③ 抗Aと記した試験管には抗A試薬を，抗Bと記入した試験管には抗B試薬をそれぞれ1滴ずつ滴下する．

④ ①で用意した3〜5％患者赤血球浮遊液を各試験管に1滴ずつ滴下し，よく混和する．

⑤ 各試験管を判定用遠心機で3,400 rpm，15秒または1,000 rpm，1分遠心する．

⑥ 遠心後，ビューイングボックス上で，それぞれの試験管を軽く振りながら凝集の有無，凝集の強弱および溶血の有無を観察記録し，判定する．試験管法における凝集反応は，凝集反応の分類（**表5-Ⅵ-10**）に従い，凝集の強弱および背景の色調をもとに肉眼で判定する．

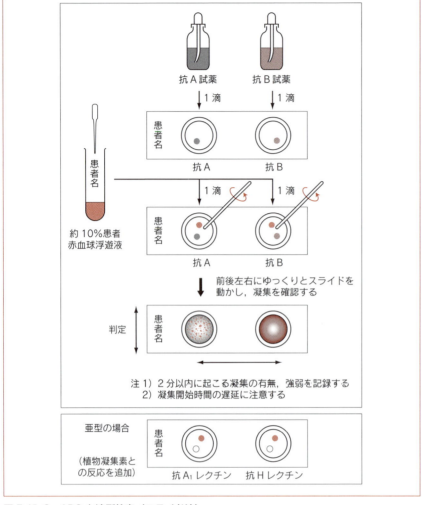

図 5-Ⅵ-8　ABO 血液型検査（スライド法）
試薬の量や判定時間はメーカーによって異なるので，必ず使用する試薬の添付文書を確認のうえ実施する．

(5) ウラ検査［血漿（血清）側の検査］：試験管法
❶試験管法（図 5-Ⅵ-9）
　①患者血漿（血清）を準備する．
　②3本の試験管にそれぞれ患者名と「A_1」，「B」および「O」などの必要事項を記入する．
　③①で用意した患者血漿（血清）を「A_1」，「B」および「O」と記入した試験管に2滴ずつ滴下し，それぞれの試験管に3% A_1 赤血球，B 赤血球，O 赤血球を1滴ずつ加え，よく混合する．
　④各試験管を判定用遠心機で 3,400 rpm，15 秒または 1,000 rpm，1 分遠心する．

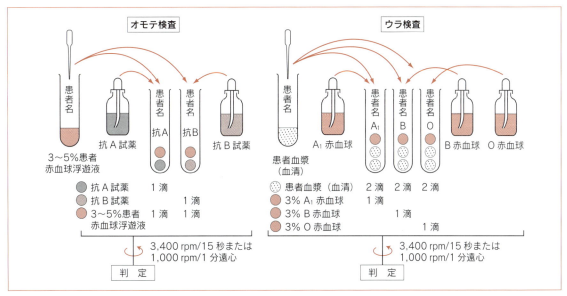

図 5-Ⅵ-9　ABO 血液型検査（試験管法）

⑤遠心後，ビューイングボックス上で，それぞれの試験管を軽く振りながら凝集の有無，凝集の強弱および溶血の有無を観察記録し，判定する（O 赤血球を加えた試験管は陰性対照とする）．凝集反応の判定は，**図 5-Ⅵ-10** のように行う．その際，凝集の強弱および背景の色調をもとに，4+，3+，2+，1+，W+，0，H（PH）［完全溶血（部分溶血）］，mf（部分凝集）と分類し，記録する（**図 5-Ⅵ-11**）．

(6) 留意点

❶ スライド法と試験管法に共通

①検体の取り違いがないように注意する．

②患者赤血球浮遊液を作成するときには，赤血球をよく洗浄する（血液中の型物質・線維素など，凝集反応に影響を及ぼすものを除去する）．

③判定用抗体を滴下するときに，スポイトの先端をスライドガラスや試験管に触れないように注意する（試薬の汚染は測定結果に影響を与える可能性がある）．

④スポイトは，垂直に 1 滴滴下したとき約 50 μL であることを確認しておく．

⑤患者赤血球浮遊液濃度，各試薬量および反応条件は，メーカーにより異なるため添付文書に従って検査する．

❷ スライド法

①乾燥による誤判定がないように，2 分以内（判定時間はメーカーによって異なる）に凝集の有無および凝集の強弱を観察記録する．

②凝集開始時間の遅延に注意する（亜型は通常の血液型に比べて開始時間が遅い．たとえば，AB 型の亜型である $cisA_2B_3$ 型では，抗 A，抗 B の凝集開

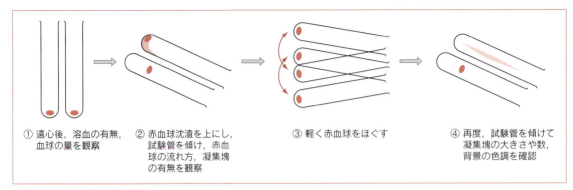

図 5-Ⅵ-10 凝集反応の見方

特徴	凝集像※	分類	スコア
1コの大きな凝集塊 背景透明		4+	12
2〜3コの大きな凝集塊 背景透明		3+	10
数多くの中程度の凝集塊 背景透明		2+	8
非常に細かい凝集 背景赤く濁る		1+	5
ごくわずかな微細凝集 背景赤く濁る		W+	2
凝集も溶血もみられない 背景赤く濁る		0	0
完全溶血(部分溶血) 背景赤く透明(背景赤く濁る)		H(PH)	—

※ 3%赤血球浮遊液使用

凝集 / 部分凝集(mf) / 連銭形成 / 非凝集 ×400

図 5-Ⅵ-11 凝集反応の分類
H：hemolysis, PH：partial hemolysis, mf：mixed field agglutination（凝集と非凝集が混在し，背景が赤く濁る）
（オーソ・クリニカル・ダイアグノスティックス社提供，一部改変）

始時間に差がでる）．

(7) 結果判定

　表 5-Ⅵ-10 に ABO 血液型の試験管法における判定基準を示した．オモテ検査およびウラ検査の結果からそれぞれ血液型を判定し，両検査の判定結果を総合して患者の ABO 血液型を確定する．オモテ検査およびウラ検査が不一致の場合は血液型を判定保留として，その原因を精査する．ウラ検査において O

表 5-VI-10 ABO 血液型の判定基準

オモテ検査			ウラ検査				総合判定
抗A	抗B	判定	A_1赤血球	B赤血球	O赤血球	判定	
+	0	A	0	+	0	A	A
0	+	B	+	0	0	B	B
0	0	O	+	+	0	O	O
+	+	AB	0	0	0	AB	AB

+：凝集あり，0：凝集なし

表 5-VI-11 オモテ・ウラ検査が不一致となる主な原因

技術的要因	オモテ検査：赤血球側の要因	ウラ検査：血清側の要因
〈偽陽性〉 ・洗浄不十分な試験管などの使用 ・検査試薬（血球と血清など）の汚染 ・検査に用いる血球と血清の最適比のずれ ・判定時の遠心が強すぎる ・検体・材料の取り違え	〈偽陽性〉 ・汎血球凝集反応を呈している血球 ・直接抗グロブリン試験が陽性の血球 ・数カ月以内に輸血歴をもつヒトの血球 ・acquired B を呈した血球	〈偽陽性〉 ・血清蛋白の異常をきたした血清 ・高分子の血漿増量剤などを含む血清 ・血清中にウラ検査用血球と反応する不規則抗体をもつ血清 ・保存剤・浮遊液・試薬溶液などに含まれる成分に対する抗体を保有する血清
〈偽陰性〉 ・判定時の溶血反応の見逃し ・血球と血清の抗原抗体複合物の加温 ・検査に用いる血球と血清の最適比のずれ ・判定時の遠心が弱すぎる ・検体・材料の取り違え ・判定用抗体の入れ忘れ	〈偽陰性〉 ・variant 血球 ・白血病・悪性腫瘍により抗原活性が低下した血球 ・卵巣嚢腫などにより血清中の型物質が異常に多いヒトの全血	〈偽陰性〉 ・生後1年未満の児（乳児）の血清 ・高齢者（抗A，抗B抗体価の著しく低下したヒト）の血清 ・免疫不全患者の血清

（永尾暢夫：改訂版日本輸血学会認定医制度指定カリキュラム．p.61，杏林舎，2003，一部改変）

赤血球との反応は必須ではないが，凝集反応における陰性対照として用いる．O 赤血球と非特異的に凝集した場合には判定保留として，その原因を精査する．

オモテ・ウラ検査が不一致となる原因には，表 5-VI-11 に示すようなものが考えられる．

11）臨床的意義

輸血実施における不適合輸血や溶血性輸血反応を未然に防ぐため，輸血前検査として患者の ABO 血液型検査を実施し，その結果により輸血の適合性や安全性を確認することが重要である．仮に，輸血時に患者と供血者間で ABO 血液型が適合されず輸血が行われると，血管内溶血などの重篤な輸血副反応を起こし，場合によっては患者を死に至らしめることになる．

3 Rh 血液型
1）Rh 血液型の歴史

1939 年，Levine と Stetson は，胎児・新生児溶血性疾患（HDFN）の患児を分娩した母親に夫の血液（ABO 適合血）を輸血した際に強い溶血性輸血反応を認めた症例を報告し，その原因が母親のもつ夫の赤血球膜抗原に反応する

抗体にあることを明らかにした．1940年，LandsteinerとWienerは，アカゲザルの赤血球をウサギやモルモットに免疫して得られた抗体が，白人の赤血球を凝集するグループ（85％）と凝集しないグループ（15％）に分かれることを見出した．そして，その新しい血液型をアカゲザル（Rhesus monkey）の頭文字をとってアール・エイチ（Rh）と名づけ，前者をRh陽性（Rh＋：現在のD抗原陽性），後者をRh陰性（Rh－：現在のD抗原陰性）とした．

当初，LevineらとLandsteinerらが発見した抗原は，同じ抗原としてRhのなかで扱われていたが，ヒト由来の抗体とアカゲザルの赤血球で免役して得られた動物由来の抗体の反応性の違いから，それぞれが異なる抗原を認識していることが明らかとなり，LevineとStetsonが発見した抗原をD抗原，LandsteinerとWienerが発見した抗原を発見者の頭文字をとってLW抗原とした．今日ではLW抗原がRhでないことが明らかとなり，Landsteiner-Wiener（LW）（ISBT番号016）としてRhから独立して取り扱われている．

2）抗原と抗体

Rh抗原は，現在56種類の抗原が国際輸血学会で認証されている．そのなかでD抗原は，ABO血液型に次いで臨床上重要な抗原である．D抗原は蛋白抗原で，免疫原性が強く，産生された抗DはIgG型の免疫抗体であり，胎盤通過性をもち，溶血性輸血反応や胎児・新生児溶血性疾患（HDFN）に大きく関与する．また，D抗原に対する抗体は，主に輸血や妊娠による免疫によって産生される不規則抗体であるが，この抗体はすべての免疫の機会で産生されるのではなく，免疫時の抗原量や個体の感受性などの違いによって産生されないこともある．

D抗原以外で臨床的に重要であるRh抗原としては，C，c，E，eの4つの抗原があげられ，これらの抗原に対する抗体がよく検出されている．特に抗Eは，①日本人のE抗原の保有者と非保有者の比率が**表5-Ⅵ-12**に示すとおり，約50％ずつであることから，E抗原非保有者がE抗原陽性赤血球で免疫される機会が多い．②E抗原はD抗原に次いで免疫原性が強いが，D抗原陰性者に対する輸血あるいは妊娠時のような対応が行われていないなどの点から，Rhの抗体のなかで最も多く検出されている抗体となっている．

3）D陽性とD陰性

D陽性は赤血球膜上にD抗原を発現していること，D陰性とはD抗原を赤血球膜上に発現していないことをそれぞれ意味する．D陰性者が輸血や妊娠などでD陽性の血液で免疫されると，抗Dを産生することがある．産生された抗Dは重篤な溶血性輸血反応や胎児・新生児溶血性疾患（HDFN）の原因抗体となるため，D陰性者への対応には十分な注意を払う必要がある．

表 5-Ⅵ-12　日本人の Rh 血液型の表現型・遺伝子型とそれらの頻度

	抗原					代表される表現型*			遺伝子型	頻度**(%)
	D	C	c	E	e	慣用表記	CDE 表記	Rh-hr		
D+ (99.5%)	+	+	−	−	+	CCDee	DCe/DCe	R_1R_1	*DCe/DCe**, *DCe/dCe*	42.98
	+	+	+	+	+	CcDEe	DCe/DcE	R_1R_2	*DCe/DcE**, *DCe/dcE*, *DCE/Dce*, *Dce/dCE*, *DCE/dce*, *DcE/dCe*	37.44
	+	−	+	+	−	ccDEE	DcE/DcE	R_2R_2	*DcE/DcE**, *DcE/dcE*	9.06
	+	+	+	−	+	CcDee	DCe/dce	R_1r	*DCe/dce**, *DCe/Dce*, *Dce/dCe*	6.50
	+	−	+	+	+	ccDEe	DcE/dce	R_2r	*DcE/dce**, *DcE/dce*, *Dce/dcE*	3.06
	+	+	−	+	+	CCDEe	DCe/DCE	R_1R_z	*DCe/DCE**, *DCe/dCE*, *DCe/dCE*	0.46
	+	+	+	+	+	CcDEE	DcE/DCE	R_2R_z	*DcE/DCE**, *DCe/dcE*, *DcE/dCE*	0.32
	+	−	+	−	+	ccDee	Dce/Dce	R_0r	*Dce/Dce*, *Dce/dce*	0.12
	+	+	−	+	−	CCDEE	DCE/DCE	R_zR_z	*DCE/DCE*, *DCE/dCE*	0.05
D− (0.5%)	−	−	+	+	+	ccdEe	dcE/dce	$r''r$	*dcE/dce*	36.39
	−	−	+	−	+	ccdee	dce/dce	rr	*dce/dce*	26.28
	−	−	+	+	−	ccdEE	dcE/dcE	$r''r''$	*dcE/dcE*	18.60
	−	+	+	−	+	Ccdee	dCe/dce	$r'r$	*dCe/dce*	8.96
	−	+	+	+	+	CcdEe	dCe/dcE	$r'r''$	*dCe/dcE**, *dce/dCE*	7.48
	−	+	−	−	+	CCdee	dCe/dCe	$r'r'$	*dCe/dCe*	1.67
	−	+	+	+	−	CcdEE	dcE/dCE	$r''r_y$	*dCe/dCE*	0.35
	−	+	−	+	+	CCdEe	dCe/dCE	$r'r_y$	*dCe/dCE*	0.18
	−	+	−	+	−	CCdEE	dCE/dCE	r_yr_y	*dCE/dCE*	0.08

*：日本人において最も多いと想定される表現型または遺伝子型
**：日赤「まれな血液型に関する研究班資料」による
（谷慶彦ほか：新版 日本輸血・細胞治療学会認定医制度審議会カリキュラム．p.81，2012）

4）各抗原の免疫原性

Rh 抗原，特に D，C，c，E，e の 5 種類のなかでは，D 抗原が最も強い免疫原性をもつ．また，抗体の産生能力も D＞E＞c＞C＞e の順となる（c，C，e の間にはほとんど差がないとする報告もある）．

5）出現頻度

日本人の D 陽性者の頻度は 99.5％，D 陰性者の頻度は 0.5％（200 人に 1 人）である．一方，白人では D 陽性者の頻度は 85％，陰性者の頻度は 15％であり，人種によって大きな違いがある．**表 5-Ⅵ-12** にその他の Rh 抗原を含む日本人の Rh 血液型の表現型・遺伝子型とそれらの頻度を示した．

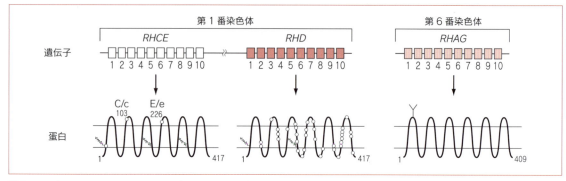

図 5-Ⅵ-12 RHCE, RHD, RHAG 遺伝子と蛋白の模式図
RHD の○は RHD と RHCE 間で異なるアミノ酸を表してる．RHCE の○は C/c と E/e 抗原活性に重要なアミノ酸を表してる．
（永尾暢夫：臨床検査学講座/免疫検査学　第2版．p.294，医歯薬出版，2016）

6) Rh血液型の表記法（表現型と遺伝子型）

　Rh 血液型の表記法は，Fisher-Race による CDE 表記法と Wiener による Rh-hr 表記法がある．Fisher-Race による CDE 表記法は，Rh 抗原の発現パターンから3つの遺伝子座（D/d, C/c, E/e）が密接に連鎖して，ハプロタイプで遺伝するという考え方である（d 遺伝子および d 抗原は存在しないが，遺伝説明において利用されている）．一方，Wiener による Rh-hr 表記法は1つの遺伝子座に複数の抗原性を有する抗原蛋白を発現させる遺伝子が1つ存在するというものである．従来，両表記法が併用されていたが，Rh 抗原は RHD と RHCE の2つの遺伝子が密接に連鎖していることが明らかとなり，現在の Rh 血液型表記法は，Fisher-Race の CDE 表記法が一般的になっている．

7) 遺伝子と遺伝形式

　Rh 抗原は第1番染色体上の短腕（1p36.2-p34）に位置する相同性の高い2つの遺伝子（RHD 遺伝子と RHCE 遺伝子）によってつくられる．各遺伝子は，それぞれ10個のエクソンをもち，417個のアミノ酸からなる12回膜貫通型の RhD 蛋白と RhCcEe 蛋白をコードしている．これらの蛋白は，Rh 関連糖蛋白（Rh-associated glycoprotein；RhAG）と複合体を形成しており，RhAG の存在により赤血球膜上に発現する（**図 5-Ⅵ-12**）．RHD 遺伝子は D 抗原の発現を規定する遺伝子であり，D 陰性者は主として RHD 遺伝子を完全あるいは部分的に欠損している．白人の D 陰性者はこの遺伝子をほぼ完全に欠損しているが，アフリカ系黒人の D 陰性者の66%においては，不活性な RHD 遺伝子が報告されている．また，日本人およびアジア人の D 陰性者の一部でもこのような D 抗原を発現しない不活性な RHD 遺伝子をもつことが知られている．一方，RHCE 遺伝子は C, E 座の抗原を規定する遺伝子であり，この遺伝子には RHCe, RHCE, RHcE, RHce の対立遺伝子の存在が知られている．

　図 5-Ⅵ-13 に父母から子への遺伝形式を Fisher-Race の CDE 表記法を用いて示した．たとえば，父の半数型（ハプロタイプ：haplotype）の1つ DCe

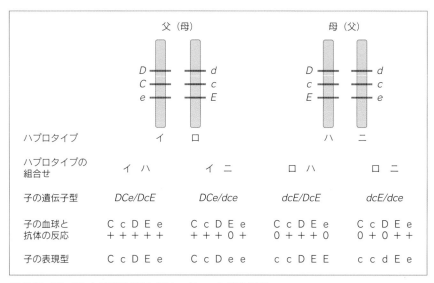

図 5-Ⅵ-13　Rh 血液型の遺伝（Fisher-Race の CDE 表記）
（永尾暢夫ほか：*Medical Technology*，22（7）：538-550，1994，一部改変）

と母の haplotype *DcE* をそれぞれ受け継いだ場合，CcDEe の表現型（フェノタイプ：phenotype）をもつ子どもが生まれる．

8）変異型

D 抗原の変異型としては，わが国では weak D，partial D と DEL（Del）型などが知られている．

(1) weak D

weak D は D 陽性者の赤血球膜上の D 抗原と質的な違いはないが，抗原量が少ない D 陽性の Rh 血液型である．通常，抗 D 試薬との直後判定では陰性であり，D 陰性確認試験により陽性となる（以前は D^u とよばれていた）．weak D は RhD 蛋白の膜内または膜貫通部に相当する *RHD* 遺伝子のミスセンス変異によって抗原量が減少する遺伝子型（low-grade）と抗原量が比較的多い遺伝子干渉型（high-grade：*DCe/dCe* などのように *C* 遺伝子が *D* 遺伝子の *trans* 位に存在するために D 抗原の発現が抑制される）の 2 つに分けられる．weak D の輸血では，受血者としては D 陰性，供血者としては D 陽性として取り扱う必要がある．

(2) partial D

partial D は D 抗原がもつ多くのエピトープの一部が欠損している血液型である．通常，ポリクローナル抗 D と陽性であり，モノクローナル抗 D とは陰性〜弱陽性の反応態度を示すことにより検出されるが，モノクローナル抗 D 試薬の特異性の違いによって，その反応性が異なる場合がある．多くの種類の partial D は，通常検査で D 陽性，あるいは weak D と判定される．また，輸血や妊娠により抗 D を産生して溶血性輸血反応や胎児・新生児溶血性疾患

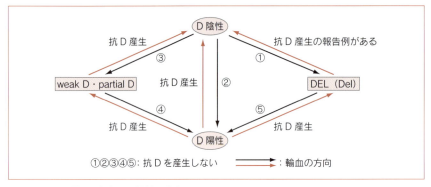

図 5-Ⅵ-14　抗 D 産生の可能性の有無
（永尾暢夫：臨床検査学講座/免疫検査学　第 2 版. p.294, 医歯薬出版, 2016, 一部改変）

（HDFN）の原因となることがあるため臨床上重要な血液型である．輸血では weak D と同様に受血者としては D 陰性，供血者としては D 陽性として取り扱う必要がある．いずれも抗 D の産生を防止し，妊娠や輸血時のトラブルを防ぐことが必要である．また，E 抗原にも partial D と同様に partial E の報告がある．

(3) DEL（Del）

DEL は D 陰性確認試験で D 陰性と判定されたなかで，抗 D を用いた吸着解離試験によって初めて，D 抗原が検出される非常に弱い D 抗原を発現している Rh 血液型である．DEL は D-elution（解離）に由来する．日本では D 抗原の免疫原性がきわめて弱いことより，D 陰性として取り扱われているが，最近になって DEL の赤血球が輸血された D 陰性者が抗 D を産生したとする報告があり，今後 DEL の輸血への対応について検討が必要となっている．また，日本人の D 陰性者の約 10% が DEL 型であり，そのほとんどが C 抗原をもつことが報告されている．

図 5-Ⅵ-14 に weak D, partial D, DEL（Del），D 陰性および D 陽性者間での輸血による抗 D 産生の可能性について示した．

(4) まれな Rh 血液型

❶ D--

D-- は D 抗原量が通常に比べ非常に多く，Rh 抗原（C, c, E, e）を発現していないまれな Rh 血液型で，日本人の頻度は約 20 万人に 1 人とされている．抗体をもたない場合には通常の RhD 陽性者として扱われることが多い．輸血や妊娠などによって高頻度抗原である Rh17 に対する抗 Rh17（抗 Hro）を産生しやすく，抗 Hro が検出されることで D-- とわかることが多い．抗 Hro は溶血性輸血反応や胎児・新生児溶血性疾患（HDFN）の原因抗体となる．原因として *RHCE* 遺伝子の完全あるいは部分欠失，*RHCE-D-CE* ハイブリッド遺伝子の形成などが報告されている．

> **D--（ディ・ダッシュ・ダッシュ）**
> Rh の D 抗原のみを発現しているまれな Rh 血液型である．表記法として，-D-: ダッシュ・ディ・ダッシュとよぶこともある．

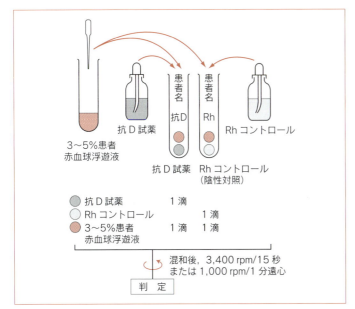

図 5-Ⅵ-15　RhD 血液型検査（試験管法）

表 5-Ⅵ-13　RhD 血液型の判定

抗 D 試薬	Rh コントロール	判　定
＋	0	D 陽性
0	0	判定保留[*1]
＋	＋	判定保留[*2]

＋：凝集あり，0：凝集なし
[*1]：D 陰性確認試験を行う
[*2]：再検査を行う

❷ Rh$_{null}$

Rh$_{null}$ は Rh 抗原をすべて発現していないまれな Rh 血液型である．輸血や妊娠などによって高頻度抗原である Rh29（Total Rh）に対する抗 Rh29 を産生しやすく，溶血性輸血反応や胎児・新生児溶血性疾患（HDFN）の原因抗体となる．原因としては無定型（*RHD* 遺伝子欠損と *RHCE* 遺伝子変異があるもの）と調節型（*RHAG* 遺伝子変異による Rh 抗原の発現抑制）が報告されている．Rh$_{null}$ は口唇状赤血球や球状赤血球などの形態異常を認めることがある．

9）RhD 血液型の検査方法

D 抗原の検査には試験管法とスライド法があるが，weak D，partial D などの弱い抗原を検出するためには，間接抗グロブリン試験を用いる試験管法がよい．

(1) 器具

スライド（凝集反応板），1～2 mL 用スポイト（1 滴が約 50 μL），木棒（竹串など），試験管（12×75 mm），試験管立て，洗浄ビン，恒温槽，血液分離用遠心機，判定用専用遠心機，ビューイングボックス（観察箱）

(2) 試薬

生理食塩液，抗 D 試薬，Rh コントロール，抗ヒトグロブリン試薬，IgG 感作赤血球（クームスコントロール）

(3) 試験管法（図 5-Ⅵ-15）

①3～5％患者赤血球浮遊液を調製する．
②2本の試験管にそれぞれ患者名と抗 D，Rh などの必要事項を記入する．

> **Rh コントロール**
> 抗 D 試薬から抗体成分を除いた陰性対照試薬である．使用する抗 D 試薬の添付文書で指定されたものを用いる．

抗Dと記入した試験管には抗D試薬を，またRhと記入した陰性対照用の試験管にはRhコントロールをそれぞれ1滴ずつ滴下する．

③①で用意した3〜5％患者赤血球浮遊液を各試験管に1滴ずつ滴下し，よく混和する．

④各試験管を判定用遠心機で3,400 rpm，15秒または1,000 rpm，1分遠心する．

⑤遠心後，ビューイングボックス上で，それぞれの試験管を軽く振りながら凝集の有無，凝集の強弱および溶血の有無を観察記録し，判定する．凝集反応の見方と分類はp.284の**図5-Ⅵ-10，11**を参照．

⑥**表5-Ⅵ-13**に従って判定する．

- Rhコントロール（陰性対照）との直後判定が凝集陰性で，抗D試薬との直後判定が凝集陽性の場合は「D陽性」と判定する．
- 抗D試薬およびRhコントロールとの直後判定がともに凝集が認められず陰性の場合には，すぐにD陰性と判定せず，「判定保留」としたあと，D陰性確認試験を行う［(4) D陰性確認試験の④に進む］．
- 抗D試薬およびRhコントロールがともに凝集陽性の場合には「判定保留」としたあと，再検査を行う．

(4) D陰性確認試験（図5-Ⅵ-16）

①3〜5％患者赤血球浮遊液を準備する．

②2本の試験管にそれぞれ患者名と抗D，Rhなどの必要事項を記入する．抗Dと記入した試験管には抗D試薬を，またRhと記入した陰性対照用の試験管にはRhコントロールをそれぞれ1滴ずつ滴下する．

③①で用意した3〜5％患者赤血球浮遊液を各試験管に1滴ずつ滴下し，よく混和する．

④両試験管を37℃，15〜60分間，恒温槽で加温する（反応時間は抗D試薬の添付文書に従う）．

⑤両試験管を生理食塩液で3〜4回洗浄後，上清を完全に除去した後，抗ヒトグロブリン試薬を各試験管に2滴ずつ滴下する．よく混和後，判定用遠心機で3,400 rpm，15秒または1,000 rpm，1分遠心し，ビューイングボックス上で，それぞれの試験管を軽く振りながら凝集の有無，凝集の強弱および溶血の有無を観察記録し，判定する．凝集反応の見方と分類はp.284の**図5-Ⅵ-10，11**を参照．

⑥凝集が陰性であったすべての試験管にIgG感作赤血球（クームスコントロール）を1滴加え，よく混和後，判定用遠心機で3,400 rpm，15秒または1,000 rpm，1分再度遠心し，凝集が起こることを確認する．万一，凝集が起こらなければ，再検査を行う．

⑦**表5-Ⅵ-14**に従って判定する．

- Rhコントロールと抗D試薬との判定が凝集陰性の場合は「D陰性」と判定する．

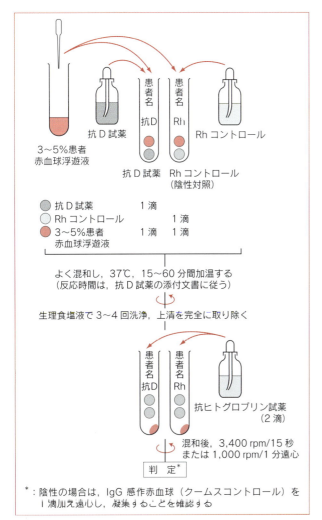

表 5-Ⅵ-14 D 陰性確認試験の判定

抗 D 試薬	Rh コントロール	判 定
0	0	D 陰性
+	0	weak D, partial D
+	+	判定保留[*1]

+：凝集あり，0：凝集なし
[*1]：再検査を行う

図 5-Ⅵ-16　D 陰性確認試験

- Rh コントロールの判定が陰性で，抗 D 試薬との判定が凝集陽性の場合には，「weak D（partial D も含む）」と判定する．
- Rh コントロールと抗 D 試薬との判定がともに凝集陽性の場合には，「判定保留」として，再検査を行う．

(5) スライド法

① 患者血漿（血清）を用いて 40〜50％患者赤血球浮遊液を準備する．
② あらかじめ 40〜45℃に温めておいた患者名を記入したスライド（ビューイングボックスの上で温度を維持）の各ホールに抗 D 試薬，Rh コントロール（陰性対照）をそれぞれ 1 滴ずつ滴下する．
③ スライドのホールの各試薬の横に①で用意した 40〜50％患者赤血球浮遊液を 2 滴ずつ滴下し，竹串などでよく混合して全体に広げる．
④ ビューイングボックスをゆっくりと前後左右に揺り動かし，2 分以内にス

ライド上の凝集の有無および凝集の強弱を観察記録し，判定する．
⑤陰性対照が凝集せず，抗D試薬を加えたスライドに凝集を認めた場合には「D陽性」と判定し，凝集を認めなければD陰性確認試験を行う．もし，陰性対照が凝集を起こした場合には，再検査を行う．

(6) 留意点

❶試験管法とスライド法に共通
①患者赤血球浮遊液濃度，試薬の使用量および反応条件はメーカーにより異なるため添付文書に従う．
②抗D試薬には，ポリクローナル抗体，IgMモノクローナル抗体，IgGモノクローナル抗体があり，単独の試薬，あるいは抗体をブレンドした試薬がある．各抗体の性質と特徴を理解して使用目的に応じたものを選択する必要がある．

❷試験管法
①D抗原検査にはモノクローナル抗Dを用い，D陰性確認試験に使用する抗D試薬にはポリクローナル抗DとD抗原検査に用いたモノクローナル抗Dを併用する（partial Dの検出目的）．
②抗D試薬がIgMモノクローナル抗体単独の試薬は，D陰性確認試験に用いることができない．
③D陰性確認試験における洗浄操作に注意する．洗浄が不十分であると残っているグロブリンなどの蛋白により抗ヒトグロブリン試薬が中和され，偽陰性反応が起こる．
④抗ヒトグロブリン試薬との反応で陰性を示した試験管にIgG感作赤血球（クームスコントロール）を加えて陰性結果が得られたときは再検査を行う（洗浄不十分による抗ヒトグロブリン試薬の中和，抗ヒトグロブリン試薬やIgG感作赤血球の入れ忘れや劣化などが考えられる）．

10）臨床的意義，輸血上の注意，胎児・新生児溶血性疾患（HDFN）

　Rh抗原でD，C，c，E，eの5種類は臨床上重要な抗原であり，これらの抗原に対する抗体は，いずれも37℃で活性を示すことから，臨床的意義のある抗体である．特にD抗原は免疫原性が高く，産生された抗Dは重篤な溶血性輸血反応や胎児・新生児溶血性疾患（HDFN）の原因抗体となる．
　抗Dの抗体産生としては，D陰性者，low-gradeのweak D，partial Dの患者への輸血や妊娠などが考えられる．したがって，抗D産生を防止するためには，D陰性者にはD陰性血液を輸血することは原則であるが，low-gradeのweak Dやpartial Dのヒトが受血者となるときもD陰性として扱い，供血者となるときはD陽性として取り扱う必要がある．
　また，D陰性の妊産婦には，分娩によるD抗原の感作抑制の目的で，抗Dの未産生を確認のうえ，分娩後72時間以内に抗D免疫グロブリン（RhIG）を筋肉注射することで抗Dの産生防止を行っている．最近では，分娩後に加

表 5-VI-15　MNS 血液型

表現型	抗体との反応				遺伝子型	頻度（％）		
	抗 M	抗 N	抗 S	抗 s		日本人	白人	黒人
M+N−S+s−	+	0	+	0	MS/MS	0.3	5.7	2.1
M+N−S+s+	+	0	+	+	MS/Ms	3.9	14.0	7.0
M+N−S−s+	+	0	0	+	Ms/Ms	24.0	10.1	15.5
M+N−S−s−	+	0	0	0	Mu/Mu	0	0	0.4
M+N+S+s−	+	+	+	0	MS/NS	0.2	3.9	2.2
M+N+S+s+	+	+	+	+	MS/Ns (Ms/NS)	5.3	22.4	13.0
M+N+S−s+	+	+	0	+	Ms/Ns	43.9	22.6	33.4
M+N+S−s−	+	+	0	0	Mu/Nu	0	0	0.4
M−N+S+s−	0	+	+	0	NS/NS	<0.1	0.3	1.6
M−N+S+s+	0	+	+	+	NS/Ns	1.5	5.4	4.5
M−N+S−s+	0	+	0	+	Ns/Ns	20.8	15.6	19.2
M−N+S−s−	0	+	0	0	Nu/Nu	0	0	0.7

u は S−s−となる遺伝子すべてを示す．
（内川誠：輸血学　改訂第 4 版．p.275，中外医学社，2018，一部改変）

え妊娠 28 週前後にも抗 D を保有していなければ RhIG 投与が行われている．このように，抗 D に関しては抗体産生への防止対策が十分にとられているため，検出率も低下してきている．

　一方，抗 E は Rh の抗体のなかで最も検出率が高く，溶血性輸血反応や胎児・新生児溶血性疾患（HDFN）に関与するため注意が必要である．また，抗 C，抗 c および抗 e の Rh の抗体は単独，あるいは複合抗体のかたちで検出され，溶血性輸血反応や胎児・新生児溶血性疾患（HDFN）に関与するとの報告がある．

　まれな Rh 血液型である D−−，Rh_{null} への輸血や妊娠などによってそれぞれ産生される可能性のある抗 Hro や抗 Rh29 は，溶血性輸血反応や胎児・新生児溶血性疾患（HDFN）の原因抗体となるため注意が必要である．

4　MNS 血液型

　1927 年，Landsteiner と Levine によって ABO 血液型に次いで発見された血液型であり，ヒト赤血球をウサギに免疫して得られた 2 種類の抗体（抗 M と抗 N）によって M+N−（MM 型），M−N+（NN 型），M+N+（MN 型）の 3 型に分類されている．1947 年には Walsh らが抗 S，さらに 1951 年に Levine が S の対立抗原 s に対する抗 s を発見した．その後，MN 遺伝子座と Ss 遺伝子座が密に連鎖していることが明らかにされ，MNS（または MNSs）血液型とよばれるようになった（**表 5-VI-15**）．現在，MNS 血液型は 50 抗原が認証されているが，一般的に検査が行われているのは M，N，S，s の 4 抗原である．

MNS 血液型の表現型

M と N，S と s は，それぞれ対立遺伝子の関係にあり，日本人の表現型は MNs（43.9％）が最も多く，次いで Ms（24.0％），Ns（20.8％）の順となっている．

1）遺伝子

　MNS血液型は，第4番染色体上の長腕に位置する2つの遺伝子により決定される．1つはM，N抗原が存在する1回膜貫通型蛋白である**グリコフォリンA**（glycophorin A；GPA）をコードする*GYPA*遺伝子，もう1つはS，s抗原が存在する1回膜貫通型蛋白である**グリコフォリンB**（glycophorin B；GPB）をコードする*GYPB*遺伝子である．この2つのグリコフォリンの遺伝子は，染色体上で近接し，連鎖している．

2）特徴

　MNS抗原はシアロ糖蛋白であり，ブロメリンやフィシンなどの蛋白分解酵素によって破壊され抗原性が失活する．そのため，抗体スクリーニングや同定検査などの検査に蛋白分解酵素法を用いた場合には，MNS抗原に対する抗体が存在するにもかかわらず陰性結果となることがあるため注意が必要である．逆に，蛋白分解酵素法によって陽性反応が陰性化すれば，これらの抗体の可能性が高いといえる．

　抗M，抗Nの多くは室温以下の低温で反応する自然抗体であるが，抗Nは抗Mに比べてその検出頻度が低い．一方，抗Sと抗sは一般的に抗ヒトグロブリン試験で検出される免疫抗体であるが，日本での抗sの報告はきわめて少ない．MNS系の抗体は量的効果を示し，特に抗M，抗Nはこの性質が強い．また，抗Mは生理食塩液法で反応する抗体として知られているが，そのなかで酸性領域でよく反応する例があり，この性質をもつ抗MをpH依存性抗M（pH-dependent-M）とよんでいる．

3）抗体の臨床的意義

　抗M，抗Nの多くはIgM型の自然抗体であり，臨床的意義は低いが，抗Mの高力価IgG型の免疫抗体が溶血性輸血反応や胎児・新生児溶血性疾患（HDFN）に関与することが報告されている．一方，抗S，抗sは免疫抗体であり，溶血性輸血反応を引き起こす可能性がある．しかし，抗sが検出されることはまれである．

5　P1PK血液型とGloboside（グロボシド）血液型

　1927年，LandsteinerとLevineによって，MNS血液型と同様にヒト赤血球をウサギに免疫して得られた抗体によって発見された血液型である．P1，P，P^k，LKEの4抗原が発見され，当初，P血液型系はP1抗原のみで，他のP，P^k，LKE抗原はグロボシドコレクション（Globoside collection）として分類されてきた．しかし近年，P1抗原とP^k抗原が同一の遺伝子により制御されていることが明らかとなり，P血液型はP1PK血液型と改称され，現在P1，P^k，NORの3抗原で構成されている．また，P抗原は，PX2およびExtB抗原とともにGloboside血液型（ISBT番号028）として分類されている．**表**

> **グリコフォリンA，B**
> *GYPA*遺伝子によってグリコフォリンAが，*GYPB*遺伝子によってグリコフォリンBがコードされ，代表的な抗原として前者にはM，N抗原が，後者にはS，s抗原がそれぞれ存在する．その特異性はアミノ酸の配列によって決定される．

表 5-Ⅵ-16　主要な P 関連血液型

表現型	抗体との反応				血清中の抗体	頻度（%）		
	抗 P1	抗 P	抗 P^k	抗 PP1P^k		日本人	白人	黒人
P$_1$（P1+P+）	+	+	(0)*	+	なし	31	79	94
P$_2$（P1−P+）	0	+	(0)*	+	ときに抗 P1	69	21	6
P$_1^k$（P1+P−P^k+）	+	0	+	+	抗 P			
P$_2^k$（P1−P−P^k+）	0	0	+	+	抗 P		きわめてまれ	
p（P1−P−P^k−）	0	0	0	0	抗 PP1P^k			

*凝集反応では検出できないが，ごく微量に存在する．
（内川誠：輸血学　改訂第4版. p.201, 中外医学社, 2018, 一部改変）

5-Ⅵ-16 には主要な P 関連抗原（P1, P, P^k の 3 抗原）における表現型（P$_1$, P$_2$, P$_1^k$, P$_2^k$, p）と各抗体との反応性を示した．P1 抗原は，P$_1$ と P$_1^k$ 血球に存在する．P$_1$ 型は抗 P1 との反応が陽性，P$_2$ 型は抗 P1 と陰性である．また，P1, P, P^k, LKE 抗原のいずれももたない表現型が p 型である．p 型のヒトには同型の p 型以外の P 関連抗原のいずれの表現型とも反応する抗 PP1P^k（抗 Tj^a）が存在する．抗 PP1P^k は抗 P1＋抗 P＋抗 P^k の混合抗体である．

1）特徴

P1 型物質を多く含むものに，包虫症嚢胞液，ハトやガチョウの卵があり，抗 P1 の抗体特異性を調べるときに活用されることがある．発作性寒冷ヘモグロビン尿症（PCH，→ p.88〜89, p.124）にみられる二相性の抗体[Donath-Landsteiner（D-L）抗体]は，ほとんどが抗 P（IgG 型）の特異性を示す．また，P 抗原はヒトパルボウイルス B19（→ p.71）のレセプターとして知られている．

2）抗体の臨床的意義

抗 P1 は P$_2$ 型のヒトが保有している抗体で，ほとんどが室温以下の低温度で反応する IgM 型の自然抗体であり，臨床的に問題となることはない．

まれな P^k 型（P$_1^k$, P$_2^k$）や p 型のヒトが，それぞれほぼ例外なく保有している抗 P や抗 PP1P^k（抗 P1＋抗 P＋抗 P^k）は補体結合性の自然抗体であり，溶血反応を起こす．また，p 型の妊婦においては，早期流産を繰り返す症例が多いため，注意が必要である．

6　Lutheran（ルセラン）血液型

1945 年，Callender と Race は SLE 患者血清中に抗 Lu^a を発見し，1956 年には Cutbush らが対立する抗 Lu^b を発見した．Lutheran 血液型は患者名（Lutteran）に由来する．現在 Lutheran 血液型には 28 抗原が認証されている．そのなかで Lu^a と Lu^b は主要な抗原であり，この 2 つの抗原の組合せで，

表5-Ⅵ-17 Lutheran血液型

表現型	抗体との反応		遺伝子型	頻度（％）	
	抗 Lu^a	抗 Lu^b		日本人	白人
Lu（a+b−）	+	0	Lu^a/Lu^a Lu^a/Lu	まれ	0.14
Lu（a+b+）	+	+	Lu^a/Lu^b	まれ	6.8
Lu（a−b+）	0	+	Lu^b/Lu^b Lu^b/Lu	ほぼ100	93.06
Lu（a−b−）	0	0	潜性（劣性）沈黙遺伝子 Lu/Lu 顕性（優性）抑制遺伝子 In (Lu) X染色体潜性（劣性）抑制遺伝子	きわめてまれ	まれ

（梶井英治：最新血液学．p.81, 南山堂, 1998；大久保康人：血液型と輸血検査 第2版. pp.65-68, 医歯薬出版, 1997, 一部改変）

Lu（a+b−），Lu（a+b+），Lu（a−b+），Lu（a−b−）型の4型が分類されている．日本人はほとんどがLu（a−b+）型であり，Lu^{a}抗原保有例のLu（a+b+）型は1家系が報告されているのみである．また，Lu（a−b−）型はきわめてまれな血液型であり，潜性（劣性）の沈黙遺伝子（silent gene）Lu のホモ個体によるもの，顕性（優性）の抑制遺伝子 In (Lu) によるものと，X染色体潜性（劣性）の抑制遺伝子によるものが知られている．日本人においては In (Lu) 遺伝子によるものが多いことが報告されている（表5-Ⅵ-17）．

> 沈黙遺伝子（silent gene）
> 沈黙遺伝子は，無定型（無形成）遺伝子ともよばれている．

> 抑制遺伝子 In (Lu)
> 「inhibitor of Lutheran」からきている．

1）遺伝子

Lu 遺伝子は第19番染色体の長腕上に位置し，15のエクソンからなり，分泌型の Se 遺伝子と連鎖している．

2）特徴

Lu 抗原は成人に比べ出生時には十分に発現していない．抗原活性は，蛋白分解酵素トリプシン，キモトリプシン，スルフヒドリルなどで失活する．

3）抗体の臨床的意義

抗 Lu^a は自然抗体あるいは免疫抗体として存在するが，両タイプとも生理食塩液法で検出されることが多い．一方，抗 Lu^b は IgG 型の免疫抗体であり，間接抗グロブリン試験によって検出されやすい．出生時の Lu 抗原発現は不十分であり，胎児・新生児溶血性疾患（HDFN）例はあまりない．また，軽度の遅発型を含む溶血性輸血反応を起こすこともあるが，きわめてまれである．

7 Kell（ケル）血液型

1946年，Coombs らが胎児・新生児溶血性疾患（HDFN）の児を分娩した

表5-Ⅵ-18 Kell血液型

表現型	抗体との反応		遺伝子型	頻度（％）		
	抗K	抗k		日本人	白人	黒人
K+k−	+	0	K/K	まれ	0.2	<0.1
K+k+	+	+	K/k	<0.1	9	2
K−k+	0	+	k/k	100	91	98

（内川誠：輸血学 改訂第4版. p.330, 中外医学社, 2018, 一部改変）

母親の血清中に抗Kを発見し，1949年にLavineらが対立する抗kを発見した．現在，Kell血液型はK, k, Kp^a, Kp^b, Ku, Js^a, Js^bなどの38抗原が認証されている．

日本人の主なKell血液型の表現型は，ほとんどがK−k+，Kp（a−b+），Js（a−b+）型であり，臨床的に問題となることは少ない．一方，白人では約90％がK−k+であるため，K抗原は臨床的に重要な血液型抗原であり，陰性者がK抗原陽性血によって抗Kが産生された場合，溶血性輸血反応や胎児・新生児溶血性疾患（HDFN）を引き起こす（表5-Ⅵ-18）．また，まれな血液型であるK_0型は，Kell血液型抗原をまったく発現しておらず，輸血や妊娠により抗Kuを産生することがある．日本人のK_0型の頻度は，0.003％程度である．抗Kuは溶血性輸血反応や胎児・新生児溶血性疾患（HDFN）の原因抗体となるため，抗Kuをもつ場合に適合血液の選択で苦慮する．

1）遺伝子

Kell血液型は第7番染色体の長腕上に位置し，19のエクソンからなる*KEL*遺伝子によって決定される．

2）特徴

Kell抗原は，2-AET（2-aminoethylisothiouronium bromide）またはDTT（dithiothreitol）で赤血球を処理することで破壊され，人工的にK_0型をつくることができ，Kellの関連抗体の確認を行うことが可能である．

3）抗体の臨床的意義

K抗原は，白人ではわが国のDiego血液型に匹敵するほど重要な血液型抗原であるが，日本人では抗原頻度に偏りがあるため，K_0型のヒトがもつ抗Ku以外には臨床的に問題となることはほとんどない．

8 Lewis（ルイス）血液型

1946年，Mourantらが輸血を受けた患者血清中に抗Le^aを発見し，1948年にAndresenらが抗Le^bを発見した．これらの抗体により，Lewis血液型は

表 5-Ⅵ-19　Lewis 血液型と型物質の関係

表現型	遺伝子		唾液中の型物質		頻度（%）			型物質の分泌
	Le	*Se*	ABH	Lewis	日本人	白人	黒人	
Le (a+b−)	*Le/Le* *Le/le*	*se/se*	なし	Le^a	0.2	22	23	非分泌型
Le (a+b−)*	*Le/Le* *Le/le*	*Se^w/se* *Se^w/Se^w*	微量（?）	Le^a Le^b（微量）	16.8	0	0	
Le (a−b+)	*Le/Le* *Le/le*	*Se/Se* *Se/Se^w* *Se/se*	A, B, H	Le^a（少量） Le^b	73.0	72	55	分泌型
Le (a−b−)	*le/le*	*Se/Se* *Se/Se^w* *Se/se*	A, B, H	なし	8.5	6	22	分泌型
Le (a−b−)	*le/le*	*se/se* *Se^w/se* *Se^w/Se^w*	なし〜微量（?）	なし	1.5			非分泌型

*Se^w 遺伝子をもつ個体の赤血球では，高力価の抗 Le^b 試薬によって Le（a+b+^{w}）と判定されることがある
（内川誠：輸血学　改訂第 4 版．p.164，中外医学社，2018，一部改変）

Le（a+b−），Le（a−b+），Le（a−b−）型の 3 通りの表現型に分類された．また，同年に Grubb が Le（a+）型が ABH 型物質の非分泌型に一致することを明らかにし，Lewis 血液型と分泌型・非分泌型との間に密接な関係があることが報告された（**表 5-Ⅵ-19**）．

1）遺伝子

Lewis 血液型は，第 19 番染色体短腕上の *LE*（*FUT3*）および *Se* 遺伝子座（*FUT2*）におけるそれぞれの 2 対の対立遺伝子，*Le* と *le* 遺伝子あるいは *Se* と *se* 遺伝子によってコードされる 2 種類のフコース糖転移酵素によって決定される．

Le 遺伝子産物であるフコース糖転移酵素（FUT3）によって，**Ⅰ型の前駆体糖鎖**の *N*-アセチルグルコサミンに *L*-フコースが α（1, 4）結合で転移されることで Le^a 抗原がつくられる（→ p.207）．一方，*Se* 遺伝子産物であるフコース糖転移酵素（FUT2）は，前駆体糖鎖の末端の *D*-ガラクトースに *L*-フコースを α（1, 2）結合で転移し，その後 FUT3 によって *N*-アセチルグルコサミンに *L*-フコースを α（1, 4）結合で転移されることで Le^b 抗原がつくられる．つまり，*Le* 遺伝子のみであれば Le^a 抗原が，*Se* 遺伝子と *Le* 遺伝子の両者が働くと Le^b 抗原がつくられ，*Se* 遺伝子のみであれば Le^a 抗原も Le^b 抗原もつくられない（**図 5-Ⅵ-17**）．

日本人の Le（a+b−）型の多くが，*Se* 遺伝子の変異型である *Se^w* 遺伝子をもつ頻度が高い．*Se^w* 遺伝子によってコードされる Se 酵素はその酵素活性が低く，結果としてわずかな Le^b 抗原しか生合成することができない．しかし，高力価の抗 Le^b 試薬によって Le（a+b+^{w}）と判定されることがある．

Ⅰ型の前駆体糖鎖
A, B, H 型物質と Lewis の抗原決定基は共通の糖鎖をもっているが，その前駆体糖鎖は，末端の糖 *D*-ガラクトースと *N*-アセチルグルコサミンが β1, 3 結合した Ⅰ 型糖鎖である．

Ⅱ型の前駆体糖鎖
赤血球膜上の ABO（H）抗原の前駆体糖鎖は末端の糖 *D*-ガラクトースと *N*-アセチルグルコサミンが β1, 4 結合した Ⅱ 型糖鎖である．

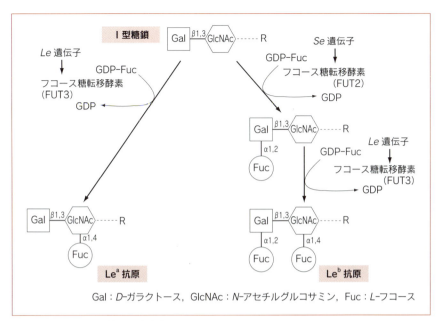

図 5-Ⅵ-17　Lewis 抗原の生合成

2) 特徴

　赤血球膜上の Lewis 抗原は，赤血球で生合成された抗原でなく，血漿中の Lewis 抗原をもつスフィンゴ糖脂質が吸着したものである．新生児は Le（a−b−）型が多いが，乳児では Le（a+）型の頻度が高く，Le（b+）型の頻度は低い．乳児期には一時的に Le（a+b+）型と判定されることがあるが，成人になると Le（a−b+）型に移行していくものが多い．

　抗 Le^a はほとんどが室温以下の低温域で反応するが，なかには 37℃で反応するものもあり，補体結合性で溶血活性を認めることがある．また，フィシン処理血球（2 段法）を用いると，特異的に溶血反応を起こしやすい．臍帯血は抗 Le^x（抗 Le^a，抗 Le^b に分けることができない抗体）に反応する．

> **Lewis 血液型と CA19-9**
> 腫瘍マーカーの CA19-9 は，Le^a 抗原がシアリル化されたシアリル Le^a 抗原であり，Le 遺伝子をもたない Le（a−b−）型のヒトでは，通常は産生されない（→p.207 の図 4-Ⅴ-2）．

3) 抗体の臨床的意義

　Lewis 血液型の抗体は，通常低温で反応する IgM 型の自然抗体であるが，37℃で活性を示す抗 Le^a は溶血性輸血反応に関与するため，臨床的意義をもつ．一方，抗 Le^b のほとんどが O 型や A_2 型の Le（b+）と強く反応する抗 Le^{bH} であり，抗体保有者と ABO 血液型が同型の血液を用いると反応しないことが多く，低温性の自然抗体がほとんどであるため臨床的意義は低い．

9　Duffy（ダフィ）血液型

　1950 年，Cutbush らが頻回輸血を受けた血友病の患者血清中に新しい抗体（抗 Fy^a）を発見し，その翌年の 1951 年に Iikn らが抗 Fy^b を発見した．これ

表 5-Ⅵ-20　Duffy 血液型

表現型	抗体との反応		遺伝子型	頻度（%）		
	抗 Fy^a	抗 Fy^b		日本人	白人	黒人
Fy (a+b−)	+	0	Fy^a/Fy^a, Fy^a/Fy	80	20	10
Fy (a+b+)	+	+	Fy^a/Fy^b	19	48	3
Fy (a−b+)	0	+	Fy^b/Fy^b, Fy^b/Fy	1	32	20
Fy (a−b−)	0	0	Fy/Fy	0	0	67

（内川誠：輸血学　改訂第4版．p.262，中外医学社，2018，一部改変）

らの抗体に対応する血液型を患者名から Duffy 血液型と命名し，現在では5種類の抗原（Fy^a, Fy^b, Fy3, Fy5, Fy6）が認証されている．このなかで臨床上重要となる抗原は Fy^a と Fy^b 抗原であり，抗 Fy^a，抗 Fy^b によって，Duffy 血液型は Fy (a+b−)，Fy (a+b+)，Fy (a−b+)，Fy (a−b−) の4型に分類されている．

日本人では Fy (a+b−) 型と Fy (a+b+) 型の2つで約99%を占める（**表 5-Ⅵ-20**）．また，Fy (a−b+) 型および Fy (a−b−) 型は非常にまれであり，日本赤十字社で決めている「まれな血液型」のⅡ群とⅠ群にそれぞれ分類されている．

1）遺伝子

Duffy 血液型は第1番染色体の長腕上に位置し，2つのエクソンからなる *FY*（*ACKR1*）遺伝子によって決定される．Fy^a と Fy^b 抗原を決定する *Fy^a* と *Fy^b* 対立遺伝子は，エクソン2の125番目の1塩基（G125A）が異なるだけであるが，この違いで Fy^a 抗原では42番目のアミノ酸がグリシン，Fy^b 抗原ではアスパラギン酸となり，それぞれの抗原性が異なる．

2）特徴

Duffy 抗原は7回膜貫通型の糖蛋白であり，蛋白分解酵素（ブロメリン，フィシン，パパインなど）処理によって破壊され抗原性が失活するため，抗体が存在していても蛋白分解酵素法では反応しない．しかし，この性質を利用して抗体特異性を決定することができる．赤血球膜上の Duffy 抗原に三日熱マラリア原虫が結合し，赤血球内に侵入するため，Fy (a−b−) 型は三日熱マラリア原虫の感染に抵抗性を示す．また，Duffy 抗原は IL-8 などのケモカイン受容体として機能していることが報告されている．

3）抗体の臨床的意義

抗 Fy^a，抗 Fy^b の抗体はほとんどが IgG 型の免疫抗体であり，間接抗グロブリン試験でよく検出され，量的効果を示す抗体である．また，抗 Fy^b には自

表5-VI-21 Kidd血液型

表現型	抗体との反応		遺伝子型	頻度(%)		
	抗Jk^a	抗Jk^b		日本人	白人	黒人
Jk(a+b−)	+	0	Jk^a/Jk^a, Jk^a/Jk	22.4	26	52
Jk(a+b+)	+	+	Jk^a/Jk^b	50.4	50	40
Jk(a−b+)	0	+	Jk^b/Jk^b, Jk^b/Jk	27.2	24	8
Jk(a−b−)	0	0	Jk/Jk	ごくまれ		

(内川誠:輸血学 改訂第4版. p.347, 中外医学社, 2018, 一部改変)

然抗体例も多い.両抗体ともに溶血性輸血反応や胎児・新生児溶血性疾患（HDFN）に関与する.

10 Kidd（キッド）血液型

1951年,Allenらは胎児・新生児溶血性疾患（HDFN）の児を分娩したKidd婦人の血清中に抗体を発見し,その抗体を児の名前（John Kidd）から抗Jk^a,血液型をKiddと命名した.その後1953年にPlautが対立する抗Jk^{b}を発見した.抗Jk^a,抗Jk^{b}によって,Kidd血液型はJk(a+b−),Jk(a+b+),Jk(a−b+),Jk(a−b−)の4型に分類されている（**表5-VI-21**）.1959年,はじめてJk(a−b−)型が2児の母親に発見されたが,その女性の血清中には抗Jk^{a}と抗Jk^{b}に分けることができない抗体が見出され,後に抗Jk3と命名された.現在,Kidd血液型は3抗原（Jk^a,Jk^b,Jk3）が認証されている.

Jk(a−b−)型はまれな血液型であり,その遺伝的背景には2つのタイプがある.1つは潜性（劣性）の沈黙遺伝子 *Jk* をホモ個体としてもつ場合で,大半はこの *Jk/Jk* 型によるものが占めている.日本人では約0.002%（約5万人に1人）であるが,ポリネシア人では約0.27%と比較的多いことが報告されている.他の1つは大久保らによって見出された顕性（優性）の抑制遺伝子 *In*（*Jk*）によるものが報告されている.

1）遺伝子

Kidd血液型は,第18番染色体の長腕上に位置する11のエクソンからなる *JK*（*SLC14A1*）遺伝子によって決定される.Jk^{a}抗原とJk^{b}抗原を決定する *Jk^a* と *Jk^b* 対立遺伝子は,エクソン9の838番目の1塩基（G838A）が異なるだけであるが,この違いでJk^{a}抗原では280番目のアミノ酸がアスパラギン酸,Jk^{b}抗原ではアスパラギンとなり,それぞれの抗原性が異なる.

2）特徴

Kidd抗原は10回膜貫通型の糖蛋白であり,赤血球の尿素輸送体としての機能をもつ抗原である.また,Kidd抗原に対する抗体の反応性は,蛋白分解

大久保康人（1931〜）

顕性（優性）の抑制遺伝子 *In*（*Jk*）のJk(a−b−)型をはじめとする多くの血液型の発見者.

表 5-Ⅵ-22　Diego 血液型

表現型	抗体との反応		遺伝子型	頻度（%）		
	抗 Di^a	抗 Di^b		日本人	白人	黒人
Di（a+b−）	+	0	Di^a/Di^a	0.2	まれ	まれ
Di（a+b+）	+	+	Di^a/Di^b	9.0	まれ	まれ
Di（a−b+）	0	+	Di^b/Di^b	90.8	100	100

（内川誠：輸血学．改訂第 4 版．p.318, 中外医学社, 2018, 一部改変）

酵素（ブロメリン，フィシン，パパインなど）処理によって高まる．

Jk（a−b−）型の赤血球は，2 mol/L 尿素による溶血に抵抗性を示し，潜性（劣性）の沈黙遺伝子 Jk 遺伝子のホモ個体＞顕性（優性）の抑制遺伝子 In（Jk）による個体＞通常の Kidd 遺伝子の個体，の順にその抵抗性が弱くなることが報告されている．

3）抗体の臨床的意義

抗 Jk^a，抗 Jk^b の抗体はほとんどが IgG 型の免疫抗体であり，間接抗グロブリン試験でよく検出され，量的効果を示す．両抗体ともに遅発性溶血性輸血反応，軽度の胎児・新生児溶血性疾患（HDFN）に関与する．抗 Jk3 は潜性（劣性）の沈黙遺伝子 Jk 遺伝子のホモ個体のヒトにみられる免疫抗体で，抗体保有者の輸血には同型の Jk（a−b−）型が必要とされる．

11　Diego（ディエゴ）血液型

1955 年，Layrisse らは胎児・新生児溶血性疾患（HDFN）の児を分娩した母親血清中に抗体を発見し，抗 Di^a と命名した．その後 1967 年に Thompson らが対立する抗体（抗 Di^b）を発見した．これらの抗体によって，Diego 血液型は Di（a+b−），Di（a+b+），Di（a−b+）の 3 型に分類されている（表 5-Ⅵ-22）．現在，Diego 血液型は Di^a/Di^b，Wr^a/Wr^b の 2 対の対立抗原に加えて，SW^a，NFLD 抗原などの 23 抗原が認証されているが，日本人において臨床上重要となる抗原は，Di^a と Di^b 抗原である．

1）遺伝子

Diego 血液型は第 17 染色体の長腕上に位置する 20 のエクソンからなる DI（SLC4A1）遺伝子によって決定される．Di^a と Di^b 抗原を決定する Di^a と Di^b 対立遺伝子は，エクソン 20 の 2561 番目の 1 塩基（T2561C）が異なるだけであるが，この違いで Di^a 抗原では 854 番目のアミノ酸がロイシン，Di^b 抗原ではプロリンとなり，それぞれの抗原性が異なる．

2）特徴

Di^a と Di^b 抗原は主要な赤血球膜糖蛋白であるバンド3蛋白に存在する．Di^a 抗原は蒙古系の民族（アメリカインディアンなどの南北アメリカ先住民を含む）に多い血液型であり，白人や黒人ではきわめてまれである．日本人では約10％の頻度でDi（a+）がみつかる．また，不規則抗体スクリーニング・同定検査に用いる外国製の市販パネルセルには，このDi^a 抗原を含まない製品が多いため，検査用パネルセルには必ずDi^a 抗原陽性血球を含めることが重要である．

3）抗体の臨床的意義

抗Di^a や抗Di^b はIgG型の免疫抗体の性質を示し，間接抗グロブリン試験で検出される例がほとんどであるが，抗Di^a には自然抗体も存在する．また，抗Di^a や抗Di^b は溶血性輸血反応や胎児・新生児溶血性疾患（HDFN）の原因抗体となる．抗Di^b 陽性者への輸血には，まれな血液型であるDi（a+b−）型の血液が必要である．

> **バンド3蛋白**
> 14回赤血球膜貫通型糖蛋白であり，赤血球形態維持と陰イオン交換体（anion exchanger 1：AE1）としての機能をもっている．

12　I血液型

1956年，Wienerらは高力価の寒冷凝集素との反応が弱い赤血球があることを発見し，これをi型，普通に反応する赤血球をI型と名づけ，i型における抗体を抗Iとした．その後，1961年Marshがi型と強く反応する抗iを発見した．2002年，I抗原からなるI血液型は血液型システム（ISBT番号027）として独立し，現在i抗原はコレクションに分類されている．

1）遺伝子

I血液型は第6番染色体の短腕上に位置し，3つのエクソンからなる*I*遺伝子によって決定される．

2）特徴

臍帯血では成人血球に比べてi抗原量が多いが，成人になるにつれてI抗原量が増加し，それに伴ってi抗原量が減少する．しかし，なかにはiからIに移行しないでi型のままで推移することがある．これがまれな血液型i型であり，同種抗体の抗Iをもち，わが国では先天性白内障患者であることが多い．また，臍帯血はI抗原が未発達であり，抗Iとの反応は弱く，抗iと強く反応するので一見i型にみえるため，成人i型と区別する目的で臍帯血球をcord iとし，成人i型血球をadult iとよんでいる．

3）抗体の臨床的意義

抗Iには成人i型のヒトがもつ同種抗IとI抗原陽性者がもつ自己抗Iがある．同種抗IはIgM型で補体結合性があり，輸血は同型である必要がある．

表 5-Ⅵ-23 Xg 血液型

表現型	性別	抗体との反応 抗 Xg^a	遺伝子型	頻度（％） 日本人	頻度（％） 白人
Xg^a (a+)	男	+	Xg^a/Y	69.4	65.6
Xg^a (a+)	女	+	Xg^a/Xg^a, Xg^a/Xg	88.8	88.7
Xg^a (a−)	男	0	Xg/Y	30.6	34.4
Xg^a (a−)	女	0	Xg/Xg	11.2	11.3

（内川誠：輸血学 改訂第 4 版. p.387, 中外医学社, 2018, 一部改変）

一方，自己抗 I は正常血漿（血清）中に存在する寒冷凝集素であり，IgM 型で低温性の自己抗体がほとんどであるため，臨床的に問題となることは少ない．しかし，寒冷凝集素症や自己免疫性溶血性貧血にみられる自己抗 I は力価も高く，補体結合性で反応温度幅（30℃以上でも反応）も広いことから，臨床的に意義がある．また，抗 i は伝染性単核球症の患者に一過性に検出されることがある（➡ p.118）．

13 Xg 血液型

1962 年，Mann らは頻回輸血を受けた男性患者血清中に抗 Xg^a を発見し，この抗体と反応する抗原を Xg^a 抗原と名づけた．Xg^a 抗原は X 染色体上の遺伝子によってコードされていることから，X 染色体の X と発見された地名（Grand Rapids）の頭文字 G から Xg 血液型と命名された．現在，Xg 血液型は 2 種類の抗原（Xg^a, CD99）が認証されている．Xg 血液型は Xg（a+）と Xg（a−）に分類され，Xg（a+）は X 染色体上にあるため男性（XY）よりも女性（XX）に多く認められる（**表 5-Ⅵ-23**）．

1) 遺伝子

Xg 血液型は X 染色体の短腕上に位置する 10 のエクソンからなる *XG* 遺伝子によって決定される．Xg^a の対立遺伝子は *Xg* と表記されており，Xg^a が顕性（優性）である．*XG* 遺伝子と CD99 を決定する *MIC2* 遺伝子は密に連鎖している．

2) 特徴

Xg^a 抗原は糖蛋白であり，ブロメリンやフィシンなどの蛋白分解酵素によって破壊され抗原性が失活するため，抗体が存在していても蛋白分解酵素法では反応しない．この性質が抗体特異性に利用されることがある．

3) 抗体の臨床的意義

Xg^a 抗原の免疫原性はさほど強くなく，抗体の検出例は多くない．抗 Xg^a は

表 5-Ⅵ-24　日本におけるまれな血液型

血液型名	まれな表現型	
	Ⅰ群	Ⅱ群
ABO, H	Bombay, para-Bombay	
MNS	M^k/M^k, MiV/MiV, N^{sat}/N^{sat}, En (a−), S−s−U−	s−
P1PK, Globoside	P^k, p	
Rh	D−−, Dc−, Rh_{null}, Rh_{mod}	
Lutheran	Lu (a−b−), In (Lu)	
Kell	k−, Kp (a+b−), Kp (a−b−), K_0, K14−, Kmod	
Duffy	Fy (a−b−)	Fy (a−b+)
Kidd	Jk (a−b−)	
Dombrock	Gy (a−)	Do (a+b−)
Kx	Kx−(McLeod)	
Landsteiner-Wiener	LW (a−b−)	
Gerbich	Ge：−2, −3	
Cromer	IFC−, UMC−, Dr (a−)	
Ok	Ok (a−)	
John Milton Hagen	JMH−	
I	I−	
Lan	Lan−	
Er	Er (a−)	
Diego		Di (a+b−)
JR		Jr (a−)

（谷慶彦：新版 日本輸血・細胞治療学会認定医制度指定カリキュラム．p.73，2012，一部改変）

自然抗体と考えられるものも多く，その検出例は男性からの報告例が多い．また，抗 Xg^a のほとんどは間接抗ヒトグロブリン試験によって検出されるが，溶血性輸血反応の原因とならず臨床的な意義は低いとされている．

14　高頻度抗原と低頻度抗原

　2023 年 7 月現在，国際輸血学会（ISBT）によって 45 血液型系列 360 抗原が認証されている．その他の抗原として，血液型系列の認証に必要な条件を満たしていない抗原群があり，抗原の陽性頻度が 99％ 以上の血液型抗原が高頻度抗原（901 シリーズ：AnWj, ABTI, LKE の 3 抗原）として分類されている．高頻度抗原を欠く血液型における輸血では，適合血液の選択で苦慮することから高頻度抗原陰性血は「まれな血液型」として扱われている．一方，抗原の陽性頻度が 1％ 未満の血液型抗原は低頻度抗原（700 シリーズ：By, Chr^a, Bi, Bx^a を含む 16 抗原）として分類されている．低頻度抗原に対する抗体産

生が原因と考えられる胎児・新生児溶血性疾患（HDFN）の症例が報告されているが，低頻度抗原が輸血においては特に問題となることはない．

15 まれな血液型

「まれな血液型」とは，その出現頻度がおおむね1％以下であり，輸血時に適合血を得ることがむずかしい血液型をいう．その検出例がきわめて少なく，日本赤十字社血液センターでは検出頻度が100人に1人から数千人に1人程度までをII群，これ以上検出頻度が低いものをI群として大別している．表5-VI-24にわが国で見出された「まれな血液型」の主なものを示した．前述の高頻度抗原を欠くもののうち，臨床上適合血液の確保が必要とされる表現型については「まれな血液型」として扱われている．日本赤十字社の各血液センターでは，自動血液型分析装置にモノクローナル抗体を用いた抗原スクリーニングの実施により，D--，K_0，Jr（a−）などの「まれな血液型」の検出・確保が行われている．

日本人では，特にJr（a−）型の血液使用量が多い．検出された「まれな血液型」の血液は，−80℃以下で冷凍血液（現行の規則では10年間の有効期間が認められている）として保管し，患者の必要に応じて融解，使用されている．また，これらの血液型の献血者が見出されると，血液センターに登録されている．

Ⅶ 抗赤血球抗体検査

〈到達目標〉
(1) 不規則抗体検査の特徴とその判定法について説明できる．
(2) 主な血液型抗体の反応態度について説明できる．
(3) 直接抗グロブリン試験と間接抗グロブリン試験の違いとそれぞれの適応について説明できる．

1 規則抗体と不規則抗体

ABO血液型における抗A，抗Bは，Landsteinerの法則により規則的に検出され，**規則抗体**（regular antibody）とよばれるのに対して，それ以外の赤血球抗原に対する抗体は**不規則抗体**（irregular antibody）とよばれる．不規則抗体には，輸血・妊娠・移植により産生される**免疫抗体**（主としてIgG型抗体）と，明らかな免疫刺激のない人から検出される**自然抗体**（主としてIgM型抗体）がある．

患者・供血者・妊婦の血漿（血清）中に含まれる不規則抗体は溶血を引き起こす原因となるため，その有無を事前に検査することは，安全な輸血や適合血液の確保，血液型不適合による胎児・新生児溶血性疾患（HDFN）の予知と対策に重要な意義をもつ．

> **Landsteinerの法則**
> 血漿（血清）中には，自己の赤血球が保有する抗原とは反応しない抗体が，規則的に存在する（➡p.270）．

> **安全な輸血や適合血液の確保**
> 不規則抗体に対して対応抗原陰性血を選択する．

2 完全抗体と不完全抗体 （➡ p.313 の図5-Ⅶ-2）

1) 完全抗体（complete antibody）

生理食塩液中で，抗原と反応して凝集塊や沈降物をつくることができる抗体を完全抗体という．通常，IgM型抗体は完全抗体である．

2) 不完全抗体（incomplete antibody）

生理食塩液中で，抗原と結合するが，凝集塊や沈降物をつくることができない抗体を不完全抗体という．通常，IgG型抗体は不完全抗体である．血液型抗原に対する免疫抗体の多くは不完全抗体であり，輸血検査の際に問題となる．後述の抗ヒトグロブリン試薬，蛋白分解酵素（ブロメリン，フィシンなど），高濃度膠質溶液（主にアルブミン溶液）を用いた反応により検出される．

> **血液型不適合による胎児・新生児溶血性疾患（HDFN）**
> 妊娠や輸血によって生じた母親由来の免疫抗体が，胎盤を通じて胎児や新生児の赤血球と反応して生じる病態．原因となる血液型は主にABOとRhであり，それ以外の血液型も若干報告されている（➡5章-Ⅻ）．

3 不規則抗体検査法

不規則抗体検査には，不規則抗体スクリーニングと，それが陽性の場合に抗体の特異性を明らかにする不規則抗体同定検査（➡p.317）がある．不規則抗体同定検査により，同定された抗体が溶血性輸血反応や胎児・新生児溶血性疾

> **臨床的意義の高い不規則抗体**
> 輸血による溶血性反応や血液型不適合による胎児・新生児溶血性疾患（HDFN）など生体内で溶血を引き起こす可能性のある抗体のこと．特に，Rh, Duffy, Kidd, Ss, Diego, Kell抗体．他には，抗Leと抗M.

患（HDFN）の原因となるか否か，また，輸血適合血が容易に得られるか否か，を判断できる．

不規則抗体検査法のなかで，間接抗グロブリン試験は臨床的意義の高い不規則抗体を多く検出できるため，最も信頼され欠かすことのできない検査法である．

その他の方法として，生理食塩液法，蛋白分解酵素法，アルブミン法があり，不規則抗体を検出する際に有効な場合がある．しかし，これらの方法は非特異的反応を起こしやすい．さらに，臨床的意義のある一部の抗体を検出できないため，不規則抗体スクリーニングで実施する意義は低い．また，これらの方法を単独で用いてはならない．

1）検体

① 輸血前検査に使用できる検体（血漿あるいは血清）の保管期間は，4℃で保管した場合，採血から1週間を限度とする．ただし，過去3カ月以内に輸血歴や妊娠歴のある患者では，輸血予定日の3日前以内を目安に採血する．

② 全血での冷蔵保存は避け，血漿（血清）を分離し，保存する．全血保冷では血液中に存在する寒冷凝集素（特に自己抗I）と補体成分（C3，C4）が赤血球に結合する．寒冷凝集素は37℃に加温すると解離するが，一度結合した補体は解離しないので，血液中の補体低下により，補体結合性のある一部のIgG型抗体（抗Jk^a，抗Jk^b，抗Fy^a，抗Fy^{b}など）が検出されないことがある．

③ 血漿（血清）は不活化してはならない．補体が不活化されると，補体結合性のある一部のIgG型抗体が検出されないことがある．

2）不規則抗体スクリーニング赤血球

不規則抗体スクリーニング赤血球は，O型ヒト赤血球2〜4本を1セットとした血球試薬である．これらには，Rh，Duffy，Kidd，Lewis，MNSs，P1PK，などの血液型抗原が含まれる．血球試薬にはできるだけ多くの血液型抗原が含まれることが望ましいが，Di^{a}抗原は含まれていないことがある．日本人に比較的見出される抗Di^{a}を検出するためには，Di^{a}抗原を含む血球試薬を選択する必要がある．また，**量的効果**を示す抗原に対する抗体（Rh，Duffy，Kidd，MNSs抗体など）の検出感度を高めるために，抗原量の多いホモ接合赤血球を用いることが望ましい．

3）不規則抗体スクリーニングの実際

不規則抗体スクリーニングには，生理食塩液法から蛋白分解酵素法へ移行する系と，間接抗グロブリン試験がある（図5-Ⅶ-1）．

量的効果
（dosage effect）
特定の血液型では，抗原をコードしている遺伝子がホモ接合体の赤血球の場合，ヘテロ接合体の赤血球に比べ，約2倍量の抗原が発現している．そのため，ホモ接合体の赤血球は，対応する抗体と強く反応する．

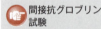
間接抗グロブリン試験
生理食塩液法から間接抗グロブリン試験を行う場合もあり，実際はこの方法がよく用いられている．なお，不規則抗体スクリーニングにおいては，十分な精度管理を行えば間接抗グロブリン試験を単独で用いることができる．

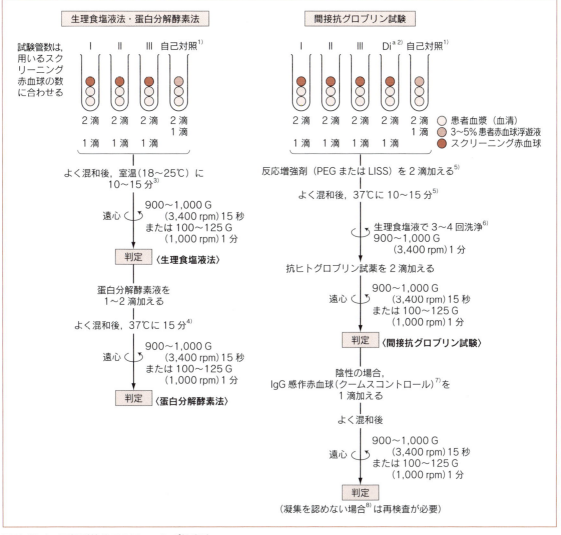

図 5-Ⅶ-1　不規則抗体スクリーニング検査法
[1] スクリーニングでは自己対照を含める必要はない．同定検査では必要である．
[2] スクリーニング赤血球は Di^a 抗原を含む必要があるが，別に Di^a 抗原を含んだスクリーニング赤血球を用意してもよい．
[3] 必ずしも室温に放置する必要はなく，次の操作に進んでもよい．
[4] 加温時間が長すぎると蛋白分解酵素活性が下がり，抗体検出感度が低下するので注意する．
[5] 冷式抗体によって，生理食塩液法のみならず反応増強剤を加えた間接抗グロブリン試験でも陽性になることがある．その場合は，反応増強剤無添加の間接抗グロブリン試験（37℃に 60 分）を試みる．
[6] 洗浄は十分に行い，最終の洗浄後は生理食塩液を完全に除く．洗浄が不十分な場合，残った血漿（血清）中の蛋白（グロブリン）によりあとから加える抗ヒトグロブリン試薬が中和され，偽陰性を呈することがある．
[7] 抗グロブリン試験（クームス試験）陰性を確認するための赤血球．抗ヒトグロブリン試薬の抗 IgG 活性を証明するために，O 型 RhD 陽性（プール）赤血球に抗 D（IgG）を感作したもので，抗ヒトグロブリン試薬と反応して凝集する．つまり，凝集が認められれば，操作および試薬が適切であったことを示す．
[8] 原因としては次のようなことが考えられる．
　①洗浄が不十分であり，抗ヒトグロブリン試薬が中和された．
　②抗ヒトグロブリン試薬の入れ忘れか，それが不活性なものであった．
　③IgG 感作赤血球（クームスコントロール）の入れ忘れか，それが古くなり，不活性なものであった．

4 不規則抗体検査の特徴，結果の解釈

1）生理食塩液法（図5-Ⅶ-1）
(1) 特徴

主としてIgM型抗体である冷式抗体［抗Le^a，抗Le^b，抗M，抗N，抗P1，抗P，抗$PP1P^k$（抗Tj^a），抗H，抗Iなど］を検出できるが，輸血副反応を引き起こすIgG型抗体を検出することはできない．

(2) 結果の解釈（表5-Ⅶ-1）

①生理食塩液法により25℃以下で検出される不規則抗体（上記の冷式抗体）は臨床的意義が低いとされているが，37℃で活性を示し，他の方法（特に，間接抗グロブリン試験）においても検出される抗体［抗Le^a，抗M，抗P，抗$PP1P^k$（抗Tj^a）抗体など］は，溶血性輸血反応を引き起こす原因となるため注意が必要である．

②自己対照に凝集がみられる場合，寒冷凝集反応や連銭形成などによる非特異的反応が疑われる．

2）蛋白分解酵素法（図5-Ⅶ-1）
(1) 特徴

蛋白分解酵素は赤血球膜上のシアル糖蛋白に作用し，負に荷電しているシアル酸（N-アセチルノイラミン酸）を減少，除去することで赤血球表面の電気二重層界面電位（ゼータ電位）を低下させる．その結果，赤血球間の反発力が弱まり，IgG型抗体が赤血球間を架橋できる距離に縮まり凝集が起きるようになる（→p.117）．特に，臨床的意義の高いRh抗体がよく検出される．しかし，赤血球の酵素処理により，抗原構造の一部としてシアル酸をもつDuffy，MNSs，Xg血液型抗原が破壊され，これらに対する抗体は検出できなくなる．そのため，通常，生理食塩液法のあとに行う．なお，蛋白分解酵素のなかでフィシンが最も電気二重層界面電位を下げるが，ブロメリンを用いる方法は手技が簡単で比較的短時間で実施できるため，わが国では広く用いられている．

(2) 結果の解釈（表5-Ⅶ-1）

①抗D，抗C，抗c，抗E，抗e，抗P，抗$PP1P^k$（抗Tj^a）などの検出に有効である．なかでも，産生初期の抗Eの検出感度は高い．

②抗Fy^a，抗Fy^b，抗M，抗N，抗S，抗s，抗Xg^aなどは検出できない．

③シアル酸を除去することで，冷式抗体（特に自己抗I）が赤血球に結合する非特異的反応が出現しやすくなるため，反応温度の低下には注意が必要である．

④自己対照に凝集がみられる場合，ブロメリンによる非特異的反応が疑われる．なお，この場合はスクリーニング赤血球を用いた試験管にも同程度の凝集が認められるので，鑑別の一助となる．

寒冷凝集反応

低温下では，寒冷凝集素（特に自己抗I）によって自己赤血球が凝集する．37℃，30分間の加温により寒冷凝集素は解離するので凝集反応は消失する（→p.118）．

連銭形成

血漿の成分変化に起因し，疾患によるもの［高γ-グロブリン血症（多発性骨髄腫，マクログロブリン血症など）や高フィブリノゲン血症など］と，高分子溶液（デキストランなど）の輸注によるものがある．陰性荷電の赤血球表面に高分子が付着すると血球間の反発力が減弱して赤血球は互いに接触し，顕微鏡下でコインを積み重ねたような像（連銭形成）を示す．血漿（血清）と等量の生理食塩液を加えることにより連銭形成は消失する．

ブロメリン法

1段法［被検血漿（血清）と赤血球の反応に直接ブロメリンを加えて反応させる方法：図5-Ⅶ-1］と2段法（赤血球をあらかじめブロメリンで処理したあとに被検血漿（血清）と反応させる方法）がある．2段法は1段法より抗体検出感度は高いが，赤血球をあらかじめブロメリンで処理する手間がかかるため，日常検査ではほとんど採用されていない．

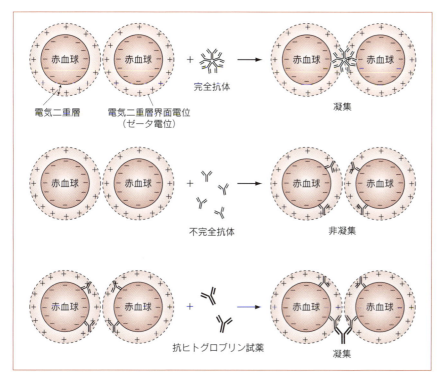

図 5-Ⅶ-2　間接抗グロブリン試験の原理
生理食塩液中で，完全抗体（通常 IgM 型抗体）は赤血球と結合して凝集を起こすことができるが（上段），不完全抗体（通常 IgG 型抗体）は赤血球と結合しても凝集を起こすことができない（中段）．しかし，不完全抗体が結合した赤血球に抗ヒトグロブリン試薬を加えると，赤血球表面の不完全抗体と抗ヒトグロブリン試薬が反応して凝集する（下段）．

3）間接抗グロブリン試験（図 5-Ⅶ-1，2）

(1) 特徴

　血漿（血清）中に存在する IgG 型不規則抗体は，間接抗グロブリン試験（indirect anti-globulin test；IAT）により最もよく検出される．臨床的意義の高い不規則抗体は輸血や妊娠時に問題となる抗体であり，生体内（37℃）で溶血を引き起こす．それらの多くは間接抗グロブリン試験陽性となる．なかでも，Duffy, Kidd, Ss, Diego, Kell 抗体は間接抗グロブリン試験でしか検出されない．したがって，輸血検査において間接抗グロブリン試験はきわめて重要な検査法である．

　被検血漿（血清）と既知血液型抗原を有する赤血球試薬（スクリーニング赤血球）を 37℃で反応させ，赤血球抗原に被検血漿（血清）中の IgG 型抗体を感作させたあと，抗ヒトグロブリン試薬を加えると凝集が起きる．

　なお，反応増強剤としてポリエチレングリコール（polyethylene glycol；PEG）や低イオン強度溶液（low ionic strength solution；LISS）を用いると，反応時間が 10〜15 分に短縮し，検出感度が高まる．

 PEG
赤血球膜表面や血漿（血清）蛋白の親水性分子の周りには水分子が引き寄せられて水和水の殻を形成している．PEG はそれらの水分子を除くため（この脱水作用は「立体的排他現象」とよばれる），赤血球抗原と抗体分子が互いに接近しやすくなり，相互に反応する機会が増える．その結果，血球に IgG 型抗体が結合しやすくなり，抗体の検出感度が高まると考えられている．

 LISS
反応溶液中のイオン強度（塩濃度）を低くすることにより，赤血球膜周辺の陽イオンが減少し，陰性荷電の赤血球と陽性荷電の IgG 型抗体の結合速度が早まり，反応時間が短縮され，抗体の検出感度が高まる．

(2) 抗ヒトグロブリン試薬

　抗ヒトグロブリン試薬には，IgG 型抗体と補体成分（C3b，C3d）のそれぞれに対する抗体をすべて含んだ抗ヒトグロブリン抗体（多特異性抗体）と，それぞれに対する抗体のみの単特異性抗体（抗 IgG，抗 C3b，抗 C3d）がある．間接抗グロブリン試験は，血漿（血清）中に存在する IgG 型不規則抗体を検出する方法であるが，一部の IgG 型抗体（抗 Fy^a，抗 Fy^b，抗 Jk^a，抗 Jk^b など）は補体結合性であり，抗体の検出感度を高めるため，輸血検査では一般に抗ヒトグロブリン抗体（多特異性抗体）を用いる．

(3) 結果の解釈（表 5-Ⅶ-1）

①ほとんどの IgG 型抗体［抗 D，抗 C，抗 c，抗 E，抗 e，抗 Fy^a，抗 Fy^b，抗 Jk^a，抗 Jk^b，抗 Xg^a，抗 S，抗 s，抗 Lu^b，抗 Di^a，抗 Di^b，抗 K，抗 k，抗 Kp^b，抗 Kp^c，抗 Ku，抗 Jr，抗 Bg^a など］の検出が可能である．

②臨床的意義の高い不規則抗体（Rh，Duffy，Kidd，Ss，Diego，Kell 抗体，他には，抗 Le^a と抗 M）が検出できる．

③自己対照に凝集がみられる場合，自己抗体や補体の感作などが疑われるので，直接抗グロブリン試験を実施する必要がある．

4）アルブミン法

(1) 特徴

　アルブミンの陽イオンが赤血球の陰イオンを吸着し，赤血球表面の電気二重層界面電位（ゼータ電位）を低下させる．その結果，赤血球間の反発力が弱まり，IgG 型抗体が赤血球間を架橋できる距離に縮まり凝集が起きるようになる．しかし，アルブミン法は検出感度が低く，不規則抗体検出法としてほとんど意味をもたない．

(2) 結果の解釈（表 5-Ⅶ-1）

　高力価の IgG 型抗体［Rh 抗体（抗 D，抗 C，抗 c，抗 E，抗 e），抗 P，抗 $PP1P^k$（抗 Tj^a）など］は検出されるが，低力価の IgG 型抗体の検出率は悪い．

5　反応態度による抗体の鑑別

　不規則抗体とは ABO 血液型の抗 A，抗 B 以外の抗赤血球抗体の総称であり，この抗体を鑑別するためには，それぞれの抗体の血清学的性状を理解し，その特異性を決定する必要がある．

　不規則抗体は，明らかな免疫の機会がない人に検出される**自然抗体**（natural antibody）と，主に輸血や妊娠などが免疫刺激となって産生される**免疫抗体**（immune antibody）に区別される．一般的に，自然抗体は室温以下の低温域で反応する免疫グロブリン（immunoglobulin；Ig）の IgM 型に属し，生理食塩液中において凝集反応を起こしやすい．一方，免疫抗体は 37℃でよく反応する抗体が主で，生理食塩液中で抗原と反応するが凝集反応を示さない免疫グロブリンの IgG 型に属し，抗ヒトグロブリン試薬を加えると凝集反応を認め

表 5-Ⅶ-1　主な血液型抗体の反応態度

血液型システム	抗体	至適反応温度(℃)	反応様式 食塩水(R.T.)	反応様式 アルブミン(37℃)	反応様式 クームス	反応様式 酵素(37℃)	溶血性輸血副作用	新生児溶血性疾患	日本人適合血(%)	備考
ABO	抗-A	15~25	★★★★★	免疫抗体検査の場合は有用			あり	あり*		*いわゆる免疫抗体の場合
	抗-B	15~25	★★★★★				あり	あり*		*いわゆる免疫抗体の場合
	抗-A₁	15~25	★★★★★				可能性あり*			*A₂型に時として、A₂B型にしばしば見られる
	抗-H	5~25	★★★★★				可能性あり*		0.01以下	*ボンベイ型の場合
Rh	抗-D	37	★	★★★★	★★★★★	★★★★★	あり	あり	0.5	抗体の産生率高い ・1回の分娩で5~6% ・1回の輸血で50%以上
	抗-C	37	★	★★★★	★★★★★	★★★★★	あり	あり	12	
	抗-E	37	★★	★★★★	★★★★★	★★★★★	あり	あり	50	抗体検出率が比較的高い
	抗-c	37	★	★★★★	★★★★★	★★★★★	あり	あり	44	抗体検出率が比較的高い
	抗-e	37	★	★★★★	★★★★★	★★★★★	あり	あり	9	
	抗-Rh17	37	★★	★★★★	★★★★★	★★★★★	あり	あり	0.01以下	D/D型の人が持つ免疫抗体
Kell	抗-K	37	*		★★★★★		あり	あり	99.9以上	日本人にはごくまれ *この場合自然抗体が多い
	抗-k	37			★★★★★		あり	あり	0.01以下	日本人にはごくまれ
	抗-Kpᵇ	37			★★★★★		あり		0.01以下	
	抗-Kpᶜ	37			★★★★★		多分あり		99以上	
	抗-Ku	37			★★★★★		多分あり		0.01以下	
Duffy	抗-Fyᵃ	37			★★★★★		あり	あり	1	補体結合性、量的効果あり
	抗-Fyᵇ	37			★★★★★	★*	あり	あり	80	*パパイン・フィシンでは検出されない
Kidd	抗-Jkᵃ	37			★★★★★		あり	あり	27	補体結合性、量的効果あり
	抗-Jkᵇ	37			★★★★★		あり	あり	23	酵素処理、クームス法でよく検出される
Xg	抗-Xgᵃ	37			★★★★★	*1			20*2	*1 酵素法は使えない *2 男30%・女10%
Lewis	抗-Leᵃ	5~20	★★★★★	★★★	★★★★★	★★★	可能性あり*1		78*2	*1 免疫抗体の場合 *2 比較的適合なもの
	抗-Leᵇ	5~20	★★★★★	★	★★★	★	まれ*1		32*2	*1 まれに起こりうる *2 比較的適合なもの
MNSs	抗-M	5~20	★★★★★	★★★	★★★		可能性あり*	可能性あり*	22	*起こった時は重篤な場合がある 量的効果あり
	抗-N	5~20	★★★★★	★					28	量的効果あり
	抗-S	15~37	★★★		★★★★★		あり		89	わずかな量的効果あり
	抗-s	37			★★★★★		あり		0.3	わずかな量的効果あり
P	抗-P₁	5~20	★★★★★		★	★	まれ		65	
	抗-P	15~25	★★★★★	★★★★★	★★★★★	★★★★★	多分あり	可能性あり	0.01以下	試験管内溶血が強い
	抗-Tjᵃ*	15~25	★★★★★	★★★★★	★★★★★	★★★★★	あり	可能性あり	0.01以下	試験管内溶血が強い(*抗-PP₁Pk)
Lutheran	抗-Luᵃ	20~37	★★★★★		★★★				99.9以上	日本人にはごくまれ
	抗-Luᵇ	20~37	★		★★★★★	★★	可能性あり		0.01以下	
Diego	抗-Diᵃ	37			★★★★★		あり	あり	90	モーコ系人種に特有
	抗-Diᵇ	37			★★★★★	★	あり		0.2	
I	抗-I(自己)	5~20	★★★★★		★	★			0.01以下	
	抗-I(アロ)	15~25	★★★★★	★★★★★	★★★★	★★★★★	可能性あり		0.01以下	
	抗-i	5~20	★★★★★						99.9以上*	*比較的適合なもの
Jr	抗-Jrᵃ	37			★★★★★		可能性あり		0.03	補体結合性あり
Bg	抗-Bgᵃ	37			★★★★★				86	HLA B-7と関連する

参考文献:血液型と輸血(新版日本血液学全書刊行委員会編)
輸血学(遠山　博編著)
Blood Transfusion in Clinical Medicine(P.L.MOLLISON著)

反応の度合を表わす　冷式/温式　★ まれに検出される → ★★★★★ よく検出される
(注)量的効果　遺伝子型による反応の強さの違い

[オーソ・クリニカル・ダイアグノスティックス社資料（監修：中嶋八良）より]

表 5-Ⅶ-2　臨床的意義のある不規則抗体と輸血用血液製剤の選択

抗体の特異性	臨床的意義	輸血用血液製剤（赤血球製剤）の選択
Rh	あり	抗原陰性
Duffy	あり	抗原陰性
Kidd	あり	抗原陰性
Diego	あり	抗原陰性
S, s	あり	抗原陰性
Kell	あり	抗原陰性
M, Le^a（間接抗グロブリン試験*陽性）	あり	抗原陰性
M, Le^a（間接抗グロブリン試験*陰性）	なし	選択の必要なし
P1, N, Le^b	なし	選択の必要なし
Xg^a	なし	選択の必要なし
高頻度抗原に対する抗体		
JMH, Knops, Cost, Chido/Rodgers, KANNO	なし	選択の必要なし
Jr^a	あり	抗原陰性が望ましい
その他高頻度または低頻度抗原に対する抗体	特異性，症例により異なる	輸血認定医，輸血認定技師または専門機関に相談

*反応増強剤無添加の間接抗グロブリン試験（37℃，60分）
［日本輸血・細胞治療学会：赤血球型検査（赤血球系検査）ガイドライン（改訂4版）．2022年12月］

る．さらに，高濃度のウシアルブミンの添加，蛋白分解酵素（ブロメリン，フィシン，パパインなど），低イオン強度溶液（LISS），ポリエチレングリコール液（PEG）などの**反応増強剤**を用いると，反応性が増強する．しかし，蛋白分解酵素処理ではRh，Lewis，Kidd血液型などの抗原に対する各抗体の反応性は高まる反面，MNSs，Duffy，Xg血液型などの抗原は酵素によって破壊されるため，検出されなくなるか，あるいは反応が減弱する．また，Rh，MNSs，Duffy，Kiddのような対立遺伝子をもつ血液型抗原では，遺伝子型によって対応する赤血球型抗原量が異なる．たとえば，MNSs血液型のM抗原に対して遺伝子型が**ホモ接合体**（*MM*）赤血球は**ヘテロ接合体**（*MN*）赤血球に比べ赤血球膜上のM抗原量が多くなり，対応する抗Mはホモ接合赤血球とは強く，ヘテロ接合赤血球とは弱く反応する．

このように血球の被凝集性の強弱により，遺伝子がホモ接合かヘテロ接合かを鑑別できるとき，この抗原は対応する抗体に対して**量的効果**を示すという（→p.310）．さらに，P［抗P，抗PP1P^k（抗Tj^a）］，一部のLewis，Kiddなどの抗体は補体結合性をもち，溶血反応を起こすことがある．したがって，抗体を鑑別するためには，**表5-Ⅶ-1**に示した抗体のクラス，至適反応温度，各検出方法での反応態度や量的効果，補体結合性（溶血能）などによるそれぞれの抗体特異性を十分に理解する必要がある．**表5-Ⅶ-2**に臨床的意義のある不

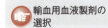
輸血用血液製剤の選択
主な血液型抗体の反応態度（**表5-Ⅶ-1**）を理解し，特に臨床的意義のある不規則抗体（**表5-Ⅶ-2**）を有する患者あるいは過去に保有歴がある患者にはその抗体に対する抗原陰性血を選択する．

規則抗体と輸血用血液製剤の選択について示した．

6 凝集反応の見方と分類
5章-VIを参照（→ p.284 の図 5-VI-10, 11）．

7 不規則抗体スクリーニングの判定法
　被検血漿（血清）と不規則抗体スクリーニング赤血球（Di^a 陽性赤血球を含む）の反応のうち，間接抗グロブリン試験で凝集あるいは溶血が認められた場合，不規則抗体陽性となる．その不規則抗体を推定する方法としては一般に消去法が用いられる．これは陰性反応を示したスクリーニング赤血球に含まれている抗原を抗原表（アンチグラム）から消去（否定）していき，最後に残った抗原に対する抗体を，「否定できない抗体」として推定する方法である．その際，量的効果を示す抗原に対する抗体（→ p.310）は，ホモ接合赤血球とヘテロ接合赤血球に対する反応の強さが異なるので消去（否定）時には注意が必要である．つまり，抗体と強く反応するホモ接合赤血球抗原は消去（否定）できるが，ヘテロ接合赤血球抗原は消去（否定）できない．

　消去法では，抗原表に記載してある赤血球抗原の"＋"に「×」（否定）または「／」（保留）を，以下のルールに従い，記入していく．

　①量的効果を考慮しなくてよい抗原や量的効果を示すホモ接合赤血球抗原には「×」を記入する．
　②量的効果を示すヘテロ接合赤血球抗原には「／」を記入する．

　最終的に「×」が1つ以上ついた抗原は，抗原表の"抗原名"に「×」を記入し，「／」のみや無印の抗原は，抗原表の"抗原名"はそのまま（無印）にしておく．つまり，「×」のついた抗原に対する抗体は「否定できる抗体」であり，無印のまま残った抗原に対する抗体は「否定できない抗体」となる．

　スクリーニングでは2～4本のスクリーニング赤血球しか使用しないので，多くの場合，数種類の不規則抗体が否定できない抗体として残る．また，すべてのスクリーニング赤血球で凝集がみられた場合には消去法は利用できない．これらの抗体については，同定検査を実施して抗体の特異性を決定する．

　表 5-VII-3 に不規則抗体スクリーニングの判定例を示す．

8 不規則抗体同定検査
　不規則抗体スクリーニングで抗体の存在が疑われた場合，その特異性を決定するため不規則抗体同定検査を実施する．その際，スクリーニングで得られた情報や患者の既往歴・輸血歴・妊娠歴・投薬などの情報が重要な手がかりとなる．

1）不規則抗体同定用パネル赤血球
　不規則抗体同定用パネル赤血球は，O型ヒト赤血球10～20本を1セットとした血球試薬である．スクリーニング赤血球同様，できるだけ多くの血液型抗

表 5-Ⅶ-3　不規則抗体スクリーニングの判定例

スクリーニング赤血球 No.	スクリーニング赤血球に含まれる抗原									凝集
	D	C	E	c	e	Le^a	Le^b	M	N	
Ⅰ	×	×	0	0	×	×	0	/	/	0
Ⅱ	+	0	+	+	0	0	+	+	0	3+

+：赤血球にその抗原が存在する（抗原陽性）
0：赤血球にその抗原が存在しない（抗原陰性）

[考え方と手順]
①スクリーニング赤血球 No.Ⅰの結果より，量的効果を考慮しなくてよい抗原 D と Le^a に「×」を，量的効果を示すホモ接合赤血球抗原 C と e に「×」を，また，量的効果を示すヘテロ接合赤血球抗原 M と N に「／」を記入する．
②「×」がついた抗原 D, C, e, Le^a は，抗原表の"抗原名"に「×」を記入し，「／」のみの抗原 M と N や，無印の抗原 E, c, Le^b は，抗原表の"抗原名"はそのまま（無印）にしておく．
③以上より，「否定できる抗体」は抗 D，抗 C，抗 e，抗 Le^a，「否定できない抗体」は抗 E，抗 c，抗 Le^b，抗 M，抗 N となる．

原を含む血球試薬を選択する．

2）検査法

　不規則抗体スクリーニングで陽性反応を示した方法を中心に同定検査を行う（図 5-Ⅶ-1 参照：用いる試験管数が増える）．このとき，患者自身の赤血球を用いた自己対照について同時に検査する．

3）不規則抗体同定検査の判定法

　不規則抗体同定検査の場合は，同定パネル赤血球との反応パターンから「可能性の高い抗体」と「否定できない抗体」の特異性を決定する．日本人に検出される不規則抗体は，特異性の推定が比較的容易な単一抗体（抗 E や抗 Le^a など）が多く，まずは，陽性パターンが，抗原表の抗原パターンと一致する「可能性の高い抗体」の推定を行う．
　「可能性の高い抗体」とは，陽性反応を呈した赤血球において，以下に該当するものである．
　①反応パターンが，抗原表のいずれか1つの特異性と完全に一致する抗体（単一抗体）
　②異なる検出法（生理食塩液法，間接抗グロブリン試験など）で得られた反応パターンが，抗原表の特異性とそれぞれ完全に一致する抗体（複数抗体）
　その後，「7　不規則抗体スクリーニングの判定法」の項で述べた消去法を用いて，「否定できない抗体」の推定を行う．
　「否定できない抗体」とは，間接抗グロブリン試験で陰性反応を呈した赤血球において，量的効果を考慮して消去法を行い，抗原表上，消去されずに残ったすべての抗原に対する特異性をもつ抗体である．
　なお，通常の同定パネル赤血球には Di^a 抗原は含まれていないため，不規則

可能性の高い抗体
この推定が容易ではない場合，「否定できない抗体」の推定を先に行ってもよい．

表 5-Ⅶ-4 不規則抗体スクリーニング→同定検査の判定例
〈スクリーニング〉

スクリーニング赤血球No.	スクリーニング赤血球に含まれる抗原													special antigen typing**	凝集
	D	C	E	c	e	Fy^a	Fy^b	Jk^a	Jk^b	Le^a	Le^b	M	N		
Ⅰ	✗	✗	0	0	✗	✗	0	/	0	✗	✗	0			0
Ⅱ	+	0	+	+	0	+	+	+	+	+	0	+	+		3+
Ⅲ	0	0	0	✗	✗	/	/	✗	0	0	✗	0	✗		0
DIA*	+	0	+	+	+	+	0	+	0	0	0	0	+	Di (a+)	2+

+：赤血球にその抗原が存在する（抗原陽性）
0：赤血球にその抗原が存在しない（抗原陰性）

* Di^{a}抗原を含んだスクリーニング赤血球を表す．
** 低頻度抗原陽性あるいは高頻度抗原陰性など，特別な抗原の有無を示す．

考え方と手順
①スクリーニング赤血球No.Ⅰの結果より，量的効果を考慮しなくてよい抗原DとLe^{b}に「✗」を，量的効果を示すホモ接合赤血球抗原C，e，Fy^a，Mに「✗」を，また，量的効果を示すヘテロ接合赤血球抗原Jk^{a}とJk^{b}に「/」を記入する．
②スクリーニング赤血球No.Ⅲの結果より，量的効果を考慮しなくてよい抗原Le^{b}に「✗」を，量的効果を示すホモ接合赤血球抗原c，e，Jk^a，Nに「✗」を，また，量的効果を示すヘテロ接合赤血球抗原Fy^{a}とFy^{b}に「/」を記入する．
③最終的に「✗」が1つ以上ついた抗原D，C，c，e，Fy^a，Jk^a，Le^b，M，Nは，抗原表の"抗原名"に「✗」を記入し，「/」のみの抗原Fy^{b}とJk^{b}や，無印の抗原E，Le^a，Di^a（Di^{a}抗原を見落とさないように注意する）は，抗原表の"抗原名"はそのまま（無印）にしておく．
④以上より，「否定できる抗体」は抗D，抗C，抗c，抗e，抗Fy^a，抗Jk^a，抗Le^b，抗M，抗N，「否定できない抗体」は抗E，抗Fy^b，抗Jk^b，抗Le^a，抗Di^{a}となる．

（次頁へつづく）

抗体スクリーニングでDi^{a}抗原含有赤血球との反応が陽性を呈していた場合は，抗Di^{a}を「否定できない抗体」として考慮する必要がある．

表5-Ⅶ-4に不規則抗体スクリーニング→同定検査の判定例を示す．

同定された不規則抗体が偶然に得られたものではないことを確認するには，Fisherの確率計算式（表5-Ⅶ-5）が有用となる．

4）新生児・乳児の不規則抗体検査

新生児の抗体産生能力は低く，保有する抗体は大部分が母親由来の移行抗体（同種抗体）である．この移行抗体（同種抗体）は，胎児・新生児溶血性疾患（HDFN）の原因となるため，その有無を検査することは重要である．しかし，新生児では採血できる量がきわめて少なく，不規則抗体検査を実施するのは困難である．さらに，児に存在する血漿（血清）中の移行抗体（同種抗体）は，児の赤血球に吸着・消費され，検出感度以下になる場合がある．

以上より，新生児の不規則抗体検査は，児への移行抗体（同種抗体）を保有する母親の血漿（血清）を用いて実施することが望ましい．児への移行抗体（同種抗体）の存在を否定することができれば，以降，生後4カ月になるまでの間（生後4カ月未満）の不規則抗体検査は省略できる．なお，母親の血液が入手困難な場合は，臍帯血を用いて検査することができる．

表 5-Ⅶ-4 不規則抗体スクリーニング→同定検査の判定例（つづき）

〈同定検査〉

Cell No.	D	C	E	c	e	Fy^a	Fy^b	Jk^a	Jk^b	Xg^a	Le^a	Le^b	S	s	M	N	P$_1$	Sal	Br	IAT
1	✖	✖	0	0	✖	╱	╱	✖	0	✖	0	0	✖	0	╱	╱	0	0	0	0
2	✖	╱	0	╱	✖	✖	╱	╱	╱	✖	0	✖	0	✖	0	✖	✖	0	0	0
3	+	0	+	+	0	0	+	+	0	+	0	+	0	+	+	0	+	0	3+	3+
4	✖	0	0	✖	0	0	✖	✖	✖	✖	✖	✖	╱	╱	✖	✖	✖	0	0	0
5	0	+	+	+	+	+	0	+	0	+	0	+	+	0	+	0	0	0	2+	2+
6	0	0	+	+	+	0	+	0	+	0	0	+	0	0	0	+	0	0	2+	2+
自己																		0	0	0

Sal：生理食塩液法，Br：ブロメリン法，IAT：間接抗グロブリン試験
＋：赤血球にその抗原が存在する（抗原陽性）
0：赤血球にその抗原が存在しない（抗原陰性）

考え方と手順
①自己対照は陰性であり，自己抗体ではなく，同種抗体と考えられる．
②間接抗グロブリン試験とブロメリン法の陽性パターンが，E 抗原パターンと完全に一致しており，抗 E を「可能性の高い抗体」として推定する（単一抗体）．
③以下，間接抗グロブリン試験の結果をもとに消去法を行う．
　③-1）パネル赤血球 No.1 の結果より，量的効果を考慮しなくてよい抗原 D と Xg^a に「×」を，量的効果を示すホモ接合赤血球抗原 C，e，Jk^a，S に「×」を，また，量的効果を示すヘテロ接合赤血球抗原 Fy^a，Fy^b，M，N に「／」を記入する．
　③-2）パネル赤血球 No.2 の結果より，量的効果を考慮しなくてよい抗原 D，Xg^a，Le^a，P$_1$ に「×」を，量的効果を示すホモ接合赤血球抗原 e，Fy^a，s，N に「×」を，また，量的効果を示すヘテロ接合赤血球抗原 C，c，Jk^a，Jk^b に「／」を記入する．
　③-3）パネル赤血球 No.4 の結果より，量的効果を考慮しなくてよい抗原 D，Xg^a，Le^b，P$_1$ に「×」を，量的効果を示すホモ接合赤血球抗原 c，e，Jk^a，M に「×」を，また，量的効果を示すヘテロ接合赤血球抗原 S と s に「／」を記入する．
　③-4）最終的に「×」が 1 つ以上ついた抗原 D，C，c，e，Fy^a，Jk^a，Xg^a，Le^a，Le^b，S，s，M，N，P$_1$ は，抗原表の"抗原名"に「×」を記入し，「／」のみの抗原 Fy^b と Jk^b や，無印の抗原 E は，抗原表の"抗原名"はそのまま（無印）にしておく．
　③-5）以上より，「否定できる抗体」は抗 D，抗 C，抗 c，抗 e，抗 Fy^a，抗 Jk^a，抗 Xg^a，抗 Le^a，抗 Le^b，抗 S，抗 s，抗 M，抗 N，抗 P$_1$，「否定できない抗体」は抗 Fy^b，抗 Jk^b，抗 Di^b（抗 Di^a を見落とさないように注意する：本文参照）となる．

抗体特異性の決定
　以後，抗体の特異性を決定するために，以下のような追加検査を行う．
○患者赤血球の抗原検査：同種抗体は，患者の保有する抗原に対しては産生されない．よって，推定された抗体に対応する抗原（この場合は，E，Fy^b，Jk^b，Di^a 抗原）の有無を，各々の抗体試薬を用いて検査する．反応が陰性（つまり，当該抗原なし）であれば，当該抗原に対する抗体の存在は否定できない．反応が陽性（つまり，当該抗原あり）であれば，当該抗原に対する抗体の存在は否定できる．
○追加パネル赤血球との反応性：「否定できない抗体」が複数推定される場合は，各抗体に対応する抗原を 1 つずつもつパネル赤血球[※1]［この場合は，①E−Fy（b+）Jk（b−）Di（a−），②E−Fy（b−）Jk（b+）Di（a−），③E−Fy（b−）Jk（b−）Di（a+）[※2]］を追加して精査を行い，抗体の有無を 1 つずつ絞り込んでいく．
○その他の追加検査の 1 つに，化学処理した赤血球との反応性の確認がある．DTT（ジチオスレイトール）[※3] やクロロキン[※4] などは，ある種の赤血球抗原を減弱あるいは破壊させることができるため，そのような赤血球との反応性をみることで，減弱あるいは破壊された抗原に対する抗体の特異性決定に有用な場合がある．

　[※1]：量的効果を示す抗原に対する抗体を精査する場合は，ホモ接合赤血球を選択する．
　[※2]：この赤血球が得られない場合は，E＋Fy（b+）Jk（b+）Di（a−）の赤血球で抗 E，抗 Fy^b，抗 Jk^b を吸着除去した上清［血漿（血清）からそれらの抗体を除去した上澄み液］と Di（a+）赤血球との反応をみる．
　[※3]：主に Kell 抗原を減弱あるいは破壊させる．
　[※4]：Bg^a 抗原を減弱させる．

表 5-VII-5　Fisher の確率計算式

血清反応	パネル赤血球		計
	対応抗原（＋）	対応抗原（−）	
陽性	A	B	A＋B
陰性	C	D	C＋D
計	A＋C	B＋D	N

A：対応抗原（＋）のパネル赤血球と被検血漿（血清）が陽性反応を示した数（真の陽性数）
B：対応抗原（−）のパネル赤血球と被検血漿（血清）が陽性反応を示した数（偽陽性数）
C：対応抗原（＋）のパネル赤血球と被検血漿（血清）が陰性反応を示した数（偽陰性数）
D：対応抗原（−）のパネル赤血球と被検血漿（血清）が陰性反応を示した数（真の陰性数）
N：A＋B＋C＋D

確率（P）値を求める計算式は，

$$P=\frac{(A+B)!\times(C+D)!\times(A+C)!\times(B+D)!}{N!\times A!\times B!\times C!\times D!}$$

確率（P）値が 0.05 以下であれば，同定された不規則抗体は統計的有意なものとして信頼される．なお，対応抗原（＋）あるいは対応抗原（−）のパネル赤血球の本数が多く，それに伴った真の陽性数あるいは真の陰性数も多くなれば，P 値はさらに低くなり，同定された抗体の信頼性は向上する．

！：階乗の印
1からその数までのすべての自然数を乗ずる．たとえば，3！＝1×2×3＝6．なお，0！＝1と約束する．

表 5-VII-6　抗グロブリン試験の適応

直接抗グロブリン試験（DAT）	間接抗グロブリン試験（IAT）
・自己免疫性溶血性貧血の検査 ・胎児・新生児溶血性疾患（HDFN）の新生児赤血球の検査 ・輸血副反応の検査［急性溶血性輸血反応（AHTR），遅発性溶血性輸血反応（DHTR）➡ p.354］ ・薬剤誘発性免疫性溶血性貧血患者の検査 ・赤血球感作蛋白の同定（IgG, IgM, IgA, C3d など）	・胎児・新生児溶血性疾患（HDFN）の母親血漿（血清）の検査 ・抗体解離試験の抗体特異性同定（解離液中） ・不規則抗体検査（スクリーニングおよび抗体同定） ・交差適合試験 ・血液型検査

9　直接抗グロブリン試験と間接抗グロブリン試験

1945 年，Coombs らは IgG 型抗体の検出に，抗ヒトグロブリン試薬を用いた抗グロブリン試験（anti-globulin test；AGT）［クームス試験（Coom's test）］を考案した．この検査法には，**直接抗グロブリン試験**（direct anti-globulin test；DAT）［直接クームス試験（direct Coom's test）］と**間接抗グロブリン試験**（indirect anti-globulin test；IAT）［間接クームス試験（indirect Coom's test）］の 2 法があり，ともに臨床的に有用な検査法である．**表 5-VII-6** に両試験の適応について示した．

1）直接抗グロブリン試験

直接抗グロブリン試験は，生体内ですでに患者赤血球が不規則抗体（主に IgG 型抗体）あるいは補体などにより感作されているかどうかを検査する方法である．IgG 型抗体などで感作された赤血球はそれだけでは凝集反応を示さないが，抗ヒトグロブリン試薬を加えることにより，凝集反応が認められる．直接抗グロブリン試験は，生体内で赤血球に対する自己抗体が産生され，自己赤血球が感作されることにより溶血を起こす自己免疫性溶血性貧血（AIHA），

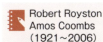
Robert Royston Amos Coombs
（1921～2006）

イギリスの免疫学者．1945 年，Mourant や Race とともに抗グロブリン試験（クームス試験）を考案した．また 1963 年，Gell とともにアレルギー反応の分類を提唱した（➡ p.83）．

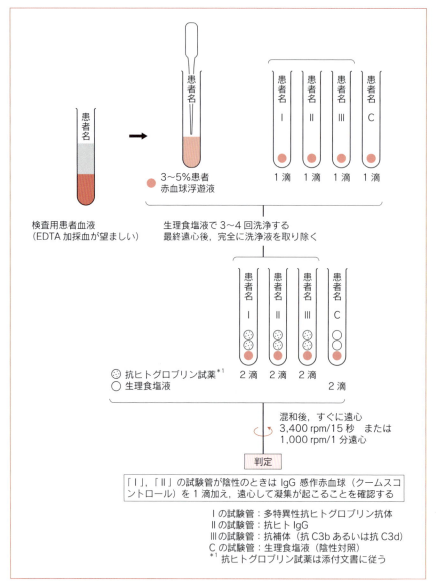

図 5-Ⅶ-3　直接抗グロブリン試験
通常はⅠとCの試験管で検査を実施し，Ⅰで陽性，Cで陰性であった場合に特異性を確認（決定）するために，Ⅱ，Ⅲ，Cを行うことが多い．

血液型不適合妊娠により新生児赤血球が母体由来の IgG 型抗体に感作されて，溶血を起こす胎児・新生児溶血性疾患（HDFN），薬剤誘発性免疫性溶血性貧血や不適合輸血による溶血性輸血反応などの診断・証明に有用である．

(1) 直接抗グロブリン試験の検査方法（図 5-Ⅶ-3）

❶検体の準備

①検査用血液には EDTA 加採血が望ましく，採血から検査まで 37℃に保つ必要がある．

EDTA
EDTA は，試験管内での赤血球への補体結合を阻止する．

血液温度
採血後の全血は，冷やすと寒冷凝集素や補体が感作されることがあるため，全血での冷蔵保存は厳禁であり，血清分離前までは 37℃に保つ必要がある．

表 5-Ⅶ-7 直接抗グロブリン試験の反応結果と判定

	抗ヒトグロブリン試薬[*1]	対照[*2]	判定
反応結果	0	0	陰性
	+	0	陽性
	+	+	判定保留

＋：凝集あり，0：凝集なし
[*1] Ⅰ：多特異性抗ヒトグロブリン抗体，Ⅱ：抗ヒト IgG
　　Ⅲ：抗補体（抗 C3b あるいは抗 C3d）
[*2] C：生理食塩液（陰性対照）

❷ 検査に必要な試薬
　①試薬：生理食塩液，抗ヒトグロブリン試薬［多特異性（広範囲）抗ヒトグロブリン抗体と単一特異性抗ヒトグロブリン抗体（抗ヒト IgG，抗補体：抗 C3b，抗 C3d）］，IgG 感作赤血球（クームスコントロール）

❸ 操作法・判定
　① 3～5％患者赤血球浮遊液を調製する（→ p.280 の図 5-Ⅵ-7）．
　② 4 本の試験管にそれぞれ患者名およびⅠ，Ⅱ，Ⅲ，C などの必要事項を記入する（検査目的に応じて用いる抗ヒトグロブリン試薬は使い分ける）．
　③ ①で用意した 3～5％患者赤血球浮遊液を各試験管（Ⅰ，Ⅱ，Ⅲ，C）に 1 滴ずつ滴下する．
　④ 各試験管を生理食塩液で 3～4 回洗浄後，上清を完全に除去した後，Ⅰ，Ⅱ，Ⅲの試験管には，各抗ヒトグロブリン試薬，C の試験管には生理食塩液（陰性対照）をそれぞれ 2 滴ずつ滴下する．よく混和後，判定用遠心機で 3,400 rpm，15 秒または 1,000 rpm，1 分遠心し，ビューイングボックス上で，それぞれの試験管を軽く振りながら凝集の有無，凝集の強弱および溶血の有無を観察記録し，判定する．試験管法における凝集反応は，凝集反応の分類（→ p.284）に従い，凝集の強弱および背景の色調をもとに肉眼で判定する．結果の判定は，表 5-Ⅶ-7 の判定に従う．
　⑤ 凝集が陰性であった「Ⅰ」，「Ⅱ」の試験管に IgG 感作赤血球（クームスコントロール）を 1 滴加えて，判定用遠心機で 3,400 rpm，15 秒または 1,000 rpm，1 分遠心し，凝集の起こることを確認する．万一，凝集が起こらなければ，再検査を行う．

2）間接抗グロブリン試験

　間接抗グロブリン試験は，輸血や妊娠などによって産生された不規則抗体（IgG）を検出する方法である．患者血漿（血清）に抗原性の明らかな不規則抗体スクリーニング用赤血球（パネル赤血球）を 37℃で 60 分間反応させ，生理食塩液で 3～4 回洗浄後，抗ヒトグロブリン試薬を加えて赤血球凝集反応の有無を判定する．輸血前の不規則抗体スクリーニングや輸血時の交差適合試

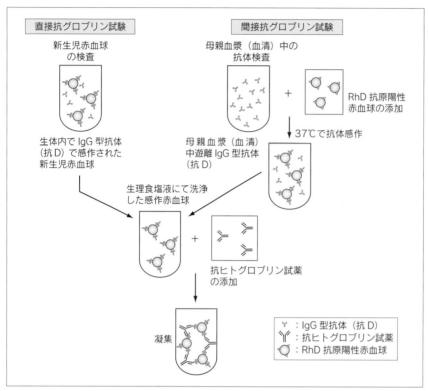

図 5-Ⅶ-4　RhD 血液型不適合妊娠における胎児・新生児溶血性疾患（HDFN）の診断のための直接抗グロブリン試験と間接抗グロブリン試験

験などにおける重要な検査法である．一般的に，反応増強剤として，LISS 液あるいは PEG 液などを使用することで，反応時間を 10〜15 分に短縮できる．

図 5-Ⅶ-4 に RhD 血液型不適合妊娠における胎児・新生児溶血性疾患（HDFN）の診断のための直接抗グロブリン試験（新生児赤血球の検査）と，間接抗グロブリン試験［母親血漿（血清）中の抗体検査］を示した．なお，直接抗グロブリン試験で凝集した場合は，新生児赤血球の抗体解離試験で得られた解離液中の抗体が抗 D であるかどうかを間接抗グロブリン試験により同定する．これらの検査により，抗 D の新生児赤血球への感作と母親血漿（血清）中での存在の証明ができ，胎児・新生児溶血性疾患（HDFN）が診断できる．

Ⅷ 交差適合試験

〈到達目標〉
(1) 輸血用血液の基本的な選択条件および緊急時・大量輸血時に応じた選択について説明できる．
(2) 交差適合試験の方法を説明できる．
(3) 交差適合試験で陽性となる原因，交差適合試験の省略と限界について説明できる．

1 交差適合試験の目的

交差適合試験は，患者（受血者）と輸血用血液製剤（供血者）のABOおよびそれ以外の血液型の適合性を確認する輸血前の重要な検査である．患者と供血者間のABO血液型不適合の検出，および患者が保有しているかもしれない臨床的意義のある同種抗体（不規則抗体）や低頻度抗原に対する抗体を検出し，最も重篤な輸血副反応の一つである免疫性の溶血性反応を防止することを目的とする．

2 交差適合試験に用いる検体

患者からの採血間違い（患者誤認）や採血管の取り違い（検体誤認）が血液型の誤判定につながり，ひいてはABO血液型不適合輸血の原因となることがある．また，採血時期の誤りによる不規則抗体産生の見逃しは溶血性反応の原因となり，患者に重大な有害事象を引き起こすことがある．これらを防止するため，交差適合試験の実施条件について以下に示す．

①ABO血液型検査用の検体とは異なる時点で採血した別検体を用いて交差適合試験を行う．交差適合試験用の別検体で血液型検査を再度実施し，ABO血液型検査時の結果と照合確認することで，患者ABO血液型のダブルチェック（二重確認）を行うことができる．

②輸血や妊娠で新たに産生や増加した赤血球抗体を見逃さないため，過去3カ月以内に輸血歴または妊娠歴がある患者，あるいはこれらが不明な患者においては，原則として，輸血予定日前3日（72時間）以内に採血した検体を用いる．連日にわたって輸血を受けている患者では，少なくとも3日（72時間）ごとに検査用検体を採血する．

③交差適合試験の実施場所は，特別な事情のない限り，患者の属する医療機関内で行う．

3 輸血用血液の選択

1) 基本的な製剤選択

　輸血用血液製剤は，全血製剤（人全血液）と血液成分製剤に分類され，血液成分製剤には，赤血球製剤（赤血球液），血漿製剤（新鮮凍結血漿），血小板製剤（濃厚血小板），合成血液がある．

　輸血には患者と同型（ABO 血液型，RhD 血液型）の輸血用血液製剤を用いるのが原則である．供血者の血液型検査と不規則抗体スクリーニングは日本赤十字社血液センターで行われていることから，赤血球がほとんど含まれていない血漿製剤と血小板製剤は，通常，交差適合試験は行われていない．重篤化することもある溶血性輸血反応を防止するため，赤血球製剤における基本的な選択条件を以下に示す．

①患者と ABO 血液型が同型の血液を用いる．
②患者が RhD 陰性の場合は，RhD 陰性の血液を用いる．なお，RhD 陽性の患者には RhD 陰性の血液を用いることができる．
③患者が 37℃反応性の臨床的意義のある不規則抗体を保有している場合，あるいは過去に保有していた場合は，対応する抗原をもたない血液（対応抗原陰性血）を用いる（たとえば，患者が抗 E を保有している場合は，E 抗原をもたない血液を用いる）．なお，亜型患者が 37℃反応性の不規則的な抗 A_1，抗 B，抗 H を保有している場合においても，対応する抗原をもたない（それらに反応しない）血液を用いる［たとえば，抗 A_1 を保有している A 型亜型と抗 B を保有している B 型亜型では O 型の血液，抗 A_1，抗 B，抗 H を保有している Bombay（O_h）型では同型の血液を用いる］．

2) 緊急時および大量輸血時の製剤選択

　大量出血とは，外傷性出血，心臓血管外科領域などの手術に伴う出血，産科危機的出血により，24 時間以内に患者の循環血液量と等量またはそれ以上の輸血が行われること（10〜20 単位以上の赤血球輸血を必要とする，もしくはそれと同等のリスクがある患者群）として定義されることが多い．比較的少量の出血でも，産科では分娩時の弛緩出血により大量出血となる症例もあることから，産科危機的出血に対しても迅速な血液製剤の準備が求められる．

　緊急時や大量輸血時であっても，すべての適合検査（血液型検査，不規則抗体検査，交差適合試験）を実施することが望ましく，輸血用血液製剤の選択は，患者と同型（ABO 血液型，RhD 血液型）の輸血用血液製剤を用いるのが原則である．しかし，臨床的な緊急性により，一部またはすべての検査が完了する前に，輸血用血液製剤の出庫が必要となる場合は，救命を第一として対応することになる．

　ABO 血液型が確定できないような場合（オモテ・ウラ検査不一致や緊急時など）は，例外的に赤血球製剤は O 型（全血は不可），血漿製剤と血小板製剤は AB 型を使用する．ABO 血液型が確定していた場合でも，緊急時や大量輸

表 5-VIII-1　緊急時の適合血の選択

患者血液型	赤血球液	新鮮凍結血漿	濃厚血小板
A	A＞O	A＞AB＞B	A＞AB＞B
B	B＞O	B＞AB＞A	B＞AB＞A
AB	AB＞A＝B＞O	AB＞A＝B	AB＞A＝B
O	Oのみ	全型適合	全型適合

異型適合血を使用した場合，投与後の溶血反応に注意する．
（日本麻酔科学会，日本輸血・細胞治療学会：危機的出血への対応ガイドライン．2007年11月改訂）

血時に輸血用血液製剤の院内在庫が不足した場合は，ABO血液型は違うが，溶血性反応を起こさない製剤（異型適合血）に切り替えて対応する．大量輸血により日本赤十字社血液センターからの供給が間に合わない場合の対応を含め，緊急時における適合血の選択を**表 5-VIII-1**に示した．

　患者がRhD陰性でABO血液型が同型である製剤が入手できない場合は，RhD陰性を優先して異型適合血を使用してもよい．また，緊急時，特に大量輸血を必要とする患者では，37℃反応性の臨床的意義のある不規則抗体を保有していても（過去の保有を含め），救命のため対応抗原陽性血を輸血せざるを得ない場合もある．

　基本的な製剤選択や適合検査が行えなかった場合は，救命後の溶血性輸血反応に注意する．

　なお，緊急時や大量輸血時であっても，輸血後GVHDのリスクを考慮し，放射線照射した製剤を使用する．

　緊急時に製剤との適合検査（血液型検査，不規則抗体検査，交差適合試験）を未実施のまま製剤を出庫した場合は，輸血と並行して適合検査を実施し，各検査結果に対応した製剤準備に努める．緊急時においても輸血前に血液型検査用の検体や交差適合試験用の検体確保が望ましいが，困難な場合もある．危機的出血発生時の対応は，各施設の状況や緊急レベルに応じた輸血対応マニュアルの整備が必要となる．

3）造血幹細胞移植時の製剤選択

　血液型異型の造血幹細胞移植時においては，移植前の患者と供血者の血液型（ABO血液型，RhD血液型）および移植後の検査結果に合わせて適合する血液型を選択する．

　基本は輸血時の検査結果を考慮して，患者が移植前に保有しているまたは移植後に産生する抗体（抗A，抗B）と反応しない赤血球製剤を選択し，患者が移植前に保有しているまたは移植後に産生する赤血球（A抗原，B抗原）と反応しない血漿製剤や血小板製剤を選択する（➡ p.414の**表 5-XVIII-3**）．

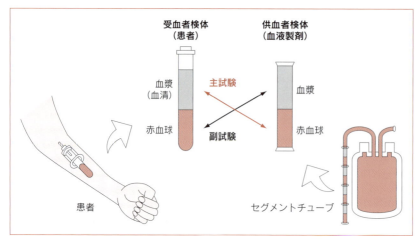

図 5-Ⅷ-1　交差適合試験（主試験，副試験）

4　交差適合試験の方法

　赤血球製剤および全血製剤を対象に，原則として輸血前に交差適合試験を行う．血液製剤を日本赤十字社血液センターに手配するにあたり，交差適合試験に先立って，不規則抗体スクリーニング・同定検査を行い，臨床的意義のある不規則抗体を検出しておくとより迅速な対応が可能となる．

　交差適合試験には，患者血漿（血清）と供血者赤血球の反応性を確認する**主試験**と，患者赤血球と供血者血漿の反応性を確認する**副試験**がある（図5-Ⅷ-1）．主試験は必ず実施しなければならない．また，主試験と副試験のほかに，患者血漿（血清）と患者赤血球の反応を確認する自己対照をおくことが望ましい．自己対照の反応は交差適合試験の結果を正しく評価するために重要な情報（遅発性溶血性輸血反応の早期発見，自己抗体の存在，非特異反応など）を与える．交差適合試験は，ABO血液型の不適合を検出でき，かつ37℃で反応する臨床的意義のある不規則抗体を検出できる間接抗グロブリン試験を含む適切な方法を用いて検査を行う必要がある．

　生後4カ月未満の児においても，原則としてABO同型の赤血球製剤を用いて主試験を行う．交差適合試験は児の血液を用いて行うが，児の採血がきわめて困難な場合，以下の条件を満たせば母親の血液で代用することができる．

　①母児のABO血液型が同型の場合
　②児がO型もしくは母親がAB型の場合

　交差適合試験の検査法としては，試験管法，カラム凝集法（→ p.335）やマイクロプレート法による方法（→ p.338）がある．試験管を用いた方法の概略を **図 5-Ⅷ-2** に示す．

　輸血副反応発生時の原因解析に備えるため，検査に用いた患者検体およびセグメントチューブ（可能なら使用後の血液製剤バッグ）を一定期間保管しておく．

> **37℃で反応性を示す抗体を重視**
> 輸血検査の場合，37℃で反応する抗体を重視する．血清は不活化しない．よく検出される不規則抗体は，抗E，抗cである．

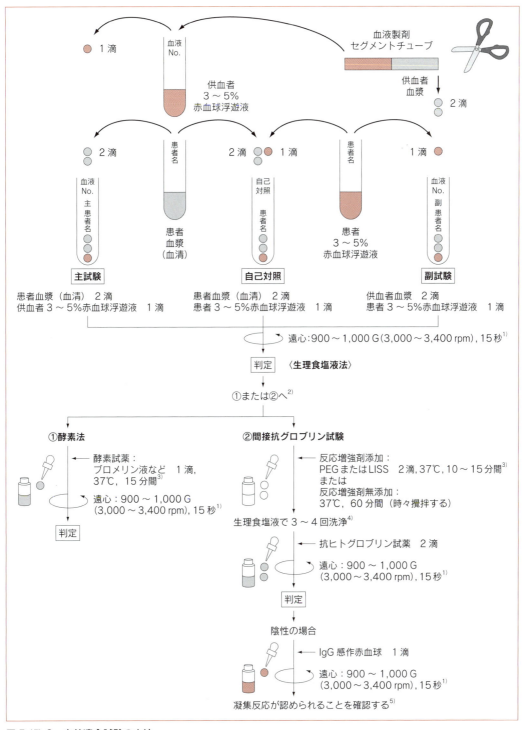

図 5-VIII-2　交差適合試験の方法
1) 判定時には，多本架遠心機のような検体分離用ではなく判定用の遠心機を用いる．
2) 日本赤十字社血液センターの血液製剤を用いる場合，副試験を省力してもよい．
3) 滴下量および反応時間は，試薬の添付文書に従う．
4) 最終洗浄後の生理食塩液は，ペーパーなどで完全に除去する．
5) 凝集反応が認められない場合，検査は無効となる（再検査が必要）．

1）生理食塩液法

血漿（血清）と生理食塩液に浮遊した赤血球（3～5％赤血球浮遊液）を混和後，添加物なしで反応させ，ただちに遠心し凝集および溶血反応を確認する．主にABO血液型の適合性（IgM抗体の反応性）を確認する．

2）酵素法

生理食塩液法に引き続き酵素法を実施することで，抗体産生初期の不規則抗体（特にRh血液型抗原に対する抗体）を検出できる場合があるが，非特異反応も多く，酵素法のみで陽性となる場合は注意が必要である．

生理食塩液法での反応を観察し記録した後，酵素（ブロメリン，フィシン，パパインなど）を添加し37℃でインキュベーションした後，遠心し凝集および溶血反応を観察する．酵素法のなかではブロメリン法が多く使用されている．主にIgG型の不規則抗体の存在を確認する．

3）間接抗グロブリン試験

通常，生理食塩液法に引き続き間接抗グロブリン試験を実施する．間接抗グロブリン試験は，臨床的意義のある37℃反応性の不規則抗体を最も鋭敏に検出できる方法であり，一般的には反応増強剤［低イオン強度溶液（LISS）またはポリエチレングリコール（PEG）］を添加する方法が用いられる．反応増強剤の添加により感度を増強させ，反応時間を短縮することができる．

生理食塩液法での反応を観察し記録した後，反応増強剤を添加する．37℃でインキュベーションし，生理食塩液で洗浄後，抗ヒトグロブリン試薬を添加したあと，遠心し凝集および溶血反応を確認する．主にIgG型の不規則抗体の存在を確認する．

> **アルブミン法**
> 日本臨床衛生検査技師会における全国規模での臨床検査精度管理調査において，反応増強剤としてアルブミンを用いた施設の正解率が低かったことから，現在はアルブミンの使用は推奨されていない．

5　結果の解釈

凝集反応や溶血反応がみられる場合，交差適合試験は陽性であると判定される．臨床的意義のある抗体により主試験が陽性である場合，その血液を輸血することはできない．原則として，主試験が陰性の場合を適合とする．交差適合試験より前に不規則抗体スクリーニングを実施していなければ，交差適合試験が陽性となった原因を解決するために不規則抗体スクリーニングを実施し，不規則抗体の有無を確認する．

患者が不規則抗体を保有していた場合でも，不規則抗体スクリーニングに用いた赤血球と交差適合試験に用いた赤血球（供血者由来）における赤血球抗原は完全に同一でない（不規則抗体に対応する赤血球抗原の有無の違いによる）ため，不規則抗体スクリーニングと交差適合試験の反応は異なった結果となる場合がある．また，患者が不規則抗体を保有していた場合でも，検出感度以下，RhD不適合および術式的誤りなどにより不規則抗体を検出できない場合もある（➡ p.332「7　交差適合試験の限界」を参照）．

以下に交差適合試験が陽性となる原因を示した.

1）主試験が陽性の場合
（1）生理食塩液法で陽性
　①ABO不適合
　②患者（受血者）が低温反応性の抗体（自己抗体，同種抗体）を保有
　③連銭形成
　④供血者赤血球の汎赤血球凝集反応（非常にまれ）
（2）間接抗グロブリン試験で陽性
　① ABO不適合
　②患者（受血者）が臨床的意義のある37℃で反応性を示す同種抗体を保有
　③患者（受血者）が低頻度抗原に対する同種抗体を保有（不規則抗体スクリーニング陰性の場合）
　④新生児で，母親由来の移行抗A，抗Bや同種抗体が存在する場合
　⑤血漿分画製剤（免疫グロブリン製剤）やABO不適合血小板製剤の輸注後で，製剤由来の抗A，抗Bや同種抗体が存在する場合（まれ）
　⑥供血者赤血球が直接抗グロブリン試験陽性

2）副試験が陽性の場合
　①ABO不適合
　②患者（受血者）赤血球の汎赤血球凝集反応
　③供血者が同種抗体を保有
　④患者（受血者）赤血球が直接抗グロブリン試験陽性

3）自己対照が陽性の場合
　①生理食塩液法：寒冷自己抗体（寒冷凝集素），連銭形成
　②酵素法：非特異反応
　③間接抗グロブリン試験：直接抗グロブリン試験陽性．陽性の原因には，同種抗体の産生［遅発性溶血性輸血反応（DHTR，➡ p.354）の可能性］，自己抗体，投与薬剤に含まれていた抗体［同種抗体，分子標的治療薬（抗CD38抗体）］によるものなどがある．

4）技術的な誤り
以下の原因により偽陽性が生じる場合がある．
　①汚れた器具
　②生理食塩液，試薬，検体の細菌などによる汚染
　③血清によるフィブリン塊
　④凝集反応観察時の過剰遠心

6　交差適合試験の省略

　交差適合試験は，条件により省略することができる．コンピュータクロスマッチでの運用では，輸血検査業務の省力化や検査に従事する技師の精神的負担の軽減，血液製剤の有効利用，資材経費の削減効果などが期待できる．以下に交差適合試験の省略が可能な場合について示した．

1）赤血球製剤（赤血球液）と全血製剤の使用時

　日本赤十字社血液センターから供給される血液製剤は，ABO および RhD 血液型が確定されている．さらに，間接抗グロブリン試験を含む不規則抗体スクリーニングが陰性であることが確認されているため，患者の血液型検査が適切に行われていれば，ABO 同型血使用時の副試験を省略することができる．

　ただし，壊死性腸炎や重症感染症を発症した児では，児赤血球に汎赤血球凝集反応（polyagglutination）を認める場合がある．汎赤血球凝集反応は，児の血液を用いて交差適合試験の副試験を実施することで検出できる．

2）血漿製剤（新鮮凍結血漿）と血小板製剤（濃厚血小板）の使用時

　血漿製剤と血小板製剤は赤血球をほとんど含まないため，交差適合試験を省略してよい．原則として ABO 同型血を使用する．

3）コンピュータクロスマッチ

　あらかじめ患者や供血者の ABO および RhD 血液型検査が実施され，不規則抗体スクリーニングにより臨床的に問題となる抗体が検出されないことが確認されている場合，交差適合試験を省略し，コンピュータクロスマッチ（→ p.266）によって適合性や安全性を確認して血液製剤を出庫することができる．なお，生後 4 カ月未満の児においても，児または母親の血漿（血清）中に臨床的意義のある不規則抗体を保有していないことが確認できれば，交差適合試験を省略し，コンピュータクロスマッチでの運用も可能である．

7　交差適合試験の限界
1）遅発性溶血性輸血反応（DHTR）が生じる可能性がある
（1）同種抗体が検出限界値以下の場合

　患者が保有していた同種抗体は，時間の経過とともに抗体価が低下することがあるため，不規則抗体スクリーニングや交差適合試験において検出感度以下になる場合もある．交差適合試験が陰性で適合血とされた場合でも，低力価の同種抗体に対応する抗原が輸血した血液に存在すれば二次免疫応答を起こし，遅発性溶血性輸血反応（DHTR）が生じることがある．

（2）同種抗体に対応する供血者赤血球抗原がヘテロ接合体の場合

　量的効果を示す抗原に対する同種抗体を患者が保有し，不規則抗体スクリーニングに用いた赤血球や交差適合試験に用いた赤血球（供血者由来）の対応抗

原がヘテロ接合体であると，抗体価の低い場合には検査結果が陰性となることがある．

2）RhD 不適合の検出はできない

ABO 血液型には規則抗体（抗 A, 抗 B）が存在するため，交差適合試験により ABO 不適合を検出することができるが，RhD 血液型には規則抗体が存在しない．ABO 血液型が同型で，RhD 陰性の患者（抗 D などの不規則抗体を保有していない）と RhD 陽性の供血者との交差適合試験を行った場合，結果は陰性となるため，RhD 不適合を検出することはできない．RhD 血液型検査時における誤判定もチェックできないので，血液製剤の選択時には事務的なミスなどに注意する．

3）血液型抗原による免疫（感作）の防止はできない

通常，赤血球液製剤輸血時の選択においては，患者と ABO 血液型が同型で，さらに患者が RhD 陰性の場合は，RhD 陰性の血液を選択する．ABO 血液型と RhD 血液型は合わせているが，その他の多種に及ぶ血液型抗原を合わせて輸血を行っていないため，患者が保有していない血液型抗原により免疫（感作）される可能性がある．

なお，自己免疫性溶血性貧血（AIHA）患者は一般的に免疫能が亢進しているため，輸血により同種抗体を産生しやすい．AIHA 患者においては輸血後に発症する遅発性溶血性輸血反応（DHTR）を回避するため，免疫原性が比較的高い Rh 血液型抗原（C, E, c, e）については，患者の Rh 表現型と一致する赤血球製剤を選択することが望ましい．

4）非溶血性輸血反応の防止はできない

抗白血球抗体，抗血小板抗体，血漿蛋白に対する抗体などは検出できないため，これらによる輸血副反応が生じる可能性がある．

5）検査方法による限界

適切な検査方法が行われない場合，抗体は検出されず，また複数の抗体が存在している場合は，すべての抗赤血球抗体が検出されるとはかぎらない．

6）検査ミスの防止はできない

検査の術式，操作の誤りは防止できない．患者血漿（血清），試薬などの入れ忘れや術式の誤り，操作の未熟による不適合反応の見逃しを検出することはできない．しかし，交差適合試験で必須である間接抗グロブリン試験単独での検査でなく，他の検査方法を組み合わせることで，検査ミスを防げる場合がある．

IX 自動輸血検査装置を用いた輸血検査

〈到達目標〉
(1) カラム凝集法における基本的な原理，検査方法，結果の解釈について説明できる．
(2) カラム凝集法における比重勾配分離法の原理について説明できる．
(3) マイクロプレート法（直接凝集法，固相法）における基本的な原理，検査方法，結果の解釈について説明できる．

　輸血検査は試験管やスライドを用いて肉眼的に赤血球凝集反応の有無を判定する検査法が用いられているが，その判定においては経験や熟練を要すること，個人差が大きいことなどの課題も存在する．一方，1984年にLapierreは，マイクロチューブ内に充填したさまざまな素材（現在では**デキストランゲル**を採用）により凝集赤血球と非凝集赤血球を分離する検査法を開発し，1993年にReisらはゲルの代わりに**ガラスビーズ**（80～100 μm）を用いた**カラム凝集法**（column agglutination technology；CAT）を報告した．また，1980年代にはPlappらにより，マイクロプレートのウェルに赤血球（現在では赤血球膜）を付着させて固相し，血漿（血清）と反応させてから，抗ヒトIgG感作赤血球を組み合わせた検査法の開発も進められ，現在の市販化に至っている（**マイクロプレート法**）．
　カラム凝集法やマイクロプレート法は，標準化や自動化がしやすく，全自動輸血検査装置や半自動輸血検査装置（分注機，恒温機，遠心機，判定機の各装置）を用いた輸血検査が近年普及している（**図5-IX-1**）．カラム凝集法やマ

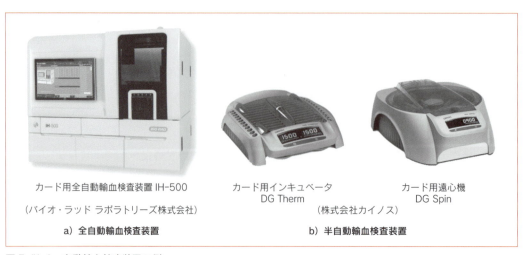

カード用全自動輸血検査装置 IH-500
（バイオ・ラッド ラボラトリーズ株式会社）

カード用インキュベータ
DG Therm

カード用遠心機
DG Spin

（株式会社カイノス）

a) 全自動輸血検査装置　　　　　　b) 半自動輸血検査装置

図5-IX-1　自動輸血検査装置の例

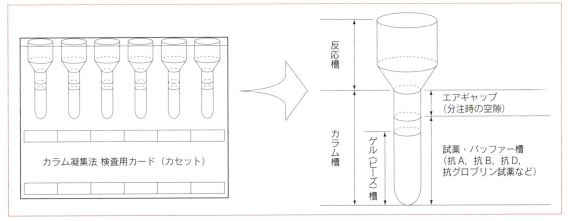

図 5-IX-2　カラム凝集法における検査用カード（カセット）

イクロプレート法と試験管法は，いずれも赤血球凝集反応を利用した検査方法であるものの，原理・操作手順・反応特性などで相違点も多く，それらの特性を十分に理解したうえで検査を行う必要がある．検査方法は，メーカーにより異なるため，添付文書に従って検査を行う．

1　カラム凝集法

カラム凝集法は，1枚のプラスチックカード（カセット）に 6〜8 個のマイクロチューブを横に並べた形状で構成されている（**図 5-IX-2**）．各マイクロチューブは，上部の口径が広い反応槽とデキストランゲルやガラスビーズが充填されている細長いカラム槽からなる．反応槽に赤血球浮遊液，血漿（血清）または試薬（酵素）などを正確に分注する（分注する種類・濃度・量などは，製品の添付文書に従う）．検査項目の必要性に応じて恒温機などで反応させたあと，専用遠心機で遠心する．陽性の場合，凝集した赤血球は，充填されたゲル（ビーズ）の**フィルター効果（ふるい効果）**によりゲル（ビーズ）間隙を通過できず，凝集塊の大きさに応じてゲル（ビーズ）上部から下部にかけて残る．一方，陰性の場合，凝集しなかった赤血球は，ゲル（ビーズ）間隙を通過してマイクロチューブの底部に集まる（**図 5-IX-3**）．

カラム凝集法における抗グロブリン試験は，比重勾配分離法を原理とした試薬の調製により，試験管法では必須である洗浄操作を必要としない．各検査の目的に応じて各種のカード（カセット）が市販化されている．ABO・RhD 血液型検査と交差適合試験の反応例を**図 5-IX-4, 5**に示す．

> **カラム凝集法**
> カラム凝集法は，ABO・RhD 血液型検査，不規則抗体検査，交差適合試験や直接抗グロブリン試験などの多くの検査項目に利用可能である．

1）カラム凝集法における密度（比重）勾配遠心法の原理（図 5-IX-6）

マイクロチューブ内（間接抗グロブリン試験用）の抗グロブリン試薬を含むバッファー（試薬槽）の比重は，血漿（血清）比重（1.03）と赤血球比重（1.09）との中間に調整されている．そのため遠心後，反応槽で赤血球に結合していな

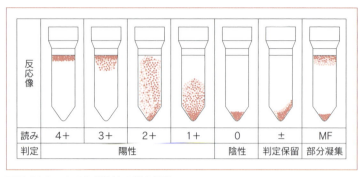

図 5-IX-3 カラム凝集法の判定基準
凝集の読みは，4+：すべての赤血球凝集塊がカラム最上部に残る，3+：ほぼすべての赤血球凝集塊がカラム上半部に分布，2+：赤血球凝集塊がカラム上部から下部まで全体に分布，1+：多くの赤血球がカラム底部に分布，かつ小さい凝集塊をカラム中に認める，0：赤血球がカラム底部に沈殿，±：陽性と陰性の中間に分類，カラム底部に弱い反応を認める，MF（mixed field agglutination）：部分凝集，カラム上部に赤血球凝集塊と底部に赤血球が沈殿．

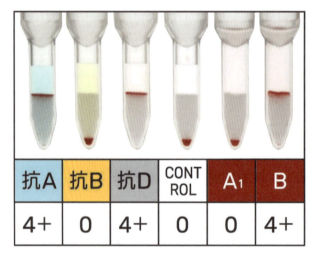

判定結果：A 型 RhD 陽性

図 5-IX-4 ゲルカラム凝集法を用いた ABO・RhD 血液型検査の反応例
オーソ バイオビュー抗 A，抗 B，抗 D カセット（オーソ・クリニカル・ダイアグノスティックス株式会社提供）

い血漿（血清）中のグロブリン（抗体）は，血漿（血清）よりも高比重の試薬槽に移行することがなく，試薬槽よりも上部に留まる．一方，反応槽で赤血球に結合したグロブリン（抗赤血球抗体）は，赤血球とともに抗グロブリン試薬を含むゲル槽に移行する．これらのことから，カラム凝集法における抗グロブリン試験では，試験管法で必須である赤血球洗浄は不要となる．

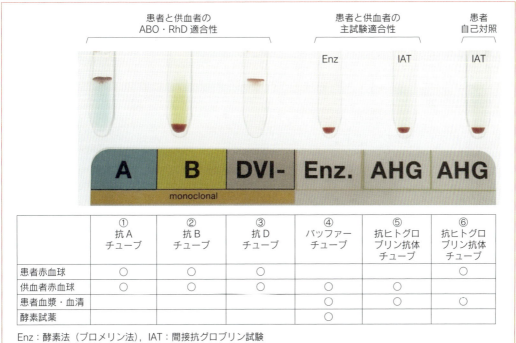

図 5-IX-5　ゲルカラム凝集法を用いた交差適合試験の反応例
マイクロタイピングシステム Crossmatch カード（バイオ・ラッド ラボラトリーズ株式会社）
1枚のカードで，患者および供血者の ABO 血液型（オモテ検査），RhD 血液型の一致確認ならびに交差適合試験（ブロメリン法，間接抗グロブリン試験，間接抗グロブリン試験自己対照）を同時に行うことができる．
【判定方法】
　赤血球がマイクロチューブの底部に集まり，ゲルとの境界面が明瞭に分かれているものを陰性とし，それ以外を陽性とする．また，一方の赤血球がマイクロチューブの底部に集まり，ゲルとの境界面が明瞭に分かれ，他の一方がゲル上部に集まり，両赤血球が明らかに分かれて存在しているものをダブル・セル・ポピュレーション（DCP）と判定する．抗A，抗B，抗Dチューブ（①〜③）のうち1カ所でも DCP の場合，血液型不適合と判定する．Enz チューブ（④），AHG チューブ（⑤）のいずれか一方でも陽性を示す場合には，交差適合試験不適合と判定する．
写真では患者および供血者はともに A 型 RhD 陽性である．交差適合試験の主試験（ブロメリン法，間接抗グロブリン試験）は陰性で，自己対照も陰性である．

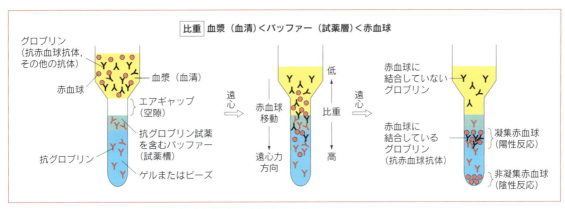

図 5-IX-6　カラム凝集法における密度（比重）勾配遠心法の原理

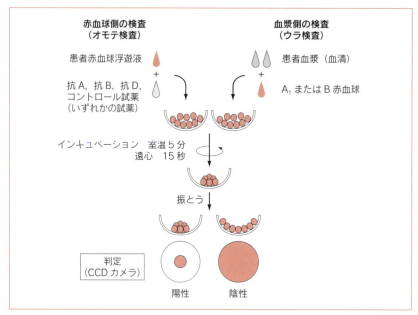

図5-Ⅸ-7　マイクロプレート法における直接凝集法（ABO・RhD血液型検査の方法）

2　マイクロプレート法

　マイクロプレート法は，8ウェルを1列に並べたストリップを基本として，そのストリップ12本で1枚のプレートが構成されている．ポリスチレン製のスプリットは，個々に取り外しが可能で，検査件数に応じて使用する．

　マイクロプレート法には直接凝集法と固相法があり，それぞれの測定原理が異なっているため，判定においても陽性像と陰性像の違いに注意が必要である．

1）直接凝集法

　試験管法におけるABO・RhD血液型検査と同様に，患者（受血者）赤血球浮遊液と血液型判定用試薬，または患者（受血者）血漿（血清）と赤血球試薬をマイクロプレートのウェルに分注し，遠心，振とうして凝集を（CCDカメラで光学的に）観察する（**図5-Ⅸ-7**）．

2）固相法

　赤血球膜がすでに固相化されているウェル，または検査室で患者（受血者）あるいは供血者赤血球を固相化したウェルを使用する．固相化ウェルに患者（受血者）血漿（血清）を加えて37℃で反応させ（直接抗グロブリン試験を除く），ウェルを洗浄後，指示赤血球（抗ヒトIgG感作赤血球）を加えて，指示赤血球のウェルへの付着あるいは沈降の状態を観察する（**図5-Ⅸ-8**）．

> **マイクロプレート法**
> マイクロプレート法では，直接凝集法と固相法が用いられている．直接凝集法ではABO・RhD血液型検査，固相法では不規則抗体検査，交差適合試験，D陰性確認試験や直接抗グロブリン試験の検査を行うことができる．

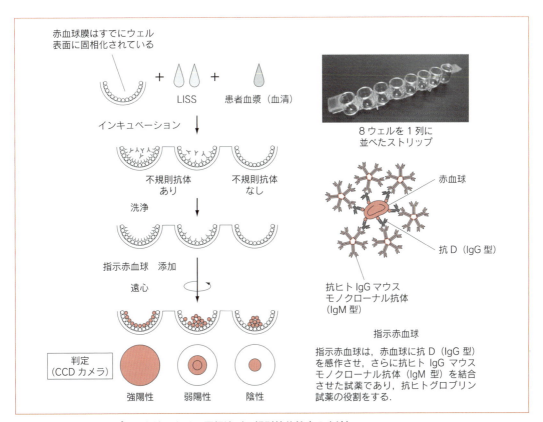

図 5-IX-8 マイクロプレート法における固相法（不規則抗体検査の方法）
不規則抗体スクリーニングや同定検査の場合は，赤血球膜がすでにウェル表面に固相化されたストリップを使用する．直接抗グロブリン試験，D陰性確認試験，交差適合試験では，患者あるいは供血者赤血球を固相化して使用する．

X 輸血検査における精度管理

〈到達目標〉
(1) 精度管理を実施するうえで医療関係者の責務，内部精度管理，外部精度管理について説明できる．

　輸血検査の目的は，安全かつ効果的な輸血療法を過誤なく実施することである．そのため，輸血分野における「精度管理」は，検査の正確性に留まらず，輸血用血液製剤の管理や輸血後の副反応への対応（輸血後管理）を含めた「輸血療法」全般を適正に行うことを目的に整備することが重要である．輸血検査（輸血療法）における整備を進めるにあたり，輸血分野に関連する法律や厚生労働省関係，日本輸血・細胞治療学会関係の指針やガイドライン，マニュアルの把握が必要となる．

1 医療関係者の責務

　検体検査の品質・精度管理についての基準を規定することなどを盛り込んだ「医療法等の一部を改正する法律（平成29年法律第57号）」が，2017年に成立し公布された．さらに，検体検査の精度管理の基準を設ける「医療法等の一部を改正する法律の一部の施行に伴う厚生労働省関係省令の整備に関する省令」が2018年7月に公布され，同年12月から施行された．医療法第15条の2により医療機関における検体検査の品質・精度の確保の整備について厚生労働省令で定める基準に適合させることが求められ，医療法施行規則第9条の7により標準作業書，作業日誌および台帳関係の常備や作成が義務づけられている（表5-X-1）．

2 内部精度管理，外部精度管理

　精度管理においては，検査の適切性を管理する手段として，自施設における内部精度管理の実施や外部で実施されている外部精度管理プログラムに参加する方法がある．内部精度管理における日常検査・測定作業の開始にあたっては，

表5-X-1　医療施設において常備や作成が義務づけられた文書類

標準作業書	検査機器保守管理標準作業書 測定標準作業書
作業日誌	検査機器保守管理作業日誌 測定作業日誌
台帳	試薬管理台帳 統計学的精度管理台帳（内部精度管理を実施した場合） 外部精度管理台帳（外部精度管理調査を受検した場合）

表 5-X-2　機器や試薬管理で重要な管理項目

項目	確認内容・目的
検査室室温（湿度）	検査機器や保冷機器の設置環境設定，低温下における反応系への影響軽減
恒温槽の温度	反応に適した温度測定，対流の状態と槽内位置による温度差
自動血球洗浄遠心機	回転数・時間，生理食塩液の分注量，洗浄後の残液量，洗浄度
判定用遠心機	回転数・時間，バランス
試薬用冷蔵庫の温度	試薬に適した温度測定，外部表示温度と実測，アラーム動作
試薬の反応態度	各試薬の外観（赤血球試薬：溶血の有無），各試薬の反応性
輸血用血液製剤専用保冷庫の温度	製剤に適した温度測定，外部表示温度と実測，アラーム動作，自記温度記録計の動作・記録
振とう機	血小板製剤に適した温度測定，血小板製剤の振とう状況

「機器および試薬に必要な校正の実施」，「定期的に管理試料などの同一検体を繰り返し検査した際の変動を把握し，精度を確保するための体制整備」，「検査エラーが発生した場合の考察」，「全自動輸血検査装置を使用する場合は，メーカー指定の定期メンテナンスやコントロール試薬キットで装置の管理」などの実施で，試薬性能の管理や検査プロセスの管理につながる．外部精度管理では，他施設の状況や差異を把握することで，自施設における課題の抽出や改善策の策定に有効となる．

また，教育・訓練プログラムの整備による検査実施者の技能（習熟度）維持や向上活動も重要となる．

輸血検査の目的は，安全かつ効果的な輸血療法を過誤なく実施することである．そのための輸血検査室を含めた輸血管理部門の「品質保証と精度管理」において，機器や試薬管理で重要な管理項目を表 5-X-2 に示す．機器や試薬管理および教育・訓練プログラムは，作成した精度管理手順書やチェックリストなどに従って定期的に実施し，記録を残しておく．

XI 自己免疫性溶血性貧血と自己抗体

〈到達目標〉
(1) 自己免疫性溶血性貧血で認められる自己抗体の特性(反応温度,免疫グロブリンのクラスなど)について説明できる.

1 自己抗体の種類と特異性

網赤血球増加,間接ビリルビン増加,ハプトグロビン減少を伴う貧血では,溶血性貧血が疑われる.このような症例では,直接抗グロブリン試験(→ p.321)を行い,陽性の場合には免疫性溶血性貧血を疑い,陰性の場合には非免疫性の溶血性貧血を疑う.免疫性溶血性貧血では,関与する抗体が自己抗体(autoantibody)の場合,同種抗体(alloantibody)の場合,薬剤誘発性抗体(drug-induced antibody)の場合がある.自己抗体による免疫性溶血性貧血,すなわち自己免疫性溶血性貧血(autoimmune hemolytic anemia;AIHA)では,病因となる赤血球に結合する自己抗体は,その活性の至適温度によって,温式抗体(warm active autoantibody)と冷式抗体(cold active autoantibody)に分けられる(表5-XI-1).

免疫性溶血性貧血が強く疑われるにもかかわらず直接抗グロブリン試験が陰性であるクームス陰性自己免疫性溶血性貧血が,自己免疫性溶血性貧血の1～4%にみられる.この場合は抗体の検出感度を高める方法を用いて検査する必要がある.通常行われている試験管法では赤血球あたり200～500個程度のIgG分子が検出の限界とされているが,ポリビニルピロリドン(polyvinylpyrrolidone;PVP)やブロメリンを添加したり,フローサイトメトリ,ELISA,カラム凝集法などを用いると,より少ないIgG分子の結合も検出が可能である.

> **非免疫性の溶血性貧血**
> 非免疫性の溶血性貧血には,遺伝性球状赤血球症(hereditary spherocytosis;HS)などの赤血球膜異常,サラセミアなどのヘモグロビン異常,ピルビン酸キナーゼ欠乏症などの酵素異常,発作性夜間ヘモグロビン尿症(PNH)などの補体不活化異常,機械的破壊,マラリア感染が含まれる.

表5-XI-1 自己免疫性溶血性貧血の病型と特徴

病型	自己免疫性溶血性貧血(狭義)	寒冷凝集素症	発作性寒冷ヘモグロビン尿症
抗体の性質	温式抗体	冷式抗体	冷式抗体
頻度	40～70%	16～32%	まれ(小児の32%)
DAT	IgG±C3;まれにC3単独	C3	C3
免疫グロブリン	IgG;ときにIgA,IgM	IgM;まれにIgG,IgA	IgG
抗体特異性	汎凝集素;まれにRhなど	I抗原>i抗原≫Pr	P抗原
血液型判定	支障なし	吸収や予備加温が必要	吸収や予備加温が必要
交差適合試験	すべて不適合	吸収や予備加温が必要	吸収や予備加温が必要
輸血	不規則抗体に適合血	洗浄赤血球,加温	加温,p型血

DAT:直接抗グロブリン試験,C3:補体第3成分,Pr:グリコフォリン上にある抗原の一つ
(Wintrobe's Clinical Hematology(12th ed.). 2009に加筆)

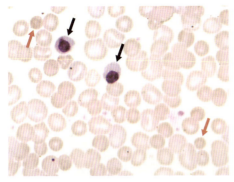

図 5-XI-1　温式自己免疫性溶血性貧血の末梢血塗抹標本
赤血球凝集，球状赤血球（赤矢印），赤芽球（黒矢印）の出現がみられる．
（熊本大学医学部附属病院中央検査部提供）

1）温式抗体

　体温，すなわち37℃付近で赤血球との結合活性が最も高い抗体である．この抗体が補体活性化能をもっている場合は，補体成分が赤血球表面に沈着する．直接抗グロブリン試験で赤血球結合グロブリンの種類を測定すると，IgGと補体の検出頻度が高いが，IgAやIgMを伴っていることもある．IgGのサブクラスでは大部分がIgG1で，次いでIgG3が多い．IgG1とIgG3はともに補体を活性化し補体第3成分（C3b）を赤血球表面に沈着させることができる．マクロファージはIgG1とIgG3に高い親和性をもつFcレセプターとC3bに対するレセプター（CR1）をもつので（→p.56），この温式抗体を結合した赤血球は脾臓の網内系で血管外溶血を起こす．

　血管内溶血がみられることもあるが，この場合，IgM型抗体や抗体依存性細胞傷害（ADCC，→p.30）の関与がある．肝臓のクッパー細胞は補体レセプターはもつがFcγレセプターはもたないので，血管外溶血の主役とはなれない．

　この温式抗体の特異性を調べると，大部分はすべてのパネル赤血球を凝集する汎凝集素である（**図5-XI-1**）．しかし，Rh型物質を欠損するRh$_{null}$赤血球を凝集しないことから，Rh型物質の基本構造部分に向けられていると考えられている．

　血液型特異性が明らかな温式自己抗体は少数であるが，E, c, e, Kell, Wr^a, En^a, LW, U, Jk, Ge, Sc1, MNSs, Iiなどの血液型抗原に対する自己抗体が報告されている．

　自己免疫性溶血性貧血の原因の大多数がこの温式自己抗体であるため，温式自己抗体による自己免疫性溶血性貧血を単に自己免疫性溶血性貧血とよぶことも多い．自己免疫性溶血性貧血には特発性と続発性があり，その比率はほぼ1：1と考えられている．続発性の基礎疾患は広範にわたるが，全身性エリテマトーデス（SLE）をはじめとする自己免疫疾患とリンパ増殖性疾患が代表的である．

　特発性自己免疫性溶血性貧血の治療は副腎皮質ステロイド投与が第1選択であり，ステロイド難治例には摘脾や免疫抑制薬投与が行われる．輸血は強度

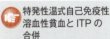　**特発性温式自己免疫性溶血性貧血とITPの合併**

特発性温式自己免疫性溶血性貧血に特発性血小板減少性紫斑病（ITP）の合併が1949年に報告され，報告者の名にちなんでEvans（エバンス）症候群とよばれている．Evans症候群は特発性温式自己免疫性溶血性貧血の10～20％を占める．Evans症候群の赤血球と血小板に対する自己抗体の特異性は異なる．

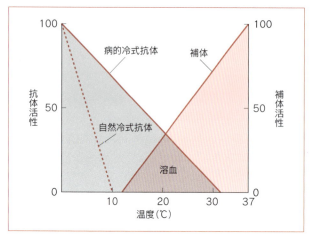

図 5-XI-2　冷式抗体の活性温度域と溶血との関係
(Wintrobe's Clinical Hematology (11th ed.), 2004 に加筆)

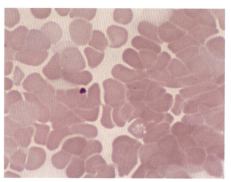

図 5-XI-3　寒冷凝集素症の末梢血塗抹標本
室温での塗抹で強い赤血球凝集がみられる.
(NTT 西日本九州病院・山本典夫氏提供)

の貧血を緊急に改善させる必要があるときのみに行われる．温式自己抗体ではABO や Rh 血液型の判定に通常支障はないが，自然凝集により判定が困難なこともある．交差適合試験はすべて不適合となる．輸血が必要な場合は，自己抗体吸収後の血清について不規則抗体の有無や同定を行い，不規則抗体があればそれに対する適合血を使用する．ただし，ほとんどの場合，自己抗体により輸血赤血球も患者赤血球と同程度の溶血が起こる．

2) 冷式抗体

　冷式抗体は 0℃ に近づくにつれ赤血球への結合力が増加する抗体である．溶血の病因となる冷式抗体の場合には，補体活性化温度域（12℃ 以上）でも抗原との結合力をもち，そのため補体活性化による血管内溶血により短時間に強い貧血を起こす能力をもっている（図 5-XI-2）．冷式抗体には 2 種類あり，寒冷凝集素は寒冷凝集素症の病因となり，また Donath-Landsteiner 抗体は発作性寒冷ヘモグロビン尿症（PCH）の病因となる．

(1) 寒冷凝集素症

　寒冷凝集素症は，寒冷凝集素とよばれる冷式自己抗体が低温下で赤血球と結合し，溶血や凝集による末梢循環障害を起こす疾患である（図 5-XI-3）．1903 年，Landsteiner が最初にこの疾患を報告したが，冷式自己抗体と溶血の関係が明らかになったのは 1950 年前後である．採血時に針が詰まりやすい，赤血球数が不自然に低下している，赤血球指数の平均赤血球容積（MCV）や平均赤血球ヘモグロビン濃度（MCHC）が異様に上昇しているときは，寒冷凝集素症を疑う必要がある．

　寒冷凝集素は IgM 抗体で，1 分子でも低温下で C1q を結合する能力をもっている．IgM 自然抗体が 4℃ より高い温度では抗体活性が低下し体温では抗体活性がないのと異なり，寒冷凝集素は 30℃ 以上でも抗体活性を保っており，

> **冷式抗体の低温下での活性発現の機序**
> 冷式抗体の低温下での活性発現の機序は抗体側の変化ではなく，赤血球膜構造が温度により変化するためと考えられている．低温と体温では活性に 100〜1,000 倍の差があるといわれている．

> **寒冷凝集素症の血液型判定・交差適合試験**
> 寒冷凝集素症の血液型判定や交差適合試験では，次のような操作をする必要がある．採血器具・採血管をあらかじめ 37℃ に加温した状態で採血し，ただちに血漿分離を行い，血球は 37℃ の生理食塩液で 3 回洗浄する．血漿は ZZAP 処理自己赤血球を用いて 4℃ で自己吸収を行う．これらの血球や血漿を用いて予備加温して血液型判定や交差適合試験を実施する．

結合した補体系が順次活性化される．つまり，寒冷凝集素は活性温度域が広く，補体活性化能も強い．しかし，加温により抗体は次第に赤血球から遊離していくので，補体が最終段階まで活性化されて激しい血管内溶血を起こすことは少ない．赤血球膜表面にはC3bやC3dといった補体成分が残存するため，溶血を免れた赤血球の一部はこのC3bを介して肝臓の網内系に捕捉され血管外溶血を起こす．したがって，直接抗グロブリン試験では補体成分は陽性であるが，IgMは陽性を示さない．

　特発性寒冷凝集素症は40歳以後の男性に多く，寒冷凝集素は血液型のI抗原に対して特異性をもつモノクローナル抗体IgMκであることが多い．続発性寒冷凝集素症のうち，マイコプラズマ感染症ではI抗原特異性をもつポリクローナルIgM寒冷凝集素である．伝染性単核球症ではi抗原特異性をもつポリクローナルIgM寒冷凝集素が検出される．そのほか，リンパ系悪性腫瘍やウイルス感染症で寒冷凝集素が検出されることもある（➡ p.118, 169）．

　血液型判定や交差適合試験を通常の方法で採血し室温で検査する場合は，血液型判定は汎凝集のため不能となり，交差適合試験は不適合あるいは判定保留となる．

　治療は保温が基本であるが，免疫抑制療法が有効な場合もある．輸血は貧血が高度のときのみ行うが，補体源となる血漿を除去した洗浄赤血球を加温しながら大きな静脈にゆっくりと輸血するなどの工夫が必要である．

(2) 発作性寒冷ヘモグロビン尿症（PCH，➡ p.89）

　発作性寒冷ヘモグロビン尿症は，寒冷曝露後，数分から数時間後に発作性反復性に血管内溶血が起こり，ヘモグロビン尿，発熱，四肢・腹部などの疼痛をきたす疾患である．1904年にDonathとLandsteinerが低温下で赤血球に結合し，温度上昇により補体を活性化するDonath-Landsteiner抗体（D-L抗体）によって起こることを明らかにした．D-L抗体はポリクローナルIgG抗体で低力価でも赤血球を破壊する強力な溶血素であり，その作用機序にちなんで二相性溶血素（biphasic hemolysin）ともいわれる．D-L抗体は血液型のP抗原に対して特異性をもつ（➡ p.297）．**Donath-Landsteiner試験**では患者血清（37℃で分離），洗浄O型赤血球（P抗原はほとんどの赤血球が陽性），新鮮正常血清（補体源）を混ぜ氷水中に30分置いたあと，37℃に30分置き，遠心し上清の溶血の有無を確認する．直接抗グロブリン試験では補体成分に対しては陽性であるが，IgGに対しては陽性を示すことはまれである．

　発作性寒冷ヘモグロビン尿症の発症率は溶血性貧血の1.7～10%とされている．発作性寒冷ヘモグロビン尿症には，①晩期あるいは先天性梅毒に合併した慢性発作性寒冷ヘモグロビン尿症，②感染症（麻疹，水痘，流行性耳下腺炎，インフルエンザなど）後に生じる急性一過性発作性寒冷ヘモグロビン尿症，③慢性特発性発作性寒冷ヘモグロビン尿症の3つの病型がある．かつて最も多かった①は，梅毒治療法の発展により現在では極端に少なくなっている．③はもともとまれである．②は小児に多く，5歳以下の免疫性溶血性貧血の

免疫抑制薬と溶血の改善
シクロホスファミド，クロランブシル，α-インターフェロン，リツキシマブなどの免疫抑制薬が溶血を改善した報告がある．

Donath-Landsteiner試験の対照
氷水中30分の処置を行わないものを対照とする．補体源としてモルモット血清を用いる場合は，抗ヒト赤血球溶血素を吸収する必要がある．

表5-XI-2　薬剤性の免疫性溶血性貧血の病型と特徴

病型	薬剤吸着型	新抗原型	自己免疫型
代表的薬剤	ペニシリン	キニジン	α-メチルドパ
薬剤の役割	細胞結合ハプテン	赤血球膜と新抗原を形成	薬剤非依存性赤血球抗体を誘導
DAT	IgG	C3	IgG
抗体反応	薬剤吸着細胞とのみ反応	薬剤存在下でのみ反応	薬剤非依存性汎凝集素
臨床像	亜急性発症，軽度〜重度の溶血	急性発症，重度溶血	潜行性発症，慢性軽度溶血
血液型判定	支障なし	支障なし	支障なし
交差適合試験	支障なし	支障なし	すべて不適合
輸血	適合血	適合血	不規則抗体に適合血

DAT：直接抗グロブリン試験，C3：補体第3成分
(Wintrobe's Clinical Hematology (12th ed.), 2009に加筆)

40%以上を占めているが，典型的症状を示さないことが多い．

血液型判定・交差適合試験は寒冷凝集素症と同じく，血液型判定は通常は汎凝集のため不能となり，交差適合試験は不適合あるいは判定保留となる．

治療は保温で，寒冷曝露を避けることが基本である．小児では副腎皮質ステロイドが有効である．梅毒と診断された場合は，梅毒の治療が著効する．重症進行性の貧血の場合だけが輸血の適応となる．供血者血のほとんどがP抗原陽性であるので溶血を増長させる可能性もあるが，患者および輸血血液を保温して輸血を行う．可能であればp型（Tj^a陰性）血の輸血が望ましいが，入手は困難である．

2　薬剤性の自己免疫性溶血性貧血

薬剤性の溶血性貧血には非免疫学的機序によるものと免疫学的機序のものがある．前者には解熱薬，サルファ剤，抗マラリア薬などによる酸化傷害に対する抵抗に異常があるグルコース-6-リン酸デヒドロゲナーゼ欠損症やピルビン酸キナーゼ欠損症などや，フェナセチンなどによる赤血球の直接的傷害がある．免疫性溶血は1953年，抗痙攣薬メサントイン服用によるものが最初の報告であるが，現在90種以上の薬剤が溶血を引き起こしたり，直接抗グロブリン試験を陽性化することが知られている．

1) 病型

薬剤性の免疫性溶血性貧血はその病態発生機序によって，①薬剤吸着型（ペニシリン型），②新抗原型（キニジン型），③自己免疫型（α-メチルドパ型）に分類される（表5-XI-2，図5-XI-4）．ただし，同じ薬剤で複数の機序が関与するものや，機序が不明な薬剤もある．

(1) 薬剤吸着型（ペニシリン型）

赤血球膜に強く結合する性質をもつ薬剤に対して抗体が産生され，赤血球膜上の薬剤に抗体が結合して脾臓マクロファージによって赤血球は破壊される．ペニシリンが代表的薬剤であるが，テトラサイクリン，トルブタミド，ペニシ

> **温式抗体と冷式抗体の混在**
> 温式自己免疫性溶血性貧血患者の1/3程度が低力価の寒冷凝集素をもっている．しかし，寒冷凝集素症を起こすような高力価で補体活性化温度域の広い冷式抗体の混在はまれである．

> **薬剤による抗体産生機序についての仮説**
> 薬剤吸着型では薬剤がハプテン，赤血球膜がキャリアとなって抗薬剤抗体が産生される．新抗原型では薬剤と赤血球膜の一部が抗原となり抗体が産生される．自己免疫型の場合，ハプテン-キャリア理論から抗キャリア（赤血球膜）抗体の産生がこれに相当すると考えると理解しやすいが，証明されているわけではない．しかし，薬剤によって複数の型の抗体が産生されることは，この考えを支持している．

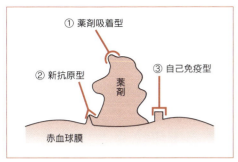

図 5-XI-4　薬剤性の免疫性溶血性貧血の 3 病型における抗原と抗体の関係

リンと抗原交差性のあるセファロスポリンでも起こる．ペニシリンの場合，大量投与（1,000 万単位/日以上）を受けた患者の約 3% で IgG 温式抗体が産生されるが，溶血に至るのはそのうちの一部である．直接抗グロブリン試験はIgG が陽性となるが，薬剤特異性抗体であり赤血球に対する抗体ではないので，間接抗グロブリン試験は陰性である．

(2) 新抗原型（キニジン型）

薬剤が赤血球の特異的部位に緩やかに結合すると，薬剤と赤血球膜の複合体抗原（新抗原）が形成され，それに対して特異性をもつ抗体が産生される．IgM 抗体が多いが，IgG のこともあり，補体活性化能をもち血管内溶血を起こす．直接抗グロブリン試験は補体のみが陽性である．キニジン，スティボフェン，フェナセチンなどが代表的薬剤であるが，発生頻度は低い．

新抗原型の誤称
かつては誤った発症機序の考えから，免疫複合体型あるいは innocent bystander 型とよばれていた．

(3) 自己免疫型（α-メチルドパ型）

薬剤服用により赤血球に対するポリクローナル IgG 型自己抗体が産生されるが，その機序は不明である．薬剤と赤血球の結合はほとんどなく，自己抗体と赤血球の結合に薬剤は必要としない．温式自己免疫性溶血性貧血と同じく脾臓の網内系で血管外溶血を引き起こす．直接抗グロブリン試験は IgG 陽性であるが補体は陰性である．特異性も温式自己免疫性溶血性貧血と同じく大部分は Rh 型物質の基本構造部分であり，このため汎凝集素として働くが，少数ながら Wr^a，Jk^a，U に特異性をもつものもある．

この型は以前は大部分が α-メチルドパによるものであったが，現在ではプロカインアミド，レボドパ，メフェナム酸，フルダラビン，クラドリビンによるものが主である．

2）臨床像・検査所見

臨床像は温式自己免疫性溶血性貧血に似ているが，新抗原型では血管内溶血のため重症で腎不全を起こしやすい．ABO や Rh 血液型の判定に通常は支障ないが，自然凝集により判定が困難なこともある．交差適合試験は薬剤吸着型と新抗原型では問題ないが，自己免疫型ではすべて不適合となる．

3）治療

原因薬剤の中止が基本原則である．新抗原型では輸血を要することもあるが，薬剤が血中に残っている間は，輸血赤血球も患者赤血球と同様に破壊されることに注意しなければならない．

4）セファロスポリンによる直接抗グロブリン試験の陽性化

第一世代のセファロスポリン投与患者の約3％で直接抗グロブリン試験が陽性となるが，溶血はほとんど起こさない．セファロスポリンにより赤血球膜が変化し，免疫グロブリン，フィブリノゲン，補体，α_2-マクログロブリンなどの血清蛋白が非特異的に結合するためである．薬剤を中止する必要はないが，交差適合試験などで問題となる．ただし，第二世代・第三世代のセファロスポリンは薬剤誘発性溶血性貧血を起こすので，注意が必要である．

XII 母児間血液型不適合と胎児・新生児溶血性疾患

〈到達目標〉
(1) 胎児・新生児溶血性疾患の原因と病態について説明できる．

1 胎児・新生児溶血性疾患とは

胎児・新生児溶血性疾患（hemolytic disease of fetus and newborn；HDFN）とは，胎児・新生児が溶血による貧血と黄疸を起こすものである．**血液型不適合妊娠（母児間血液型不適合）**によるものが多く，このほかに児自体の赤血球の異常（球状赤血球症など）が原因のものもある．

血液型不適合妊娠の場合，①母親が抗赤血球抗体を保有し，これが IgG 抗体で胎盤を通過する，②その抗体に対応する抗原が児の赤血球上にある，という 2 つの条件が揃うと，胎児・新生児溶血性疾患が起こる．

2 血液型不適合妊娠による胎児・新生児溶血性疾患のメカニズム

母親が抗赤血球抗体を獲得する原因として最も多いのが，分娩時や妊娠中に微量の胎児血が母体に移行する胎児-母体間出血である．胎児は父親から遺伝した母親にはない血液型抗原をもっているため，胎児-母体間出血は微量の異型輸血として働き，母親が抗赤血球抗体を獲得する原因となる．移行する血液の量は微量なので，「抗原性の強い」抗原が特に問題になる．胎児・新生児溶血性疾患の原因として代表的な RhD 不適合の場合，RhD 陰性の母親が RhD 陽性の児を妊娠，分娩すると，2〜10％で抗 D を獲得するといわれる．母親が過去に受けた同種血輸血も抗赤血球抗体獲得の原因となる．

図 5-XII-1 に RhD 不適合妊娠による胎児・新生児溶血性疾患のメカニズムを示す．母親が妊娠・分娩あるいは輸血によって IgG の抗赤血球抗体を獲得する．次回妊娠で胎児が赤血球上に対応抗原をもっていると，胎盤を通じて移行してきた抗体と反応する．抗体の結合した赤血球は，胎児の網内系のマクロファージの Fcγ レセプターに捕捉され，赤血球はマクロファージによって破壊される（**血管外溶血**）．ABO など他の血液型不適合で起こる HDFN もメカニズムは同様である．

母体内では，溶血によって発生したビリルビンは胎盤を通じて母体へ移行し処理されるため，黄疸は生じない．また，溶血によって起こる貧血を代償するために，造血が亢進する．しかし，溶血の程度が強い場合には，貧血が進行して胎児水腫や子宮内胎児死亡となる．

出生後は溶血によって生じた非抱合（間接）ビリルビンを新生児が自力で処理しなければならない．しかし，新生児の肝はビリルビン抱合能が不十分なた

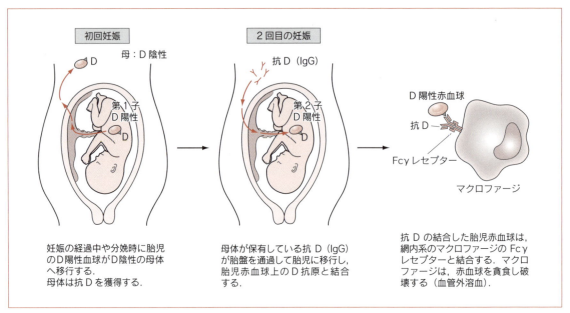

図 5-XII-1　胎児・新生児溶血性疾患の発生機序（Rh 不適合の場合）

表 5-XII-1　ABO 不適合妊娠と Rh 不適合妊娠の違い

	ABO 不適合	Rh 不適合
児の直接抗グロブリン試験	陰性例が多い．陽性例でも弱い	強陽性となる例が多い
児のビリルビンの値	低値を示す例が多い	高値を示す例が多い
児の交換輸血の必要性	ほとんどない	ほとんどの例で行う必要あり
児の光線療法での対処	可能	不可能
児の貧血	軽度	高度
児の末梢血中の赤芽球出現	ない	多い
母体の抗体検査による HDFN の予測	不可能	可能

め，血中の非抱合ビリルビンが増加し，大脳基底核や脳神経核に沈着する（**核黄疸**）．核黄疸を起こすと，筋緊張低下・傾眠傾向・哺乳力低下・痙攣・無呼吸などの症状を呈し，生命の危険がある．また，脳性麻痺などの障害を残す．

3　原因となる抗赤血球抗体

　わが国の胎児・新生児溶血性疾患の原因となる抗体で最も頻度が多く，約 66％を占めるのが ABO 血液型不適合である．次いで，RhD（約 14％），D 以外の Rh 不適合の順となる．

　日本人の場合は Diego 血液型，白人の場合は Kell 血液型不適合にも注意が必要である．

4　ABO 不適合妊娠と Rh 不適合妊娠の比較

　ABO 不適合妊娠と Rh 不適合妊娠の違いを**表 5-XII-1** に示す．
　Rh 系・抗 D の不適合妊娠は ABO 不適合妊娠に比べて重篤で，交換輸血を

必要とすることが多い．

一方，ABO不適合妊娠では，交換輸血を要する症例は少なく，ほとんどの例で光線療法が行われる．

5　母体血の間接抗グロブリン試験

間接抗グロブリン試験の手技を用いて，妊婦に妊娠3ヵ月，6ヵ月，9ヵ月，分娩直前，分娩時に不規則抗体スクリーニングを行うことで，不適合妊娠（特にRh系の不適合妊娠）の事前予測が行え，有意義である．

陽性結果が得られた妊婦血清については市販パネルセル（不規則抗体同定用血球）を用いて不規則抗体同定検査を行い，特異性を決める．その特異性をもつ抗体が不適合妊娠の原因抗体である．

6　臍帯血・新生児血の直接抗グロブリン試験

臍帯血および新生児の血液で直接抗グロブリン試験を行うことは，不適合妊娠の原因究明の点から意義がある．母親血液中に産生されたIgG抗体が胎盤を通過して児に移行してくる．その抗体と対応する抗原を児が保有する場合に児血球に抗体が感作し，貧血の原因となる（感作した赤血球は寿命が短縮する）．つまり，不適合妊娠による胎児・新生児溶血性疾患が考えられる場合は，児の直接抗グロブリン試験を行うことで胎児・新生児溶血性疾患の原因究明ができ，さらに感作抗体の特異性を調べること（抗体解離試験を行い，解離液をパネルセルに反応させて特異性を調べる）で，胎児・新生児溶血性疾患の原因が詳細に把握できるとともに，交換輸血が必要な場合にはその必要な適合血の選択ができる（治療につながる）．

7　胎児・新生児溶血性疾患の治療と予防

1）既感作妊婦と胎児の管理

RhD陰性の母体については，妊娠中，定期的に抗D抗体価を測定する．抗Dが陽性の場合，16～32倍以内に抑えるようにし，抗体価が上昇する場合には血漿交換を行うこともある．

母体の抗体価が高い場合，超音波検査による胎児の浮腫や腹水貯留の評価，中大脳動脈血流速度に基づく貧血の評価を行う．妊娠30週以前で貧血が高度な場合，胎児輸血を行う．胎児輸血には腹腔内輸血と臍帯血管内輸血がある．

2）胎児・新生児溶血性疾患の治療

(1) 交換輸血

出生後，ビリルビンの著しい上昇がある場合には，交換輸血を行う．交換輸血によって，①ビリルビンの除去，②抗体におおわれ溶血準備状態にある赤血球の除去，③母親から移行した抗体の除去，④抗原を保有しない赤血球の補充による貧血の改善，がなされる．

腹腔内輸血と臍帯血管内輸血
腹腔内輸血は，超音波ガイド下に母体の腹壁および胎児の腹壁を経由して，胎児腹腔内にカテーテルを挿入して輸血を行う方法である．1～2週ごとに繰り返す．一方，臍帯血管内輸血は，超音波ガイド下に，胎児臍帯静脈を穿刺し直接輸血を行う方法で，直接的な輸血効果があるほか，採血により胎児の貧血の程度を評価したり，交換輸血を行うことも可能である．いずれの方法でも，母体・胎児両者に合併症の可能性があるので，習熟した術者が万全の準備のもとで行う必要がある．

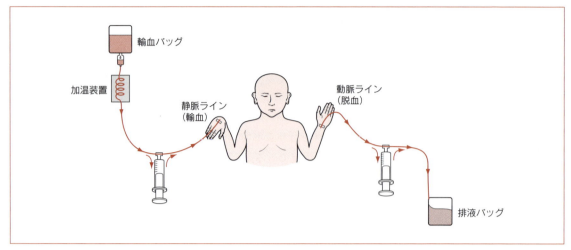

図 5-XII-2　交換輸血の実際

かつては臍静脈の 1 つのルートから，脱血・返血を反復する方法が行われていたが，現在では末梢動脈から脱血し，末梢静脈から返血する方法が一般的である（**図 5-XII-2**）．

新生児の体重 1 kg あたり 160〜200 mL の交換輸血を行うと，約 90% の血液が置き換えられる．交換に用いる血液は，RhD 不適合の場合は RhD 陰性で児と ABO 同型，ABO 不適合の場合は合成血（O 型赤血球と AB 型血漿を合わせたもの），その他の不規則抗体による場合は，対応抗原を含まず児と ABO 同型を用いる．輸血後 GVHD（→ p.358）を防止するため，必ず血液製剤には放射線照射を行う．

交換輸血の合併症として，血小板減少，低カルシウム血症，低血糖，高カリウム血症，アシドーシスなどがあるので注意する．

(2) 光線療法

青白光によって非抱合ビリルビンを立体異性体に変化させて，水溶性として胆汁から排泄されやすくすると考えられている．交換輸血を必要としない中等度の高ビリルビン血症の治療に用いる．光線療法を行うときには，照射面積を広くするため新生児を裸にして保育器に収容する．不感蒸泄が増加するので水分投与を増やし，眼と性腺は遮蔽する．

 不感蒸泄
皮膚および呼気からの水分喪失のこと．発汗によるものは除く．

3）未感作妊婦の管理

母体が RhD 陰性で，抗 D 未獲得であり，新生児が RhD 陽性の場合，分娩後 72 時間以内に母親に**抗 D グロブリン**を投与する．これにより，分娩時に母親に移行した児の RhD 陽性赤血球による感作が生じにくくなる．妊娠中にも微量の胎児母体間出血が起こるので，最近では妊娠 28 週で抗 D 陰性の場合にも抗 D グロブリン投与が行われる．

XIII 輸血副反応

〈到達目標〉
(1) 溶血性輸血反応の原因と防止策について説明できる．
(2) 輸血後 GVHD の病態について説明できる．
(3) 輸血関連急性肺障害（TRALI）と輸血関連循環過負荷（TACO）の共通点と相違点について説明できる．
(4) 輸血後感染症とその防止対策について説明できる．

1 輸血副反応の種類と分類

輸血副反応にはさまざまな種類があるが，いくつかの観点で分類することができる．
　①溶血を主体とするかどうか：**溶血性輸血反応**と**非溶血性輸血反応**
　②原因が免疫反応か否か：**免疫学的副反応**と**非免疫学的副反応**
　③時間経過：**即時型副反応**と**遅発型副反応**
　表 5-XIII-1 に輸血副反応の分類について示す．

> **輸血副反応**
> これまで使用されていた「輸血副作用」関連の用語について，用語の定義や英語での表記から，2019年12月に日本輸血・細胞治療学会により下記に示した用語を用いるように推奨された．
> ①「輸血副作用」を「輸血副反応」に変更する．
> ②「溶血性輸血副作用」と「非溶血性輸血副作用」を，「溶血性輸血反応」と「非溶血性輸血反応」に変更する．

2 溶血性輸血反応

溶血とは，赤血球が破壊され寿命が短縮することである．その結果として貧血に陥ると溶血性貧血となる．

1）免疫学的溶血と非免疫学的溶血

免疫学的溶血とは，患者血清中になんらかの抗赤血球抗体があり，これが患者本人または輸血された他人の赤血球と反応して起こる溶血のことである．非免疫学的溶血とは，赤血球自体の異常（主として先天的な異常）や赤血球の機械的破壊，あるいは毒物による溶血を指す．

表 5-XIII-1 輸血副反応の分類

溶血性反応	免疫学的	即時型	ABO その他の血液型不適合輸血
		遅発型	輸血によって抗赤血球抗体価が上昇
	非免疫学的	即時型	赤血球の機械的破壊による溶血（不適切な加温や器具の使用）
非溶血性反応	免疫学的	即時型	発熱性輸血副反応/アレルギー・アナフィラキシー/輸血関連急性肺障害（TRALI）
		遅発型	輸血後 GVHD/同種免疫抗体の獲得
	非免疫学的	即時型	細菌汚染によるショック/心不全・空気塞栓
		遅発型	輸血後感染症（ウイルス性肝炎など）/鉄過剰症

表 5-XIII-2　血管内溶血と血管外溶血

	血管内溶血	血管外溶血
血液型	ABO 不適合輸血	ABO 以外の不適合輸血
時間経過	輸血中～直後に発症	輸血後数時間～24 時間で発症
反応の強さ	強い	中程度までのことが多い
ヘモグロビン血症・尿症	起こる	起こらない
予後	死亡例あり	死亡例はまれ

2）血管内溶血と血管外溶血

　溶血の主な場が血管内であるか血管外であるかによって，**血管内溶血**と**血管外溶血**を区別することができる．両者について**表 5-XIII-2** にまとめた．血管内溶血は ABO 血液型不適合輸血の場合にみられ，すみやかに溶血をきたし，反応は強度で，予後はしばしば不良である．血管外溶血は ABO 以外の血液型不適合輸血の際に，患者が保有する IgG 型抗赤血球抗体と輸血された赤血球の抗原が反応して抗原抗体複合体を形成したものが，細網内皮系（網内系）のマクロファージによって貪食，破壊されて起こり，予後は良好なことが多い．

3）即時型溶血と遅発型溶血

　即時型の溶血性輸血反応では，輸血時すでに患者血清中に十分な力価の抗赤血球抗体があって，血管内または血管外で溶血反応を生じる．これに対し，**遅発型溶血性反応**では，輸血後 7～10 日経過してから溶血が起こる．

　遅発性溶血性輸血反応（delayed hemolytic transfusion reaction；DHTR）は，二次免疫応答（→ p.49）によって起こる．患者（受血者）が過去に輸血あるいは妊娠によって同種抗赤血球抗体を産生したが，時間経過とともに抗体価が下がり，輸血前検査時には感度以下となり検出できなくなっている．輸血によって再度抗原刺激を受け抗体価が上昇し，輸血された血球を破壊するものである．遅発性溶血性輸血反応の原因となる抗赤血球抗体としては，抗 Jk^a，抗 Jk^b，抗 E，抗 c などがある．

3　血管内溶血

　血管内溶血は ABO 不適合輸血，特にメジャーミスマッチの場合に起こる．メジャーミスマッチは，患者（受血者）が抗体を有し供血者赤血球に抗原が存在する組合せ［患者（受血者）O 型・供血者 A 型など］を指す．マイナーミスマッチ［患者（受血者）A 型・供血者 O 型など］の場合には，供血者の抗体が患者（受血者）の血球上の抗原と反応する可能性はあるものの，少量の輸血の場合，抗体が患者（受血者）の血中で希釈され，反応は弱くなるといわれている．ABO 不適合輸血はその多くが医療事故としての側面を有しており，不適合輸血の防止対策は医療安全対策としても重要である．

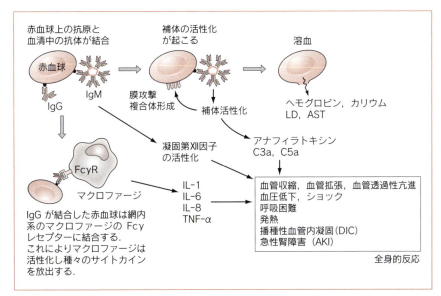

図 5-XIII-1 血管内溶血のメカニズム

1）主な症状

　意識があり症状を訴えることができる患者の場合，ABO 不適合輸血が開始されてまもなく，輸注静脈に沿った痛みや不快感，顔色不良，腹痛や背部痛などの非特異的な症状が出現する．次いで，呼吸困難，悪心・嘔吐，悪寒戦慄，発熱，血圧の変動（初期に上昇し次いで下降，ショック状態）が起こる．

　輸血後数時間〜1 日では，播種性血管内凝固（disseminated intravascular coagulation；DIC）や急性腎障害（acute kidney injury；AKI）が起こってくる．

2）主な検査所見

　血管内にヘモグロビンが放出されるため，ヘモグロビン血症，ヘモグロビン尿症をきたす．また，直接抗グロブリン試験陽性となる．これらの所見は，血管内溶血の診断上重要である．赤血球内成分の放出に伴い，高カリウム血症，血清 LD や AST の上昇が起こる．血清中のハプトグロビンは低下する．急性腎障害（AKI）を合併すれば血清クレアチニンや尿素窒素の高値，DIC を合併すれば血小板減少や FDP 増加も認められる．

3）血管内溶血の病態生理

　血管内溶血には以下のようなメカニズムが関与している．図 5-XIII-1 にそのあらましをまとめた．

(1) 補体系の活性化（➡ 1 章-VI）

　抗原抗体複合体は補体を活性化する．IgM，IgG に補体活性化作用があるが，IgM の活性化作用が強い．C3a と C5a はアナフィラトキシン（➡ p.57）

表5-XIII-3　ABO不適合輸血の原因（2000年，日本輸血学会の実態調査から）

調査対象病院：300床以上，年間3,000単位以上の輸血用血液製剤を使用している病院（777病院，回答578病院）
調査期間：1995年～1999年
1. ABO不適合輸血ありの病院　　　115病院（20%）
2. ABO不適合輸血の件数　　　　　166件
3. 原因の分類
　　バッグの取り違え　　　　　　71件　42.8%
　　血液型判定ミス　　　　　　　25件　15.1%
　　患者の取り違え　　　　　　　19件　11.5%
　　輸血依頼伝票への誤記　　　　14件　 8.4%
　　カルテ血液型の確認ミス　　　 8件　 4.8%
　　カルテに血液型の誤記録　　　 5件　 3.0%
　　患者検体の取り違え　　　　　 4件　 2.4%　など
4. 過誤の当事者
　　看護師　　　　　　　　　　　78件　44.6%
　　医師　　　　　　　　　　　　72件　44.1%
　　検査技師　　　　　　　　　　18件　10.3%
　　その他　　　　　　　　　　　 7件
5. 時間外輸血の割合　　　　　　100/166件　60.2%
6. 緊急輸血の割合　　　　　　　 78/166件　47.0%

ともよばれ，血管作動性があり一時的に血管を収縮させるとともに，肥満細胞からのセロトニンやヒスタミンの放出を促し，血圧低下・ショックに陥らせる原因となる．一方，補体活性化が最終段階まで進むとC5b6789［膜攻撃複合体（MAC），➡ p.55］が形成され，赤血球膜に穴を開け，溶血が起こる．

(2) サイトカイン産生

IgG抗体やC3bが結合した赤血球が網内系に運ばれると，マクロファージのFcγレセプター，C3bレセプターによって捕捉される（➡ p.30, 56）．この際，マクロファージが活性化して，TNF-α，IL-1，IL-6，IL-8などの炎症性サイトカイン（➡ p.13）を産生する．これらのサイトカインは，血管内溶血に伴う発熱，血圧低下，血管透過性亢進などの原因となる．

(3) 凝固系の活性化

抗原抗体複合体による凝固第XII因子の活性化や赤血球膜からのトロンボプラスチン放出などにより，凝固系が活性化し，DICを引き起こす．

4）血管内溶血への対処法

ABO不適合輸血を受け血管内溶血を起こした場合，以下のように対処する．
まず，輸血を中止し，輸液や投薬のための血管を確保する．バイタルサインを定期的にチェックしながら，利尿薬・昇圧薬の投与を行う．DICを併発するので，その治療を進め，急性腎障害（AKI）に至った場合は透析を行う．

5）ABO不適合輸血の発生原因

ABO不適合輸血について，2000（平成12）年に当時の日本輸血学会が行った初回の実態調査の結果を表5-XIII-3に示す．不適合輸血の原因は，輸血前の検査用採血時の患者取り違えから，輸血実施時の患者やバッグの取り違えまで，各ステップに存在するが，事務的過誤（取り違え・誤記入など）が技術的

ABO不適合輸血事故の頻度と予後

ABO不適合輸血事故の正確な発生頻度は明らかになっていないが，わが国および欧米の統計から，1～10万回に1回ABO不適合輸血が発生し，10～100万回に1回不適合輸血による死亡事故が発生していると推測されている．不適合輸血の予後は，血液型の組合せ，輸血された血液製剤の種類と量，患者（受血者）が保有している抗体の力価などによって決まる．

過誤（血液型判定ミスなど）よりも多い．輸血検査を経て，ある患者とその患者に使用して問題ないと判断された血液製剤の組合せができるが，輸血実施時に患者-バッグ間で取り違えを起こしたケースが54％を占めている．また，不適合輸血事例の60％が時間外（夜間や休日）輸血時に，47％が緊急輸血時に発生している．

現在も定期的に不適合輸血事例に関する調査が行われており，電子カルテシステムを用いた患者認証などの導入に伴い，不適合輸血の発生頻度は低下しているが，輸血実施時の事務的過誤に起因するものが約半数を占めている状況は変わらない．

6）ABO不適合輸血事故の防止対策

過誤の生じやすいステップにおいて十分な注意を払う．具体的には以下の点が重要である．

①検体の採血時の患者取り違え防止：採血時の患者確認．血液型は別の機会に採血した2検体で2回判定し，結果の一致を確かめる．
②製剤出庫時・輸血実施時の取り違え防止：患者氏名・血液型・製剤種・製剤番号・有効期限・放射線照射の有無などの事項を，複数の医師・看護師・検査技師などで確認する．

また，輸血開始後も，医師や看護師が十分な観察を行うことにより，溶血性輸血反応だけでなく，他の輸血副反応についても迅速に対応できる．

4 血管外溶血

血管外溶血は，Rh，Kell，Duffy血液型など，ABO血液型以外の不適合輸血が行われた場合に，患者（受血者）が保有している抗赤血球抗体（主にIgG抗体）が供血者赤血球上の抗原と結合し，この抗原抗体複合体を網内系マクロファージが捕捉，貪食して起こる．

1）主な症状

発熱，悪寒，悪心・嘔吐，血圧低下，呼吸困難，黄疸などの症状を示すが，血管内溶血に比べて全般に軽度である．

2）防止対策

輸血前に患者（受血者）の不規則抗体検査を行い，抗体を保有していることがわかれば，反応する抗原をもたない赤血球を輸血に用いる．また，交差適合試験を行って，適合の血液を選択する．

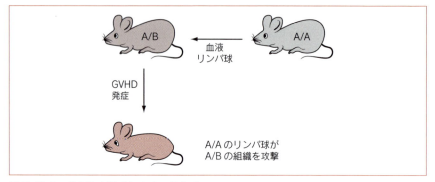

図 5-XIII-2　GVHD が発症しやすい組合せ
GVHD のモデル（近交系マウス）：A/B は A/A の血液を異物と認識できず，排除できない．他方，輸血された A/A のリンパ球は A/B の体組織を異物と認識し，攻撃する．
［GVHD newsreport（日赤資料）より，一部改変］

5　非溶血性輸血反応

1）輸血後 GVHD（PT-GVHD）

（1）定義

輸血後移植片対宿主病（post-transfusion graft versus host disease；PT-GVHD）は，輸血製剤中のリンパ球が患者組織を破壊する致死的副反応である．

（2）発症機序

輸血された血液中の供血者由来のリンパ球が排除されず，患者の HLA 抗原を認識して増殖し，患者の骨髄・皮膚・肝臓などの体組織を攻撃することにより発症する．

（3）臨床的特徴

輸血後 1～2 週間で発症し，播種状の紅斑，肝障害，汎血球減少症，敗血症を特徴として，致死的経過をたどる．新鮮血使用例で高率に発生し，血縁者間輸血の発生が多い．免疫不全状態だけでなく正常の免疫状態でも発生する．

（4）発症しやすい組合せと頻度の関係

新鮮な血液の輸血により分裂増殖能力のあるリンパ球が輸注された場合や，患者が供血者由来のリンパ球を排除できない免疫不全状態にある場合は，発症での危険性が高い．しかし，免疫不全のない患者でも HLA 一方向適合があると，供血者リンパ球が排除されず発症する（**図 5-XIII-2**）．日本人は遺伝的に比較的均一な集団であるため，輸血患者と供血者の間で，HLA 一方向適合となる可能性が高い．

（5）診断

マイクロサテライト DNA 多型を指標とし確定診断を行う．輸血前の患者血液または爪と輸血後の血液のサンプルを PCR 法で増幅し，電気泳動度が異なれば，患者血液中に供血者血液が増殖していること（キメリズム）が証明され，GVHD と診断される．

　輸血後 GVHD の発症
過去の輸血後 GVHD の予防対策がとられていない胸部外科手術では，約 659 例の手術に 1 例の割合で発症を認めていた．

HLA 一方向適合
供血者が HLA ホモ接合体（A/A）であり，しかも患者がその 1 つを共有する HLA ヘテロ接合体（A/B）の場合をいう．輸血による GVHD が発症しやすい（**図 5-XIII-2**）．

(6) 予防

日本赤十字社血液センターで輸血用血液に 15～50 Gy の放射線照射を行った放射線照射製剤を使用する．新鮮血使用，特に HLA 一方向適合となりやすい血縁者間の輸血は，輸血後 GVHD 発生のリスクが高く回避すべきである．予定された手術では自己血輸血を行う．これらの対策が行われたことにより，2000 年以降に国内で輸血後 GVHD の確定診断例はない．

2) アレルギー性輸血反応

(1) 病態・症状

軽度の蕁麻疹のみを認めるものから，重篤なアナフィラキシー反応（anaphylactic transfusion reaction），アナフィラキシー様反応を示す場合まである．

(2) 病態

蕁麻疹は皮膚の過敏状態によって生じるが，患者が感作されている血漿蛋白などに曝露されることが誘因となる．

(3) 原因

欧米では IgA 欠損症によるアナフィラキシー反応が多いが，日本人では IgA 欠損症の頻度は少ない（→ p.100）．補体第 4 成分（C4）に対する同種抗体である抗 Chido 抗体，抗 Rogers 抗体を保有した患者でのアナフィラキシー反応も報告されている．日本人では，4,400 人に 1 人の割合でハプトグロビン（haptoglobin）欠損症が認められることが報告されている（→ p.150 の図 3-IX-5）．日本人の場合，IgA 欠損症よりも頻度が高く，アナフィラキシー反応に関与する可能性が高いと思われる．

(4) 検査

アナフィラキシー反応では，血中のマスト細胞トリプターゼの測定が推奨されるが，半減期が 90 分程度と短いため，副反応発生の早期および経過を追ったサンプルが必要である．また，患者血中の抗 IgA 抗体，補体成分（C4）に対する同種抗体，抗ハプトグロビン抗体とこれらの欠損について検討する．

(5) 副反応発生への対応

抗 IgA 抗体が検出された IgA 欠損患者では，IgA 欠損ドナーからの輸血用血液を確保することは困難なことが多く，自己血輸血・洗浄赤血球製剤・洗浄血小板製剤で対応する必要がある．ハプトグロビン欠損患者などでも同様の対応が必要である．

3) 非溶血性発熱性輸血反応（febrile non-hemolytic reaction；FNHR）

(1) 病態

国際輸血学会の定義では「輸血以外の原因では説明できない輸血前より 1℃以上の体温上昇で，かつ 38℃以上」とされている．体温の上昇は輸血開始早期に認める場合から，輸血後数時間経過して出現する場合もある．悪寒や戦慄を伴う場合がしばしばある．

重篤なアナフィラキシー反応
症状は複数の臓器に及び，呼吸器症状（呼吸困難・咳・喘鳴），消化器症状（悪心・嘔吐・腹痛・下痢），循環器症状（低血圧・ショック・不整脈・意識消失），皮膚症状（蕁麻疹・全身紅斑）を認める．

アナフィラキシー反応（→ p.84 の図 2-II-1）
IgE によるマスト細胞の脱顆粒が原因となる．これに対して，**アナフィラキシー様反応**では，他の免疫性，非免疫性の機序により，大量のマスト細胞の脱顆粒が起こるため，初回の曝露でも発生する可能性がある．臨床的には，アナフィラキシーと区別ができない．

アナフィラキシー発症時
輸血によるアナフィラキシー反応を認めたら，ただちに輸血を中止し，どのような状況でも輸血を再開しないことが必要である．

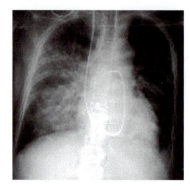

図 5-XIII-3　輸血関連急性肺障害（TRALI）
非心原性肺水腫：肺浸潤影を認めるが心拡大は認めない．
（救急・集中治療，116（10）：1175，2004 より）

(2) 原因

患者血液中の抗白血球抗体・抗血小板抗体などの抗体と，輸血製剤中のリンパ球・顆粒球・血小板などの表面抗原の反応が考えられている．一方，血小板製剤では，保存中に血液製剤バッグ内で産生されたサイトカインの役割が重要視されている．

(3) 対応

国内では 2007 年よりすべての製剤が保存前白血球除去製剤となっており，FNHR の原因の大部分に対して対策がとられたことになる．このため，輸血早期の発熱は，ABO 不適合輸血や輸血製剤による細菌感染症の初発症状である可能性を考慮し，輸血を中止し，これらの可能性について検討する（→ p.365「白血球除去」）．

4) 輸血関連急性肺障害（transfusion-related acute lung injury；TRALI）

(1) 病態

輸血中から輸血後 6 時間以内に発症し，激しい呼吸困難を呈する．胸部 X 線では，両側間質影，肺浸潤影を認めるが心陰影拡大は認めない．低酸素血症，湿性ラ音の聴取，頻脈，発熱，血圧低下などを示す．病態は肺水腫で急性呼吸窮迫症候群（ARDS）と鑑別困難である（図 5-XIII-3）．輸血副反応による死亡の主要な原因であることが報告されている．

(2) 原因

抗白血球抗体（抗 HLA 抗体，抗顆粒球抗体）と白血球の抗原抗体反応が原因と推測されているが，詳細は不明である．

多くの場合は輸血用血液（経産婦由来製剤）に抗白血球抗体が検出されるが，患者血中に検出される場合もある．また，好中球が活性化される患者側の要因（敗血症などの感染症，術後状態，G-CSF 投与）が重要である．さらに，両者の協同作用を重視する説（two event hypothesis）もある．

(3) 診断基準

2004 年にカナダで開かれた会議において臨床的な診断基準が提唱され世界的に用いられてきたが，2019 年に TRALI の再定義および新診断基準が公表

抗 HLA クラス I，II 抗体
抗 HLA 抗体についてはクラス I 抗体だけでなく，クラス II 抗体の重要性が指摘されている．

TRALI
医療機関では，輸血副反応としての TRALI を認識し疑われる症例については，これを日本赤十字社血液センターに報告し，当該献血者からの輸血を回避することが重要である．

表 5-XIII-4　TRALI/TACO の評価項目

① 急激に発症
② 低酸素血症
③ 画像上明らかな両側肺野の浸潤影
④ 左房圧の上昇の証拠がない，または左房圧上昇を認めるが低酸素血症の原因ではない
　　④-1　基礎疾患では説明できない心血管系の変化
　　④-2　体液過剰
　　④-3　BNP（または NT-proBNP）の基準範囲を超え，かつ輸血前の 1.5 倍以上
⑤ 輸血中もしくは輸血後 6 時間以内に発症
⑥ 時間的に関係のある ARDS の危険因子*なし
⑦ 輸血前 12 時間以内の呼吸状態の安定
　　（④に該当しない場合は，④-1〜④-3 の少なくとも 1 つに該当すること）

*ARDS の危険因子：肺炎，胃内容物の誤嚥，吸気障害，肺挫傷，肺血管炎，溺水，肺以外の敗血症，外傷，膵炎，重症熱傷，非心原性ショック，薬物過剰投与
BNP；brain natiuretic peptide：脳性ナトリウム利尿ペプチド，NT-proBNP：BNP 前駆体 N 末端フラグメント
（日本赤十字社：TRALI/TACO の評価基準．https://www.jrc.or.jp/mr/reaction/non_hemolytic/trali_taco/　2023 年 12 月 20 日閲覧）

表 5-XIII-5　TRALI/TACO 評価の分類

輸血関連急性肺障害	TRALI Type I	a. ⅰ. 急性発症 　　ⅱ. 低酸素血症［P/F≦300 または SpO$_2$＜90%（room air）］ 　　ⅲ. 画像上両側肺水腫の明らかな証拠 　　　　（例えば，胸部 X 線写真，胸部 CT，または超音波） 　　ⅳ. LAH の証拠がない，または LAH が存在する場合は，低酸素血症の主な原因ではないと判断される b. 輸血中または 6 時間以内に発症 c. ARDS の危険因子*との時間的関係なし
	TRALI Type II	a. TRALI Type I のカテゴリ a および b に記載されている所見 b. 輸血前 12 時間の安定した呼吸状態 　　（輸血前から ARDS 危険因子*が存在していたが，輸血 12 時間前からの呼吸状態は安定していた状態）
TRALI/TACO		TRALI と TACO が両方関与している，または TRALI と TACO の区別ができない
輸血関連循環過負荷（TACO）		a. 急性または悪化している呼吸窮迫の証拠 b. 急性または悪化した肺水腫の証拠 c. 心血管系の変化を示す証拠 d. 体液過剰の証拠 e. BNP（NT-proBNP）の上昇 　　（a または/および b を満たし，c〜e を含む 3 つ以上に当てはまる）
急性呼吸窮迫症候群（ARDS）		輸血前からあった ARDS の悪化
輸血関連呼吸困難（TAD）		主に輸血後 6 時間を超えて発症した肺水腫など
その他		上記以外

TAD；transfution-associated dyspnea：輸血関連呼吸困難，P/F：PaO$_2$/FiO$_2$，LAH；left atrial hypertension：左心房高血圧
（日本赤十字社：TRALI/TACO の評価基準．https://www.jrc.or.jp/mr/reaction/non_hemolytic/trali_taco/　2023 年 12 月 20 日閲覧）

された．日本赤十字社では 2021 年 4 月 1 日から新基準（**表 5-XIII-4, 5**）にて評価が行われている．

(4) 治療

ただちに輸血を中止し，酸素投与，呼吸・循環管理を行う．

(5) 予後

約 80% の患者では 48〜96 時間以内に臨床症状の改善がみられるが，残り 20% の患者では低酸素血症や肺の浸潤が 7 日以上持続する．死亡率は高く，

5～10％と報告されている．

(6) 副反応への対応

英国では男性ドナー由来血漿製剤の優先的使用（経産婦由来凍結血漿の不使用）により TRALI の発生率が減少している．わが国でも対応が進み発生率が減少した．

5) 輸血関連循環過負荷（transfusion associated circulatory overload；TACO）

(1) 病態と原因

輸血に伴って起こる循環負荷のための心不全で，肺水腫を起こし呼吸困難を伴う．輸血中から輸血後 6 時間以内の発症を一応の目安とする．幼児，高齢者，循環器・呼吸機能の障害がある患者，血漿量が増加している慢性貧血の患者では特に問題となる．

(2) 診断基準

日本赤十字社では 2021 年 4 月 1 日から新基準（**表 5-XIII-4, 5**）にて評価が行われている．

(3) 治療

ただちに輸血を中止し，酸素投与，呼吸管理を行うとともに心不全の治療に準じた適切な処置を行う．

輸血速度
急性失血以外では，貧血患者への輸血速度は緩徐に行う必要がある．

6) 輸血後感染症

(1) 輸血によって伝播しうる感染症

輸血によって伝播する可能性がある感染症を**表 5-XIII-6** に示す．輸血感染症の歴史は，梅毒に始まり，B 型肝炎ウイルス（HBV），成人 T 細胞ウイルス（HTLV-1），ヒト免疫不全ウイルス（HIV），C 型肝炎ウイルス（HCV）の感染が次々と発見された．現在は，輸血用血液の感染症スクリーニング検査技術の進歩により，輸血用血液による病原体の感染リスクはきわめて低くなっている．しかし，マラリア，ウエストナイルウイルスなど新興・再興感染症の輸血による感染の危険性が指摘され，また一方では，輸血用血液の細菌汚染による敗血症も報告されている．

(2) 輸血用血液の感染症検査

輸血用血液の検査項目は**表 5-II-5**（→ p.247）を参照．HIV，HBV，HCV，HEV については，抗原抗体検査だけでなく，**核酸増幅検査（NAT）**が導入されている．

(3) 輸血後肝炎，HIV 感染

HBV 感染については，1999（平成 11）年に核酸増幅検査が導入されてから報告数が減少しているが，これ以降も感染例が毎年報告されている．原因の大部分は，感染してから検査陽性になるまでの期間（ウインドウ期，→ p.247 の**表 5-II-4**）の献血によるものである．このような事例では血液製剤中のウ

厚生労働省による「輸血療法の実施に関する指針」
輸血前後の感染症マーカー検査（HBV, HCV, HIV）および検体保管が規定されている．

生物由来製品感染等被害救済制度
感染症の被害者救済のために，輸血や人の血液などを原料にした医薬品（生物由来製品）を適正に使用したにもかかわらず感染などによる健康被害が発生した場合に，医療費などの諸給付を行う制度（生物由来製品感染等被害救済制度）が 2004（平成 16）年 4 月 1 日に発足している．

表 5-XIII-6 輸血によって伝播する可能性がある主な感染症

病原体の分類	病原体	疾患および特徴
肝炎ウイルス	A 型肝炎ウイルス（HAV） B 型肝炎ウイルス（HBV）* C 型肝炎ウイルス（HCV）* D 型肝炎ウイルス（HDV） E 型肝炎ウイルス（HEV）*	A 型肝炎 B 型肝炎 C 型肝炎 D 型肝炎（HBV との重複感染） E 型肝炎
レトロウイルス	ヒト T 細胞白血病ウイルス-1（HTLV-1）* ヒト免疫不全ウイルス-1/2（HIV-1/2）*	成人 T 細胞白血病（ATL）など ヒト後天性免疫不全症候群（AIDS）
パルボウイルス	ヒトパルボウイルス B19*	伝染性紅斑，赤芽球癆など
ヘルペスウイルス	サイトメガロウイルス（CMV）** 水痘・帯状ヘルペスウイルス（VZV） Epstein-Barr ウイルス（EBV）	間質性肺炎など 水痘・帯状疱疹 伝染性単核球症
コロナウイルス	SARS コロナウイルス	重症急性呼吸器症候群（SARS）
スピロヘータ	トレポネーマ・パリダム（TP）*	梅毒
昆虫媒介ウイルス	ウエストナイルウイルス（WNV） デングウイルス チクングニアウイルス 重症熱性血小板減少症候群ウイルス（SFTSV）	ウエストナイル熱 デング熱 チクングニア熱 重症熱性血小板減少症候群（SFTS）
寄生虫	マラリア原虫 トリパノソーマ トキソプラズマ バベシア	マラリア シャーガス病 トキソプラズマ症 バベシア症
リケッチア	Q 熱リケッチア	Q 熱
細菌	グラム陽性菌：*Staphylococcus*, *Bacillus*, *Enterocolitica*, *Streptococcus* グラム陰性菌：*Escherichia*, *Serratia*, *Enterobacter*, *Yersinia*	敗血症，菌血症，毒素による副反応 敗血症，菌血症，毒素による副反応

*：日本赤十字社血液センターでは，すべての輸血用血液について血清学的スクリーニング検査を実施（HBV, HCV, HEV, HIV-1 はスクリーニング NAT も実施）
**：CMV 抗体陰性移植患者などの輸血に対して，日本赤十字社血液センターで CMV 抗体陰性血液を供給
（佐藤進一郎：症例に学ぶ EBM 指向　輸血検査・治療．大戸斉・他（編），医歯薬出版，2005, p.148 の表 1 を改変）

イルス量は少なく，血液疾患などの免疫不全状態の患者では，肝炎を発症することなく，持続感染を起こす場合もある．そこで，HBV 感染の早期治療を行うためには，輸血 2〜3 カ月後に患者血液の HBV 核酸増幅検査を行う必要がある．

HCV 感染，HIV 感染については，核酸増幅検査が導入されてからの報告例は数例のみで，スクリーニング検査が有効に機能している．

(4) 遡及調査

ウインドウ期の存在などにより病原体の検出には限界がある．献血者は一般的に繰り返し献血を行うことが多い．今回の献血時の検査で，それまで陰性であったウイルスなどの感染症検査が陽性化した場合には，前回の献血は，ウインドウ期にあった危険性が高い．このような場合は病院側に通知があり，使用していない場合は製品を回収し，輸血されていた場合は患者感染の有無を確認する必要がある．これを**遡及調査**といい，厚生労働省から「血液製剤等に係る遡及調査ガイドライン」平成 17 年 3 月（平成 30 年 3 月一部改正）が示され

遡及調査

遡及調査への対応のため，輸血部門において，患者氏名・住所を含む，輸血記録の 20 年間の保管が義務づけられた．

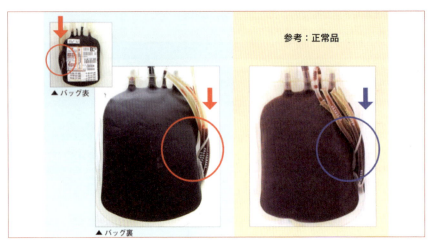

図 5-XIII-4　照射赤血球 MAP からの細菌検出
検出菌：*Serratia liquefaciens*，保存日数：採血後 14 日．本事例では，セグメント中の血液（赤血球層）とバッグ中の血液の色調が異なっていた
（日本赤十字社：輸血情報 0203-69. https://www.jrc.or.jp/mr/relate/info/pdf/yuketsuj_0203-69.pdf 2023 年 12 月 20 日閲覧より，一部改変）

ている．

(5) 輸血製剤の細菌汚染（→ p.242〜244）

　ウイルス感染症の頻度低下により残存するリスクとして注目されている．細菌の混入の原因としては，採血時の皮膚常在菌の混入と献血者の菌血症がある．

　赤血球製剤は 4℃で保存されるため，通常の細菌は増殖しにくいが，下痢の原因となるエルシニア菌は低温でも増殖可能であり注意が必要である．また，細菌増殖が著しい場合は，溶血し，外観が黒変する（**図 5-XIII-4**）．血小板製剤は室温で保管されるために，混入した細菌が増殖しやすい．血小板製剤のバッグを光にかざしゆっくりと攪拌すると渦巻き状のパターンがみられる現象をスワーリングという．細菌が増殖した場合にはこの現象がみられなくなる．このためスワーリングが消失した血小板製剤は使用すべきではない．

　症状は，輸血中から輸血後 4 時間以内に発熱，悪寒，頻脈，収縮期血圧の変化（増加または減少）を認める．診断は，患者血液と原因製剤の細菌培養とエンドトキシンの測定を行う．同一菌が検出された場合が確定診断例となる．グラム陰性菌ではエンドトキシンの測定が有用である．

　対策として，輸血製剤の適正な温度管理，輸血時の色調などの外観検査，輸血開始後の患者観察が重要である．なお，日本赤十字社では，2025 年度よりすべての血小板製剤について細菌培養スクリーニングを開始する予定である．

7）その他の病態

(1) 輸血関連高カリウム血症

　輸血後 1 時間以内に血清カリウム値が＞5 mmol/L，あるいは前値より

菌血症
発熱を伴う下痢があった場合には，症状が軽快してから 1 週間近く腸内細菌による菌血症が続くことがあり，献血者の問診上，特に注意が必要とされる．また，自己血輸血でも発生する．

発症時間
米国輸血学会では細菌感染症の発症時間を輸血中から輸血後 24 時間以内に変更することが検討されている．

細菌感染症
1998〜2000 年に米国で実施された細菌感染症の調査では，多数の死亡例が報告された．

細菌感染症と抗菌薬
ある一定以上の菌量が輸血された場合には，抗菌薬の投与の有無にかかわらず死亡率は同じであった．

高カリウム血症
高カリウム血症のハイリスク患者への対策は，採血 7 日以内の赤血球の使用（低出生体重児などの腎機能の低下した児での対応），カリウム吸着フィルターの使用などがある．

1.5 mmol/L の増加を認めた場合を輸血による高カリウム血症と定義している．赤血球製剤の保存に伴い，上清中のカリウム値が上昇する．特に放射線照射後は急速に上昇するが，採血後 14 日の照射赤血球液-LR（Ir-RBC-LR-2）の上清中の総カリウム量は 6 mEq にすぎず，通常の輸血では問題とならない．

(2) クエン酸中毒
大量の凍結血漿（FFP）や血小板が急速に輸血される場合は，血漿中のクエン酸濃度が上昇し，その結果，低カルシウム血症の症状をきたす場合がある．

(3) 低体温
急速に冷たい輸血製剤を大量に輸血した場合には，心室性不整脈を起こすことがある．輸血速度を遅くするか，または血液加温装置を使用する．

> **血液加温装置**
> 血液加温装置の不適切な使用により，過度の加温による溶血を認めることがあり，注意が必要である．

(4) 輸血後鉄過剰症
再生不良性貧血や骨髄異形成症候群（MDS）などで，支持療法として長期間赤血球輸血が行われる場合があり，このような場合に，輸血後鉄過剰症による臓器障害（心不全，肝硬変，糖尿病）が発生する．経口鉄キレート剤デフェラシロクス（deferasirox）の開発により，輸血後鉄過剰症の治療手段が確立されつつある．

8) 非溶血性輸血反応防止・減少のための方法

(1) 高単位輸血用血液製剤
抗原感作と感染の機会を減少させるため，可能なかぎり高単位の輸血用血液を使用することが原則である．一方，輸血関連急性肺障害（TRALI）の原因製剤のほとんどは抗白血球抗体を保有する経産婦由来血漿製剤であるが，成分採血由来の新鮮凍結血漿（FFP）は女性由来の製剤割合が高い．このため，TRALI の発生予防の点から成分採血由来の FFP の使用は推奨されない．

(2) 放射線照射
輸血後 GVHD の予防には，リンパ球を含む輸血用血液に放射線照射をして用いることが最も効果的である．日本赤十字社血液センターで全照射野に最低限 15 Gy（50 Gy を超えない）の放射線照射を行った放射線照射製剤を使用する．

> **放射線照射後**
> 照射後の赤血球成分（全血を含む）では上清中のカリウムイオンが上昇することから，新生児，腎不全患者および急速大量輸血患者については，照射後すみやかに使用することが望ましい．

(3) 白血球除去
発熱反応や血小板輸血不応（PTR），TRALI，サイトメガロウイルス（CMV）感染などの輸血副反応予防は，製剤中に含まれる白血球数を $1〜5×10^6$ まで減少させることにより防止が可能である．これらの対策として国内では 2007 年よりすべての製剤が保存前白血球除去製剤（製剤中に含まれる白血球数は $1×10^6$ 以下）となった．しかし，輸血後 GVHD の発生を完全には予防できない．

6 輸血副反応・感染症の報告体制
医療機関内では，副作用（副反応）・感染症を認めた場合，遅滞なく輸血部門に報告し記録を保存するとともに，その原因を明らかにするように努め，類似の事態の再発を予防する対策を講じる．軽微な蕁麻疹以外では，輸血専門医

に副反応発生時の臨床検査，治療，原因の推定と，以後の輸血用血液製剤の選択について助言を求めることが望ましい[1]．

日本赤十字社血液センターへの報告，調査依頼の方法は，2018年1月から変更された．副作用（副反応）・感染症が発生した場合，ただちに医療機関から最寄りの血液センターに連絡をする（輸血副作用・感染症連絡票をFAXで送信する）．担当医が重篤と判断した症例，日本赤十字社が「詳細調査」が必要と判断した症例，輸血による感染症が疑われる症例は「詳細調査」に進む．担当医は1週間以内に「詳細調査票」を記載する．原因製剤および患者検体を「詳細調査票」とともに血液センターが回収し，原因調査が開始となる[2]．

XIV HLA検査

〈到達目標〉
(1) HLA検査の種類および代表的な方法の原理を説明できる．
(2) HLA適合血小板が適用となる場合とそのメリットについて説明できる．

1 HLA検査の種類と応用分野

HLAとはヒト白血球抗原（human leukocyte antigen）に由来するヒトのMHC（主要組織適合遺伝子複合体，→ p.22）のことである．

その歴史は，1958年にフランスのDaussetが頻回輸血を受けた患者の血液中から白血球を凝集させる抗体を見出したのが最初である．それに続いて，van RoodやPayneらによって，経産婦や妊婦からも同様の抗体が発見された．このように世界の各地で発見された抗体について調査することを目的に，1964年，Amosによって初めて国際組織適合性ワークショップがアメリカで開催された．以降も継続的に開催され，1991年，日本（横浜）でも開催されている．このように，HLAはみつかった抗体がどのような抗原に対する抗体であるかを調べること，つまりは抗体と抗原の両方を詳しく調査することで発展してきた．ここでは現在実施されている検査方法について述べる．

1) HLA抗原型検査

1964年に**国際組織適合性ワークショップ**が開催されたのち，WHO命名委員会（WHO Nomenclature Committee for Factors of the HLA System）において，新規遺伝子の命名およびその管理を行っている．HLAの命名方法においても時間とともに整理され，発見当時はヒト白血球抗原という意味での「HL-A」とされていたが，「HLA」として用いることとなった．

そのうち，HLA-Cについては補体成分（complement）であるC2，C4との区別のため，HLA-DPについては検査方法が異なる（→ p.370）ため，それぞれ「w」を付記する．

また，HLA-Bについては共通の**エピトープ**をもつグループに分類されるが，それらはBw4，Bw6というように他の抗原名と区分するための「w」を付記することとなった（表5-XIV-1）．さらに，抗血清の調査から1種類と考えられていた抗原が2種類のグループに分別されることが判明した結果，その元の抗原を**ブロード抗原**，分別された抗原はそれぞれ**スプリット抗原**とよぶ．また特定の対立遺伝子に対する抗血清が発見された場合は，**アソシエート抗原**とよぶ（表5-XIV-2）．このように，ある種の特異性を有する抗血清が発見されることで抗原は細分化され，命名されてきた．それぞれの抗原がどのような関

Jean Dausset
（1916〜2009）
フランス生まれ．「HLAの父」と称され，1980年にHLAの先駆け的研究の功績でノーベル生理学・医学賞を受賞．

Rose O. Payne
（1909〜1999）
アメリカ生まれ．DaussetとともにHLAの発見者の一人と目され，「HLAの母」と称されている．

エピトープ
アミノ酸配列を共有する抗体認識部位で，抗原決定基のことである．横に並んだ3アミノ酸をエピトープとよび，アミノ酸の位置が離れたエピトープの場合はエプレットとよぶ．

表 5-XIV-1 Bw4 および Bw6 に関連する抗原

Bw4	B5, B5102, B5103, B13, B17, B27, B37, B38 (16), B44 (12), B47, B49 (21), B51 (5), B52 (5), B53, B57 (17), B58 (17), B59, B63 (15), B77 (15) A9, A23 (9), A24 (9), A2403, A25 (10), A32 (19)
Bw6	B7, B703, B8, B14, B18, B22, B2708, B35, B39 (16), B3901, B3902, B40, B4005, B41, B42, B45 (12), B46, B48, B50 (21), B54 (22), B55 (22), B56 (22), B60 (40), B61 (40), B62 (15), B64 (14), B65 (14), B67, B70, B71 (70), B72 (70), B73, B75 (15), B76 (15), B78, B81, B82

表 5-XIV-2 ブロード抗原，アソシエート抗原（#），スプリット抗原の関係

ブロード抗原	スプリットおよび関連抗原	ブロード抗原	スプリットおよび関連抗原
A2	A203, A210#	B39	B3901#, B3902#
A9	A23, A24, A2403#	B40	B60, B61
A10	A25, A26, A34, A66	B51	B5102#, B5103#
A19	A29, A30, A31, A32, A33, A74	B70	B71, B72
A24	A2403#	Cw3	Cw9, Cw10
A28	A68, A69	DR1	DR103#
B5	B51, B52, B5102#, B5103#	DR2	DR15, DR16
B7	B703#	DR3	DR17, DR18
B12	B44, B45	DR5	DR11, DR12
B14	B64, B65	DR6	DR13, DR14, DR1403#, DR1406#
B15	B62, B63, B75, B76, B77	DR14	DR1403#, DR1406#
B16	B38, B39, B3901#, B3902#	DQ1	DQ5, DQ6
B17	B57, B58	DQ3	DQ7, DQ8, DQ9
B21	B49, B59, B4005#	Dw6	Dw18, Dw19
B22	B54, B55, B56	Dw7	Dw11, Dw17
B27	B2708#		

(HLA Nomenclature より抜粋一部改変．http://hla.alleles.org/antigens/broads_splits.html 2022 年 8 月 27 日閲覧)

係にあるかを理解したうえで，HLA 抗原型の検査を実施することは正確な検査結果を得るためにも非常に重要なことである．

未知の抗体を解析するところをスタート地点とすると，複数の検査施設での既知抗原との反応性からその共通性を見出す．その結果，未知の抗体は既知の抗血清となり，未知の抗原との反応性を提示して，新抗原の発見につながるのである（図 5-XIV-1）．また，血清学的手法での抗体特異性解析には，各細胞に対する反応スコアを線の幅で表したセログラフ（図 5-XIV-2）を用いて決定していた．

現在，主な施設で検査の対象とされるのは HLA クラス I（HLA-A, HLA-B, HLA-C）および HLA クラス II（HLA-DR, HLA-DQ, HLA-DP）であり，以

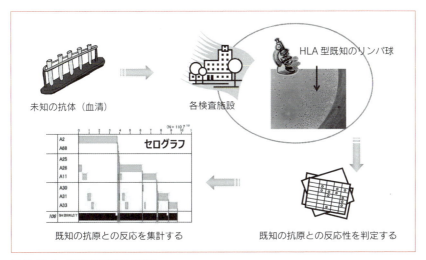

図 5-XIV-1　新抗原の発見の流れ

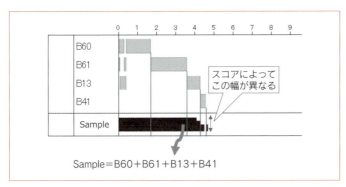

図 5-XIV-2　抗体特異性解析（セログラフを用いた決定）
図 5-XIV-1 の各検査施設で既知のリンパ球を未知の抗体（血清）と反応させたデータをすべて集計し，その強さ（スコア）を帯の幅で，反応した数を帯の長さで表した．この表では，黒い帯の長さと太さから，B60，B61 には強く反応し，B13 には一部が弱い反応，B41 にはほとんどが弱い反応であったことを示す．

下にその代表的な方法を示す．

(1) 血清学的検査

遺伝子検査が主流となるまではこの方法が最もよく使われていた．HLA 型を決定するための良質な抗血清が必要となるが，特殊な測定機器を必要とせず簡便な方法で，1964 年にアメリカの日系二世であるポール・イチロー・テラサキが開発したテラサキプレートを用いる**微量リンパ球細胞傷害試験**（lymphocyte cytotoxicity test；LCT）（図 5-XIV-3）の登場により，検査室レベルでの実施が可能となった．これと同じ原理で，感度の向上を目的として抗ヒトグロブリンを添加した AHG-LCT（anti-human globulin-LCT）がある（図 5-XIV-10a）．

現在，HLA 型検査としてはあまり用いられなくなったが，LCT の原理を利用したクロスマッチ（complement dependent cytotoxicity；CDC）は臓器

Paul I. Terasaki
(1929〜2016)
移植臓器拒絶における液性免疫に着目．Medawer 賞を含む多数の賞を受賞した．

LCT と CDC

LCT は前述のとおり，ドクターテラサキによって開発された試験方法である．現在，この原理は移植（特に臓器移植）の分野で患者とドナーのクロスマッチとして用いられているが，補体依存性抗体の検出という意味合いから CDC とよばれる．

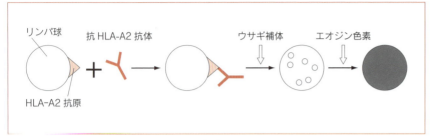

図 5-XIV-3　LCT による HLA クラス I 抗原検査
HLA-A2 を保有するリンパ球に，抗 HLA-A2 抗体を反応させると，抗原抗体反応が起きる．そこに補体（ウサギ補体）を加えて再度反応させることで，抗体が結合したリンパ球は死滅し，細胞に穴が開く．そこでエオジン色素を加えて染色すると，リンパ球は黒くみえるため倒立位相差顕微鏡での観察が可能となる．

表 5-XIV-3　主な血液細胞における HLA クラス I およびクラス II 抗原の発現の有無

	赤血球	T リンパ球	B リンパ球	単球	顆粒球	血小板
HLA クラス I	−	○	○	○	○	○
HLA クラス II	−	−	○	○	−	−

−：発現なし，○：発現あり

移植分野で現在も使用されており，重要な方法として位置付けられている．

❶ LCT

LCT により検査を実施する場合には，まず対象となる血液からリンパ球を単離する必要がある．

a. リンパ球の単離

EDTA などの抗凝固剤を加えた試験管で血液を 7〜10 mL 採取して遠心分離で得たバッフィーコート層を，PBS あるいは生理食塩液で希釈し，フィコールなどの比重液（1.077）に重層し，遠心分離によりリンパ球層を採取する（➡ p.203 の図 4-IV-1）．ただし，この部分には血小板および顆粒球などが含まれるため，異なる比重液などを用いて，リンパ球のみを精製する必要がある．最終的には，5% FBS（ウシ胎児血清）添加メディウムに 3,000 個/μL 程度になるよう調整する．

また，HLA クラス II の抗原型検査をする場合には，T リンパ球と B リンパ球に分離し，B リンパ球を用いる必要がある（表 5-XIV-3）．従来は B リンパ球の特徴を利用したナイロンウールを充填したカラム法で物理的に分別していたが，現在は目的とする細胞と結合するモノクローナル抗体をコーティングした免疫磁気ビーズを用いた方法により短時間で確実に分離することができる．

b. LCT 操作手順

①抗血清が分注されているテラサキプレート（図 5-XIV-4a）に，調整したリンパ球浮遊液をよく混和し，リピーティングマイクロシリンジ（図 5-XIV-4b）を用いて 2 μL ずつ加える．

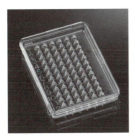 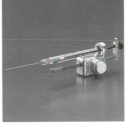 

a. テラサキプレート　　b. リピーティングマイクロシリンジ（アズワン社）　　c. 位相差顕微鏡

図 5-XIV-4　LCT，AHG-LCT に必要な器具

表 5-XIV-4　LCT，AHG-LCT による判定基準（右図は顕微鏡下の像）

死細胞の割合	スコア	判定
100〜81%	8	強陽性
80〜41%	6	陽性
40〜21%	4	弱陽性
20〜11%	2	擬陽性
10〜0%	1	陰性
	0	判定不能

エオジン染色

エオジン色素に染まった死細胞は生細胞よりも黒く，わずかに膨化してみえる．この数を視野ごとにカウントする．

②室温（25℃）で 30 分間静置して反応させる．
③ウサギ補体を各ウェルに 5 μL ずつ加える．
④再度，室温（25℃）で 60 分間静置して反応させる．
⑤5％エオジンを各ウェルに 2 μL 滴下して 2 分間静置する（染色）．
⑥各ウェルに中性ホルマリン液を 5 μL 滴下して反応を停止させる．
⑦位相差顕微鏡（図 5-XIV-4c）にて，視野の死細胞（エオジン色素に染まったリンパ球）の割合から，表 5-XIV-4 の判定基準に従ってスコアを判定する．

　上記は HLA 抗原型検査の手順となるが，HLA 型既知のリンパ球を分注したマイクロプレートに血清検体を分注して反応させた場合は，被検血清中の抗体特異性を調べることができる．特に微弱な抗体特異性の検出では感度の向上が必要で，上記②と③の間に，37℃に温めた生理食塩液による洗浄（3 回）と抗ヒト IgG 抗体（κ 鎖，λ 鎖）を追加する AHG-LCT の実施が適している．

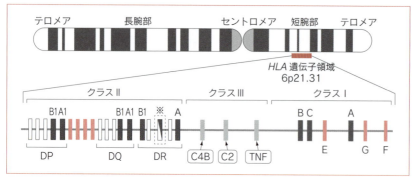

図 5-XIV-5　HLA 領域の遺伝子構造
※：*HLA-DR* 遺伝子群は人により，その発現遺伝子座数が異なる．
■：古典的 *HLA* 遺伝子，■：非古典的 *HLA* 遺伝子，■：その他 発現遺伝子，□：偽遺伝子．
この領域では，127 個の発現遺伝子を含む，計 238 個の遺伝子が同定されている．
C4B，C2：補体成分，TNF：腫瘍壊死因子．
(藤原孝記：スタンダード輸血検査テキスト第 3 版．p.131，医歯薬出版，2017．)

(2) DNA タイピング

❶ HLA 分子と遺伝子

　血清学的方法では良質な抗血清を必要とするが，それらを継続的に取集・保管・運用することは困難である．そこで，現在では HLA 型を規定する遺伝子（アレル）を対象に一部の特異的な配列を見出すことで HLA 型を決定する方法が主流となった．しかし，被検リンパ球を直接抗血清と反応させて抗原型を決定する場合と異なり，細胞表面の HLA 抗原を検査しているわけではないことに留意する必要がある．さらに，この方法で正しく結果を得るためには，各検査法の特徴に加えて *HLA* 遺伝子および HLA 分子についても理解することが重要である．

　HLA の遺伝子領域は，第 6 染色体の短腕部に存在し，約 4 Mbp の範囲に存在する遺伝子群である（**図 5-XIV-5**）．このなかでも，クラス I 遺伝子領域に存在する HLA-A，HLA-B，HLA-C およびクラス II 遺伝子領域に存在する HLA-DR，HLA-DQ，HLA-DP について，その一部あるいは全部が輸血や移植医療に関連する検査現場での検査対象となる．これらの遺伝子の位置を座（ローカス）とよぶ．

　現在，日常検査として多くの施設で採用される多くの DNA タイピングの方法では，一部のエクソンの配列を対象として，その範囲での違いをみつけることでタイピングを行うが，1 つのアレルに決定できない場合も多く，そういった場合は**推定アレル**に該当するアレルを日本列島人での遺伝子頻度に基づき選択する．

　HLA クラス I 分子の特異性を決定するアミノ酸配列の違いは，特に α1 と α2 ドメインに多く，この違いを DNA タイピングによって調べる．一方，HLA クラス II 分子の特異性には β1 のアミノ酸配列の違いが大きく寄与しており，この違いを DNA タイピングによって調べることになる．このように，

推定アレル

全遺伝子領域の塩基配列を判別できないアレルがなしで決定し，第 4 区域までの特定できる場合を「確定アレル」，それ以外で日本列島人での遺伝子頻度が HLA-A，B，C，DR 座の遺伝子頻度が 0.001% 以上，HLA-DQ，DP 座の遺伝子頻度が 0.02% 以上に該当する場合を「推定アレル」とする［日本組織適合性学会：HLA タイピング結果のアレル表記法と結果報告の原則（2017 年版）より］．

HLA アレルの表記方法

国際基準ではイタリック体で表記することとなっているが，慣例により半角普通体で表記する場合が多い．検査法の進化によって，WHO に登録されるアレル数の急増と ambiguity（→ p.375 の側注）に対応するため，日本組織適合性学会では表記に関するルールを設定し，よりわかりやすい結果報告を推奨している．

表 5-XIV-5　HLA アレルの表記法

	表記の例 (HLA-A)	第1区域 A*02	第2区域 01	第3区域 01	第4区域 01
第1区域	関連する血清学的 HLA 型あるいはアレルグループを判別する領域				
第2区域	同一の血清学的 HLA 型あるいはアレルグループ内で，アミノ酸変異を伴うアレルを判別する領域				
第3区域	アミノ酸変異を伴わない塩基置換が認められるアレルを判別する領域				
第4区域	HLA 分子をコードするエキソン以外での塩基置換を伴うアレルを判別する領域				

（日本組織適合性学会：HLA タイピング結果のアレル表記法と結果報告の原則（2017 年版）をもとに作成．https://drive.google.com/file/d/1U9TXuuMTAHcre29-KciE-ueHBvpox0du/view　2022 年 8 月 27 日閲覧）

表 5-XIV-6　日本骨髄バンクドナー登録者から見出されたハプロタイプ

ハプロタイプ	頻度（%）	順位
A*24：02-B*52：01-C*12：02-DRB1*15：02	8.167	1
A*33：03-B*44：03-C*14：03-DRB1*13：02	4.513	2
A*24：02-B*07：02-C*07：02-DRB1*01：01	3.599	3
A*24：02-B*54：01-C*01：02-DRB1*04：05	2.518	4
A*02：07-B*46：01-C*01：02-DRB1*08：03	1.739	5

（日本赤十字社：造血幹細胞移植情報サービスより一部抜粋．https://www.bs.jrc.or.jp/bmdc/donor registrant/m2_03_00_statistics.html　2022 年 8 月 27 日閲覧）

DNA タイピングを実施する場合は，対象とするエキソンと HLA 分子の関係について理解する必要がある．

❷ HLA アレルの命名法と表記法

HLA は，血清学的分類と遺伝子学的分類により表記されている．新対立遺伝子の塩基配列が決定すると WHO の HLA 命名委員会で血清学的な特異性に分類され，さらに塩基配列（アミノ酸配列）に基づき細分類されて正式名称（番号）が与えられる．また，遺伝子（アレル）タイプは，クラス I ではエキソン 2，3，クラス II ではエキソン 2 の塩基配列を決定することにより正式な名称が与えられる．アレル名の表記例とコロン「：」で区分された 4 種類の領域は**表 5-XIV-5** となる．

❸ HLA アレルの頻度

ヒトの **HLA 型（アレル型）** を表記する場合は，クラス I およびクラス II の各ローカスでは，それぞれ 1〜2 の抗原名（アレル名）を表記する．これは両親から受け継いだ遺伝子の組（**ハプロタイプ**）によりどちらも表現されるからである．たとえば両親から同じ抗原を受け継いだ場合，その検査結果としては，抗原が 1 つとなるため「—」（ブランク）で表す．また，どのローカスまでを検査するかはその目的によって異なる．日本骨髄バンクへのドナー登録時の検査で判明し頻度の高いハプロタイプ頻度を**表 5-XIV-6** に示す．

HLA 型
血清学的に決定された HLA 抗原タイプを抗原型，遺伝子型から読み替えた抗原の型を HLA 型とよぶ．

ローカス
ローカスとは染色体上の遺伝子の位置を表す言葉で，遺伝子座ともいう．HLA は第 6 染色体短腕上に規定する遺伝子があり，たとえば HLA-A を規定する遺伝子が存在する位置であれば A ローカスとよぶ．

ハプロタイプの地域差
骨髄バンク登録者を対象に集計された A-B-C-DRB1 の 4 座におけるハプロタイプ（全国集計）では，高頻度のトップ 5（**表 5-XIV-6**）は，沖縄県を除く都道府県ではほぼ同じ順位であるが，沖縄県でのハプロタイプの頻度は全国集計とは異なる．また，それ以外にも一部地域あるいは近隣のアジア諸国などとの共通性もあり，日本列島人の成り立ちに由来すると考えられる．

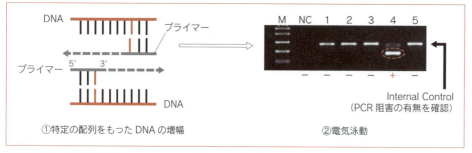

図 5-XIV-6　PCR-SSP（sequence specific primer）法の原理
PCR法により増幅させた産物を電気泳動後に染色すると，増幅が正しくされている場合は，内部コントロール（Internal Control）が規定の位置でバンドとして出現する．さらに，プライマーの配列と相補的であった場合のみ，あらかじめ設定した長さのバンドとなって出現するため，同時に泳動したマーカー（図②のM）から，長さを読み取って判定する．NC：negative control.

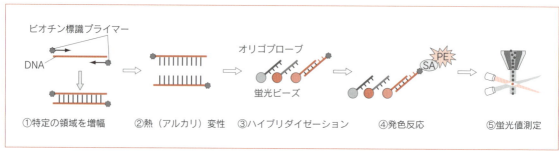

図 5-XIV-7　PCR-rSSO（reverse sequence specific oligonucleotide）法の原理
発色反応では，あらかじめプライマーに標識されているビオチンにフィコエリスリン（PE）で標識したストレプトアビジン（SA）を結合させ，そのPEの蛍光量を測定する．これは，ビオチンとアビジンが非常に強く結合することを利用している．

❹ PCR 法

PCR法の原理を利用したよく用いられるDNAタイピング検査方法を以下に示す．

a．PCR-SSP（sequence specific primer）法（図 5-XIV-6）

特定の配列をもったDNAをPCR法により増幅させて，その産物を電気泳動にかける．プライマーの配列と相補的であれば増幅され，電気泳動するとバンドとして出現する．

短時間で結果を得ることができるが，材料として比較的多くのDNA量を必要とする．

b．PCR-rSSO（reverse sequence specific oligonucleotide）法（図 5-XIV-7）

特定の遺伝子をビオチン標識プライマーを用いてPCR法により増幅させ，アルカリ変性し一本鎖にしたのちに，蛍光ビーズを付加した特定配列のオリゴプローブと結合させ，蛍光標識と反応させて得られる蛍光値を測定する．多検体処理に向く．

c．PCR-SBT（sequence based typing）法（サンガー法）（図 5-XIV-8）

対象とする領域をPCR法で増幅しシーケンスプライマーを加えて反応させ，

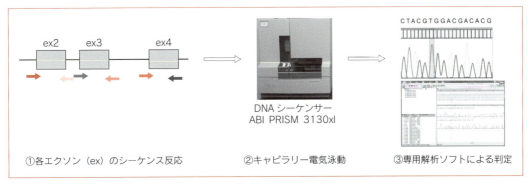

図 5-XIV-8　PCR-SBT（sequence based typing）法の原理

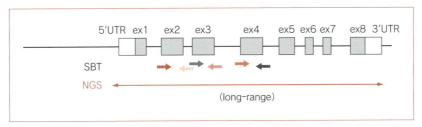

図 5-XIV-9　SBT 法と NGS（next generation sequencing）法（long-range）の違い

その塩基配列を専用の解析ソフトで判定する．異なる蛍光色素を標識したddNTPを用いることで，識別可能なDNA断片が生成されること（ダイターミネーター法）を用いている．

特定領域の塩基配列（4桁レベル）はわかるが，イントロン（遺伝情報をもたない塩基配列）には対応していない．

d. NGS（next generation sequencing）法（図 5-XIV-9）

第4区域（8桁レベル）までの高解像度DNAタイピングを目指した方法．従来のDNAタイピング法では未知のアレルや**ナルアレル**を見落とす可能性があることや，ヘテロ接合体において，2個の多型が同一染色体上か否かを判断できない．これを phase ambiguity という．

本法はこの問題に対応するために開発された．特定のエクソンを PCR 法で増幅し，塩基配列を決定する short-range 系と，イントロンを含む領域を PCR 法で増幅して塩基配列を決定する long-range 系がある．特に long-range 系は超高解像度のタイピングが実現できる方法であり，作業工程の煩雑さ，所要時間，判定精度など，改良すべき点は残されているが，骨髄バンクなど多数検体の登録，移植医療などでは，本法のメリットを十分生かせると期待できる．

2）抗 HLA 抗体検査

抗 HLA 抗体は，頻回輸血を受けた患者や経産婦の血液中から見出された白

ナルアレル

遺伝子は存在するが，通常のHLA分子として発現することができないアレルのこと．Nullの「N」を最後に付記して記載し，ヌルアレルとよぶこともある．塩基配列の一部に変異があるため，変異のない部分だけをターゲットとして検査した場合は，判別がつかないこともあるため注意が必要である．

アンビギュイティ（ambiguity）

同じ反応パターンで認識されるHLAアレルが複数存在することを指す．HLA-DNAタイピングの多くは，多型が集中するエクソン領域に限っての解析法であり，使用するタイピング試薬ごとに同じ反応パターンで認識されるHLAアレルの組合せは異なる．

表5-XIV-7 抗HLA抗体検査に用いられる測定機器の比較

測定機器	フローサイトメータ	Luminex
特徴	生細胞を用いた検査が可能で，汎用性がある．また，Tリンパ球，Bリンパ球の反応を個別に評価できる．	測定には制御用ソフトを用いるため，機器設定に関する知識や経験は必要ない．
検査方法	IFT（免疫蛍光抗体法） 抗体検出キット（市販）による抗体の検出 FCX（フローサイトクロスマッチ）	抗体検出キット（市販）による抗体の検出で，「Luminex法」あるいは，「蛍光ビーズ法」ともよばれる．
機器		

表5-XIV-8 抗HLA抗体検査に用いるビーズ試薬の大まかな種類と特徴

解像度	低～中		高
ビーズ試薬	(Cw7, A2, B8, B62, Cw9, A24, A2, Cw7, B67, B62, A31, Cw1)	(B13, A11, B62, A2, Cw4, Cw6)	(A2, A2, A2, A2, A2, A2, A2, A2)
特徴	ヒトの細胞（セルライン）から精製したHLA抗原を1～5人分程度までを1つのビーズにコーティングしている．中程度のビーズ試薬の反応からは，大まかな抗体特異性が判別できることもある．		遺伝子組み換えによって発現させた1種類のHLA抗原を精製しコーティングしているため，抗体の特異性を同定することができる．

血球を凝集する抗体として発見された．これはHLAが自己と非自己を区別するマーカーのようなものであり，体内に侵入する他者のHLA抗原に対しての反応の結果である．そのため，輸血や移植医療がその効果を発揮するためには，抗HLA抗体の有無およびその特異性を決定することが重要である．

(1) 抗HLA抗体検査の変遷と方法

発見当初は血清学的解析が主流であったが，この方法は抗HLA抗体検出に対する膨大な時間と労力，そして何よりもHLA型既知の抗原（リンパ球）が必要であった．その後，測定機器としてフローサイトメータが導入されたことで感度が飛躍的に上昇し，xMAP®Technology（Luminexシステム）の登場で，多検体処理が可能な高感度法が実現された（**表5-XIV-7**）．どちらの測定機器も専用の市販キットが国内外のメーカーから販売されているが，それらはポリスチレン性の蛍光ビーズ（直径5.6μm）を用いている（**表5-XIV-8**）．

それぞれの専用解析ソフトにより，抗体の有無および抗体特異性を決定する．検査手技については添付文書に従うが，その原理は共通である．それをAHG-LCTと比較すると，パネルとして用いたHLA型既知のリンパ球の代わりに，精製抗原をコーティングした蛍光ビーズと一次反応させて，二次反応で

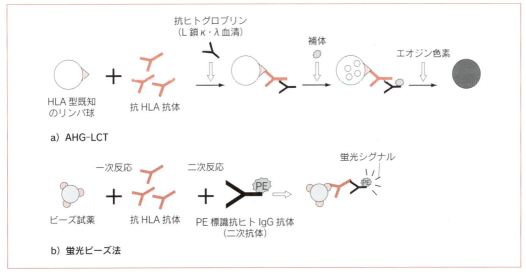

図5-XIV-10　AHG-LCTと蛍光ビーズ法の比較

はPE (phycoerythrin) などの蛍光色素を標識した抗ヒトIgG抗体と反応させる．つまり，抗原抗体反応後に，抗ヒトグロブリンや補体との反応をPE標識ヒトIgGとの反応に変更することで高感度化を実現した．検体に抗HLA抗体が存在する場合は抗ヒトIgG抗体が結合するため，その蛍光量（PEなど）を測定する（**図5-XIV-10**）．

なかでも，測定機器としてLuminexシステムを用いる蛍光ビーズ試薬は，その種類によって解像度は3段階（低・中・高）であり，低〜中解像度の試薬は抗体スクリーニングに，高解像度の試薬は抗体特異性同定に用いる（**表5-XIV-8**）．試薬に含まれるビーズは10段階の赤色と橙色の蛍光色素で染色されているため，最大100種類の識別が可能で，高解像度の試薬では90種類以上の抗原との反応を確認できる（FLEXMAP3D^{TM}システムの場合は500種類の情報を取得することができる）．

Luminexシステムで測定する際に流路を通過するビーズごとに規定されたregion（領域）での蛍光量を2種類（グリーン，レッド）のレーザーで測定する（**図5-XIV-11**）．測定には96ウェルマイクロプレートを用いるため，検査工程からこのプレートを使用する場合は，一度に多数の検体を処理することが可能となる．

3） HLA検査の応用分野

HLAは多型に富むという特徴からさまざまな分野で応用されている．ここでは，検査によって決定されたHLA型や抗HLA抗体の情報を必要とする分野について紹介する．

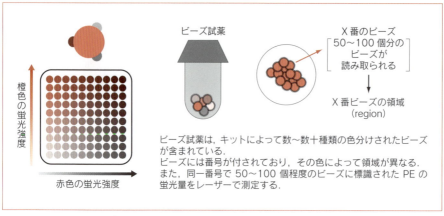

図 5-XIV-11　蛍光ビーズでの測定
色のトーンを 10 段階に分別した橙色と赤色の 2 色の蛍光色素でビーズを染色すると，最大 100 種類のビーズを識別することができる．たとえば抗 HLA 抗体検査であれば，検体と各ビーズに異なる精製抗原をコーティングした試薬を反応させ，ビーズに規定された領域（region）ごとの蛍光量を測定すると，どのビーズ（どの HLA 抗原）に強く反応したかを調べることができる．

(1) 人類学への応用

HLA の遺伝的な特徴は非常に多型に富むため，個人差さらには集団差が存在することになる．さらに，多くの遺伝子群が狭い領域に隣接して存在するため，それらが 1 つの組となって遺伝していく．HLA は免疫を司るマーカーであるため，特に感染症への抵抗性が重要である．HLA 遺伝子の頻度に人種間差がある要因は複数存在し，長い年月をかけて HLA ハプロタイプの出現頻度に地域差（人種間差）が発生する．そのため，それらを解析・考察することで，その集団のルーツを紐解くことができる（**図 5-XIV-12**）．

(2) 疾患感受性への応用

後述．「2　HLA と疾患感受性」を参照．

(3) 血小板輸血への応用

後述．「3　血小板輸血不応と HLA 適合血小板」を参照．

2　HLA と疾患感受性

HLA は非常に多型に富んだ遺伝子であり，自己と非自己を区別するマーカーの役割を担っており，それは個体差（個人差）となる．この特徴から遺伝マーカーとしたさまざまな研究がなされており，自己免疫疾患やアレルギー，薬剤の副作用などにも HLA 遺伝子が関連していることがわかってきた．さらに，HLA 遺伝子の出現頻度は人種によって差があることから，疾患発症の頻度が異なる．発症機序について全容の解明はまだ発展途上である．

現在までに判明している疾患と関連する HLA 抗原（一部はアレル）を**表 5-XIV-9** に示す．なかでも，睡眠の障害であるナルコレプシーは，日本人では 600 人に 1 人の割合で発症し，世界で最も多い．情動脱力発作を伴うナルコ

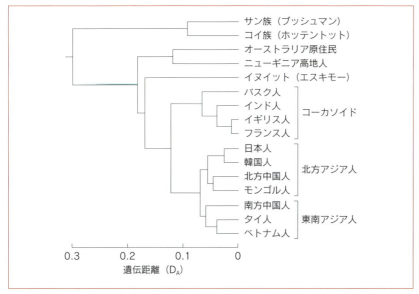

図 5-XIV-12　HLAの遺伝子頻度に基づくヒト集団の系統樹
(今西　規：HLA 遺伝子の多様性とヒトの進化. MHC, 1 (2)：130-134, 1994. より抜粋)

表 5-XIV-9　疾患と関連する HLA 抗原（一部はアレルまで解明）

疾患	HLA	オッズ比
強直性脊椎炎	HLA-B27	1056.3
Behçet（ベーチェット）病	HLA-B*5101	9.3
ナルコレプシー	HLA-DRB1*15:01 HLA-DQB1*06:02 ※	1372.7 1372.7
関節リウマチ	HLA-DRB1*04:05 HLA-DQB1*04:01	4.4 4.4
I 型糖尿病	HLA-B*54:01 HLA-B61 (HLA-B*40:06, HLA-B*40:02, HLA-B*40:03) HLA-DRB1*04:05 HLA-DQB1*04:01 HLA-DRB1*09:01	4.8 2.2 4.0 4.3 1.3
Basedow 病（Graves 病）	HLA-A2 (HLA-A*02:01, HLA-A*02:06, HLA-A*02:07) HLA-DPB1*05:01	2.0 4.2
多発性硬化症（大脳・小脳型） 多発性硬化症（眼神経，脊椎型）	HLA-DRB1*15:01 HLA-DPB1*05:01	3.1 9.0
潰瘍性大腸炎	HLA-B*52:01 HLA-DRB1*15:02 HLA-DPB1*09:01	4.1 4.5 4.8
全身性エリテマトーデス（SLE）	HLA-B39 HLA-DRB1*15:01	6.3 3.0

※日本人では HLA-DRB1*15:01 と HLA-DQB1*06:02 は，ほぼ 1：1 対応の**連鎖不平衡状態**にある．
(猪子英俊，他（監修）：移植・輸血検査学．p.169，講談社，2004．をもとに作成)

オッズ比

オッズとは「見込み」のことで，ある事象が起きる確率 p の，その事象が起きない確率（1−p）に対する比を意味する．オッズ比とは 2 つのオッズの比のことであり，コホート研究での累積罹患率（罹患率）のオッズ比と，症例対照研究での曝露率のオッズ比がある［日本疫学会広報委員会（監修）：疫学用語の基礎知識．より抜粋］．

連鎖不平衡

連鎖不平衡とは，ある遺伝子座の特定のアレルが，同一染色体上存在する別の遺伝子座の特定のアレルと組みになる（ハプロタイプを形成する）頻度が期待値と異なる状態．

レプシーの9割以上がHLA-DQB1*06:02を有するため，そのアレルを有しているか否かが補助診断に用いられる．

3　血小板輸血不応とHLA適合血小板

1）血小板輸血不応の機序

血小板の役割は凝集によって止血をすることで，それを目的として血小板減少時には血小板輸血が行われる．しかし，血小板輸血が有効にならない状態（血小板輸血不応：platelet transfusion refractoriness；PTR）となることがある．その要因の8割は非免疫学的要因（感染症，発熱，DIC，出血，脾臓肥大，薬剤性）であるが，残りの2割が免疫学的要因であり，最も多いのが抗HLA抗体である．頻回の血小板輸血や妊娠・出産により，抗HLA抗体を保有している患者に血小板輸血をすると，血小板の表面上にもHLA抗原（クラスⅠ抗原）が発現しているため，反応（結合）してしまうことがある．抗体が結合した血小板はマクロファージなどに貪食され，輸血した血小板が働くことができなくなる（不応状態）．このような場合は，HLA適合血小板輸血が有効となる．

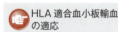

HLA適合血小板輸血の適応
血液製剤の使用指針（改定版）では，「白血病，再生不良性貧血などで通常の血小板濃厚液を輸血し，輸血翌日の血小板数の増加がみられない場合には，輸血翌日の血小板数を測定し，増加が2回以上にわたってほとんど認められず，抗HLA抗体が検出される場合には，HLA適合血小板輸血の適応となる．」と記載されている（厚生労働省HPより一部抜粋）．

2）HLA適合血小板にかかる検査と供給システム

抗HLA抗体による血小板輸血不応に対応するために，日本赤十字社では1986年ごろからHLA適合血小板の供給が開始された（正確な開始時期は地域によって異なる）．最初は試験的な供給で特定の医療機関を対象としていたが，1990年に濃厚血小板HLAとして薬価に収載された．

(1) HLA適合血小板にかかるHLA関連検査

血小板輸血不応となった患者から採取した検体で抗HLA抗体検査を実施し，抗体ありの場合はHLA型検査を実施する．HLA型検査はPCR-rSSO法によるDNAタイピング法で，抗HLA抗体検査は蛍光ビーズ法により実施する．抗HLA抗体ありの場合，高解像度の蛍光ビーズ試薬を用いて，抗体の特異性を同定する．

一方，HLA適合血小板製剤の原料血小板は，登録ドナー由来である．献血登録の意思があるボランティアドナー（登録ドナー）から血液を2 mL採血し患者同様のDNAタイピング法によりHLA型を決定し，あらかじめシステム（図5-XIV-13）に登録しておく．ただし，血小板表面上に発現するHLA抗原はクラスⅠ抗原のみであるため，検査・登録するHLA型はHLA-A，HLA-B，HLA-Cの3座のみとなる．

HLA適合血小板の選択
血小板表面上のHLA-C抗原はその発現量がHLA-A，HLA-Bと比較して低いといわれており，通常はドナー検索時の対象外となる．ただし，患者がHLA-C抗原に対する抗体を保有する場合は注意を要する．

(2) 適合ドナー検索から供給まで

❶ HLA適合血小板の適合ドナー検索

患者と同一のHLA型（HLA-A，HLA-B座のみ対象）の登録ドナーあるいは，患者が保有する抗HLA抗体とは反応しないと予測される抗原（許容抗原）型である登録ドナーが選択される．そのため，HLA型の検査はもとより，抗

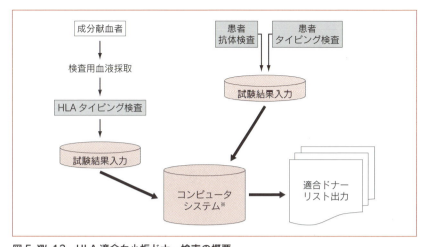

図 5-XIV-13　HLA 適合血小板ドナー検索の概要
※：献血者や患者の検査結果等を管理しているコンピュータシステム．

HLA 抗体の特異性を正確に見極める必要がある．また，登録ドナーの HLA 型と患者の HLA 型の適合性をグレードとよび，なるべくグレードの高い登録ドナー由来の HLA 適合血小板を供給できるようにする．

日本赤十字社では，医療機関からの適合血小板製剤のオーダーに対して，適宜供給が可能となるシステム（**図 5-XIV-13**）を構築している．さらに，そのデータの蓄積は全国規模であるため，患者の HLA 型が日本人集団では低頻度である場合，患者が保有する抗 HLA 抗体特異性が広範囲に及ぶ場合など，ブロック内での確保がむずかしい場合は，都道府県を超えた HLA 適合血小板の供給も可能となる．

❷供給までの HLA 検査

HLA 適合血小板製剤のために選択される適合ドナーは，前述のとおりシステムに登録された情報での適合者である．しかし頻回に血小板輸血を受けていたり，治療の影響で正確な検査ができない場合もあり，患者の抗 HLA 抗体の特異性が経時的に変化する場合がある．そこで，適合ドナーが血小板献血をする際に 2 mL の HLA 検査用検体を別途採取し，HLA 適合血小板製剤の製造前に患者の検体（血清または血漿）との交差適合試験を実施して反応しないことを確認する．現在，全国のブロック血液センターではこの交差適合試験を ICFA (immunocomplex capture fluorescence analysis) 法を原理とした方法で実施している（**図 5-XIV-14**）．この方法はプレートでの実施が可能で，Luminex で測定した結果を専用のソフトウェアで判定できるため，一度に複数の交差適合試験を実施することが可能となる（**図 5-XIV-15**）．

また，同時に血液製剤としての通常の検査（血液型検査，感染症検査，生化学検査）も行う．患者検体は，抗体特異性の変化を反映する最短の期限（14日間）を目処に更新することになっている．検体の更新などにより，交差適合試験が陽性となった場合は，再度患者の抗体特異性を検査し，その結果に基づ

> **血液センターの体制**
> 血液製剤の製造および供給などの事業は都道府県単位で運営されていたが，2012年より，全国で7カ所のブロック単位による広域事業運営体制となった．

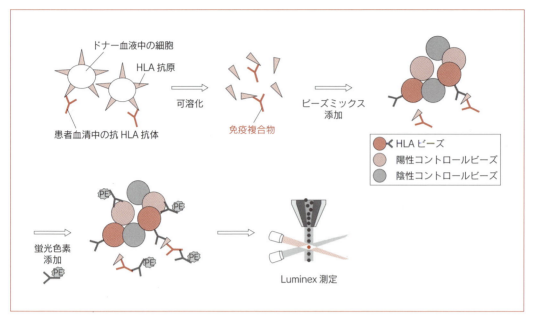

図 5-XIV-14　ICFA 法の原理
ドナーの血液を溶血させて赤血球を除去した残りの細胞に，患者検体を反応させる．患者が抗 HLA 抗体を保有しており，それと対応する HLA 抗原をドナーが保有していると抗原抗体反応が起きる．その後，可溶化により細胞を潰すことで抗原抗体複合物（IC）を遊離させることができる．さらに，HLA と反応するモノクローナル抗体をコーティングした蛍光ビーズで捕捉し，PE を標識した二次抗体と反応させる．それを Luminex で測定して，専用の解析ソフトウェアにより結果判定を行う（ある一定の数値以上であれば，陽性と判定する）．

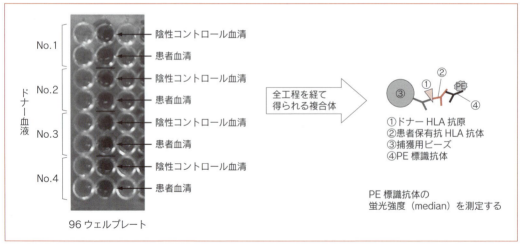

図 5-XIV-15　ICFA 法による交差適合試験
ICFA 法による交差適合試験では，96 ウェルプレートを使用して多検体処理にも対応することが可能である．ここでは，4 件の交差適合試験を実施する場合で，縦に連続する 2 ウェルに溶血試薬を分注し，その後ドナーの血液（抗凝固剤入りで採血された全血）を加えて溶血させる．その後，洗浄を行って残った沈渣に陰性コントロール血清と患者血清をそれぞれ添加し反応させる．陽性の場合，最終的には図右の①〜④が結合した状態となり，④の PE 標識抗体による蛍光量を陰性コントロールの蛍光量で除して得られる比率（index）で判定する．

いた適合血小板を準備する．

3）輸血後の評価

　血小板輸血の効果を調べるためには，輸血の前後に血小板数を測定し，**補正血小板増加数**（corrected count increment；CCI）を求める．輸血後1時間でのCCIが7,500個/μL以上であるか，輸血後24時間あるいは翌朝でのCCIが4,500個/μLであれば，その輸血は効果があったと判定する．CCIから輸血の効果がないことが判明すれば，通常の血小板からHLA適合血小板輸血への変更も可能となる．

　HLA適合血小板の輸血後であった場合は，抗HLA抗体特異性の変化や，抗血小板抗体による不応を疑い，再検査や追加検査を実施する必要がある．

　また，HLA適合血小板輸血を受ける際はHLA-AおよびHLA-Bの抗原のみを対象に登録ドナー選択を実施するため，患者がHLA-C抗原に対する抗体をもつ場合は，その抗体が考慮されない．そのため，HLA-C抗原に対する抗体を無視した適合血小板を輸血する場合は，輸血後の効果に注視し，必要に応じて，HLA-C抗原も考慮したドナー選択を検討する必要がある．

> **補正血小板増加数（CCI）の計算式**
> CCI［/μL］＝（輸血血小板増加数［/μL］×体表面積［m^2］）÷輸血血小板総数［×10^{11}］

XV 血小板抗原

〈到達目標〉
(1) 血小板抗原の種類，頻度，特徴を説明できる．
(2) 抗血小板抗体が関与する代表的な疾患の臨床的意義を説明できる．
(3) 混合受身凝集（MPHA）法の原理，特徴を説明できる．

　血小板は骨髄にある巨核球の細胞質がちぎれたもので，止血過程における血栓の形成に中心的な役割を担う．直径約 2～4 μm の細胞で，血液 1 mm^3 に約10～40万個あり，核をもたずα顆粒と濃染顆粒という血小板特有の細胞内顆粒をもっている．歴史的には，1959年の van Loghem らによる Zw^a 型（HPA-1a）の発見から始まり，その多くは母児間の血小板抗原型不適合による**新生児血小板減少症**（neonatal alloimmune thrombocytopenia；NAIT）の症例から発見されている．血小板膜表面上には，**ヒト血小板抗原**（human platelet antigen；HPA），ヒト白血球抗原（human leukocyte antigen；HLA），ABO 抗原などの同種抗原が存在する．妊娠や輸血によってこれらの抗原に対する抗体が産生されると，新生児血小板減少症（NAIT）や**血小板輸血不応（PTR）**の原因になることがある．

1 血小板抗原系

　血小板膜表面上には，HPA，HLA，ABO 抗原などが存在し，HLA においては，クラス I 抗原が発現しているがクラス II 抗原は発現していない．血小板の細胞膜は通常の細胞と同じく脂質二重層構造であり，そこには糖蛋白（glycoprotein；GP）が埋没あるいは貫通している．各 HPA は，GP IIb/IIIa，GP Ib/IX，GP Ia/IIa，および CD109 などの糖蛋白に局在しており（図5-XV-1），血小板1個あたりの発現分子数は，HPA-1, -3, -4 抗原が約80,000分子，HPA-2 抗原が約25,000分子，HPA-5 抗原や HPA-15 抗原が約1,000～2,000分子である．これら6種類の HPA は対立遺伝子が同定されており，抗原頻度の高いほうを「a」，低いほうを「b」と規定している．これ以外は低頻度の「b」の抗体しか検出されておらず，対立遺伝子も同定されていないため「bw」（workshop で抗原特異性が公認されたことを意味している）を付している．そのため HPA-1～5 および HPA-15 抗原は，妊娠や輸血，移植など，臨床上重要な抗原と考えられている．

2 血小板上の抗原と検出される抗体

1) ヒト血小板抗原（HPA）

　ヒト血小板抗原（HPA）は，1959年の van Loghem らによる Zw^a 型

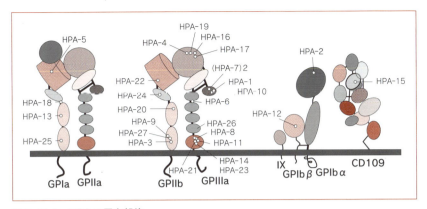

図 5-XV-1　HPA の局在部位
(J. A. Peterson, et al.: Neonatal alloimmune thrombocytopenia: pathogenesis, diagnosis and management. *British Journal of Haematology*, 161 (1): 3~14, 2013)

(HPA-1a) の発見に始まり，わが国においては 1986 年に柴田らが，NAIT 症例から Yuk 型（HPA-4）を発見したのが最初である．抗原名は，発見者（発端者）にちなんだ独自の名称で付けられていたが，1990 年に「HPA」という国際的統一名称を頭に付け，発見順に 1 から番号で表示することに決まり，現在 HPA-1~35 が認められている（**表 5-XV-1**）．

　HPA-1~5 および HPA-15 では対立遺伝子が判明しており，抗原性の違いはほとんど一塩基置換によるアミノ酸配列の違いに起因する．その他の HPA は，母児血小板型不適合による NAIT 症例から発見された低頻度抗原である．そのほとんどは，児（または父）と母血清の**血小板交差試験**で検出され，通常の抗体スクリーニング試薬などでは検出できない．臨床的意義や抗原頻度などの解析は現時点ではいまだ不明なものが多く，血小板交差試験を実施しない場合は，低頻度抗原や未知の抗原を見逃す可能性がある．

　なお，わが国においては，HPA-5b 抗体が検出されることが多いが，<u>血小板輸血との関連性では HPA-2 や HPA-3 が，NAIT 症例の原因としては HPA-3 や HPA-4 が臨床的に重要視され，必要に応じて HPA を適合させた血小板製剤が使用される</u>．

2) HLA 抗原（クラス I）

　HLA は白血球の血液型として発見され，HLA-A, -B, -C 抗原などからなるクラス I 抗原と，HLA-DR, -DQ, -DP 抗原などからなるクラス II 抗原に大別されるが，<u>血小板膜表面上にはクラス I 抗原だけが発現している</u>．そのため，クラス I 抗原に対する抗体は PTR に関与し，血小板輸血効果が認められない場合は **HLA 適合血小板製剤（PC-HLA）**が適応となる．

3) ABO 血液型抗原

　ABO 血液型抗原は血小板膜表面上にも発現しているが，抗原量は赤血球と

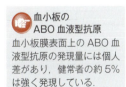

血小板の ABO 血液型抗原
血小板膜表面上の ABO 血液型抗原の発現量には個人差があり，健常者の約 5% は強く発現している．

表 5-XV-1　ヒト血小板抗原（HPA）

HPA 抗原	抗原名（オリジナル）	抗原頻度 日本人	抗原頻度 白人	局在糖蛋白	CD 分類	遺伝子	塩基置換	アミノ酸置換（発現蛋白質）
HPA-1a	Zw^a, Pl^{A1}	>99	98	GPIIIa	CD61	ITGB3	176T>C	L33P
-1b	Zw^b, Pl^{A2}	<1	29					
HPA-2a	Ko^b	98	>99	GPIbα	CD42b	GP1BA	482C>T	T145M
-2b	Ko^a, Sib^a	25	13					
HPA-3a	Bak^a, Lek^a	79	81	GPIIb	CD41	ITGA2B	2621T>G	I843S
-3b	Bak^b	71	70					
HPA-4a	Yuk^b, Pen^a	>99	>99	GPIIIa	CD61	ITGB3	506G>A	R143Q
-4b	Yuk^a, Pen^b	2	<1					
HPA-5a	Br^b, Zav^b	>99	99	GPIa	CD49b	ITGA2	1600G>A	E505K
-5b	Br^a, Zav^a, Hc^a	8	20					
HPA-6bw	Ca^a, Tu^a	3	2	GPIIIa	CD61	ITGB3	1544G>A	R489Q
HPA-7bw	Mo^a	<1	<1	GPIIIa	CD61	ITGB3	1297C>G	P407A
HPA-8bw	Sr^a	<1	<1	GPIIIa	CD61	ITGB3	1984C>T	R636C
HPA-9bw	Max^a		1	GPIIb	CD41	ITGA2B	2602G>A	V837M
HPA-10bw	La^a		1	GPIIIa	CD61	ITGB3	263G>A	R62Q
HPA-11bw	Gro^a		<1	GPIIIa	CD61	ITGB3	1976G>A	R633H
HPA-12bw	Iy^a		<1	GPIbβ	CD42c	GP1BB	119G>A	G15E
HPA-13bw	Sit^a		<1	GPIa	CD49b	ITGA2	2483C>T	T799M
HPA-14bw	Oe^a		<1	GPIIIa	CD61	ITGB3	1909_1911delAAG	K611del
HPA-15a	Gov^b	77	81	CD109	CD109	CD109	2108C>A	S682Y
-15b	Gov^a	76	60					
HPA-16bw	Duv^a		<1	GPIIIa	CD61	ITGB3	497C>T	T140I
HPA-17bw	Va^a		<1	GPIIb/IIIa	CD61	ITGB3	662C>T	T195M
HPA-18bw	Cab^a			GPIa	CD49b	ITGA2	2235G>T	Q716H
HPA-19bw	Sta			GPIIIa	CD61	ITGB3	487A>C	K137Q
HPA-20bw	Kno			GPIIb	CD41	ITGA2B	1949C>T	T619M
HPA-21bw	Nos			GPIIIa	CD61	ITGB3	1960G>A	E628K
HPA-22bw	Sey			GPIIb	CD41	ITGA2B	584A>C	K164T
HPA-23bw	Hug			GPIIIa	CD61	ITGB3	1942C>T	R622W
HPA-24bw	Cab2^{a+}			GPIIb	CD41	ITGA2B	1508G>A	S472N
HPA-25bw	Swi^a			GPIa	CD49b	ITGA2	3347C>T	T1087M
HPA-26bw	Sec^a			GPIIIa	CD61	ITGB3	1818G>T	K580N
HPA-27bw	Cab3^{a+}			GPIIb	CD41	ITGA2B	2614C>A	L841M
HPA-28bw	War			GPIIb	CD41	ITGA2B	2311G>T	V740L
HPA-29bw	Kha^b			GPIIIa	CD61	ITGB3	98C>T	T7M
HPA-30bw	Lab^a			GPIIb	CD41	ITGA2B	2511G>C	Q806H
HPA-31bw	Cab4^{b+}			GPIX	CD42a	GP9	368C>T	P123L
HPA-32bw	Dom^b			GPIIIa	CD61	ITGB3	521A>G	N174S
HPA-33bw	Bl^a			GPIIIa	CD61	ITGB3	1373A>G	D458G
HPA-34bw	Bzh^a			GPIIIa	CD61	ITGB3	349C>T	R91W
HPA-35bw	Efs^a			GPIIIa	CD61	ITGB3	1514A>G	R479H
	Nak^a	95	>99	GPIV	CD36			

（Immuno Polymorphism Database より一部改変）

比較して少ない．そのほとんどは血漿中のABH型物質を吸着したものであるが，一部*ABH*遺伝子に制御され発現している．血小板輸血は原則として，ABO血液型が一致する製剤を使用することとされているが，PC-HLAの供給に際しては，HLAの適合度を優先させるためABO血液型不適合の製剤を供給する場合がある．この場合，患者由来の抗Aまたは抗Bが原因となるPTR，製剤由来の抗Aまたは抗Bが原因となる溶血性輸血反応の危険性もある．日本赤十字社血液センターから供給されるPC-HLAがABO血液型不適合の場合は，抗体価を測定し128倍以上（生理食塩液法）は供給先の医療機関へ情報提供し，溶血性輸血反応の注意喚起を行っている．

4）血小板膜糖蛋白（GP）の欠損で産生される抗体（イソ抗体）

CD36はNak^{a}またはGP Ⅳとも称される抗原で，血小板に限らず単球やマクロファージ，赤芽球系細胞，骨髄球系細胞，血管内皮細胞などにも発現することが報告されている．一方で，CD36欠損者（血小板膜糖蛋白の欠損者）の存在も明らかにされており，CD36欠損者が産生する抗体の臨床的意義は大きい．

抗CD36抗体（抗Nak^{a}抗体）は，わが国で1989年に池田らによって，PTR患者より初めて検出され，CD36欠損者が輸血や妊娠によって抗体を産生することが明らかになった．また，CD36欠損はすべての細胞に欠損しているⅠ型欠損（type Ⅰ）と血小板のみに欠損しているⅡ型欠損（type Ⅱ）に分類される．CD36欠損者の頻度は人種によって大きく異なり，アジア系およびアフリカ系人種ではⅠ型とⅡ型合わせて3〜10％と比較的多く，白人系では0.3％以下とまれである．わが国におけるタイプごとの頻度は，Ⅰ型欠損0.5〜1％，Ⅱ型欠損3〜10％と報告されている．なお，抗CD36抗体の産生はⅠ型欠損のみと考えられており，PTRやNAITの原因となる．さらに**輸血関連急性肺障害（TRALI）**の原因となることも報告されている．

そのほか，GPⅡb/Ⅲaの先天性欠損のGlanzmann（グランツマン）型血小板無力症や，GPⅠb/Ⅸの先天性欠損のBernard-Soulier（ベルナール・スーリエ）症候群など先天性の出血性疾患において，これらのGPの欠損に誘導されて抗体を産生することがある．

抗CD36抗体の臨床的意義
CD36欠損者のなかには，明らかな抗原感作がないにもかかわらず，抗CD36抗体を保有する男性がいることも確認されている．また，近年では抗CD36抗体が造血幹細胞移植におけるDSA（donor specific antibody）として対応すべきか注目されている．

3　HPAの臨床的意義

1）新生児血小板減少症（NAIT）

NAITは，HPAの母児間不適合が原因で産生された母体の抗体が胎盤を通して胎児に移行し，胎児または新生児の血小板を破壊し血小板減少症をきたす．第一子からも発症する可能性があり，症状は軽度な紫斑から重篤な場合には頭蓋内出血の危険性がある．

NAITの診断基準は，
① 母体は特発性血小板減少性紫斑病（ITP）がなく，児は一過性の血小板減少症をきたすこと

②しばしば第一子から血小板減少症をみること
③感染，その他の新生児紫斑病を除外できること
④患児の血小板と反応する IgG 型同種抗体（抗 HPA 抗体）が母親の血清中に証明されること

である．

わが国において NAIT を惹起する抗体は抗 HPA-4b 抗体が最も多く，次いで抗 HPA-3a 抗体，抗 HPA-5b 抗体であるが，欧米では抗 HPA-1a 抗体が大部分を占める．近年では抗 HPA-15 抗体や抗 HPA-21bw 抗体が検出された NAIT 症例も報告されている．

なお，過去に NAIT の既往がある場合は，母体への免疫グロブリンの投与，出産に合わせた適合血小板の準備，帝王切開による出産などの対応を考慮する必要がある．

2）血小板輸血不応（PTR）

血小板輸血後に血小板数の増加がみられない状態を血小板輸血不応（PTR）という．血小板が増加しない原因には，抗 HLA 抗体や抗 HPA 抗体などの血小板膜抗原に対する抗体による免疫学的機序と，発熱，感染症，播種性血管内凝固（DIC），脾腫大などによる非免疫学的機序がある．

血小板輸血の効果を表す指標として，輸血後 10 分～1 時間後，あるいは 16～24 時間後の補正血小板増加数（CCI）（→ p.383）が用いられる．ある程度の鑑別は可能であるが，免疫性原因と非免疫性原因を明確に区別することはできない．免疫性原因が疑われた場合には，抗 HLA 抗体を確認し，陽性なら PC-HLA の使用で血小板数の増加をみることが多い．また，抗 HPA 抗体が PTR の原因となる場合も一部存在し，その場合は抗 HPA 抗体の特異性などを考慮した適合血小板の使用で血小板数の増加がみられることがある．そのため，血小板投与の際には輸血前後の血小板数を測定し，有効性を評価することが重要である．

なお，PC-HLA の製造・供給に際しては，日本赤十字社血液センターの情報システムから患者ごとに HLA 適合献血者を選択し，血小板献血された献血者の細胞（白血球）と対象患者血清を用いて交差適合試験を実施し，試験結果が適合の場合に PC-HLA として医療機関へ供給される（→ p.380）．

3）輸血関連急性肺障害（TRALI）

TRALI の原因は，輸血用血液製剤中に含まれる抗 HLA 抗体，抗 HNA 抗体，または活性脂質などの生理活性物質の関与と考えられている．

また，抗 Nakᵃ 抗体（抗 CD36 抗体）によって TRALI を発症した症例も報告されている．高力価の抗 Nakᵃ 抗体（抗 CD36 抗体）は，TRALI やアナフィラキシーショックなど重篤な輸血副反応を引き起こす可能性もあり，危険性は高い．

抗 HLA 抗体と NAIT

抗 HLA 抗体による NAIT 発症については，いまだにはっきりとした結論は出ていない．HLA 抗原は胎盤にも発現しているため抗 HLA 抗体が吸着され発症しない可能性も考えられるが，今後の解析が望まれる．

血小板輸血不応（platelet transfusion refractoriness；PTR）

日本輸血・細胞治療学会の『科学的根拠に基づいた血小板製剤の使用ガイドライン』には，HLA（または HPA）適合血小板輸血により CCI の改善がなければ，免疫性血小板輸血不応の影響は不確かで，非免疫性血小板輸血不応の関与を考慮すべきであると記載されている．免疫性原因による血小板輸血不応と決めつけず，抗 HLA 抗体などの検査を行い，臨床的な要因を多角的に検討することによって血小板輸血不応の原因を確認していく．

抗 HPA 抗体

医療機関から依頼されて，日本赤十字社血液センターにて実施した PTR 患者の抗 HPA 抗体検出率は 2～3％程度であり，最も多く検出される抗体は抗 HPA-5b 抗体であるが，PTR に関与するとした明確な報告はない．

TRALI の対応

TRALI の原因となる抗白血球抗体は妊娠歴のある女性で検出率が高いことから，予防策として男性献血者からの血漿製剤が優先的に製造されている．

4) 輸血後紫斑病 (post-transfusion purpura；PTP)

PTP は，輸血後に著明な血小板減少による紫斑が生じる輸血副反応である．非常にまれな合併症であり，製剤中の HPA 抗原が患者の抗 HPA 抗体と反応し，輸血後 5〜12 日に発症する遅発性の血小板減少症である．抗 HLA 抗体が原因となる PTR と異なり，患者自身の血小板も急激に減少し，出血傾向（粘膜出血，血尿，全身多発性出血斑など）を呈することが特徴である．わが国での報告例はないが，欧米で報告されている多くは HPA-1a 抗原の不適合であり，過去に妊娠や輸血で産生された抗 HPA-1a 抗体が関与していると考えられている．治療としては，免疫グロブリンやステロイドの大量投与，血漿交換などが行われる．

4 抗血小板抗体検査法

わが国においては，**混合受身凝集 (MPHA) 法**が最も使用されている方法だが，欠点もあるため別の原理を用いた検査法を組み合わせて実施することが望ましい．抗体の特異性や HPA の発現量，複合抗体や抗 HLA 抗体の影響などを考慮し，また検査方法（使用試薬）の特性を理解して実施しなければならない．

1) 混合受身凝集 (mixed passive hemagglutination；MPHA) 法

MPHA 法は，1981 年柴田らによって開発された方法で，スクリーニング試薬と抗体同定試薬がベックマン・コールター社より市販されており，わが国で最も普及している抗血小板抗体検査法である．操作が簡便で特別な装置を必要としないため，多くの施設で使用されているが欠点もあり，抗 HPA 抗体を 2 種類以上（複合抗体）保有している場合や同時に抗 HLA 抗体を保有している場合などは，抗体特異性を判定できない場合がある．抗 HLA 抗体については，クロロキン溶液で処理することで HLA 抗原を減弱させて，抗 HPA 抗体を鑑別することが可能となる．

検出原理は，U 底マイクロプレートに血小板（または血小板抽出抗原）を固相し，各ウェルに被検血清を反応させ，そこに抗ヒト IgG 抗体を感作したヒツジ赤血球（感作セル）を反応させて生じた凝集像を肉眼的に確認し，陽性と陰性を判定する（**図 5-XV-2**）．通常は，感作セルを一晩で反応させて翌日判定するため時間を要するが，支持体としてゼラチンとアラビアゴムで形成された粒子に磁性体を封入した抗ヒト IgG 感作磁性粒子を用い，磁力を用いて判定時間を大幅に短縮した M (magnetic)-MPHA 法も使用されている．

2) MAIPA (monoclonal antibody-specific immobilization of platelet antigen) 法

血小板に被検血清と血小板糖蛋白に特異的なマウスモノクローナル抗体を反応させ，抗血小板抗体が存在する場合は，抗原抗体複合体が形成される．血小板を可溶化後，マイクロプレートに固相した抗マウス IgG 抗体で抗原抗体複

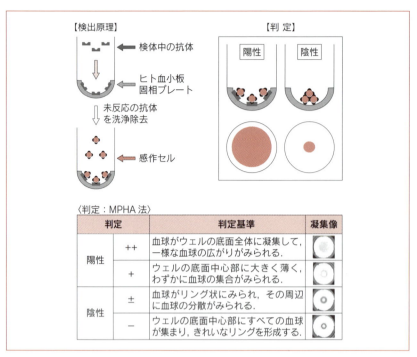

図5-XV-2　MPHA法の原理と判定基準
(小林洋紀：スタンダード輸血検査テキスト　第3版．認定輸血検査技師制度協議会カリキュラム委員会(編), p.151, 医歯薬出版, 2017)

合体を捕捉し，洗浄後，酵素標識抗ヒトIgG抗体を加え発色の有無を検出する(→原理はp.396の図5-XVI-7 MAIGAと同様)．国際的にはスタンダードな検査法であり，特異性はきわめて高いが，操作が煩雑で検査に時間を要する．

3）蛍光ビーズ法（Luminex法）

イムコア社よりキットが市販されている(PakLx)．Luminex測定装置を用いて血清中のHPA-1～5，GP Ⅳ (Nak^a)およびHLA-クラスⅠに対するIgG型抗体を検出する．精製抗原を結合した蛍光ビーズに被検血清を反応させ，結合した抗血小板抗体にフィコエリスリン(PE)標識抗ヒトIgG抗体を反応させて専用ソフトで解析する(→原理はp.397の図5-XVI-9と同様)．

4）その他の血小板抗体検査方法

上記以外にも，PIFT-FCM (platelet immunofluorescence test-flow cytometry) 法，ICFA (immunocomplex capture fluorescence analysis) 法などもあるが，複数の血小板抗原パネルが必要なことや自家調製試薬を使用することから，これらは一部の専門施設でのみ実施されている．

その他の検査方法
近年，抗HPA-15抗体によるNAIT症例が報告されているが，抗HPA-15抗体は既存の抗体検査法では検出がむずかしいため，遺伝子導入細胞などを用いた検査法も検討されている．

XVI 顆粒球抗原

〈到達目標〉
(1) 顆粒球抗原系の特徴について説明できる．
(2) 顆粒球抗原・抗体検査の方法を列挙し，原理を説明できる．
(3) HNA の臨床的意義について説明できる．

1 顆粒球抗原系

　顆粒球抗原は，1960 年に Lalezari らが新生児好中球減少症患児の母親血清中から患児の父親など特定の顆粒球と凝集反応を示す抗体を検出し，凝集反応を示す顆粒球の抗原を NA1 と命名したことに始まる．好中球にはいくつかの同種抗原（血液型）があることが知られているが，好塩基球と好酸球の抗原系については十分解明されていない．顆粒球に共通して発現している同種抗原は，HLA クラス I 抗原などである．好中球抗原は，**HNA（human neutrophil antigen）**という統一名称が用いられている．現在，公認されている主な好中球抗原系を**表 5-XVI-1** に示す．

1) HNA-1 抗原系

　HNA-1 抗原系は GPI（glycosylphosphatidylinositol）アンカー型の好中球特異抗原であり，Fcγ receptor IIIb（FcγRIIIb）の好中球細胞膜から最も外側の D1 ドメインにある HNA-1a, -1b, -1c の 3 種類の同種抗原が公認されて

表 5-XVI-1　主な好中球抗原の種類と出現頻度

好中球抗原系	抗原名	旧抗原名	細胞上の局在	抗原頻度（%） 日本人	抗原頻度（%） 欧米人	対立遺伝子
HNA-1	HNA-1a	NA1	CD16 (FcγRIIIb)	87.0	57〜62	FCGR3B*01
	HNA-1b	NA2		68.4	88〜89	FCGR3B*02
	HNA-1c	SH		0	5	FCGR3B*03
	HNA-1 null	NA-null		0.15	0.15	FCGR3B-null
HNA-2	HNA-2	NB1	CD177 (gp56-64)	99.5	87〜97	
HNA-3	HNA-3a	5b	CTL2 (gp70-95)	88.9	89〜96	SLC44A2*1
HNA-4	HNA-4a	Mart	CD11b (MAC-1)	100	99	ITGAM*1
HNA-5	HNA-5a	Ond	CD11a (LFA-1)	96.3	86〜92	ITGAL*1

表 5-XVI-2　HNA-1 抗原と抗体認識エピトープ

抗体	反応抗原	反応アレル	アミノ酸変異部位（塩基配列）					
			36 (141)	38 (147)	65 (227)	78 (266)	82 (277)	106 (349)
抗 HNA-1a	HNA-1a	FCGR3B*01	Arg (G)	Leu (C)	Asn (A)	Ala (C)	Asp (G)	Val (G)
抗 HNA-1b	HNA-1b	FCGR3B*02	Ser (C)	Leu (T)	Ser (G)	Ala (C)	Asn (A)	Ile (A)
	HNA-1c	FCGR3B*03	Ser (C)	Leu (T)	Ser (G)	Asp (A)	Asn (A)	Ile (A)
抗 HNA-1c	HNA-1c	FCGR3B*03	Ser (C)	Leu (T)	Ser (G)	Asp (A)	Asn (A)	Ile (A)
抗 HNA-1d	HNA-1b	FCGR3B*02	Ser (C)	Leu (T)	Ser (G)	Ala (C)	Asn (A)	Ile (A)

各抗体が認識する抗原のアミノ酸変異部位（抗体認識エピトープ）を　　　で示す．
Ala：アラニン，Arg：アルギニン，Asn：アスパラギン，Asp：アスパラギン酸，Ile：イソロイシン，Leu：ロイシン，Val：バリン，Ser：セリン．

いる．また，終止コドンの挿入により抗原が欠如した HNA-1 null が存在する．2013 年に，HNA-1d が報告されているが，HNA-1d は新規対立遺伝子（アレル）ではなく，抗体の認識部位（エピトープ）の違いによるものである（表 5-XVI-2）．日本人のタイプは主に HNA-1a と HNA-1b の 2 つの組合せからなる．アジア人において HNA-1c の報告はない．表現型と遺伝子型の関係については，表現型が HNA-1a の場合，遺伝子型は HNA-1a/HNA-1a と HNA-1a/－の 2 種類，表現型が HNA-1b の場合，HNA-1b/HNA-1b と HNA-1b/－の 2 種類，表現型が HNA-1a/HNA-1b の場合は HNA-1a/HNA-1b のみである．また，非常にまれな，HNA-1（FCGR3B）遺伝子を欠損している HNA-1 null の場合は，遺伝子型は－/－である［（－）は，遺伝子の欠損を示す］（図 5-XVI-1）．

HNA-1 抗原系は，従来の血清学的なタイピング方法（図 5-XVI-2）以外に DNA タイピングも確立されている（図 5-XVI-3）．顆粒球抗原・抗体検査方法については後述する．日本人における表現型 HNA-1a, HNA-1b, HNA-1a/HNA-1b, HNA-1 null の頻度は，それぞれ 31.5%, 12.9%, 55.5%, 0.15% である．それに対して，欧米人では HNA-1b の頻度が HNA-1a よりも高い．

2）HNA-2 抗原系

HNA-2 は，CD177 に局在する GPI アンカー型の好中球特異抗原であり，血管内皮細胞の接着分子である PECAM-1（CD31）のリガンドである．HNA-2 抗原の発現量には個人差があり，HNA-2 抗原を発現した好中球と発現していない好中球が混在している．日本人のほとんどは HNA-2 抗原陽性であるが，すべての好中球の細胞膜上に HNA-2 抗原が発現していない HNA-2 null が存在し，日本人における頻度は 0.5% である．HNA-2 null の原因は，HNA-2

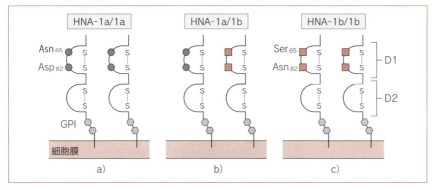

図 5-XVI-1 好中球 Fcγ receptor IIIb
好中球 Fcγ receptor IIIb（FcγRIIIb）は，GPI（glycosylphosphatidylinositol）で細胞膜に結合している．D1 ドメインにアロ抗原 HNA-1a（●），HNA-1b（■）が存在する．HNA-1 null は FCGR3B 遺伝子が欠損しているため，細胞膜に FcγRIIIb が発現しない．
a：表現型 HNA-1a ホモ接合では，HNA-1a のみが発現している．
b：表現型 HNA-1a/1b のヘテロ接合では，HNA-1a と HNA-1b の両方が発現している．
c：表現型 HNA-1b ホモ接合では，HNA-1b のみが発現している．

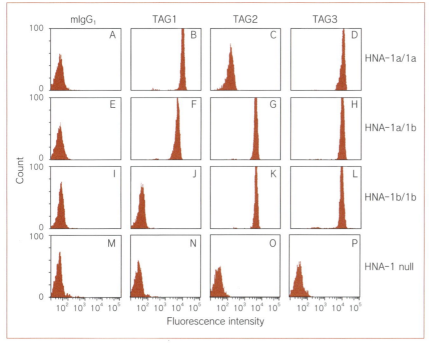

図 5-XVI-2 モノクローナル抗体を用いた HNA-1 抗原のタイピング
3 種類のモノクローナル抗体，TAG1（HNA-1a 特異的），TAG2（HNA-1b 特異的），TAG3（FcγRIII 特異的）を用い，GIFT にて HNA-1 抗原のタイピングを行った結果を示す．
HNA-1a/1a は，TAG1，TAG3 に陽性反応を示した．HNA-1a/1b は，TAG1，TAG2，TAG3 に陽性反応を示した．HNA-1b/1b は，TAG2，TAG3 に陽性反応を示した．HNA-1 null は，FcγRIIIb を発現していないため，すべてのモノクローナル抗体に対して陰性であった．

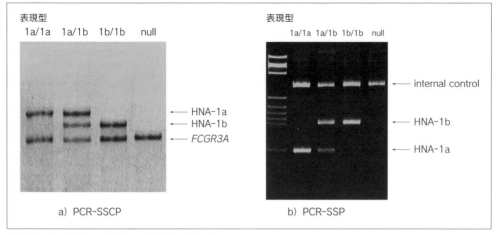

図 5-XVI-3　HNA-1 抗原系の DNA タイピング
a：PCR-SSCP：FcγRIII に特異的なプライマーを用いて増幅した DNA を熱変性にて一本鎖にした後，非変性ポリアクリルアミドゲルにて電気泳動する．一本鎖 DNA の塩基配列の違いが高次構造の違いとなることから，電気泳動パターンの違いが生じる．既知のアレルと比較して判定する．FCGR3A は，FcγRIIIb のアイソフォーム（高度に類似した一連の蛋白質）FcγRIIIa の遺伝子で，同時に増幅される．
b：PCR-SSP：HNA-1a および HNA-1b に特異的な 2 種類のプライマーを用いて増幅した DNA を電気泳動し，アレル特異的に増幅された泳動パターンを基に判定する．

遺伝子の欠損や変異，mRNA 産生異常などが報告されている．HNA-2 陽性細胞が 5% 以上ある人を HNA-2 陽性者という．HNA-2 陽性者の好中球には，HNA-2 陽性細胞と陰性細胞の 2 つのグループ（亜群：subpopulation）が存在している．HNA-2 陽性細胞の割合は 5〜98% で，人によって割合が異なる．女性で平均 70.2%，男性で平均 66.8% であり，女性のほうが HNA-2 陽性細胞の割合が高い人が多い．また，真性赤血球増加症（真性多血症）や G-CSF 投与，妊娠で HNA-2 の発現量が高まることから，細胞増殖と関連があると考えられているが，この抗原の形状や機能については，現在のところ十分解明されていない（図 5-XVI-4）．

3）その他の抗原系

　HNA-3 は，好中球，リンパ球，血小板，内皮細胞などに発現しており，抗原部位は choline transporter-like protein 2（CTL2）である．
　HNA-4 は，顆粒球，単球，マクロファージ，NK 細胞に発現する I 型膜貫通糖蛋白である．抗原部位は CD11b（インテグリン αM 鎖）であり，CD18（インテグリン β2 鎖）とともに Mac-1（CD11b/CD18）を形成している．
　HNA-5 は，T リンパ球，好中球，単球，NK 細胞に発現している．抗原部位は CD11a（αL インテグリン）であり，CD18 とともに LFA-1（CD11a/CD18）を形成している．

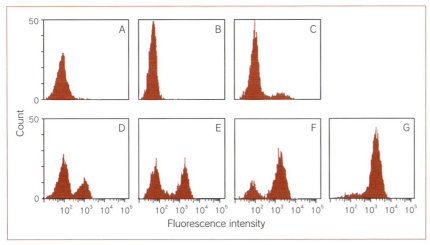

図 5-XVI-4 モノクローナル抗体を用いた HNA-2 抗原のタイピング
HNA-2 の発現量が異なる好中球を TAG4（HNA-2 特異的）を用いた GIFT にて分析した．
A：陰性対照，B：陽性率 5% 以下（HNA-2 null），C：陽性率 5〜20%，D：陽性率 21〜40%，E：陽性率 41〜60%，F：陽性率 61〜80%，G：陽性率 81% 以上．HNA-2 の発現量には個体差がある．

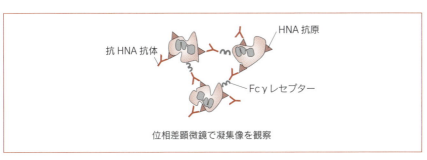

図 5-XVI-5 GAT

2 顆粒球抗原・抗体検査

　顆粒球抗原の決定は，特異性既知の抗血清と被検顆粒球を用いた血清学的検査法で行われてきた．しかし，抗血清確保の問題や顆粒球減少症患者から顆粒球を採取することが困難であることから，現在は抗原性（表現型）を検査する血清学的検査のかわりに，遺伝子型を決定する DNA タイピング法が用いられている．また，血清学的検査法は，抗 HNA 抗体の検出および特異性同定方法として重要であり，Luminex システムを用いた新しい方法が開発されている．

1）血清学的検査法

(1) GAT（granulocyte agglutination test）（図 5-XVI-5）
　顆粒球凝集法．マイクロプレートのウェル内で顆粒球と被検血清を混合し，37℃にて 2〜4 時間静置する．被検血清中に顆粒球と反応する抗体が存在する場合，HNA 抗原に抗 HNA 抗体が結合し，FcγR を介して結合，凝集塊を形成する．凝集像を倒立位相差顕微鏡で観察する．

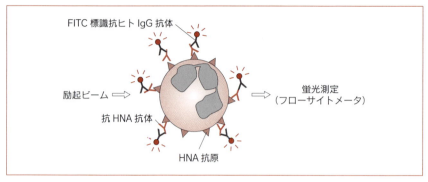

図 5-XVI-6　GIFT

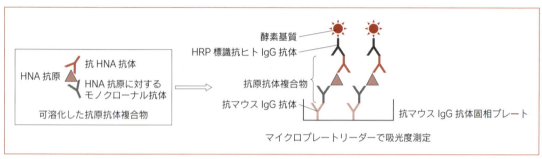

図 5-XVI-7　MAIGA

(2) GIFT（granulocyte indirect immuno-fluorescence test）（図 5-XVI-6）

　顆粒球間接蛍光抗体法．顆粒球と被検血清を反応させる．洗浄後，二次抗体として FITC 標識抗ヒト IgG 抗体を反応させる．被検血清中に顆粒球と反応する抗体が存在する場合，HNA 抗原に結合した抗 HNA 抗体に FITC 標識抗体が結合することにより，フローサイトメトリにて抗体を検出する．

(3) MAIGA（monoclonal antibody-specific immobilization of granulocyte antigens）（図 5-XVI-7）

　モノクローナル抗体特異的顆粒球抗原結合法．顆粒球に対して被検血清とマウスモノクローナル抗体を反応させたのち可溶化し，抗マウス IgG 抗体を固定したマイクロプレートに入れる．被検血清中に顆粒球と反応する抗体が存在する場合，モノクローナル抗体を介して抗マウス IgG 抗体に捕捉された可溶化物中の HNA 抗原には抗 HNA 抗体が結合しており，HRP 標識抗ヒト IgG 抗体を反応させ，酵素抗体法にて抗体を検出する．

(4) MPHA（mixed passive hemagglutination）（図 5-XVI-8）

　混合受身赤血球凝集法．顆粒球を固相した U 底マイクロプレートに被検血清を反応させ，洗浄後，抗ヒト IgG を感作した固定ヒツジ赤血球（指示血球）を反応させる．被検血清中に顆粒球と反応する抗 HNA 抗体が存在する場合，指示血球は顆粒球と反応した抗 HNA 抗体と結合することにより，ウェル底面全体に一様に広がる凝集像を呈する．

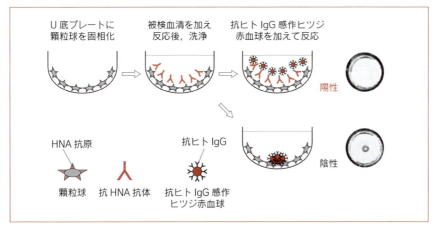

図 5-XVI-8　MPHA

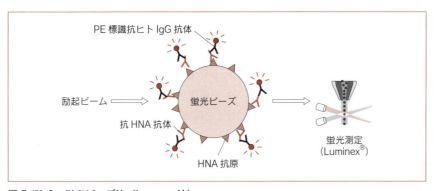

図 5-XVI-9　蛍光ビーズ法（Lumnex 法）
LABScreen Multi（One Lambda 社）

(5) 蛍光ビーズ法（Luminex 法）（図 5-XVI-9）

精製抗原を用いた間接蛍光抗体法（LABScreen Multi：One Lambda 社）．精製 HNA 抗原を結合した蛍光ビーズを用いて GIFT と同様の原理により，間接蛍光抗体法にて抗体を検出する．

(6) ICFA（immunocomplex capture fluorescence analysis）（Luminex）（図 5-XVI-10）

蛍光ビーズを用いた免疫複合体捕捉解析法（Luminex）．蛍光ビーズに HNA 抗原分子に対するモノクローナル抗体を結合しており，可溶化した顆粒球から HNA 抗原分子を単離（捕捉・精製）する．被検血清と反応させた顆粒球を洗浄後，可溶化して HNA 抗原分子を単離すると，被検血清中に顆粒球上の HNA 抗原と反応する抗 HNA 抗体が存在している場合，抗体が抗原と結合した状態（抗原抗体複合物＝免疫複合体）で蛍光ビーズに捕捉されることから，PE 標識抗ヒト IgG 抗体で HNA 抗原分子に特異的な抗体を検出する．

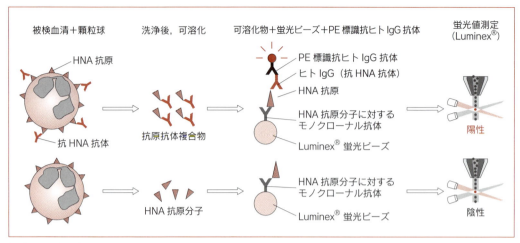

図 5-XVI-10　ICFA

2）DNA タイピング法

(1) PCR-SSP（polymerase chain reaction-sequence specific primers）

　アレルに特異的な2種類のプライマーを用いて増幅した DNA を電気泳動し、アレル特異的に増幅された泳動パターンを基に判定する（→ p.374 の図 5-XIV-6, p.394 の図 5-XVI-3b）。

(2) PCR-SSCP（polymerase chain reaction-single strand conformation polymorphism）

　検査する領域に特異的なプライマーを用いて増幅した DNA を熱変性にて一本鎖にした後、非変性ポリアクリルアミドゲルにて電気泳動する。塩基配列の違いにより一本鎖 DNA の高次構造が異なるためアレル特異的な泳動パターンになる。既知のアレルと比較して判定する（→ p.394 の図 5-XVI-3a）。

(3) PCR-RFLP（polymerase chain reaction-restriction fragment length polymorphism）

　検査する領域に特異的なプライマーを用いて増幅した DNA を、塩基配列特異的に切断する制限酵素を用いて切断し、アレル特異的な泳動パターンを基に判定する。

(4) PCR-PHFA（polymerase chain reaction-preferential homoduplex formation assay）

　完全に相補的な塩基配列をもつ一本鎖 DNA 同士が優先的に二本鎖を形成する温度条件を利用した方法である。検査する領域に特異的なプライマーを用いて増幅した DNA と、既知アレルの標準 DNA の塩基配列が1塩基でも違いがあれば、完全に相補的な塩基配列をもつ一本鎖 DNA 同士が優先的に二本鎖を形成するため、元の二本鎖 DNA の組合せになるが、塩基配列が完全に一致している場合、相補鎖の置換が起こる。

(5) PCR-rSSOP-Luminex（polymerase chain reaction-reverse sequence specific oligonucleotide probe-Luminex）

検査する領域に特異的なプライマーを用いて増幅した DNA を，蛍光ビーズに結合した各アレル特異的な配列に相補的なオリゴヌクレオチドプローブとハイブリダイゼーションさせ，プローブと二本鎖を形成したサンプル DNA を蛍光標識してシグナルを Luminex にて測定し，アレルを判定する（→ p.374 の図 5-XIV-7）．

3 HNA の臨床的意義

好中球上には同種抗原が存在するため，妊娠や輸血などにより，自分とは異なる抗原を認識して抗体を産生することがある．産生された同種抗体は，網内系で好中球が破壊される新生児好中球減少症（neonatal alloimmune neutropenia；NAN）や輸血副反応の原因となる．NAN は，母児不適合妊娠により産生された IgG 型の抗 HNA 抗体が児に移行することにより好中球減少を引き起こす．HNA 1 抗原不適合による HNA-1 関連抗体が検出されることが多く，FcγRIIIb 欠損（HNA-1 null）の母親から抗 FcγRIIIb 抗体が産生されることがある．好中球減少は移行抗体の消失により数週〜数カ月で自然軽快する．輸血副反応は，非溶血性発熱性輸血反応や輸血関連急性肺障害（TRALI）がある．特に TRALI は，発症症例の約 10％ が死亡する重篤な輸血副反応であり，供血者血漿中に抗白血球抗体（抗 HLA 抗体，抗 HNA 抗体）が存在する場合，患者（受血者）の好中球に結合し，活性化して肺組織を傷害し，重篤な呼吸困難や肺浮腫を起こすことがある．

好中球に対する自己抗体の産生により，好中球が破壊される自己免疫性好中球減少症（autoimmune neutropenia；AIN）を引き起こすことがある．乳幼児期の AIN では，主に HNA-1a，HNA-1b および FcγRIIIb に対する抗体が報告されており，抗体が高力価の場合は好中球減少が数年の経過をたどることも多い．好中球に対する自己抗体が認識するエピトープは，同種抗体とは異なり，アミノ酸変異が認められていない GPI アンカー近傍の D2 ドメインなどを認識することがある．そのため，MAIGA では使用したモノクローナル抗体と自己抗体の認識するエピトープが競合して自己抗体を検出できない場合があり，LABScreen Multi では蛍光ビーズに結合した精製抗原の立体構造が生細胞上の立体構造と異なるなど，抗原性の変化による問題から自己抗体を検出できない場合がある．検出感度や特性，解析能力が異なることから，複数の方法を併用して解析することが望ましい．

XⅦ 成分採血

〈到達目標〉
(1) 成分採血の原理について説明できる．
(2) 成分採血のための静脈路確保の方法と注意点について説明できる．
(3) 成分採血の臨床応用や採取物の臨床検査について説明できる．

1 成分採血の種類と原理

　成分採血とはアフェレーシスを用いた手技の一種で，血液を体外循環によって血漿成分と血球成分に分離したうえで，輸血や，造血幹細胞移植・免疫細胞療法などの細胞治療に必要な血液成分を自己または健常ドナーから採取することを指す．血液成分の採取には，血液を遠心分離して，比重別に血漿―血小板―単核球（リンパ球・造血幹細胞など）―顆粒球―赤血球の各成分に分離する**遠心分離法**が主に用いられる．臨床で行われる成分採血には，**表5-XⅦ-1**のような種類があり，各々に適した成分採血装置が用いられる（**図5-XⅦ-1，2**）．血小板採血と血漿採血は主に献血現場で行われ，それ以外は悪性腫瘍治療の臨床において行われることが多い．

　以下では，実際に臨床検査技師が携わることの多い末梢血幹細胞採取について述べる．その他の成分採血法については，「6　血漿採取」以降を参照のこと．

> **アフェレーシス（apheresis）**
> 「分離」を意味するギリシャ語に由来する．現在では，血液を体外循環によって血漿成分と血球成分に分離したうえで，輸血や造血幹細胞移植，免疫細胞療法などの細胞治療において自己または健常ドナーから必要な血液成分を採取すること，あるいは患者血液から病因物質を除去する治療を指す．

2 使用器具

①血液遠心分離装置，専用回路セット
②生理食塩液，ACD-A液
③グルコン酸カルシウム（カルチコール®）
④留置針（翼状針が用いられる場合もある）
　採血側：透析用留置針（側孔付き）16～18 G
　返血側：静脈留置針18～20 G

表5-XⅦ-1　主な成分採血の種類

種類	使用する装置	主な目的
末梢血幹細胞採取	両腕式・連続血流型遠心分離装置	造血幹細胞移植
血漿採血	片腕式・間歇または連続血流型遠心分離装置	献血用
血小板採血	片腕式・間歇または連続血流型遠心分離装置	献血用
リンパ球採血	両腕式・連続血流型遠心分離装置	DLI，CAR-T療法，CTL療法など
顆粒球採血	両腕式・連続血流型遠心分離装置	好中球減少時の重症感染症治療

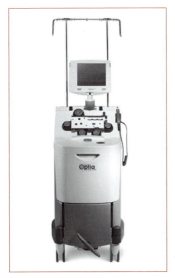

図 5-XVII-1　成分採血装置
(テルモ BCT 株式会社ホームページより)

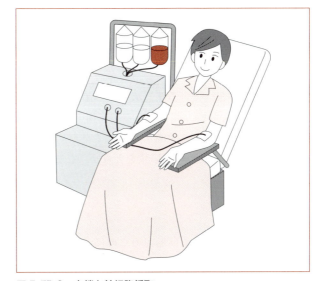

図 5-XVII-2　末梢血幹細胞採取
(山﨑聡子・大西宏明：最新臨床検査学講座　医療安全管理学　第 2 版.
p.96, 医歯薬出版, 2023)

⑤手指消毒剤
⑥滅菌手袋，使い捨て非滅菌手袋
⑦ポビドンヨード消毒液，ヨード過敏症がある場合にはグルコン酸クロルヘキシジン液
⑧アルコール消毒綿
⑨鋭利器材用廃棄容器
⑩駆血帯
⑪カテーテル被覆用滅菌透明ドレッシング材：留置針を固定するために用いる．
⑫温タオル，使い捨てカイロ，電気毛布など：採取中の保温，および血管の怒張を促すために用いる．
⑬急変対応に必要な物品：酸素，救急カート，除細動器（AED）
⑭心電図モニター，経皮的動脈血酸素飽和度モニター，血圧計

3　手技と注意点
1) 事前準備
①成分採血装置の採取モードを幹細胞採取用に設定する．末梢血幹細胞採取では，実際には単核球を採取することでその中に少量含まれる造血幹細胞を得る．
②成分採血装置に幹細胞採取用の血液回路を装着する．高速で回転するため，取り付けには細心の注意を払い，回路に傷や異物混入，ゆがみ，ねじれなどの不良がないことを確認する．

③生理食塩液で回路内を満たし，空気を抜く（プライミング）．
④成分採血装置へ患者/ドナー情報を入力する．

2）患者/ドナーへの説明

医師により同意書が取得されているか，あらかじめ確認しておく．アフェレーシス，手技の内容と所要時間，起こりうる副作用（『最新臨床検査学講座 医療安全管理学 第2版』参照）を説明する．バイタルサインを測定し，心電図モニターを装着する．座位または仰臥位をとらせ，なるべくリラックスした体勢とする．

3）穿刺部位の決定

末梢血幹細胞採取では，採血および返血のために2本の血管ルートを確保する必要がある．サイズの大きい留置針（16〜18 G）を可能なかぎり太い静脈に留置することで，採血圧の低下・返血圧の上昇をきたしにくく，スムーズにアフェレーシスを進めることができるため，基本的に肘窩の静脈を選択する．ただし返血ラインは，前腕の太い静脈でも実施可能な場合がある．上腕動脈・正中神経が走行している可能性が高い領域の穿刺時には，動脈・神経損傷に注意する．

4）消毒

ポビドンヨードまたはグルコン酸クロルヘキシジン液を用いて穿刺予定部位およびその周辺を消毒する．消毒が終了した後は乾燥するまで待ち，その後は清潔手袋以外では穿刺予定部位に触らない．

5）穿刺とルートの接続

駆血帯を巻き，滅菌手袋を装着したうえで留置針を穿刺し，成分採血装置のルートを接続する．手技の難易度は通常の静脈路確保より高く，穿刺困難な場合は，無理をせずに医師へ連絡する．

6）固定

刺入部の血液を消毒綿で拭き取り，滅菌透明ドレッシング材（創傷被覆材）を刺入部周囲がみえるよう，かつ刺入部が完全に覆われるよう，包むように隙間なく貼る．3）〜6）の作業は採血側，返血側の両腕で行う．

7）アフェレーシス

アフェレーシス中は患者/ドナーの様子，血圧，心電図モニター，成分採血装置のモニターを注意深く観察する．患者/ドナーに異常がみられた場合にはすみやかに看護師・医師に報告する．

アフェレーシス中のトラブルとして，血管の状態や留置針の位置により採血

圧の低下・返血圧の上昇がしばしば認められる．採血圧の低下時は，採血側の腕を温タオルなどで温める，パンピング（ドナーに手を握ったり開いたりを繰り返してもらう），針をわずかに前後に動かすなどの対応を行い，改善がなければ血流速度を低減する．返血圧の上昇時は，針の位置の補正や血流速度の低減で対応する．処理血液量は150〜250 mL/kgが一般的で，血流速度はおおむね40〜80 mL/分，所要時間は約3〜4時間である．

8）終了後の抜針

目標血液量の採取が終了したら，採取バッグをシーラーで切り離す．その後，駆血帯をはずし，回路内の血液を返血ルートから戻す操作（リンスバック）に進む．リンスバック終了後，抜針を行う．通常の採血針よりもサイズが大きい留置針を使用しているため，皮下出血のリスクが高いことから，抜針後は清潔ガーゼや消毒綿の上から十分に圧迫止血を行う．

> **クレンチングとパンピング**
> ほぼ同義語として扱われているが，クレンチングは血管を怒張させるために駆血帯を巻いた後に手をグーパーさせること，パンピングは自主的に手を握ったり開いたりを繰り返すことである．また，採血時に手を握ったり開いたりする行為をパンピング，手を握る行為をクレンチングとして区別することもある．クレンチングはしっかりと掴む，握るという意味で，手を握ることに重点が置かれている．

4　抗凝固剤

体外循環時の血液凝固を防ぐため，抗凝固剤としてACD-A液を使用する．組成は，クエン酸ナトリウム22 g/L，クエン酸8 g/L，グルコース22 g/Lである．回路内では処理血液量8〜12 mLあたりACD-A液が1 mL混合されるよう設定する．回路内にフィブリンの析出が認められた場合には，ACD-A液の混合割合を上げる．

5　末梢血幹細胞採取

末梢血幹細胞採取においては，以下に述べるCD34陽性細胞数測定および採取産物の処理と保存も臨床検査技師の業務として重要である．

1）採取前の末梢血中CD34陽性細胞数測定

末梢血幹細胞採取は1回あたり3〜4時間を要し，採取中の患者/ドナーの心理的・身体的負担が少なくない．また，準備・細胞処理などで多くの医療資源を要するため，十分なCD34陽性細胞数の採取が期待できないときは採取を避けるべきである．

採取の可否を判断するためには，末梢血幹細胞採取当日に末梢血CD34陽性細胞数をフローサイトメトリで測定することが望ましい．一般的に直前の末梢血中CD34陽性細胞数が$10/\mu L$以上あれば採取実施可能で，自家ドナーではおおむね$0.5〜1\times10^6$/kg（レシピエント体重）以上のCD34陽性細胞を採取できるとされる．また，末梢血の白血球数や芽球の有無も末梢血幹細胞採取の可否の判断材料となる．

2）採取産物中のCD34陽性細胞数測定

十分量の造血幹細胞が採取できたかどうかを判断するため，採取した単核球

中のCD34陽性細胞数を測定する．2×10^6/kg（レシピエント体重）に達しない場合は，翌日も採取を行う．

3）末梢血幹細胞の処理と保存

採取した末梢血幹細胞は，当日移植しない場合は，凍害保護液との混合などの処理を無菌的に行い，移植当日まで−80℃または液体窒素中で冷凍保存する．凍害保護液としてCP-1®液を用いる場合は，事前に1バイアル（68 mL）のCP-1®液に25%ヒトアルブミン液を32 mL混合した保存液を準備しておき，採取産物と等量混合し，凍結可能な専用保存バッグに100 mLずつ分注して冷凍保存する．

ただし，同種末梢血幹細胞移植で採取当日もしくは翌日に移植を行う場合は，処理せずに4℃での保存が可能である．

なお，採取した単核球成分のうち幹細胞はごく一部だが，その効率的な分離は困難なため，他のリンパ球などの成分と混合した状態で移植に用いる．

6　血漿採取

主に献血現場で450〜480 mL（旧5単位）新鮮凍結血漿（FFP）用の血漿の採取に使用される．成分採血装置は，片腕法・間歇血流方式の遠心ボウルを使用するものと，片腕法・連続血流方式のものがある．

片腕法・間歇血流方式では260 mL程度の容量のボウルに回路から血液を流入させ，6,000回転/分前後で遠心すると，重い血球成分は容器内の壁側に集められ，内側に血漿成分が抽出される．血漿成分を上から採取してゆき，血球成分が感知されたらボウルを静止させて採取は終了し，ポンプを逆回転させて血球成分を返血する．このサイクルを繰り返して必要量の血漿成分を採取する．回路内脱血量は450 mL程度とやや多い．

片腕法・連続血流方式は，回路内で連続的に3,000回転/分程度で遠心を行い，チャネル部分で分離された上層の血漿成分を採取し，残りの成分を返血する．脱血量は200 mL程度と少ない．

いずれの装置も，5単位FFPの採取に全血約1,300 mLの処理が必要で40〜60分を要する．なお，120 mL（旧1単位），240 mL（旧2単位）FFPは成分採血ではなく赤血球製剤用に採取された全血から分離する．

7　血小板採取

こちらも主に献血現場で使用される．血漿採取と同じ装置を使って遠心ボウルまたはチャネル部分で分離されたbuffy coat層の上層から血小板を採取し，残りの成分を返血する．採取物に混入した白血球は，専用の白血球除去システムにより大部分が除去され，1バッグあたり白血球数は1×10^6個以下となる．1バッグの採取に全血2,000 mL程度の処理が必要で60分程度を要する．採取後に採取産物中の血小板数を測定し，1×10^{11}〜2×10^{11}個，2×10^{11}〜$3 \times$

10^{11}個,3×10^{11}〜4×10^{11}個,4×10^{11}個以上の血小板を含む製剤をそれぞれ5単位,10単位,15単位,20単位と称して供給している.

8 リンパ球採取

ドナーリンパ球輸注(donor lymphocyte infusion;DLI)以外に,近年応用範囲が拡大しつつある **CAR-T(chimera antigen receptor-T cell)療法**や,細胞傷害性T細胞(cytotoxic T cell;CTL)療法など他のリンパ球を用いる治療法において利用される.必要なリンパ球数が少ない場合は単回で採血した全血から分離するが,必要量が多い場合は成分採血装置を用いて採取した単核球を用いる.

DLIは,造血幹細胞移植後の移植片対白血病/腫瘍(graft versus leukemia/tumor;GVL/T)効果(➡ p.415)を目的としたもので,必要細胞数にもよるが,一般的に100 mL/kg(ドナー体重)程度の全血の処理を行う.

CAR-T療法とは,腫瘍抗原の認識部位とT細胞レセプターシグナル伝達部位を結合させ,標的となる腫瘍細胞の認識と細胞傷害作用の両者を可能とした加工T細胞を用いた治療である.難治性の造血器腫瘍に対して著しい効果がみられるが,患者ごとに自己リンパ球からCAR-Tを作製する必要がある.一般的に,体重や白血球数にかかわらず1×10^9個の **CD3$^+$ T細胞**を必要とし,100〜150 mL/kg程度の処理を行う.

XVIII 移植

〈到達目標〉
(1) 造血幹細胞移植の種類と特徴について知る.
(2) 同種移植に伴う免疫反応について知る.

1 移植の種類

移植とは，いろいろな臓器・組織・細胞を，同じ個体の別の部位や，他の個体に移し替えることである．移植される臓器・組織・細胞を**移植片**（graft），臓器・組織・細胞の提供者を**ドナー**（donor），移植を受ける患者を**レシピエント**（recipient）とよぶ．移植には，以下のような種類がある．
- ①**自己移植**（自家移植，autologous transplantation）：同じ個体間での移植
- ②**同系移植**（syngeneic transplantation）：一卵性双生児など遺伝的に同系の個体間での移植
- ③**同種移植**（allotransplantation）：同種の動物間での移植（ヒト→ヒトなど）
- ④**異種移植**（xenotransplantation）：異なる動物間での移植（サル→ヒトなど）

2 拒絶反応

同種移植や異種移植では，レシピエントが移植片を非自己と認識して拒絶する**拒絶反応**が問題になる．拒絶反応は免疫学的に記憶されており，同一のドナーからの移植の場合，初回の移植に比べ2回目の移植ではより早く現れる．拒絶には主要組織適合抗原（MHC，ヒトの場合HLA）が重要な役割を果たしているが，このほかにも拒絶反応を引き起こす抗原はあり，これらは非主要組織適合抗原とよばれている．発生する時期により以下のように分類されている．

(1) 超急性拒絶反応

移植後24時間以内に起こる．抗体が原因．異種移植では，種特異的自然抗体が血管内皮に結合し，血管内に血栓を形成する．ヒトでも，レシピエントがドナーのHLAに反応する抗HLA抗体を保有している場合などに認められる．

(2) 急性拒絶反応

移植後8〜100日ごろにみられ，不明熱，全身倦怠感，移植片の腫大などが認められる．細胞性免疫が原因と考えられ，細胞傷害性T細胞が移植片上のHLA分子を標的として破壊する（→p.50）．

(3) 慢性拒絶反応

月〜年単位で現れる．液性免疫・細胞性免疫の両者が関与する．腎移植の場合，血管の狭窄を呈する．

3　移植が行われる臓器・組織・細胞

　移植が行われる臓器として腎臓・心臓・肝臓・小腸・肺など，組織として角膜・皮膚・骨および軟骨・心臓弁・血管など，細胞として造血幹細胞・神経細胞・膵 Langerhans 島細胞などがある．このうち，造血幹細胞移植については後述する．ここでは，主な臓器移植について簡単に説明する．

1) 腎臓移植

　1950年代から行われるようになった．慢性腎不全のため透析が必要な症例に，健康な別個体の腎臓を移植する．生体腎移植（血縁間・非血縁間）と死体腎移植がある．HLA の適合度が高いほど生着率は高くなる．免疫抑制薬の進歩により，最近では1年生着率約90％，10年生着率約50％である．

2) 心臓移植

　心筋症や重症虚血性心疾患などの治療として，脳死体からの心臓の提供を受けて行われる．1980年代からの免疫抑制薬の進歩により成績が向上し，アメリカでは1年生着率約80％である．日本でも1997年に「臓器の移植に関する法律」（臓器移植法）が施行されて以降，移植が行われるようになった．

3) 肝臓移植

　肝硬変や先天性胆道閉鎖症などの症例が対象となる．1980年代から移植件数が増加した．生体肝移植と死体肝移植がある．日本では，生体部分肝移植が多く行われている．1年生着率約80％である．

4) 組織の移植

　角膜移植は拒絶が起こりにくい．皮膚は免疫細胞に富んでいるので，同種移植はきわめてむずかしく，熱傷後の形成の際の自家移植がほとんどである．

4　臓器移植に際して必要な検査

　臓器移植に際しては，適合性の高いドナーを選択するために，以下のような検査を行う．

1) HLA

　HLA の適合性が高いドナーでは，臓器の生着率が高い．特に腎臓移植では，HLA の適合度と生着率に明確な相関がある．一方，ドナーの HLA と反応しうる抗 HLA 抗体があると超急性拒絶反応の原因となるので，リンパ球交差適合試験（CDC，➡ p.369）も行われる．

2) 血液型

　ABO 血液型の A 抗原・B 抗原は臓器にも存在しており，組織適合性抗原と

臓器移植法

平成9（1997）年施行．臓器の移植についての基本的理念を定めるとともに，移植に使用される臓器の摘出に必要な事項を規定．臓器売買を禁止し，移植医療の適正な実施を目指している．脳死体からの移植については，本法ではじめて定められた．本人が生存中に臓器の提供についての意思を書面などにより示しており，遺族が臓器提供を拒まない場合には，死体（脳死体を含む）から臓器を摘出することができる．2009年の法改正により，本人の意思が不明な場合にも家族の承諾があれば，臓器提供が可能となった．
移植できる臓器は，心臓，肺，肝臓，腎臓，その他法令で定める内臓（膵臓，小腸），眼球である．

して働く．特に，腎臓・肝臓・心臓の移植では，ABO血液型メジャーミスマッチの場合，拒絶の原因となる．ABO血液型同型が最も望ましい．

5 免疫抑制薬

同種移植では，拒絶反応への対策が必要である．また，同種造血幹細胞移植の場合には移植後GVHDが起こるので，レシピエントにとって不利な免疫応答を抑制する目的で，免疫抑制薬の投与が行われる．免疫抑制薬の種類やレシピエントの状態によっては投与の際，血中薬物モニタリング（TDM）を行うことも必要となる．

代表的な免疫抑制薬として以下のようなものがある．

(1) サイトカイン産生阻害薬

シクロスポリンA，タクロリムス（FK506，→ p.41）など．ヘルパーT細胞の活性を阻害し，IL-2などのサイトカインの産生を抑制する．

(2) 副腎皮質ステロイドホルモン

リンパ球機能を抑制する．

(3) 代謝拮抗薬

アザチオプリン，メトトレキサートなど．核酸合成や細胞分裂を抑制する．

(4) アルキル化薬

シクロホスファミドなど．細胞分裂を抑制する．

(5) 抗体

抗リンパ球グロブリン，抗胸腺グロブリンなど．T細胞の特異抗原に対する抗体を作用させて，T細胞機能を抑制する．

6 造血幹細胞移植

1）造血幹細胞とは

末梢血中にみられる赤血球・白血球（顆粒球・リンパ球・単球・マクロファージ）・血小板などの血球は，形態も機能も異なっているが，すべて骨髄にある造血幹細胞という共通の細胞から分化している．造血幹細胞には分化と自己複製という2つの特性がある．造血幹細胞と比較すると若干分化した細胞は，造血前駆細胞として，幹細胞と区別することもある．実際の移植の場合には，幹細胞と前駆細胞を合わせて移植していることになる．

2）造血幹細胞・造血前駆細胞の同定法

造血幹細胞は比較的小型の単核の細胞で，核/細胞質比が大きい特徴をもっているが，形態だけで幹細胞を同定することはできない．移植をはじめとして，検体中の造血幹細胞・前駆細胞の同定や定量が必要となる場合がある．同定・定量の方法としては，細胞表面抗原を用いる方法と，培養を行う方法がある．

(1) 細胞表面抗原を用いる方法（図5-XVIII-1a）

造血幹細胞・前駆細胞に特徴的な細胞表面抗原としてCD34がある．細胞

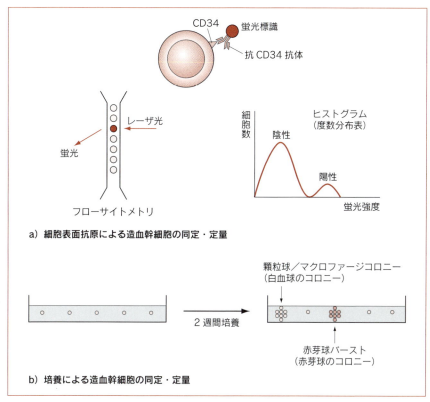

図5-XVIII-1　造血幹細胞の同定・定量法

を蛍光標識した抗体で染色し，フローサイトメトリで解析する．骨髄ではCD34陽性細胞は1％未満，通常の末梢血ではごく少量のみ存在する．

(2) 培養法（コロニーアッセイ法）（図5-XVIII-1b）

半固形培地の中に細胞と造血に関与する各種のサイトカインをまき，実際にコロニーを形成させ，その数を数える．真のコロニー形成能をもつ細胞数がわかる反面，結果がわかるのに2週間程度かかり，迅速性の点では劣る．

3）造血幹細胞移植とはどのような治療法か

造血幹細胞移植とは，造血幹細胞を移植して，造血・免疫系を再構築させる治療法である．同種造血幹細胞移植の流れを**図5-XVIII-2**に示す．他の臓器の移植とは異なり，移植に先行して必ず前処置が行われる．前処置の主な目的は，拒絶を起こさないようにレシピエントの造血免疫系を廃絶させることであるが，悪性腫瘍の治療として行う場合には，抗腫瘍効果も必要である．実際には放射線照射と免疫抑制薬（抗腫瘍薬）の大量投与の組合せ，または複数の抗腫瘍薬の大量投与で前処置を行う．造血幹細胞が生着するまでは，造血・免疫能が極端に低下しており，重症細菌感染症を起こしやすいため，患者は無菌室または簡易無菌装置の中で過ごす．従来は，**図5-XVIII-2**に示すような骨髄破壊的前処

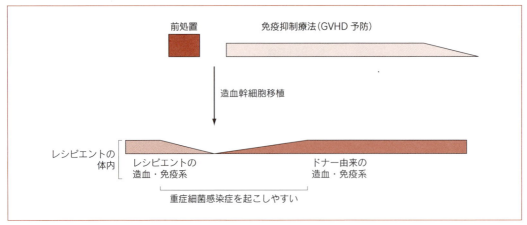

図 5-XVIII-2　同種造血幹細胞移植の流れ

置が行われてきたが，近年では，前処置を軽減して治療関連毒性を抑え，ドナー由来細胞の働きによるレシピエントの腫瘍細胞への免疫学的治療効果に期待する前処置軽減移植（骨髄非破壊的前処置移植）も行われている．

4）造血幹細胞移植の目的，対象となる疾患

造血幹細胞移植は，下記のいずれかの目的で行われる．

(1) 造血幹細胞の異常の是正

再生不良性貧血などの造血障害，先天性の細胞性免疫異常症などでは，造血幹細胞の数や機能の異常を是正するために，同種造血幹細胞移植が行われる．

(2) 悪性腫瘍の治療

造血幹細胞移植の 90％以上がこの目的で行われる．悪性腫瘍の種類やドナーの有無，レシピエントの状態などに応じ，同種移植が行われる場合と自家移植が行われる場合がある．病期の進行した悪性腫瘍に対しては抗腫瘍薬による化学療法が行われるが，抗腫瘍薬の多くが造血毒性をもつため，投与できる薬剤の量には限界がある．造血幹細胞移植で補うことにすると，通常より多量の抗腫瘍薬の投与が可能になり，治療効果が高くなる．

表 5-XVIII-1 に造血幹細胞移植の対象疾患についてまとめた．

5）造血幹細胞移植の種類

造血幹細胞移植は，誰の細胞を用いるか，どこにある細胞を用いるかで分類することができる．

(1) 誰の幹細胞を使うか

①同種移植：他のヒトの造血幹細胞を移植する．
②自家移植：自己の造血幹細胞を採取，保存しておき，治療（前処置）後に移植する．悪性腫瘍に対する超大量化学療法の補助として行われ，移植というよりも，造血幹細胞としての自己血貯血のようなものである．

表 5-XVIII-1　造血幹細胞移植の対象となる疾患

骨髄不全症→同種移植	重症再生不良性貧血 Fanconi（ファンコニ）貧血 Diamond-Blackfan（ダイアモンド・ブラックファン）貧血（先天性赤芽球癆）
先天性免疫不全症→同種移植	重症複合免疫不全症 Wiskott-Aldrich（ウィスコット・オルドリッチ）症候群
先天性疾患→同種移植	ムコ多糖症 副腎白質ジストロフィ 大理石骨病
ヘモグロビン異常症→同種移植	サラセミア 鎌状赤血球貧血
血液悪性腫瘍と類縁疾患→同種移植（一部自家移植）	急性白血病（リンパ性・骨髄性） 慢性骨髄性白血病 悪性リンパ腫 骨髄異形成症候群 骨髄増殖性疾患 多発性骨髄腫と類縁疾患
固形腫瘍→自家移植（一部同種移植）	神経芽腫 精巣腫瘍 その他の抗腫瘍薬・放射線高感受性腫瘍で病期が進行しているもの

表 5-XVIII-2　骨髄・末梢血・臍帯血の造血幹細胞の比較（同種移植の場合）

	骨髄	末梢血	臍帯血
採取について			
採取時の侵襲	大きい	中程度	なし
採取時の麻酔	必要	不要	不要
薬剤投与	不要	必要（G-CSF）	不要
得られる細胞量	十分	十分	成人には少ない
造血回復	中程度	早い	遅い
白血球回復	2～3週	1～2週	2～3週
血小板回復	1カ月	2～3週	1～2カ月
GVHD	中程度	中程度～強度	軽度
急性GVHD	中程度	中程度	軽度
慢性GVHD	中程度	強い	軽度
要求されるHLAの適合度（A, B, DRの6座）	6/6（5/6）一致	6/6（5/6）一致	4/6～6/6一致
移植決定から移植まで	長い 血縁者間で1～2カ月 非血縁者間は3～6カ月	短い 血縁者間は2週～1カ月 非血縁者間は3～4カ月	短い 細胞が凍結保存済み 2週～1カ月

(2) どこにある幹細胞を使うか

造血の場である骨髄に造血幹細胞が存在することは以前から知られており，HLAの検査方法が確立した1970年代半ばから骨髄移植が行われるようになった．その後，特殊な状況での末梢血や臍帯血のなかにも造血幹細胞があることがわかり，現在では3種類の造血幹細胞ソースを用いて，①**骨髄移植**，②**末梢血幹細胞移植**，③**臍帯血移植**，が行われている．3種の造血幹細胞の比較を**表 5-XVIII-2**に示す．

❶**骨髄移植**

最も歴史が長く，標準的な造血幹細胞移植の方法である．

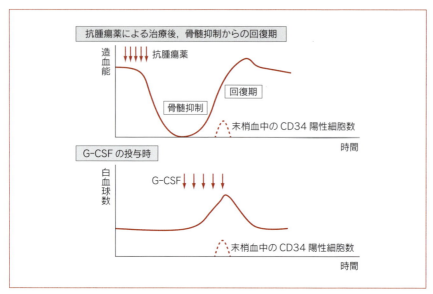

図 5-XVIII-3　末梢血幹細胞の動員法

　移植用の骨髄液は腸骨から採取する．成人の患者に移植を行う場合，600〜900 mL の骨髄液が必要となる．骨髄採取は疼痛を伴うため，全身麻酔のもとで行い，ドナーは 4 日間程度の入院が必要になる．他の造血幹細胞ソースでも同様であるが，移植は造血幹細胞を含む液を患者の静脈内に投与するかたちで行う．移植した造血幹細胞が生着して，造血が開始されるまでには 2〜3 週間必要である．

❷ 末梢血幹細胞移植

　通常の末梢血にはごくわずかな造血幹細胞しか含まれないが，抗腫瘍薬による骨髄抑制からの回復期や，顆粒球コロニー刺激因子（G-CSF）の投与時には，骨髄から造血幹細胞が動員されて，末梢血中に出てくる（図 5-XVIII-3）．このようなタイミングで成分採血を行うと，効率よく造血幹細胞を採取できる．また，造血幹細胞採取時に全身麻酔の必要がない．採取された細胞は通常，移植まで凍結保存される．末梢血に動員される細胞は造血前駆細胞に相当する，やや分化傾向をもつものが多く，骨髄移植に比べて移植後の造血回復がすみやかである．

❸ 臍帯血移植

　分娩時，児が娩出されて肺呼吸を開始すると，胎盤血行は不要となる．臍帯は新生児の臍部に近いところで結紮またはクリップされる．児の娩出後に胎盤は母親の子宮から剝離して娩出され，従来は廃棄されていた．ところが，臍帯と胎盤の中には，児の血液が 50〜150 mL 程度含まれており，この血液は造血幹細胞を含んでいる．臍帯血バンクでは，事前に同意が得られた母親の分娩時に，胎盤内の血液を回収して，凍結保存している．臍帯血は従来廃棄されていたものであり，採取にあたって，母体・新生児のいずれにも全く負担がかか

らない．臍帯血中の造血幹細胞は未分化な傾向が強く，骨髄移植と比べて造血回復には時間がかかる．また，得られる臍帯血の量に限りがあるため，成人に対して移植を行う場合には，造血幹細胞量が不足することがある．

現在わが国で行われている移植についてみると，同種移植の場合には骨髄移植が多いが，臍帯血移植が近年増加している．血縁者間に加え，2011年からは非血縁者間でも末梢血幹細胞移植が行われるようになった．自家移植の場合，ほとんどすべてが末梢血幹細胞移植である．

6）同種移植の場合のドナーの選択
(1) HLA
造血幹細胞移植の場合，ドナー選択にあたって最も重要な条件は，HLAの適合である．骨髄移植・末梢血幹細胞移植の場合，HLA-A, -B, -DRの3種6抗原が完全に一致していることを原則とする．近年ではこれにHLA-Cを加え，4種8抗原を一致させるようになってきている．兄弟姉妹では1/4の確率で完全一致となるので，まず家族内でドナー候補者を探す．家族内にドナー候補者がいない場合，非血縁者（骨髄バンクのドナー）からの骨髄移植を行うことになるが，この場合にも原則的に6（または8）抗原一致が条件となる．臍帯血移植の場合には，移植片（回収した臍帯血）に含まれるT細胞の働きが未熟なため，HLAが1～2抗原不一致でも移植が可能である．近年，一部の施設では，難治性血液悪性腫瘍症例を対象にHLAが半合致（8抗原中4抗原一致）の移植も試みられている．

(2) 血液型
臓器移植の場合と異なり，造血幹細胞移植ではABO血液型が一致していなくても移植は可能である．ただし，血液型不一致の場合には，移植時に血管内溶血をきたさないよう，移植片から赤血球や抗A・抗Bを除去する処理が必要になる．また，血液型不適合移植の場合，移植後の一定期間，血液型キメラの状態になるため，輸血にあたってはドナー・レシピエントいずれの型の赤血球も溶血させないような輸血用血液製剤の型選択が必要となる（**表5-XVIII-3**）．

(3) その他のドナーの術前検査
造血幹細胞移植のドナーは，全身状態が良好で，HBV・HCV・HIV・HTLV-1・梅毒トレポネーマなどの血液を介して感染する病原体を保有していないことが求められる．また，骨髄移植ドナーの場合には，全身麻酔を受けられる体調であるかを検討するために，心電図・呼吸機能・胸部X線検査などを行う．末梢血幹細胞ドナーの場合は，幹細胞を末梢血中に動員するためにG-CSFの投与が行われるので，上記の検査に加え，悪性腫瘍や自己免疫性疾患の既往がないことを確認する．非血縁者間の移植の場合にもドナーについて同様の検査が行われる．臍帯血については，感染症検査と生後6カ月以降の健診結果をふまえた健康状態アンケートが行われる．

> **O型のレシピエントにA型のドナーから骨髄移植を行う場合**
> O型のレシピエントにA型のドナーから骨髄移植を行う場合，移植時には骨髄液から赤血球を除く処理をする．また，移植後の輸血には，赤血球製剤はO型を，血小板製剤・血漿製剤はA型を用いる．

表 5-XVIII-3　血液型不適合骨髄移植（造血幹細胞移植）後の輸血用血液製剤の選択

レシピエント	ドナー	赤血球製剤	血小板製剤	血漿製剤
A 型	B 型	O 型	AB 型	AB 型
	O 型	O 型	A 型	A 型
	AB 型	A 型	AB 型	AB 型
B 型	A 型	O 型	AB 型	AB 型
	O 型	O 型	B 型	B 型
	AB 型	B 型	AB 型	AB 型
O 型	A 型	O 型	A 型	A 型
	B 型	O 型	B 型	B 型
	AB 型	O 型	AB 型	AB 型
AB 型	A 型	A 型	AB 型	AB 型
	B 型	B 型	AB 型	AB 型
	O 型	O 型	AB 型	AB 型

AABB（アメリカ血液銀行協会）の Technical Manual に基づく．血液製剤依頼時のミスを防ぐために，ABO 血液型不適合の移植後は血液型の組合せにかかわらず，赤血球製剤は O 型，血小板製剤・血漿製剤は AB 型を使用する方針の医療機関もある．

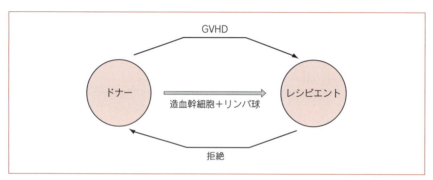

図 5-XVIII-4　同種造血幹細胞移植と免疫反応

7）同種造血幹細胞移植と免疫反応

同種造血幹細胞移植の場合には，通常，造血幹細胞だけでなくリンパ球も同時に移植される．これによって，ドナーとレシピエントの双方が免疫的に反応する（図 5-XVIII-4）．

レシピエントがドナーの細胞を非自己と認識すると拒絶が起こるので，これを避けるために前処置を行う．

一方，移植されたドナーのリンパ球がレシピエントの組織を非自己と認識して攻撃すると，**移植片対宿主病（graft versus host disease；GVHD）** が起こる．GVHD には，急性 GVHD（移植後 100 日以内に発症）と慢性 GVHD（移植後 100 日以降に発症）があり，急性 GVHD では発熱・皮疹・下痢・黄疸など，慢性 GVHD では皮疹・肝障害・唾液や涙液の分泌低下などの自己免

疫疾患に類似した症状を示す．重症の GVHD を回避するために，移植後の患者には免疫抑制薬（シクロスポリン，タクロリムス，副腎皮質ステロイドホルモンなど）の投与が行われる．

GVHD は同種移植の重大な合併症であるが，ほぼ同じメカニズムの反応によって，レシピエントの体内に残存している白血病細胞がドナーリンパ球によって攻撃され，免疫的治療効果がもたらされることがあり，これを**移植片対白血病（graft versus leukemia；GVL）効果**または**移植片対腫瘍（graft versus tumor；GVT）効果**という．

8）同種移植と自家移植の比較

悪性腫瘍の場合，患者の全身状態，疾患の種類，病期によっては，同種移植と自家移植のどちらも治療法の候補となることがある．同種移植は HLA が適合したドナーが存在しないと行えないが，移植片は健康なドナーに由来するので腫瘍細胞の混入はない．GVHD のリスクがある一方，GVL 効果を期待できる．このため，同種移植では自家移植に比べて，移植後早期の死亡率は若干高くなるが，再発率は低くなる．

9）造血幹細胞移植の合併症

(1) 前処置の治療関連毒性

前処置には大量の放射線照射や免疫抑制薬・抗腫瘍薬が用いられるので，その毒性や副作用が問題になる．血液毒性，粘膜障害，悪心・嘔吐，下痢，肝障害，心筋障害，肺障害，内分泌障害などが起こる．

(2) 感染症

前処置から生着までは白血球数が著減しているため，細菌や真菌による重症感染症の危険性がある．このため，レシピエントは無菌室で過ごす．生着後も，免疫系の再構築が不十分なことや免疫抑制薬の影響によって，サイトメガロウイルス，EB ウイルス，*Pneumocystis jirovecii* などの日和見感染や帯状疱疹などを合併しやすい．

(3) GVHD

移植後 GVHD では，レシピエントのなかの血液細胞は移植によってドナー型のものに置き換わっているため，輸血後 GVHD でみられるような汎血球減少が起こらない．しかし，肝障害や下痢の程度が強く，免疫抑制薬への反応が不良な場合には致命的となることがある．

(4) その他の移植後早期合併症

肝中心静脈血栓症，血栓性微小血管症，間質性肺炎などの合併症がみられることがある．

(5) 晩期障害

造血幹細胞移植の成績向上や移植後長期生存例の増加に伴い，晩期合併症が問題になってきている．性腺機能障害・不妊症や小児期移植例での成長障害，

表5-XVIII-4　造血幹細胞移植の成績（5年生存率）

	血縁者間骨髄移植	非血縁者間骨髄移植	非血縁者間臍帯血移植
成人			
再生不良性貧血	85%	75%	70%
急性骨髄性白血病	60%	60%	55%
（標準リスク群）			
小児			
再生不良性貧血	90%	90%	90%
急性骨髄性白血病	70%	75%	70%
（標準リスク群）			

（日本造血細胞移植データセンター：2021年度全国調査報告書　別冊．http://www.jdchct.or.jp/data/slide/2021/NationwideSurvey_Annual_Report%202021_Separate_vol.pdf　2023年2月1日閲覧）

前処置や移植後の免疫抑制に伴う二次性悪性腫瘍の発生などである．

10）造血幹細胞移植の治療成績

造血幹細胞移植の治療成績は，同種移植に限っても，以下のような要素に大きく影響され，さまざまである（**表5-XVIII-4**）．

(1) 疾患の種類

非腫瘍性疾患では，拒絶や重大な移植早期合併症が起こらなければ，長期生存，すなわち移植の成功が得られる．一方，腫瘍性疾患では移植後に再発が起こる例が少なくない．

(2) 病期や病状

急性白血病では，移植時に寛解（白血病細胞が減少し白血病に基づく症状や異常所見がない状態）に入っていると，非寛解の場合に比べて治療成績がよく，慢性骨髄性白血病では慢性期の移植のほうが急性転化期の移植に比べ予後がよい．

(3) 患者の年齢

同一の疾患・病期で比較した場合，小児から若年の成人の症例では，中高年の症例よりも成績がよい．

(4) ドナーの種類

骨髄移植の場合，血縁者間，特に兄弟姉妹間の移植のほうが，非血縁者間の移植よりも若干成績がよい．これは，組織適合性がより高いことを反映していると考えられている．

(5) 造血幹細胞ソース

現在の国内の移植成績では，臍帯血移植は，骨髄や末梢血造血幹細胞移植に比べ若干劣る結果になっている．しかし，初期の臍帯血移植は，骨髄ドナーが得られないまま病状が進行した症例に行われることも多かったため，単純な比較は困難である．

付表 A 免疫検査学関連の主な CD 抗原

CD	主な細胞分布,機能
〈T 細胞関連〉	
CD2	T 細胞,NK 細胞,ヒツジ赤血球レセプター,LFA-3（CD58）のリガンド
CD3	T 細胞,T 細胞レセプターと複合体を形成
CD4	ヘルパー T 細胞,調節性 T 細胞,MHC クラス II レセプター,HIV レセプター
CD8	細胞傷害性 T 細胞,MHC クラス I レセプター
CD25	T 細胞,B 細胞,NK 細胞,マクロファージ,IL-2 レセプター α 鎖
CD28	T 細胞の一部,B7-1（CD80）および B7-2（CD86）のレセプター
CD122	T 細胞,B 細胞,NK 細胞,マクロファージ,IL-2 レセプター β 鎖
CD132	T 細胞,B 細胞,NK 細胞,マクロファージ,IL-2, -4, -7, -9, -15 レセプター共通 γ 鎖
〈B 細胞関連〉	
CD19	B 細胞
CD20	B 細胞
CD21	B 細胞,C3d レセプター（CR2）,EBV レセプター
CD23	活性化 B 細胞,マクロファージ,好酸球,血小板,Fcε レセプター II
〈その他〉	
CD11a	白血球,CD18 と会合して LFA-1 を形成
CD11b	顆粒球,マクロファージ,NK 細胞,CD18 と会合して Mac-1（CR3）を形成
CD11c	単球,顆粒球,NK 細胞,CD18 と会合して p150（CR4）を形成
CD14	単球,マクロファージ,顆粒球,樹状細胞,LPS レセプターの一部
CD16a	NK 細胞,マクロファージ,Fcγ レセプター IIIA
CD16b	好中球,Fcγ レセプター IIIB
CD18	白血球,I-CAM-1 と結合,LFA-1 の β 鎖
CD32a	Fcγ レセプター IIA,マクロファージ,好中球,好酸球,樹状細胞,血小板,貪食,活性化
CD32b	Fcγ レセプター IIB,B 細胞,マクロファージ,樹状細胞,抑制性レセプター
CD32c	Fcγ レセプター IIC,マクロファージ,好中球,NK 細胞,貪食,活性化
CD34	造血幹細胞,造血前駆細胞
CD35	顆粒球,単球,NK 細胞,B 細胞,赤血球,C3b レセプター（CR1）
CD38	形質細胞,活性化 T 細胞,活性化 B 細胞,NK 細胞,単球
CD40	B 細胞,単球,樹状細胞,CD154 のリガンド
CD41	血小板,巨核球,GP IIb,GP IIb/IIIa 複合体として存在
CD45（RA, RB, RO）	白血球,白血球共通抗原（leukocyte common antigen；LCA）,チロシンキナーゼ
CD46	有核細胞,C3b を分解,麻疹ウイルスレセプター
CD54	内皮細胞,リンパ球,単球,I-CAM-1,LFA-1 のリガンド
CD55	各種細胞,decay-accelerating factor
CD56	NK 細胞,NCAM
CD58	広範な分布を示す,LFA-3,CD2 のリガンド
CD59	赤血球を含む多くの細胞,MAC の形成を阻害
CD62E	E-selectin（ELAM-1）：活性化内皮細胞
CD62L	L-selectin（LECAM-1）：T・B 細胞,単球,NK 細胞,好中球,好酸球
CD62P	P-selectin（GMP-140）：活性化血小板,活性化内皮細胞
CD64	Fcγ レセプター I,マクロファージ,好中球,好酸球,貪食,活性化
CD80	B 細胞,樹状細胞,マクロファージ,B7-1,CD28 のリガンド
CD86	B 細胞,樹状細胞,マクロファージ,B7-2,CD28 のリガンド
CD95	各種細胞,活性化白血球,Fas,CD178 のリガンド
CD106	内皮細胞,VCAM-1
CD152	活性化 T 細胞,CD80 および CD86 のリガンド,CTLA-4
CD154	活性化 T 細胞,CD40 リガンド
CD178	各種細胞,Fas リガンド

（2019 年第 10 回 Human Leucocyte Differentiation Antigens Workshop）

　CD 分類は，もともとは，1970 年代後半以降，細胞表面の分子を認識するモノクローナル抗体が世界中で多数つくられ，異なる研究者が作製してそれぞれ独自の名称をつけて発表している抗体が，実は同じ分子を認識していることがわかるなど混乱したため，1982 年の国際会議ではじめて整理されたものである．当初は白血球の分化段階（differentiation）の指標となるものが多く，それらをクラスター解析（cluster analysis）という似た性質のもの同士をまとめるための手法で解析したため，CD（cluster of differentiation）分類とよばれるようになった．最初は 140 種類のモノクローナル抗体が CD1 から CD15 まで 15 種類に分類された．のちに，CD 番号は抗体というよりはむしろ抗原を意味するようになり，その数もたびたびの国際会議で改訂されて 371 に達している（HLDA10）．

付表B　主なサイトカイン

サイトカイン	主な産生細胞	主な機能
interleukin 1 (IL-1α, IL-1β)	単球, マクロファージ, 血管内皮細胞	NK細胞・血管内皮細胞の活性化, 発熱, 傾眠, 急性期反応性蛋白質の誘導
interleukin 2 (IL-2)	T細胞	T・B・NK細胞の増殖, 調節性T細胞の分化誘導, 活性化T細胞のアポトーシス
interleukin 3 (IL-3)	T細胞	造血幹細胞の分化
interleukin 4 (IL-4)	CD4$^+$T細胞 (T$_H$2)	免疫グロブリンのIgEへのクラススイッチ, T$_H$0細胞のT$_H$2細胞への分化, T・肥満細胞の増殖, IFN-γによるマクロファージの活性化抑制
interleukin 5 (IL-5)	CD4$^+$T細胞 (T$_H$2)	B細胞の分化・増殖, 好酸球の分化・増殖
interleukin 6 (IL-6)	T・B細胞, マクロファージ, 血管内皮・線維芽・グリア・腎メサンギウム細胞	B細胞の抗体産生細胞への分化, 骨髄腫細胞の増殖, 急性期反応性蛋白質の誘導
interleukin 7 (IL-7)	骨髄・胸腺ストローマ細胞, 脾・腎細胞	B前駆細胞の分化・増殖, T細胞の分化・増殖, 単球の活性化
interleukin 8 (IL-8)	マクロファージ, 好中球, 線維芽細胞, 血管内皮細胞	好中球・T細胞・好塩基球遊走能亢進（ケモカイン活性）
interleukin 10 (IL-10)	T細胞（調節性）, マクロファージ	IFN-γ産生の抑制, マクロファージ活性抑制
interleukin 12 (IL-12)	マクロファージ, 樹状細胞	T$_H$0細胞のT$_H$1細胞への分化, NK細胞の活性化とIFN-γ産生
interleukin 13 (IL-13)	T細胞 (T$_H$2)	免疫グロブリンのIgEへのクラススイッチ
interleukin 17 (IL-17)	CD4$^+$T細胞 (T$_H$17)	組織の細胞を刺激してケモカインや炎症性サイトカインを産生させ, 好中球の遊走を促す.
interleukin 22 (IL-22)	CD4$^+$T細胞 (T$_H$17)	抗菌ペプチドの産生を促進するなどして, 上皮細胞の防御機能を増強させる.
stem cell factor (SCF)	骨髄ストローマ細胞	造血幹細胞の増殖
GM-colony stimulating factor (GM-CSF)	血管内皮細胞, 線維芽細胞, T細胞	好中球・好酸球・マクロファージの分化・増殖, 巨核球の分化
G-colony stimulating factor (G-CSF)	血管内皮細胞, 線維芽細胞, マクロファージ	好中球前駆細胞の分化・増殖, 好中球機能亢進, 造血幹細胞・好中球の末梢血への動員
M-colony stimulating factor (M-CSF)	血管内皮細胞, 線維芽細胞, マクロファージ	単球/マクロファージの分化
erythropoietin (EPO)	腎の尿細管近傍の間質細胞	赤芽球系前駆細胞の分化・増殖
interferon-α (IFN-α)	マクロファージ, 形質細胞様樹状細胞	ウイルス増殖抑制, NK細胞活性化
interferon-β (IFN-β)	線維芽細胞	ウイルス増殖抑制, NK細胞活性化
interferon-γ (IFN-γ)	T細胞 (T$_H$1, CD8$^+$T細胞), NK細胞	NK・マクロファージ活性化, T$_H$1細胞の分化, MHCクラスIIの発現増強, IgGへのクラススイッチ
tumor necrosis factor-α (TNF-α, TNF)	単球, マクロファージ, T細胞	血管内皮細胞・好中球の活性化, 発熱, 急性期反応性蛋白質の誘導, アポトーシスの誘導
tumor necrosis factor-β (TNF-β, lymphotoxin)	T細胞	好中球の活性化
transforming growth factor-β (TGF-β)	T細胞, マクロファージ	各種細胞（上皮, 血管内皮, リンパ球）の増殖抑制, 線維芽細胞のコラーゲン産生促進, IgAへのクラススイッチ

　サイトカインは, 多くは分子量1万〜3万程度の糖蛋白質であり, 特異的なレセプターを表出している細胞に作用する. 1つのサイトカインが多様な機能をもち, 他のサイトカインの機能と重複することも多い. 複数のサイトカインが働いた場合には, 互いの機能が相加的な場合も拮抗的な場合もある.

付表 C　主な接着分子

接着分子	分布	リガンド
〈免疫グロブリンスーパーファミリー〉		
CD2	T細胞全般	CD58（LFA-3）
CD4	T_H細胞	MHC クラス II，HIV
CD8	T_C細胞	MHC クラス I
CD28	T細胞	CD80，CD86
CTLA-4（CD152）	活性化T細胞	CD80，CD86
CD80（B7-1）	B細胞，樹状細胞，マクロファージ	CD28，CTLA-4
CD86（B7-2）	B細胞，樹状細胞，マクロファージ	CD28，CTLA-4
ICAM-1	リンパ球，単球，内皮	LFA-1，Mac-1
VCAM-1	活性化血管内皮	VLA-4
〈インテグリンファミリー〉		
〈VLA/β_1サブファミリー〉		
VLA-1，2，3	広範	コラーゲン，ラミニン，フィブロネクチン
VLA4	リンパ球，単球	フィブロネクチン，VCAM-1
〈β_2サブファミリー〉		
LFA-1	骨髄由来細胞，リンパ球	ICAM-1，2
Mac-1（CR3）	骨髄由来細胞	iC3b，フィブロネクチン，ICAM-1
p150（CR4）	骨髄由来細胞	iC3b，フィブロネクチン
〈β_3サブファミリー〉		
GP II b/III a	血小板	フィブリノゲン，フィブロネクチン，ビトロネクチン，フォン ヴィレブランド因子
〈セレクチンファミリー〉		
L-セレクチン	好中球，単球，リンパ球	GlyCAM-1，MadCAM-1，CD34などの糖蛋白質上のsialyl-Lewis X
P-セレクチン	血小板，血管内皮細胞	PSGL-1などの糖蛋白質上のsialyl-Lewis X
E-セレクチン	血管内皮細胞	さまざまな糖蛋白質上のsialyl-Lewis X

　接着分子は，細胞膜上に発現して，細胞間あるいは細胞と細胞外基質との接着にかかわる分子群の総称で，それぞれの結合する相手方の分子をリガンドとよぶ．細胞の活性化，遊走，組織の形態形成などに重要な働きをしている．構造に基づき，免疫グロブリンスーパーファミリー，インテグリンファミリー，セレクチンファミリーなどに分類されている．

　免疫グロブリンスーパーファミリーは，細胞外に免疫グロブリンと相同性のあるドメインをもつ分子群で，多くはリンパ球や血管内皮細胞に発現する．

　インテグリンファミリーの分子群は，α鎖とβ鎖の2量体を形成しており，細胞外基質の分子と結合するものが多い．

　セレクチンファミリーの分子群は，糖鎖を認識するドメインを最外側に有し，白血球が血管内皮細胞上をローリングする際などに必要である．

参考文献／URL

● 第5章
Ⅰ 輸血療法とは
1) 遠山　博，ほか（編著）：輸血学 改訂第3版．第Ⅰ章 輸血の歴史，中外医学社，2004．
2) 「輸血用血液製剤の安全対策の導入効果と輸血によるHBV，HCV及びHIV感染のリスク」日本赤十字社 輸血情報 1804-159
https://www.jrc.or.jp/mr/relate/info/pdf/yuketsuj_1804_159c.pdf

Ⅷ 交差適合試験
1) 奥田　誠，ほか：赤血球型検査（赤血球系検査）ガイドライン（改訂4版）．日本輸血細胞治療学会誌，68（6）：539〜566，2022．

Ⅸ 自動輸血検査装置を用いた輸血検査
1) 前田平生，ほか：第Ⅲ章血液型とその検査．輸血学　改訂第4版．pp.456〜488，中外医学社，2018．
2) 認定輸血検査技師制度協議会カリキュラム委員会（編）：Ⅳ輸血検査と精度管理．スタンダード 輸血検査テキスト　第3版．pp.60〜166，医歯薬出版，2017．

Ⅹ 輸血検査における精度管理
1) 日本臨床衛生検査技師会（監修）：12章　輸血検査．JAMT技術教本シリーズ「品質保証・精度管理教本」．pp.309〜354，じほう，2020．

ⅩⅢ 輸血副反応
1) 厚生労働省医薬食品局血液対策課：輸血療法の実施に関する指針（令和2年3月）．
https://www.mhlw.go.jp/content/11127000/000619338.pdf
2) 日本赤十字社：輸血副作用・感染症における調査方法の変更のお知らせ．
https://www.jrc.or.jp/mr/product/information/pdf/info_H2911.pdf

ⅩⅣ HLA検査
1) HLA Nomenclature
http://hla.alleles.org/antigens/broads_splits.html
2) 小川公明：HLAの基礎知識1．*MHC*, 23（2）：115〜122, 2016．
3) 今西　規：HLA遺伝子の多様性とヒトの進化．*MHC*, 1（2）：130〜134, 1994．
4) 猪子英俊，ほか（監修）：移植・輸血検査学．pp.163〜171，講談社，2004．
5) Fujiwara K, et al.：Application of bead array technology to simultaneous detection of human leucocyte antigen and human platelet antigen antibodies. *Vox Sang*, 96（3）：244〜251, 2009．

ⅩⅤ 血小板抗原
1) 冨山佳昭：抗血小板抗体の検出とその臨床的意義．*Japanese Journal of Transfusion and Cell Therapy*, 64（6）：681〜687, 2018．
2) J. A. Peterson, et al.：Neonatal alloimmune thrombocytopenia：pathogenesis, diagnosis and management. *British Journal of Haematology*, 161（1）：3〜14, 2013．
3) 安藤　萌，ほか：TRALI関連症例から見いだされた抗Nak[a]陽性献血者のCD36遺伝子解析．*Japanese Journal of Transfusion and Cell Therapy*, 62（5）：587〜591, 2016．

ⅩⅥ 顆粒球抗原
1) Bux J：Nomenclature of granulocyte alloantigens. ISBT Working Party on Platelet and Granulocyte Serology. Granulocyte Antigen Working Party. International Society of Blood Transfusion. *Transfusion*, 39：662〜663, 1999．
2) Matsuhashi M, et al.：The frequencies of human neutrophil alloantigens among the Japanese population. *Tissue Antigens*, 80：336〜340, 2012．
3) Bux J：Human neutrophil alloantigens. *Vox Sanguinis*, 94：277〜285, 2008．
4) Reil A, et al.：HNA-1d：a new human neutrophil antigen located on Fcγ receptor Ⅲb associated with neonatal immune neutropenia. *Transfusion*, 53：2145〜2151, 2013．
5) 髙橋孝喜，ほか（監修）：血小板／顆粒球 抗原・抗体検査標準マニュアル．*Medical Technology* 別冊, 2009．

6) 谷口菊代,ほか：Human neutrophil antigen-1a/1a, 1a/1b, 1b/1b, 1-null の頻度.日本輸血学会誌,51（5）：543〜544, 2005.
7) Taniguchi K, et al.：Human neutrophil antigen-2a expression on neutrophils from healthy adults in Western Japan. *Transfusion*, 42（5）：651〜657, 2002.
8) 保井一太,ほか：顆粒球抗体検出用の HNA-1a, -1b および -2a 遺伝子発現パネル細胞株の作成.日本輸血細胞治療学会誌,53（5）：558〜565, 2007.
9) 藤原孝記,ほか：ICFA 法を用いた高感度 HLA クラスⅠ・Ⅱ抗体,HNA 抗体検査法の検討.日本輸血細胞治療学会誌.55（2）：237, 2009.
10) 藤原孝記,ほか：間接蛍光抗体法と LABScreen Multi の結果に相違が認められた自己免疫性好中球減少症例の抗体認識エピトープ.日本組織適合性学会大会抄録集,23rd：96, 2014.

索引

和文索引

あ

- アイソタイプ …………………… 34
- アガロース電気泳動法 ………… 213
- アジュバント …………………… 35
- アジ化ナトリウム ………… 110,129
- アスペルギルス ………………… 81
- アソシエート抗原 ………… 367,368
- アデノウイルス …………… 71,172
- アトピー型気管支喘息 ………… 83
- アナフィラキシーショック
  ………………………… 3,83,128
- アナフィラキシー反応 ………… 359
- アナフィラキシー様反応 ……… 359
- アナフィラトキシン …… 57,84,355
- アニサキス ……………………… 81
- アフィニティクロマトグラフィ … 111
- アフェレーシス …………… 400,402
- アポトーシス ………………… 7,50
- アポプトーシス ………………… 7
- アミノアシル tRNA 合成酵素 … 93
- アミロイドーシス ……………… 217
- アルキル化薬 …………………… 408
- アルセバー液 …………………… 245
- アルブミン ……………………… 149
- アルブミン製剤 ………………… 252
- アルブミン法 …………………… 314
- アレル …………………………… 23
- アレルギー ………………… 5,83,188
- アレルギー性輸血反応 ………… 359
- アレルゲン ………………… 83,188,189
- アレルゲンコンポーネント …… 188
- アロタイプ ……………………… 34
- アロ抗原 ………………………… 104
- 亜型 ………………………… 273,275
- 悪性 M 蛋白 …………………… 151
- 悪性貧血 ………………………… 88
- 安全な血液製剤の安定供給の確保等に関する法律 ……… 229,230,246

い

- イオン交換クロマトグラフィ … 110
- イディオタイプ ………………… 34
- イムノアッセイ ………………… 131
- イムノクロマトグラフィ
  … 142,157,162,164,168,175,189
- イムノブロット法 ……………… 153
- インターフェロン-α …………… 17
- インターフェロンγ …………… 44
- インターフェロンγ遊離試験
  …………………………… 68,144
- インテグリン …………………… 16
- インテグリンファミリー ……… 13
- インフォームドコンセント … 228,229
- インフルエンザウイルス …… 71,172
- インフルエンザ菌 ……………… 64
- 医療法 …………………………… 340
- 異型適合血 ……………………… 327
- 異型肺炎 …………………………64,68
- 異型リンパ球 …………………… 70
- 異好抗原 ………………………… 104
- 異好抗体 ………………… 67,118,119
- 異種移植 ………………………… 406
- 異種抗原 ………………………… 104
- 異蛋白血症 ……………………… 148
- 移行抗体 ………………………… 264
- 移植 ……………………………… 406
- 移植片 …………………………… 406
- 移植片対腫瘍効果 ………… 405,415
- 移植片対宿主病 ………… 234,253,414
- 移植片対白血病効果 ……… 405,415
- 意義不明の単クローン性ガンマグロブリン血症 ………………… 98
- 遺伝子座 ………………………… 373
- 遺伝子の再構成 …………… 29,38
- 遺伝性血管性浮腫 ……… 57,102,221
- 一次リンパ組織 ………………… 6
- 一次免疫応答 ……………… 15,48
- 咽頭結膜熱 ……………………… 71

う

- ウィスコット・アルドリッチ症候群
  ………………………………… 100
- ウィダール反応 ………………… 118
- ウイルス感染細胞 ……………… 18
- ウイルス感染症 ………………… 254
- ウイルス性肝炎 …………… 76,178
- ウイルス性髄膜炎 ……………… 69
- ウイルス中和反応 ………… 110,129
- ウインドウピリオド ……… 230,247
- ウインドウ期 … 76,229,230,231,362
- ウエスタンブロッティング法
  ………………… 153,175,199,200
- ウシアルブミン ………………… 316
- ウシ血清アルブミン …………… 155
- ウラ検査 …………………… 264,279,282
- 受身凝集反応 …………………… 119
- 受身凝集抑制反応 ……………… 122

え

- エキノコックス ………………… 82
- エコーウイルス ………………… 74
- エバンス症候群 ………………… 88
- エピトープ ………………… 29,47,367,392
- エフェクター細胞 ……………… 4
- エフェクター B 細胞 …………… 4
- エフェクター T 細胞 ………… 4,37
- エルシニア菌 ……………… 244,364
- エンドサイトーシス …………… 2
- エンドトキシン ………………… 364
- 液性免疫 …………………… 2,6,20
- 液性免疫不全症 ………………… 202
- 炎症 ………………………… 14,16
- ──の 4 主徴 ………………… 16
- 炎症性サイトカイン …… 13,16,356
- 塩析 ……………………………… 110
- 遠心分離法 ……………………… 400

お

オクタロニー法 …………………… 114
オプソニン ………………… 10,24,56
オプソニン作用 ……………………… 18
オモテ・ウラ検査が不一致となる主な原因 ……………………………… 285
オモテ検査 ……………264,279,281
おたふくかぜ ………………………… 72
温式抗体 …………88,108,342,343
温度依存性蛋白 …………………… 213

か

カスパーゼ …………………………… 50
カセット …………………………… 335
カットオフ値 ……………………… 205
カハール体 ………………………… 195
カラム凝集法 ……………… 334,335
カラム凝集法の判定基準 ……… 336
カラム凝集法を用いた交差適合試験 …………………………………… 337
カラム凝集法を用いた ABO・RhD 血液型検査 ……………………… 336
カリウム値 ………………………… 234
カルシニューリン …………………… 42
カルジオリピン ……………… 66,161
カンジダ症 …………………………… 80
ガラスビーズ ……………………… 334
化学伝達物質 ………………………… 83
化学発光酵素免疫測定法 …………………………… 139,166,189
化学発光免疫測定法 …139,162,164
化膿レンサ球菌 …………………… 157
化膿レンサ球菌感染症 …………… 63
可能性の高い抗体 ………………… 318
可変部 ………………………………… 28
過粘度症候群 ……………………… 216
過敏反応 ……………………………… 83
顆粒球 ………………………………… 2
顆粒球抗原 ………………………… 391
顆粒球採血 ………………………… 400
回収式自己血輸血 ………… 228,258
塊状核小体型 ……………………… 195
外部精度管理 ……………………… 340

核黄疸 ……………………………… 350
核均質型 …………………………… 195
核酸増幅検査 ………… 226,246,362
核粗大斑紋型 ……………………… 197
核稠密微細斑紋型 ………………… 197
核微細斑紋型 ……………………… 195
確認検査 ……………………… 175,177
獲得性 B …………………………… 279
獲得免疫 ……………………… 1,20,37
獲得免疫の誘導 …………………… 14
肝炎ウイルス ………………… 76,77
肝硬変 ……………………………… 221
肝臓移植 …………………………… 407
完全抗原 …………………………… 103
完全抗体 ……………… 33,117,309
間接クームス試験 ………………… 321
間接凝集反応 ……………………… 119
間接凝集抑制反応 ………………… 122
間接蛍光抗体法
 …162,164,167,168,178,194,199
間接抗グロブリン試験 ………… 291,
 310,313,321,323,328,330,351
寒冷凝集素 … 109,118,169,306,344
寒冷凝集素価 ……………………… 68
寒冷凝集素症 …………… 89,118,344
寒冷凝集反応 …… 118,168,169,312
管状粒子 …………………………… 180
関節リウマチ ………………… 93,192
癌胎児性抗原 ……………………… 206

き

キッド血液型 ……………………… 303
キニジン型 ………………………… 347
キメラ ……………………………… 278
キャピラリー電気泳動法 ……… 213
希釈式自己血輸血 ………… 228,257
規則抗体 …………………………… 309
北里柴三郎 ………………………… 27
逆受身凝集反応 …………………… 119
逆間接凝集反応 …………………… 119
逆転写酵素 ………………………… 174
急性期蛋白 ………………………… 222
急性拒絶反応 ……………………… 406
急性糸球体腎炎 ………… 64,85,221

急性腎障害 ………………………… 355
拒絶反応 …………………………… 406
共顕性 ………………………… 23,272
共刺激分子 …………………………… 39
共受容体 ……………………………… 39
共有結合 ……………………………… 21
共優性 ………………………… 23,272
供血者検体の保存 ………………… 244
胸腺 ………………………………… 6,7
胸腺依存性抗原 ……………………… 49
胸腺非依存性抗原 …………………… 49
胸腺皮質上皮細胞 …………………… 8
胸腺髄質上皮細胞 …………………… 8
強直性脊椎炎 ………………………… 24
競合法 ……………………… 138,139
凝集塊対策 ………………………… 256
凝集原 ……………………………… 116
凝集素 ……………………………… 116
凝集素価 …………………………… 116
凝集反応 …………………………… 116
 ——の分類 ……………………… 284
 ——の見方 ……………………… 284
均一測定法 ………………………… 136
均質核小体型 ……………………… 195
緊急時の製剤選択 ………………… 326
緊急時の適合血の選択 ………… 327

く

クエン酸ナトリウム …………… 226
クエン酸中毒 …………………… 365
クラス ……………………………… 27
クラス I 抗原 ……………………… 24
クラス II 抗原 ……………………… 24
クラススイッチ …………… 45,47,48
クラミジア ………………… 64,67,166
クリア・ライン現象 …………… 115
クリオグロブリン
 ……………… 109,193,214,215,221
クリオグロブリン血症 ………… 215
クリオプレシピテート ………… 240
クリプトコックス症 ……………… 81
クローン ……………………… 5,14,48
クロストリディオイデス・ディフィシル感染症 ……………………… 68

クロスプレゼンテーション
　………………………25,40,49
クロロキン溶液………………389
グッドパスチャー症候群………90
グランザイム……………18,50
グリコフォリンA………………296
グリコフォリンB………………296
グリセロール……………………245
グロボシド血液型………………296

け

ケミカルメディエータ……………83
ケモカイン…………9,13,15,20,42
ケル血液型………………………298
ゲル内免疫拡散法………………114
ゲル濾過クロマトグラフィ……110
形質細胞……………………6,48
形質細胞様樹状細胞…………4,17
蛍光酵素免疫測定法………136,188
蛍光抗体法…………………142,171
蛍光色素…………………………145
蛍光ビーズ法……377,380,390,397
蛍光偏光免疫測定法……………141
軽鎖…………………………………27
劇症肝炎……………………………79
血液型不適合妊娠………………349
血液型物質………………………274
血液製剤に対する安全対策……242
血液製剤の使用指針………228,249
血液法………………………229,230
血管炎症候群………………………94
血管外溶血
　…88,262,343,349,350,354,357
血管外漏出………………………260
血管内溶血……89,262,344,354,355
血管迷走神経反応………………255
血球凝集反応……………………118
血球貪食症候群………………4,70
血漿…………………………………261
血漿交換……………………234,351
血漿採血…………………………400
血漿採取…………………………404
血漿成分採血……………………234
血漿製剤…………………………326

血小板交差試験…………………385
血小板採血………………………400
血小板採取………………………404
血小板成分採血…………………232
血小板製剤………………………326
　——の外観検査………………242
血小板特異抗原…………………225
血小板濃厚液……………………252
血小板の保存液…………………245
血小板輸血不応…226,380,384,388
血漿分画製剤………………230,234
血清…………………………………261
　——の分離法…………………109
　——の保存法…………………109
血清病………………………59,128
血清補体価………………………124
血清IgE抗体検査………………188
血栓性血小板減少性紫斑病……252
血中薬物モニタリング……136,408
結核…………………………………68
結合性………………………………105
検査用パネルセル………………305
献血基準…………………………233
献血者……………………………230
献血者血液の検査………………246
顕微鏡的多発血管炎………………95
原発性マクログロブリン血症
　………………99,151,212,216
原発性胆汁性胆管炎…………90,198
原発性免疫不全症…………………99

こ

コア蛋白…………………………208
コールドアクチベーション……221
コクサッキーウイルス……………74
コロナウイルス……………………75
コンカナバリン……………………99
コンカナバリンA………………202
コンピュータクロスマッチ…266,332
小型球状粒子……………………180
古典経路………………30,33,53,54,123
古典経路欠損症…………………102
固相法……………………………338
甲状腺刺激ホルモン…………85,86

甲状腺自己抗体…………………200
好塩基球………………………2,83
好酸球………………………………2
好酸球塩基性蛋白…………96,191
好酸球性多発血管炎性肉芽腫症…95
好中球………………………2,16
好中球機能検査…………………203
好中球抗原………………………391
好中球走化因子……………………57
交換輸血…………………………351
交差適合試験
　…260,262,264,325,328,329,381
　——が陽性となる原因………331
　——の限界……………………332
　——の省略……………………332
交差反応…………………………106
光線療法…………………………352
抗A_1レクチン…………………276
抗ARS抗体………………………93
抗CCP抗体…………………94,193
抗CD36抗体………………387,388
抗CENP-B抗体…………………195
抗Chido抗体……………………359
抗CL抗体……………………160,166
抗D………………………………286
抗Dグロブリン…………………352
抗D抗体価………………………351
抗D免疫グロブリン……………294
抗DFS70抗体……………………197
抗DNA抗体……………………198
抗DNAトポイソメラーゼI抗体
　……………………………197
抗dsDNA抗体………………91,198
抗EA抗体………………………171
抗EBNA抗体……………………172
抗EBVMA抗体…………………172
抗GAD抗体…………………89,90
抗HLA抗体
　…………360,380,388,406,407
抗HLA抗体検査…………………375
抗HNA抗体………………………395
抗HPA抗体………………………388
抗Hro……………………………290
抗HTLV-1抗体の判定基準および
　識別基準………………………178

抗 H レクチン ……………………276	抗甲状腺ペルオキシダーゼ抗体	**さ**
抗 Jo-1 抗体……………………93,197	………………………………89,201	
抗 M2 抗体……………………199,200	抗好中球細胞質抗体………………95	サイトカイン ………………13,15
抗 MDA5 抗体……………………93	抗サイログロブリン抗体……89,201	サイトカイン産生阻害薬………408
抗 Mi-2 抗体……………………93	抗糸球体基底膜抗体…………89,90	サイトカイン定量………………203
抗 Nakª 抗体……………387,388	抗ストレプトキナーゼ価………159	サイトメガロウイルス………70,172
抗 PL-7 抗体……………………197	抗ストレプトキナーゼ抗体…159,160	サイロイドテスト………………201
抗 PL-12 抗体…………………197	抗ストレプトリジン O 価………158	サイログロブリン…………………86
抗 RNA ポリメラーゼⅠ抗体……195	抗ストレプトリジン O 抗体……159	サザンブロッティング…………178
抗 RNA ポリメラーゼⅢ抗体…92,197	抗赤血球抗体……………89,349,350	サブクラス…………………………30
抗 RNP 抗体…………………91,93,197	抗セントロメア抗体………………92	サブセット…………………………4
抗 Rogers 抗体…………………359	抗体 ……………………………27,408	サンガー法………………………374
抗 Scl-70 抗体…………………92,197	──の精製法…………………110	サンドイッチ ELISA ………138,139
抗 Sm 抗体………………………91,197	抗体依存性細胞傷害……………18,30	作業日誌…………………………340
抗 SS-A 抗体……………………97,195	抗体検査……157,167,168,171,173	細菌汚染…………………………260
抗 SS-B 抗体……………………97,195	抗体名の表記………………………77	細菌凝集反応……………………67,118
抗 ssDNA 抗体…………………198	抗毒素……………………………59,128	細胞質稠密微細斑紋型……………197
抗 Th/To 抗体…………………195	抗トポイソメラーゼⅠ抗体………92	細胞質微細斑紋型…………………197
抗 TIF1-γ 抗体…………………93	抗内因子抗体……………………88,89	細胞質網状型………………………197
抗 TP 抗体………………160,166	抗梅毒トレポネーマ抗体………160	細胞傷害性 T 細胞………………5,406
抗 TSH レセプター抗体…87,89,201	抗白血球抗体……………………360	細胞性免疫…………2,20,37,85,406
抗 U3-snoRNP 抗体……………195	抗ヒトグロブリン試薬……………314	細胞性免疫不全症………………202
抗 VCA 抗体……………………172	抗平滑筋抗体………………………90	細胞内寄生菌………………………26
抗アセチルコリンレセプター抗体	抗補体作用………………………127	細胞変性効果……………………129
………………………………87,89	抗マイクロソーム抗体………89,201	細胞保存液………………………244
抗胃壁細胞抗体……………………88	抗ミトコンドリア抗体	細胞溶解反応……………………123
抗ウイルス作用……………………14	……………………89,90,197,198	採血合併症………………………254
抗核抗体…………………………90,194	抗リボソーム P 抗体……………197	最大手術血液準備量……………265
抗核抗体検査……………………196	抗リン脂質抗体症候群……………96	最適比……………………………107,114
抗顆粒球抗体……………………360	後天性 B …………………………279	臍帯血移植………………………412
抗カルジオリピン抗体…………160	後天性免疫不全症候群………75,174	産科危機的出血…………………326
抗環状シトルリン化ペプチド抗体	高 IgM 症候群……………………100	散乱光……………………………132
………………………………193	高感度 CRP 測定…………………222	
抗凝固剤…………………………226	高内皮細静脈………………………9	**し**
抗菌ペプチド………………………15	高比重複合粒子…………………121	
抗グロブリン抗体………………117	高頻度抗原………………268,307	シェーグレン症候群………………97
抗血小板抗体………………………89	酵素法……………………………330	ジエチルアミノエチル…………110
抗血清………………………………34	酵素免疫測定法……………135,166	シェルバイアル法……170,171,172
抗原 ……………………………1,103	膠原病………………………………90	ジスルフィド結合…………………27
抗原決定基…………………………29	国際組織適合性ワークショップ…367	ジチオスレイトール……………32,150
抗原検査	骨髄…………………………………6,7	シャーガス病……………………230
…157,166,168,170,171,172,180	骨髄移植…………………………411	シュルツェマダニ…………………65
抗原抗体反応……………………104	混合受身凝集法…………………389	自然抗体…………………262,309,314
抗原提示細胞……………………11,20	混合性結合組織病…………………93,197	自然免疫……………………………1,14
	混合法……………………………113	自家移植……………406,410,415

試験管法	281,282,283,291
自己	1
自己フィブリン糊	253
自己移植	406
自己炎症疾患	15
自己炎症性疾患	210
自己寛容	6
自己血輸血	227,244,253
自己抗原	86,104
自己対照	328,331
自己免疫型	347
自己免疫疾患	86
自己免疫性肝炎	90
自己免疫性好中球減少症	399
自己免疫性溶血性貧血	84,88,321,333,342
磁性粒子	139
手術血液準備計算法	265
主刺激	40
主試験	265,328,330,331
主要組織適合遺伝子複合体	367
主要組織適合抗原	406
主要組織適合性遺伝子複合体	20
腫瘍マーカー	205
腫瘍細胞	18
受動免疫	59
樹状細胞	4,11,15,16,20,37
重鎖	27
重症筋無力症	87
重症複合免疫不全症	100
出血傾向	389
消去法	317
照射解凍赤血球液	235
照射合成血液	238
照射人全血液	235
照射赤血球液	235
照射洗浄血小板	242
照射洗浄赤血球液	235
照射濃厚血小板	241,242
上皮間T細胞	11
心臓移植	407
神経損傷	254
新抗原型	347
新生児血小板減少症	384,387
新生児血小板減少性紫斑病	226
新生児好中球減少症	399
新生児・乳児の不規則抗体検査	319
新鮮凍結血漿	227,239,252,253
親和性	105
――の増加	48
人獣共通感染症	80
腎臓移植	407

す

スーパー抗原	103
スクリーニング検査	174,176
スクリーニング赤血球	317
ストレプトキナーゼ	64,159
ストレプトリジンO	64,158
スプリット抗原	367,368
スライド法	281,282,293
スワーリング	242,243,364
水痘・帯状疱疹ウイルス	69,171,172
水疱の検体採取方法	170
推定アレル	372

せ

セグメントチューブ	243,244
セファロスポリン	348
セレクチン	16
セレクチンファミリー	13
セロコンバージョン	79,183
セントロメア型	195
ゼータ電位	116,312
ゼラチン粒子	121,122
ゼラチン粒子凝集法	175,177
正常異種溶血素	124
正常同種溶血素	124
正の選択	8
生物学的偽陽性	165
生物発光免疫測定法	141
生物由来製品感染等被害救済制度	362
生理食塩液法	310,312,330
成人T細胞白血病	174
成人T細胞白血病ウイルス	174
成人T細胞白血病/リンパ腫	76
成分採血	232,400
成分採血装置	401
成分採血由来保存前白血球除去製剤	237
成分輸血	228
制御性T細胞	5,51
精度管理	340
赤痢アメーバ症	81
赤血球液	227,251,253
赤血球型検査（赤血球系検査）ガイドライン	261
赤血球凝集素	72
赤血球凝集反応	117
赤血球凝集抑制試験	122
赤血球製剤	326
接着分子	13,16
先天性風疹症候群	73
腺熱リケッチア症	67
潜性	272
選択的IgA欠損症	100
全血採血	232
全血採血由来保存前白血球除去製剤	236
全血輸血	228
全自動輸血検査装置	334
全身性エリテマトーデス	90,221
全身性強皮症	92,195,197
全身性自己免疫疾患	86,90
前駆体糖鎖	270
前方散乱光	145

そ

組織適合性抗原	20,407
組織特異的自己免疫疾患	86,89
組織マクロファージ	3
遡及調査	363
相補性	125
総IgE	188,189
造血幹細胞	2,5,6,7,408
――の同定・定量法	409
造血幹細胞移植	411,408
造血幹細胞移植時の製剤選択	327
臓器移植	407
臓器移植法	407

即時型アレルギー ……………33,83
即時型アレルギー反応………………82
即時型副反応 ……………………353
即時型溶血 ……………………354
側方散乱光 ………………………145

た

タイプアンドスクリーン …………265
タイプ1補体レセプター ……16,56
タイプ2補体レセプター ……43,57
ダイターミネーター法 ……………375
ダフィ血液型 ……………………301
多クローン性高免疫グロブリン…212
多型 ………………………………21
多特異性抗体 ……………………314
多発血管炎性肉芽腫症……………95
多発性筋炎 ………………………92
多発性骨髄腫
　　　………98,151,212,216,217,218
大量輸血時の製剤選択 …………326
代謝拮抗薬 ………………………408
対立遺伝子 ………………………272
胎児・新生児溶血性疾患
　　　………262,286,322,324,349,350
胎児性Fcレセプター …………30,59
胎児性抗原 ………………………206
胎児輸血 …………………………351
胎盤通過性 ………………………31
帯状疱疹 …………………………69
代用血漿剤 ………………………257
台帳 ………………………………340
第二経路 …………………………53
単球 ………………………………3
単純ハプテン ……………………104
単純ヘルペスウイルス…69,170,172
単純免疫拡散法 …………………114
単特異性抗体 ……………………314
蛋白系抗原 ………………………268
蛋白欠乏症 ………………………148
蛋白抗原 …………………………208
蛋白分解酵素 ……………………316
蛋白分解酵素法 …………310,312

ち

チェディアック・ヒガシ症候群…101
チロシンキナーゼ …………41,43
地帯現象 ……………………107,162
遅延型アレルギー …………………85
遅発型副反応 ……………………353
遅発型溶血 ………………………354
遅発型溶血性反応 ………………354
遅発性溶血性輸血反応……332,354
中枢リンパ組織 ……………………6
中和抗体 ……………128,179,181,183
中和反応 ……………………128,129
貯血式自己血輸血 ……………227,256
貯留保管 …………………………238
超可変部 …………………………28
超急性拒絶反応 …………………406
直接凝集法 ………………………338
直接クームス試験 ………………321
直接蛍光抗体法 …………166,170
直接抗グロブリン試験
　　　　　……89,321,322,342,351
直接抗グロブリン試験陽性 ……355
沈降線 ………………………149,150
沈降定（係）数 …………………150
沈降反応 …………………………113

つ

ツツガムシ病 ……………………67,167

て

テラサキプレート ………………369
ディエゴ血液型 …………………304
ディジョージ症候群 ……………100
デキストランゲル ………………334
デフェンシン ……………………16
手足口病 …………………………74
低イオン強度溶液 ……313,316,330
低体温 ……………………………365
低頻度抗原 ……………………268,307
定常部 ……………………………28
点状核小体型 ……………………195
伝染性紅斑 ………………………71

伝染性単核球症 ……………70,171
電気泳動法 ………………………146
電気化学発光免疫測定法………141
電気二重層界面電位 ………116,312

と

トキソイド ………………………130
トキソプラズマ …………………81
トランスフェリン ………………149
トレランス ………………………6,86
ドメイン …………………………13
ドナー ……………………………406
ドナート・ランドシュタイナー抗体
　　　　　………………………89,124
利根川進 …………………………29
凍結保護液 ………………………245
透過光 ……………………………131
糖鎖系抗原 ………………………268
糖鎖抗原 ……………………206,207
糖蛋白 ……………………………384
糖転移酵素 ………………………273
同一患者の二重チェック ………264
同一検体の二重チェック ………264
同系移植 …………………………406
同種移植 ……………406,410,415
同種血輸血 ……………………227,229
同種抗原 …………………………104
同種抗体 …………………………342
同種免疫 …………………………254
特異性 ……………………2,28,106
特異的 ………………………………2
特異的IgE抗体検査 ……………188
特定生物由来製品 ………………230
特発性血小板減少性紫斑病…84,89
毒素中和反応 ……………………128
突発性発疹 ………………………71
貪食 ………………………………2
貪飲 ………………………………2
貪食能が強い細胞 ………………16

な

ナース細胞 ………………………8
ナイーブB細胞 …………………4,6

ナイーブT細胞 …………… 4,37
ナイーブ細胞 ………………… 4
ナルアレル ………………… 375
内部精度管理 ……………… 340

に

二次免疫応答 ………… 15,49,354
二次リンパ組織 ……………… 6
二重免疫拡散法 ………… 114,198
二相性溶血素 …………… 124,345
日本紅斑熱 ……………… 67,167
日本脳炎 …………………… 73
尿酸塩結晶 ………………… 14

ね

熱凝固試験 ………………… 216
熱ショック蛋白質 …………… 14
粘膜付属リンパ組織 ……… 11,15

の

ノイラミニダーゼ …………… 72
ノロウイルス ………………… 74
能動免疫 …………………… 58
濃厚血小板 ………………… 227

は

ハプテン ……………… 35,104,136
ハプトグロビン欠損症 ……… 359
ハプロタイプ ………… 23,288,373
バーキットリンパ腫 ……… 70,171
バセドウ病 ………………… 86
パーフォリン ……………… 18,49
パイエル板 ………………… 11,15
パイログロブリン …………… 215
パターン認識 ……………… 14
パネル赤血球 ……………… 317
パパイン ………………… 32,316
パラインフルエンザウイルス … 72
パラトープ ………………… 28
はしか …………………… 72
播種性血管内凝固 ………… 355

肺炎球菌 …………………… 64
胚中心 …………………… 9,47
梅毒 …………………… 66,160
梅毒トレポネーマ ……… 66,160
橋本病 …………………… 86
白血球除去 ……………… 365
初流血除去 ……………… 235
反応増強剤 ………… 313,316,330
半自動輸血検査装置 ……… 334

ひ

ヒスタミン ………………… 83
ヒスタミン遊離試験 ……… 190
ヒトT細胞白血病ウイルス1型 … 76
ヒト血小板抗原 ……… 384,386
ヒト白血球抗原 ………… 21,367
ヒトパルボウイルスB19 …… 71
ヒトヘルペスウイルス ……… 169
ヒト免疫不全ウイルス …… 75,174
ヒンジ部 …………………… 28
日和見感染症 ……………… 80
皮内テスト ……………… 188
皮膚筋炎 …………………… 92
比重遠心法 …………… 202,203
比重勾配遠心法 ……… 335,337
比重勾配分離法 ………… 335
否定できない抗体 ………… 318
非共有結合 ……………… 21
非自己 …………………… 1
非働化 …………………… 54
非同義置換 ……………… 273
非特異的IgE …………… 188,189
非特異的反応 …………… 106
非標識免疫測定法 ……… 131
非分泌型 ……………… 274,300
非メチル化DNA …………… 14
非免疫学的副反応 ……… 353
非免疫学的溶血 ………… 353
非溶血性発熱性輸血反応 … 359
非溶血性輸血反応 …… 353,358
肥満細胞 ………… 5,11,16,83
脾臓 …………………… 10
微小凝集塊除去セット …… 258
微量リンパ球細胞傷害試験 … 369

百日咳 …………………… 64
標準作業書 ……………… 340

ふ

フィシン ……………… 312,316
フィトヘマグルチニン …… 99,202
フィルター効果 ………… 335
フラジェリン ……………… 15
フルオレセインイソチオシアネート
 ………………………… 142
フローサイトメトリ …… 145,202
ブランク補正 …………… 132
ブルセラ症 ……………… 64
ブロード抗原 ……… 367,368
ブロッキング剤 ………… 155
ブロメリン ………… 312,316
プール熱 ………………… 71
プリックテスト ………… 188
プロスタグランジン ……… 83
プロセシング …………… 24
プロテインA ……………… 112
プロテインG ……………… 112
プロテウス菌 …………… 67
プロペルジン …………… 57
ふるい効果 ……………… 335
負の選択 ………………… 8
不活化 …………………… 54
不完全抗原 …………… 104
不完全抗体 ………… 117,309
不規則抗体 …………… 309
不規則抗体スクリーニング
 …… 262,264,309,310,311,318
不規則抗体同定検査
 ………… 262,264,309,317,319
不均一測定法 ………… 135
風疹 …………………… 73
副経路 ………………… 53
副刺激 ………………… 40
副試験 ………… 265,328,331
副腎皮質ステロイドホルモン … 408
複合ハプテン …………… 104
古畑種基 ……………… 273
分泌型 ……………… 274,300
分泌型IgA ……………… 32

分類不能型免疫不全症…………101

へ

ヘテロ接合赤血球………………317
ヘテロ接合体……………………316
ヘリコバクター・ピロリ…………65
ヘルパーT細胞……………………5
ヘルパンギーナ……………………74
ヘルペスウイルス…………………69
ベーチェット病……………………24
ペア血清
　…127,160,167,168,169,170,179
ペニシリン型……………………346
ペプシン……………………………31
平板内二重免疫拡散法…………114
別経路……………………53,54,125
変異型 Creutzfeldt-Jakob 病…229
変異型クロイツフェルト・ヤコブ病
　…………………………229,231
変種………………………………275

ほ

ホモ接合赤血球…………………317
ホモ接合体………………………316
ボーウェン法……………………114
ボレリア属スピロヘータ…………65
ポークウィードマイトジェン
　……………………………99,202
ポール・バンネル抗体…………171
ポリエチレングリコール…313,330
ポリエチレングリコール液……316
ポリクローナル抗体………………34
保存前白血球除去…………227,234
保存前白血球除去製剤…………360
補充療法…………………………251
補正血小板増加数…………383,388
補体………………53,123,125,355
補体価………………………203,219
補体活性…………………………261
補体系………………………………18
補体結合試験……………………126
補体結合反応……………126,167,169
母児間血液型不適合……………349

放射線照射………………………235
放射線照射製剤……………359,365
発作性寒冷ヘモグロビン尿症
　…………………89,124,297,344,345
発作性夜間ヘモグロビン尿症
　…………………57,102,125,204
発疹チフス…………………………67

ま

マイクロソーム……………………86
マイクロソームテスト…………201
マイクロプレート法………334,338
マイクロ免疫蛍光抗体法………167
マイコプラズマ……………64,68,168
マイコプラズマ肺炎………118,168
マイトジェン………………99,202
マイトジェン刺激（幼若化）試験
　…………………………………202
マイナーミスマッチ……………354
マクロアグリゲート……………235
マクロファージ………………3,16,17
マンノース結合レクチン…………54
まれな血液型……………………308
麻疹…………………………………72
膜攻撃複合体………………55,356
膜性増殖性糸球体腎炎…………221
末梢血幹細胞の処理と保存……404
末梢血幹細胞移植………………412
末梢血幹細胞採取…………400,403
末梢血単核球………………202,203
末梢リンパ組織……………………6
慢性活動性 EBV 感染症……70,171
慢性活動性肝炎…………………183
慢性肝炎…………………………221
慢性拒絶反応……………………406
慢性甲状腺炎………………………86
慢性肉芽腫症……………………102

み

みずぼうそう………………………69
三日熱マラリア原虫……………302
密度勾配遠心法……………335,337

む

ムンプスウイルス…………………72
無ガンマグロブリン血症………100
無菌性髄膜炎………………………69
無症候性キャリア…………………79

め

メジャーミスマッチ………354,408
メモリーB細胞……………………48
メモリーT細胞……………………37
免疫…………………………………1
　──の発達…………………………61
　──の老化…………………………61
免疫異種溶血素…………………124
免疫応答……………………………1
免疫応答性…………………………24
免疫学的副反応…………………353
免疫学的溶血……………………353
免疫グロブリン…………………210
免疫グロブリンA…………………27
免疫グロブリンG…………………27
免疫グロブリンD…………………27
免疫グロブリンE…………………27
免疫グロブリンM…………………27
免疫グロブリンスーパーファミリー
　…………………………………13
免疫原………………………………1
免疫原性……………………103,286,287
免疫固定電気泳動法……………151
免疫抗体……………………262,309,314
免疫チェックポイント阻害薬療法
　……………………………………52
免疫チェックポイント分子………50
免疫修飾…………………………254
免疫電気泳動法…………………146
免疫粘着赤血球凝集反応………171
免疫比濁法……113,131,193,210,219
免疫比ろう法……113,132,210,219
免疫不全症………………………202
免疫複合体…………………………54,85
免疫抑制薬…………………408,409

も

モザイク………………………279
モノクローナル抗体……………35
蒙古系の民族……………………305
問診………………………231,259

や

約10%患者赤血球浮遊液………280
薬剤吸着型………………………346
薬剤性の自己免疫性溶血性貧血
　………………………………346
薬剤誘発性抗体…………………342
山口英夫…………………………277
山本文一郎………………………273

ゆ

輸血関連急性肺障害
　……………………360,387,388,399
輸血関連高カリウム血症………364
輸血関連循環過負荷……………362
輸血後移植片対宿主病…………358
輸血後GVHD……………………358
輸血後肝炎………………………362
輸血後感染症……………………362
輸血後紫斑病……………………389
輸血後鉄過剰症…………………365
輸血セット………………………258
輸血の適応………………………249
輸血副反応………………………353
輸血副反応・感染症の報告体制
　………………………………365
輸血前検査………………………261
輸血用血液製剤
　……230,235,236,239,326,413,414
　――の感染症の検査…………247
　――の選択……………………316
輸血療法…………………………225
輸血療法の実施に関する指針
　…………………………229,261
遊走………………………………13
遊離L鎖……………………134,218

よ

予測血小板増加数…………250,252
予測上昇Hb値……………249,252
予防接種…………………………58
溶解素……………………………123
溶解反応…………………………123
溶菌素……………………………123
溶菌反応…………………………123
溶血性尿毒症症候群……………252
溶血性貧血………………………342
溶血性輸血反応……………286,353
溶血素……………………………123
溶血素価…………………………125
溶血反応…………………………123
溶連菌…………………………63,157

ら

ライム病…………………………65
ラインイムノアッセイ……155,177
ラテックス凝集免疫測定法……159
ラテックス凝集免疫比ろう法
　………………134,159,161,164,218
ラテックス凝集免疫比濁法
　………………133,159,161,164,193
ラテックス粒子……………121,122
ランゲルハンス細胞……………4
ランドシュタイナーの法則……270
ランベルト・ベールの法則……131

り

リアルタイムPCR法
　……………175,178,181,184,186
リウマトイド因子……………94,192
リガンド…………………………13
リケッチア……………………67,167
リケッチア中和反応……………129
リゾチーム………………………16
リボソーム蛋白L7/L12…………168
リポソーム免疫測定法…………220
リポタイコ酸……………………14
リポ多糖…………………………14
リポポリサッカライド…………99
リンゴ病…………………………71
リン酸緩衝生理食塩液…………110
リンパ球…………………………5
　――の単離……………………370
リンパ球交差適合試験……125,407
リンパ球採血……………………400
リンパ球採取……………………405
リンパ球細胞傷害試験…………125
リンパ球サブセット解析………202
リンパ節…………………………8
流行性耳下腺炎…………………72
粒子凝集反応………………119,160
粒子凝集法………………………168
量的効果……………………310,316,317
臨床的意義のある抗体……264,294
臨床的意義のある不規則抗体
　…………………………316,325,328

る

ループスアンチコアグラント……97
ループス腎炎………………85,90,91,221
ルイス血液型……………………299
ルセラン血液型…………………297

れ

レクチン経路…………………53,54
レシピエント……………………406
レジオネラ菌……………………64
レセプター編集…………………7
レトロウイルス…………………174
冷式抗体……………88,108,342,344
劣性………………………………272
連銭形成…………………………312

ろ

ローカス…………………………373
ロイコトリエン…………………83
ロタウイルス……………………74
濾胞………………………………9
濾胞樹状細胞……………………9

わ

ワイル・フェリックス反応 ……… 67
ワクチン ……………………………… 58

数字

1型糖尿病 …………………………… 90
2-AET ……………………………… 299
2-ME ………………………… 32,150
2-メルカプトエタノール …… 32,150
3複対立遺伝子説 ………………… 273
3〜5%患者赤血球浮遊液 ……… 280
Ⅰ型アレルギー …………………… 83
Ⅰ型基幹糖鎖 …………………… 207
Ⅰ血液型 …………………………… 305
Ⅰ抗原 …………………………… 118
Ⅱ型アレルギー …………………… 84
Ⅱ型基幹糖鎖 …………… 207,208
Ⅲ型アレルギー …………………… 85
Ⅳ型アレルギー …………………… 85
Ⅴ型アレルギー …………………… 85

ギリシア文字

α-フェトプロテイン …………… 206
α-メチルドパ型 ………………… 347
α_1-AT ………………………… 149
α_1-アンチトリプシン ………… 149
α_2-M ………………………… 149
α_2-マクログロブリン ………… 149
β-γ bridging ……………… 211
β-D-グルカン ………………… 80
β_2-GPⅠ ……………………… 97
β_2-GPⅠ依存性抗カルジオリピン
抗体 ……………………………… 97
β_2-グリコプロテインⅠ ……… 97
β_2-ミクログロブリン ………… 21
$\gamma\delta$型T細胞 …………… 11,38
ζ-potential ………………… 116
ζ鎖 ……………………………… 39
κ/λ比 …………………… 134,218

欧文索引

A

A遺伝子 …………………………… 272
A群β溶血性連鎖球菌 ………… 157
A型亜型 …………………………… 275
A型肝炎 ……………………… 77,179
A型肝炎ウイルス …………… 77,179
A抗原 ……………………………… 270
A糖転移酵素 …………………… 271
ABO遺伝子 ………………… 272,273
ABO血液型 …………… 262,268,270
——の判定基準 ……………… 285
——の不適合 ………………… 328
ABO血液型抗原 ………………… 385
ABO不適合妊娠 ………………… 350
ABO不適合輸血 ………… 354,356
ACD-A液 ………………… 244,403
acquired B ……………………… 279
acquired immunity ……………… 1
acquired immunodeficiency
　syndrome …………………… 75,174
active immunity ………………… 58
acute kidney injury ………… 355
adaptive immunity ……………… 1
ADCC ……………………… 31,84
adhesion molecule ……………… 13
adjuvant ………………………… 35
adult T cell leukemia ………… 174
adult T-cell leukemia lymphoma
　………………………………… 76
affinity ………………………… 105
affinity maturation …………… 48
AFP ……………………………… 206
agglutination ………………… 116
agglutinin ……………………… 116
AGN ……………………………… 221
AHG-LCT …………… 369,371,377
AIDS ……………………… 75,174
AIHA ………… 84,88,321,333,342
AIN ……………………………… 399
AKI ……………………………… 355
Alb ……………………………… 149
allele …………………………… 23
allergy …………………………… 83
alloantigen …………………… 104
allotransplantation …………… 406
allotype ………………………… 34
alsever液 ……………………… 245
alternative pathway …………… 53
AMA ………………………… 198,200
aminoacyl tRNA synthetase …… 93
ANA ……………………………… 194
anaphylactic shock ……………… 83
anaphylatoxin …………………… 57
ANCA …………………………… 95
Anisakis simplex ……………… 81
antibody ………………………… 27
antibody-dependent cell-mediated
　cytotoxicity ………………… 18
antibody-dependent cellular
　cytotoxicity ………………… 30
antigen ………………………… 1,103
antigen binding fragment ……… 28
antigen determinant …………… 29
antigen presenting cells ……… 20
anti-human globulin-LCT …… 369
anti-mitochondrial antibodies
　……………………………… 198
anti-neutrophil cytoplasmic
　antibody ……………………… 95
antinuclear antibodies ……… 194
antiphospholipid syndrome …… 96
antiserum ……………………… 34
anti-streptokinase …………… 159
anti-streptolysin O ………… 159
APC ……………………………… 145
APCs …………………………… 20
apoptosis ………………………… 7
APS ……………………………… 96
aseptic meningitis ……………… 69
ASK ……………………… 159,160
Aspergillus …………………… 81
ASO ……………………… 158,159
ATL ……………………………… 174
ATLL …………………………… 76
autoantigen …………………… 104
autocrine ……………………… 45
autoimmune diseases ………… 86

autoimmune hemolytic anemia ……………………… 88,342
autoimmune hepatitis ………… 90
autoimmune neutropenia ……… 399
autoinflammatory disorders …… 15
autologous transplantation …… 406
avidity ……………………… 105

B

B 遺伝子 ……………………… 272
B 因子 ………………………… 54
B 型亜型 …………………… 275
B 型肝炎 …………………… 179
B 型肝炎ウイルス ………… 77,179
B 抗原 ……………………… 271
B 細胞 ………………………… 5,6
B 細胞レセプター …………… 42
B 糖転移酵素 ……………… 271
B cell receptor ……………… 42
B cells ………………………… 6
B/F 分離 …………………… 135,139
bacteriolysin ……………… 123
bacteriolysis ……………… 123
Basedow 病 ………………… 86
basophils …………………… 2,83
BCLIA ……………………… 141
BCR …………………………… 42
Behçet 病 …………………… 24
Bence Jones protein ……… 216
Bence Jones 蛋白 ……… 98,216
BFP ………………………… 165
biochemiluminescence immunoassay ……………… 141
biological false positive ……… 165
BJP ……………………… 214,216
Bm 型 ……………………… 276
Bombay 型 ……………… 275,276
bone marrow ………………… 7
Bordetella pertussis ………… 64
Borrelia burgdorferi ………… 65
bovine serum albumin ……… 155
Bowen 法 …………………… 114
BSA ………………………… 155
Burkitt リンパ腫 ………… 70,171

C

C 型肝炎 …………………… 79,184
C 型肝炎ウイルス ………… 79,184
C 反応性蛋白 ……………… 17,222
C-reactive protein ………… 17,222
C1-INH …………………… 57,102
C1q ………………………… 54
C1 インヒビター ………… 57,102
C3 ………………………… 203,219,221
C3 欠損症 ………………… 221
C3 転換酵素 ……………… 54
C3 convertase …………… 54
C3 NeF …………………… 221
C3 nephritic facter ……… 221
C3a ……………………… 57,355
C3b ……………………… 356
C3bBb ……………………… 54
C3bBbC3b 複合体 ………… 54
C3d ……………………… 43,57
C4 ……………………… 203,219,221
C4 欠損症 ………………… 221
C4b2a ……………………… 54
C4b2aC3b 複合体 ………… 54
C5 転換酵素 ……………… 54
C5 convertase …………… 54
C5a ……………………… 57,355
c-ANCA …………………… 95
CA ………………………… 169
CA15-3 …………………… 208
CA19-9 ………………… 207,301
CA125 …………………… 208
Cajal bodies ……………… 195
calcineurin ……………… 42
Candida albicans ………… 80
cardiolipin ……………… 66,161
CAR-T 細胞 ……………… 51
CAR-T 療法 ……………… 51,405
caspase ………………… 50
cccDNA ………………… 183
CCI ……………………… 383,388
CCL19 …………………… 9,20
CCL21 …………………… 9,20
CCR5 …………………… 75
CCR7 ………………… 9,20,37,46

CD 抗原 …………………… 202
CD 分類 …………………… 6
CD3 ……………………… 39
CD3$^+$ T 細胞 …………… 405
CD4 ………………… 5,22,39,75,76
CD8 ……………………… 5,21,39
CD21 …………………… 43,70
CD25 …………………… 76
CD28 …………………… 40,46
CD34 …………………… 408
CD34 陽性細胞数測定 …… 403
CD35 …………………… 16,56
CD36 …………………… 387
CD40 …………………… 47
CD40 リガンド …………… 47
CD55 ……………… 57,102,125,204
CD59 ……………… 57,102,125,204
CD80 …………………… 39
CD86 …………………… 39
CDC …………………… 369,407
CDE 表記法 ……………… 288
CEA …………………… 206
cellular immunity ………… 2
CF ……………………… 167,169
CF 試験 ………………… 126
CH_{50} ……… 124,203,219,221
Chédiak-Higashi 症候群 …… 101
Chagas 病 ……………… 230
chemiluminescence enzyme immunoassay …………… 139
chemiluminescence immunoassay ……………… 139
chemokine ……………… 13
chemotaxis ……………… 13
chimera ………………… 278
chimera antigen receptor-T cell 療法 …………………… 405
chimeric antigen receptor T cell ……………………… 51
Chlamydia trachomatis …… 67,166
Chlamydia pneumoniae …… 67,166
Chlamydia psittaci ……… 67,166
chronic thyroiditis ……… 86
cisAB 型 ……………… 273,276,277
C_L …………………… 28

CL ································· 161	CXCL13 ························· 9,42	DIF ································ 166
class ······························ 27	CXCR4 ···························· 75	DiGeorge 症候群················ 100
classical pathway ·············· 53	CXCR5 ······················ 9,43,46	direct anti-globulin test ········ 321
clear line 現象 ················· 115	Cy5 ······························· 145	direct immunofluorescence ···· 166
CLEIA ························· 139,	CYFRA ·························· 208	disseminated intravascular
166,181,182,184,189,198,199	cytokine ·························· 13	coagulation ··················· 355
CLIA ····················· 139,162,	cytolysis ························ 123	DM ······························· 92
164,175,177,179,181,182,185	cytomegalovirus ················· 70	DNA タイピング··········· 372,392
Clostridioides difficile··············· 68	cytopathogenic effect ·········· 129	DNA タイピング法 ············· 398
CMV ·························· 70,172	cytoplasmic ANCA ·············· 95	DNA トポイソメラーゼ I 様 ··· 197
CMV アンチゲネミア法 ···· 71,172	cytotoxic T cells ·················· 5	DNA プローブ法················ 166
codominant ······················ 23		*Dolichos biflorus* ················ 276
cold activation ················· 221	**D**	domain ··························· 13
cold agglutination·············· 118		Donath-Landsteiner 抗体
cold agglutinin ················· 169	D 因子···························· 54	············· 89,124,297,344,345
cold agglutinin disease ········· 89	D 陰性 ·························· 286	Donath-Landsteiner 試験··· 89,345
cold-reacting antibody ········ 108	D 陰性確認試験············ 292,293	donor····························406
complement ····················· 53	D 型肝炎 ···················· 80,186	dosage effect ··················· 310
complement dependent	D 型肝炎ウイルス ·········· 80,186	double immunodiffusion ······· 114
cytotoxicity ···················369	D 抗原 ·························· 286	DTT ····················· 32,150,299
complement fixation reaction ··· 126	D 陽性 ·························· 286	Duffy 血液型 ···················· 301
complement receptor 2 ·········· 43	D-マンニトール ················ 244	DUPAN-2 ······················· 207
complete antibodies ············ 117	D-L 抗体 ················ 124,297,345	
complete antibody ············· 309	D- ···························· 290	**E**
complete antigen ··············· 103	damage-associated molecular	
Con A ······················· 99,202	patterns ························ 14	E 型肝炎 ····················80,186
concanavalin A ·················· 99	DAMPs ·························· 14	E 型肝炎ウイルス ··········· 80,186
constant region ·················· 28	Dane 粒子 ······················ 180	E 抗原 ·························· 286
coreceptor ······················· 39	DAT ····························· 321	E-セレクチン ···················· 16
corrected count increment·····383	DCs ······························· 4	EB ウイルス ················· 70,171
costimulator····················· 39	*de novo* B 型肝炎 ················ 183	EBV ························· 70,171
covalent bond ··················· 21	DEAE ··························· 110	*Echinococcus multilocularis*······· 82
CPDA 液 ························ 245	decay accelerating factor ··· 57,102	ECLIA ············ 141,181,182,201
CPD 液 ·························· 244	defensin ························· 16	ECP ························· 96,191
CPE ····························· 129	DEL ····························· 290	EDTA ······················ 261,322
CR1 ··························· 16,56	delayed hemolytic transfusion	Edward Jenner ··················· 58
CR2 ··························· 43,57	reaction ······················ 354	effector 細胞 ······················ 4
CREST 症候群 ···················· 92	dendritic cells ····················· 4	EIA ············· 135,166,177,182,186
cross reaction··················· 106	dermatomyositis ················· 92	electrochemiluminescence
cross-presentation ·········· 25,40	DHTR ······················ 332,354	immunoassay ················· 141
CRP ················· 17,18,222,223	Di[a] 抗原 ·················· 305,318	*Entamoeba histolytica*············· 81
cryoglobulin ··················· 214	Di[b] 抗原 ······················ 304	ELISA
Cryptococcus neoformans ········ 81	DIC ····························· 355	··· 137,138,144,167,186,198,199
crystallizable fragment ········· 28	Diego 血液型 ··················· 304	ELISPOT ·················· 144,203
CTLA-4··························· 50	diethylaminoethyl ·············· 110	EMIT ···························· 135

索 引 433

endocrine ··45
endocytosis ··2
enzyme immunoassay···························135
enzyme multiplied immunoassay
　　technique ····································135
enzyme-linked immuno sorbent
　　assay ···137
enzyme-linked immunospot assay
　　··144
eosinophil cationic protein
　　···96,191
eosinophils···2
epitope ···29
Epstein-Barr virus ································70
Evans 症候群···88

F

F(ab')$_2$ ··31
Fab ···32
Fab 部分··28
Fas ···50
FasL··50
Fc ···32
Fc 部分··28
Fc レセプター ·····································24
Fc receptor ···24
FCM ··145
FcR ··24
FcRn···30,59
FcεR··83
febrile non-hemolytic reaction
　　··359
FEIA ··························136,188,189,191
first signal ··40
Fisher の確率計算式 ·················319,321
Fisher-Race ······································288
FITC ·································142,145,164
FLC ···218
flow cytometry ···························145,202
fluorescence enzyme immunoassay
　　··136
fluorescein isothiocyanate·········142
fluorescence polarization
　　immunoassay ·····························141

FNHR ··359
follicular dendritic cells ·················9
forward scatter ·······························145
FPIA ··141
free light chain ································218
FS ··145
FTA-ABS テスト ···········66,162,164

G

G-CSF··413
GAT ···395
germinal center ································9
GIFT ··396
Globoside 血液型 ·····························296
glycophorin A ·································296
glycophorin B·································296
glycoprotein ·····································384
Goodpasture syndrome ················90
Goodpasture 症候群 ························90
GP ···384
gp120 ··75
GPA ···296
GPB ···296
Grabar-Williams の方法 ··········146
graft ··406
graft versus host disease
　　···234,253,414
graft versus leukemia 効果
　　··405,415
graft versus tumor 効果···405,415
granulocyte agglutination test ···395
granulocyte indirect
　　immuno-fluorescence test ···396
granulocytes···2
granzyme··50
GVHD ···················234,253,414,415
GVL 効果 ·······························405,415
GVT 効果 ······························405,415

H

H 抗原··270
H 鎖···27
H 鎖病··99

HAE·······································102,221
Haemophilus influenzae············64
Ham 試験 ·······························125,204
HAMA ···119
haplotype··23
hapten ···104
haptoglobin 欠損症 ·················359
HAV ···77,179
HBc 関連抗原····································181
HBc 抗体···182
HBe 抗原 ··································181,182
HBe 抗体 ···182
HBs 抗原 ··································180,182
HBs 抗体 ··································181,182
HBV ·······································77,179,186
HBV キャリア ·····················180,183
HBV-DNA····································181
HCV ··79,184
HCV コア抗原 ····························184
HCV 抗体 ···185
HDFN ········262,286,322,324,349
HDV ···80,186
heat shock proteins ·················14
heat-inactivation ·······················54
heavy chain ·······································27
heavy chain disease ·······················99
Helicobacter pylori ················65
helper T cells ·····································5
hemagglutination inhibition 試験
　　··122
hematopoietic stem cells ············2
hemolysin ···123
hemolysis ···123
hemolytic disease of fetus and
　　newborn ·····························262,349
hemolytic uremic syndrome ···252
hemophagocytic syndrome ······70
HEp-2 細胞 ······································194
hepatitis A virus ·····················77,179
hepatitis B virus ·····················77,179
hepatitis C virus ·····················79,184
hepatitis D virus······························80
hepatitis delta virus ···············186
hepatitis E virus ····················80,186
hepatitis virus ··································76

hereditary angioedema ··········· 102	HPA ················ 225,384,385,386	IgE に対する Fc レセプター ······· 83
herpes simplex virus ········ 69,170	HPA-2 ······································ 385	IgG ························· 27,30,149,210
heteroantigen ···························· 104	HPA-3 ······································ 385	IgG サブクラス欠損症 ······ 101,211
heterogeneous EIA ···············135	HPA-4 ······································ 385	IgG 抗体 ····································· 349
heterophile antigen ················ 104	HRT ·· 190	IgG-HAV 抗体検査 ················· 179
HEV ································· 80,186	hs-CRP ··································· 222	IgG-HBc 抗体 ·························· 182
HHV ··· 169	HSV ·································· 69,170	IgG-HEV 抗体 ·························· 186
HHV-6B ····································· 71	HTLV-1 ······················76,155,174	IgG-RF ····································· 194
HHV-7 ······································· 71	human anti-mouse antibody ···119	IgG2 ································· 101,211
HI 試験 ······································ 122	human herpesvirus ················ 169	IgG4 関連疾患 ·························· 211
high endothelial venule ············· 9	human immunodeficiency virus	IgM ······························· 27,32,210
hinge ·· 28	····································· 75,174	IgM-HAV 抗体検査 ················· 179
histamine release test ··········· 190	human leukocyte antigen ··· 21,367	IgM-HBc 抗体 ·························· 182
HIV ····································· 75,174	human neutrophil antigen ····· 391	IgM-HDV 抗体 ·························· 186
HIV 感染 ··································· 362	human platelet antigen ··· 225,384	IgM-HEV 抗体 ·························· 186
HIV 抗原・抗体同時検出法 ······ 175	human T-cell leukemia virus	Igα ··· 43
HIV 抗体検出法 ························ 175	type 1 ····························· 76,174	Igβ ··· 43
HIV-1 ······································· 174	humoral immunity ······················ 2	IGRA ·································· 68,144
HIV-1/2 検査 ··························· 177	HUS ·· 252	IIF ···································· 167,178
HIV-1/2 スクリーニング検査 ··· 175	hyper variable region ·············· 28	IL-1 ·· 356
HIV-2 ······································· 174	hypersensitivity ························· 83	IL-1β ·································· 13,16
HLA ············ 21,367,406,407,413		IL-2 ·· 44
HLA クラスⅠ ··························· 368	**I**	IL-4 ·· 45
HLA クラスⅡ ··························· 368		IL-5 ·· 45
HLA-A ······························ 22,368	i 抗原 ·· 118	IL-6 ································ 13,16,356
HLA-B ······························ 22,368	IAHA ·· 171	IL-8 ·· 356
HLA B27 ···································· 24	IAT ···································· 313,321	IL-13 ··· 45
HLA-C ······························ 22,368	IC ······································ 142,157,	IL-17 ··· 46
HLA-DP ···························· 23,368	162,164,166,168,175,181,189	IL-22 ··· 46
HLA-DQ ··························· 23,368	ICAM-1 ······························· 16,41	immune adherence
HLA-DR ··························· 23,368	ICAP 分類 ································ 194	hemagglutination ··············· 171
HLA 一方向適合 ······················ 358	ICFA 法 ······················· 381,382,397	immune antibody ··················· 314
HLA 型のタイピング ··············· 125	idiopathic thrombocytopenic	immune response ······················ 1
HLA 検査 ································· 367	purpura ································· 89	immunoassay ························· 131
HLA 抗原（クラスⅠ） ··········· 385	idiotype ····································· 34	immunochromatography ······· 142
HLA 抗原型検査 ······················ 367	IEP ·· 146	immunocomplex capture
HLA タイピング ························· 24	IFE ·· 151	fluorescence analysis ·········· 397
HLA 適合血小板製剤 ············· 385	IFN-α ·· 17	immunocomplex capture
HLA 適合血小板輸血 ······· 233,380	IFN-β ·· 17	fluorescence analysis 法 ······ 381
HNA ·· 391	IFN-γ ······················· 18,44,47,144	immunoelectrophoresis ········· 146
HNA-1 抗原系 ························· 391	IgA ································ 27,32,210	immunofixation electrophoresis
HNA-2 抗原系 ························· 392	IgA 欠損症 ······························· 359	··· 151
homogeneous EIA ················ 136	IgA-HEV 抗体 ·························· 186	immunogen ································ 1
homologous restriction factor	IgD ································· 27,33,210	immunogenicity ····················· 103
······································· 57,102	IgE ···················· 5,27,33,83,188,210	immunoglobulin A ···················· 27

索 引 435

immunoglobulin D············27
immunoglobulin E············27
immunoglobulin G············27
immunoglobulin M············27
immuno-receptor tyrosine-based
　activation motif············41,43
incomplete antibodies··········117
incomplete antibody············309
incomplete antigen············104
indirect agglutination inhibition
　test············122
indirect agglutination test·········119
indirect anti-globulin test···313,321
indirect immunofluorescence···167
infectious mononucleosis·········70
innate immunity············1,14
interferon gamma release assay
　············144
interferon-α············17
interferon-γ············44
interleukin············13
International Consensus on ANA
　Patterns············194
irregular antibody············309
isotype············34
ITAM············41,43
ITP············84,89

J

J鎖············32
James Blundell············225
Japanese encephalitis············73
joining chain············32

K

Karl Landsteiner············225,268
Kell血液型············298
Kidd血液型············303

L

L鎖············27
LA············182
LAIA············159
Lambert-Beerの法則············131
LAMP法············168,170
Landsteinerの法則····270,279,309
Langerhans cells············4
latex nephelometric immunoassay
　············134
latex turbidimetric immunoassay
　············133
LCT············125,369,370
lectin pathway············53
Legionella pneumophila············64
Lewis血液型············299
LFA-1············16,41
LIA············155,177
ligand············13
light chain············27
line immunoassay············155
lipopolysaccharide············14,99
lipoteichoic acid············14
LISS············313,316,330
LNIA··········134,159,161,164,218
Louis Pasteur············58
low ionic strength solution······313
LPS············14,99
LTIA············133,159,161,164
Luminexシステム············377
Luminex法············390,397
Lutheran血液型············297
lymph nodes············8
lymphocyte cytotoxicity test
　············125,369
lymphocytes············5
lysin············123
lysozyme············16
lytic reaction············123

M

M細胞············11,15
M蛋白············98,147,212
M蛋白血症············98,148,212
M-bow············147
M1マクロファージ············3
M2マクロファージ············3
MAC············55,356
macrophages············3
MAIPA法············389,396
major histocompatibility complex
　············20
MALT············11,15
mannose-binding lectin············54
MAPキナーゼ············41
MAP液············244
mast cells············5,83
maximal surgical blood order
　schedule············255
maximum surgical blood order
　schedule············265
Mayer変法············124,219
MBL············54
MCTD············93,197
measles············72
membrane attack complex········55
membranoproliferative
　glomerulonephritis············221
MGUS············98,151,212
MHC············20,367,406
MHCクラスI分子·····21,22,25,26
MHCクラスII分子·····21,23,24,37
MHC分子············20
──の数············20
Micro-IF············167
mitogen············99
mixed connective tissue disease
　············93
mixed passive hemagglutination
　············396
mixed passive hemagglutination法
　············389
MNS血液型············295
monoclonal antibody············35
monoclonal antibody-specific
　immobilization of granulocyte
　antigens············396

monoclonal antibody-specific immobilization of platelet antigen 法 ……389
monoclonal gammopathy of undetermined significance …… 98
monoclonal hyperimmunoglobulinemia … 212
monocytes …… 3
monosodium urate …… 14
mosaic …… 279
MPGN …… 221
MPHA 法 …… 389,396
MPO-ANCA …… 95
MSBOS …… 255,265
mucosa-associated lymphoid tissue …… 11
multiple myeloma …… 98
mumps …… 72
myasthenia gravis …… 87
Mycobacterium tuberculosis …… 68,144
Mycoplasma pneumoniae … 68,168

N

NAIT …… 226,384,387
naive 細胞 …… 4
NAN …… 399
NAT …… 226,246,362
natural antibody …… 314
natural immunity …… 1,14
natural killer cells …… 6
NCCST-439 …… 208
negative selection …… 8
neonatal alloimmune neutropenia …… 399
neonatal alloimmune thrombocytopenia …… 226,384
neonatal Fc receptor …… 30
nephelometric immunoassay … 132
NETs …… 3
neutralization test …… 129
neutrophil extracellular traps …… 3
neutrophils …… 2

next generation sequencing 法 …… 375
NF-κB …… 15
NGS 法 …… 375
NIA …… 132,210,219
NK 細胞 …… 5,6,18
NK 細胞活性 …… 203
noncovalent bond …… 21
non-self …… 1
non-specific reaction …… 106
NSE …… 209
NT …… 129
nucleic acid amplification test … 226

O

O 対立遺伝子 …… 273
O_h 型 …… 275,276
opsonin …… 10
optimal proportion …… 107
Ouchterlony 法 …… 114,198

P

P-セレクチン …… 16
P1PK 血液型 …… 296
PΛ …… 119,160,168,175,177,201
PAIgG …… 89
PAMPs …… 14
p-ANCA …… 95
para-Bombay 型 …… 276
paracrine …… 45
paratope …… 28
paraxysmal cold hemoglobinuria …… 89
paroxysmal nocturnal hemoglobinuria …… 102
partial D …… 289
particle agglutination …… 119
passive agglutination inhibition test …… 122
passive agglutination test …… 119
passive immunity …… 59
pathogen-associated molecular patterns …… 14

Paul-Bunnell 抗体 …… 171
PBC …… 90,198
PBMCs …… 202
PBS …… 110
PCII …… 89,124,297,344,345
PC-HLA …… 385,388
PCR 法 …… 167,170,171,172,374
PCR-PHFA …… 398
PCR-RFLP …… 398
PCR-rSSO 法 …… 374,380
PCR-rSSOP-Luminex …… 399
PCR-SBT 法 …… 374
PCR-SSCP …… 398
PCR-SSP …… 398
PCR-SSP 法 …… 374
PD-1 …… 50
PE …… 145
PEG …… 313,316,330
PerCP …… 145
perforin …… 49
perinuclear ANCA …… 95
peripheral blood mononuclear cells …… 202
pernicious anemia …… 88
Peyer patches …… 11
PHA …… 99,202
phagocytes …… 16
phagocytosis …… 2
phase ambiguity …… 375
phosphate-buffered saline …… 110
phytohemagglutinin …… 99
pinocytosis …… 2
PIVKA-II …… 209
plasma cells …… 6
plasmacytoid dendritic cells …… 4
platelet associated IgG …… 89
platelet transfusion refractoriness …… 226,380
PM …… 92
PNH …… 102,125,204
POCT …… 142
point of care testing …… 142
pokeweed mitogen …… 99
polyclonal antibody …… 34

polyclonal hyperimmunoglobulinemia … 212
polyethylene glycol … 313
polymerase chain reaction-preferential homoduplex formation assay … 398
polymerase chain reaction-restriction fragment length polymorphism … 398
polymerase chain reaction-reverse sequence specific oligonucleotide probe-Luminex … 399
polymerase chain reaction-sequence specific primers … 398
polymerase chain reaction-single strand conformation polymorphism … 398
polymorphism … 21
polymyositis … 92
positive selection … 8
post-transfusion graft versus host disease … 358
post-transfusion purpura … 389
PR3-ANCA … 95
precipitation reaction … 113
prestorage leukocyte filtration … 227
primary biliary cholangitis … 90,198
primary immune response … 48
processing … 24
proGRP … 209
properdin … 57
PSA … 208
PT-GVHD … 358
PTP … 389
PTR … 226,380,384,387,388
Putnam法 … 216
PWM … 99,202
pyroglobulin … 215

Q

Q熱 … 67

R

RA … 93,192
rearrangement … 29
recipient … 406
regular antibody … 309
regulatory T cells … 5
respiratory syncytial virus … 73
reverse sequence specific oligonucleotide法 … 374
reverse transcriptase … 174
RF … 192
Rh関連糖蛋白 … 288
Rh血液型 … 285
Rh不適合妊娠 … 350
Rh$_{null}$ … 291
Rh17 … 290
Rh29 … 291
RhAG … 288
Rh-associated glycoprotein … 288
*RHCE*遺伝子 … 288
*RHD*遺伝子 … 288
RhD血液型 … 262
RhD血液型検査 … 291
RhD血液型不適合妊娠 … 324
RhD不適合 … 333,349
rheumatoid arthritis … 93,192
rheumatoid factor … 192
Rh-hr表記法 … 288
RhIG … 294
RIA … 182,198
rolling … 16
RPRカードテスト … 161,166
RPR法 … 66
RPR-LA … 161
RSウイルス … 73
RT … 174
rubella … 73

S

salting out … 110
SBOE … 265
SCC抗原 … 208
SCID … 100
SDS-ポリアクリルアミドゲル電気泳動 … 153
SDS-PAGE … 153
*se*遺伝子 … 275
*Se*遺伝子 … 275
second signal … 40
secondary immune response … 49
self … 1
sequence based typing法 … 374
sequence specific primer法 … 374
serologic tests for syphilis法 … 161
serum sickness … 59
severe combined immunodeficiency … 100
side scatter … 145
single immunodiffusion … 114
Sjögren症候群 … 97
SK … 159
SLE … 90,195,197
SLO … 158
SLX … 208
SPan-1 … 207
specificity … 2,28,106
spleen … 10
SS … 145
S-S結合 … 27,151
SSc … 92
Streptococcus pneumoniae … 64
Streptococcus pyogenes … 63,157
streptokinase … 64,159
streptolysin O … 64,158
STS法 … 161,166
subgroup … 275
super antigen … 103
surgical blood order equation … 265
syngeneic transplantation … 406
syphilis … 66
systemic lupus erythematosus … 90
systemic sclerosis … 92

T

T細胞 … 5
T細胞依存性抗原 … 49,103
T細胞非依存性抗原 … 49,103

T 細胞レセプター ……… 5,21,37,38
T-cell dependent antigen……… 103
T-cell independent antigen…… 103
T cell receptor………………… 5,37
T cells……………………………… 5
T&S……………………………… 265
TACO…………………………… 362
Tc…………………………………… 5
TCR…………………………… 37,38
TCR 複合体…………………… 39
TCR complex ………………… 39
TDM …………………… 136,408
Tf ……………………………… 149
Th ………………………………… 5
Th1 細胞 ……………………… 44,47
Th2 細胞 ……………………… 45
Th17 細胞 ……………………… 46
therapeutic drug monitoring … 136
thermoprotein ………………… 213
thrombotic thrombocytopenic
 purpura …………………… 252
thymus…………………………… 7
thyroid stimulating hormone…… 85
TIA ……………………… 131,210,220
TLR シグナル伝達欠損症……… 102
TLRs …………………………… 15
TMA 法 ………………………… 181
TNF-α ………………… 13,16,356
tolerance………………………… 6
Toll 様レセプター……………… 15
Toll 様レセプターシグナル伝達
 欠損症…………………… 102
Toll-like receptors……………… 15
Toxoplasma gondii ……………… 81
TP ………………………… 66,160
TP ラテックス凝集反応 ……… 162
TPLA …………………………… 162
TPPA ………………… 66,162,166
TRALI ………… 360,387,388,399
TRALI/TACO の評価項目……… 361
TRALI/TACO 評価の分類……… 361
transcription mediated
 amplification 法 …………… 181
transfusion associated circulatory
 overload …………………… 362

transfusion-related acute lung
 injury ……………………… 360
Treg……………………………… 5,51
Treponema pallidum………… 66,160
TSH …………………………… 85,86
TTP …………………………… 252
turbidimetric immunoassay…… 131
type 1 diabetes mellitus………… 90
type and screen………………… 265

U

Ulex europaeus ………………… 276

V

vaccination ……………………… 58
variable region ………………… 28
variant ………………………… 275
variant Creutzfeldt-Jakob disease
 …………………………… 229
varicella zoster virus ………… 171
vCJD ………………………… 229,231
V_L …………………………… 28
von Krogh の曲線 …………… 124
VZV ………………………… 69,171

W

warm-reacting antibody ……… 108
WB 法 ………………… 153,175
weak D ………………………… 289
Weil-Felix 反応 …… 67,118,167,168
western blotting 法 …………… 153
Widal 反応……………………… 118
Wiener ………………………… 288
Wiskott-Aldrich 症候群 ……… 100

X

xenotransplantation…………… 406
Xg 血液型 ……………………… 306

Y

Yersinia enterocolitica ………… 244

Z

ZAP-70………………………… 41
zone phenomenon…………… 107

【編者略歴】

窪田 哲朗（くぼた てつお）
- 1981年　東京医科歯科大学医学部医学科卒業
- 1985年　東京医科歯科大学大学院医学研究科博士課程修了
- 1988年　東京医科歯科大学医学部附属病院第一内科助手
- 1989年　米国タフツ大学大学院生化学リサーチアソシエイト
- 1992年　東京医科歯科大学医学部保健衛生学科助教授
- 2014年　東京医科歯科大学大学院保健衛生学研究科教授
- 2018年　東京医科歯科大学大学院医歯学総合研究科教授
- 2020年　つくば国際大学医療保健学部臨床検査学科教授
  東京医科歯科大学名誉教授
  現在に至る　医学博士
  （専門分野：膠原病，臨床免疫学）

梶原 道子（かじわら みちこ）
- 1986年　東京医科歯科大学医学部卒業
- 1993年　東京医科歯科大学大学院医学研究科修了（小児科学）
- 1994年　東京医科歯科大学医学部附属病院小児科医員
- 1995年　東京医科歯科大学医学部附属病院輸血部助手
- 2002年　東京医科歯科大学医学部附属病院輸血部副部長
- 2011年　東京医科歯科大学医学部附属病院輸血部部長，講師
- 2018年　東京医科歯科大学医学部附属病院輸血・細胞治療センター副センター長，講師
- 2021年　東京医科歯科大学病院輸血・細胞治療センター副センター長，講師
  現在に至る
  （専門分野：輸血医学，造血幹細胞移植，小児血液免疫腫瘍）

藤田 清貴（ふじた きよたか）
- 1974年　北里衛生科学専門学院卒業
- 1974年　医療法人あけぼの会花園病院研究検査科科長
- 1986年　自治医科大学臨床病理学講座研究生
- 1990年　秋田大学大学院医学研究科研究生　医学博士（1995年）
- 1999年　信州大学医療技術短期大学部衛生技術学科助教授
- 2002年　米国 The Scripps Research Institute（文部科学省長期在外研究員）
- 2006年　信州大学大学院医学系研究科保健学専攻准教授
- 2009年　千葉科学大学危機管理学部医療危機管理学科教授
- 2013年　群馬パース大学保健科学部検査技術学科教授（学科長）
- 2014年　群馬パース大学大学院保健科学研究科病因・病態検査学領域教授
- 2017年　群馬パース大学大学院保健科学研究科博士後期課程医療科学領域教授（研究科長）
- 2018年　群馬パース大学保健科学部学部長
- 2022年　群馬パース大学副学長／医療技術学部学部長
- 2024年　群馬パース大学学長
  現在に至る　医学博士
  （専門分野：免疫検査学，電気泳動解析学）

細井 英司（ほそい えいじ）
- 1980年　東邦大学理学部化学科卒業
- 1980年　大阪大学理学部高分子学科研究生
- 1981年　徳島大学医学部附属病院検査部
- 1982年　徳島大学医学部附属病院輸血部
- 1990年　徳島大学医療技術短期大学部衛生技術学科助手
- 2000年　米国 Uniformed Services University of the Health Sciences［文部省在外研究員（長期）］
- 2001年　徳島大学医療技術短期大学部衛生技術学科助教授
- 2001年　徳島大学医学部保健学科検査技術科学専攻助教授（2001.10～）
- 2007年　徳島大学医学部保健学科検査技術科学専攻教授
- 2008年　徳島大学大学院ヘルスバイオサイエンス研究部保健科学部門医用検査学講座教授
- 2015年　徳島大学大学院医歯薬学研究部保健科学部門医用検査系教授
- 2023年　徳島大学名誉教授
  徳島大学医学部保健学科非常勤講師
  現在に至る　医学博士
  （専門分野：輸血検査学，免疫検査学）

高橋 克典（たかはし かつのり）
- 2003年　群馬大学医学部保健学科卒業
- 2005年　群馬大学大学院医学系研究科修士課程修了
  群馬大学医学部附属病院輸血部
- 2007年　群馬大学医学部附属病院検査部
- 2010年　群馬大学大学院医学系研究科博士課程修了
- 2013年　群馬パース大学保健科学部検査技術学科講師
- 2019年　群馬パース大学大学院保健科学研究科博士前期課程講師
- 2021年　群馬パース大学保健科学部検査技術学科准教授
  群馬パース大学大学院保健科学研究科博士前期課程病因・病態検査学領域准教授
  群馬パース大学大学院保健科学研究科博士後期課程医療科学領域准教授
  現在に至る　医学博士
  （専門分野：免疫検査学，免疫薬理学）

最新臨床検査学講座
免疫検査学／輸血・移植検査学
第2版
ISBN 978-4-263-22400-7

2017年 2月10日　第1版第1刷発行（免疫検査学）
2023年 1月10日　第1版第8刷発行
2024年 3月10日　第2版第1刷発行（改題）
2025年 1月10日　第2版第2刷発行

編著者　窪　田　哲　朗
　　　　藤　田　清　貴
　　　　高　橋　克　典
　　　　梶　原　道　子
　　　　細　井　英　司
　　　　国分寺　　　晃
発行者　白　石　泰　夫
発行所　医歯薬出版株式会社
〒113-8612　東京都文京区本駒込 1-7-10
TEL (03) 5395-7620 (編集)・7616 (販売)
FAX (03) 5395-7603 (編集)・8563 (販売)
　　　　https://www.ishiyaku.co.jp/
郵便振替番号　00190-5-13816

乱丁，落丁の際はお取り替えいたします　　印刷・永和印刷／製本・明光社
Ⓒ Ishiyaku Publishers, Inc., 2017, 2024. Printed in Japan

本書の複製権・翻訳権・翻案権・上映権・譲渡権・貸与権・公衆送信権(送信可能化権を含む)・口述権は，医歯薬出版(株)が保有します．
本書を無断で複製する行為(コピー，スキャン，デジタルデータ化など)は，「私的使用のための複製」などの著作権法上の限られた例外を除き禁じられています．また私的使用に該当する場合であっても，請負業者等の第三者に依頼し上記の行為を行うことは違法となります．

JCOPY ＜出版者著作権管理機構　委託出版物＞
本書をコピーやスキャン等により複製される場合は，そのつど事前に出版者著作権管理機構(電話03-5244-5088, FAX 03-5244-5089, e-mail:info@jcopy.or.jp)の許諾を得てください．